WITTE OLEANDER

Janet Fitch

WITTE OLEANDER

Vertaling Heleen ten Holt
en Christien Jonkheer

2002
DE BEZIGE BIJ
AMSTERDAM

Oorspronkelijke titel *White Oleander*
Oorspronkelijke uitgave Little, Brown & Company, 1999

Eerste druk maart 2000
Tweede druk maart 2000
Derde druk april 2000
Vierde druk augustus 2000
Vijfde druk oktober 2000
Zesde druk oktober 2001
Zevende druk maart 2002
Achtste druk mei 2002
Negende druk juni 2002
Tiende druk juli 2002
Elfde druk september 2002
Twaalfde druk oktober 2002
Omslag Jan de Boer
Omslagillustratie © David Salle, 2000 c/o Beeldrecht Amstelveen
Foto achterplat Jerry Bauer
Druk Hooiberg, Epe
ISBN 90 234 0090 9
NUR 302

Voor de man uit Council Bluffs

I

DE HETE SANTA Ana waaide uit de woestijn en verdorde het laatste restje lentegras tot plukjes geel stro. Alleen de oleanders gedijden, hun tere giftige bloemen, de groene dolken van hun bladeren. We konden niet slapen in die hete droge nachten, mijn moeder en ik. Ik werd om middernacht wakker en vond haar bed leeg. Ik klom op het dak en ontdekte moeiteloos haar blonde haar, als een witte vlam in de driekwart maan.

'Oleandertijd,' zei ze. 'Minnaars die elkaar nu vermoorden, zullen de schuld aan de wind geven.' Ze hield haar grote hand op en spreidde de vingers, liet de droogte van de woestijn er langs lekken. Mijn moeder was niet zichzelf tijdens de Santa Ana. Ik was twaalf en ik maakte me zorgen over haar. Ik wou dat alles weer was zoals vroeger, dat Barry nog bij ons was, dat de wind zou ophouden.

'Je moet een beetje gaan slapen,' opperde ik.

'Ik slaap nooit,' zei ze.

Ik ging naast haar zitten en we keken uit over de stad, die zoemde en glinsterde als een computerchip diep in een of ander onbegrijpelijk apparaat, dat zijn geheim vasthield als een hand pokerkaarten. De rand van haar witte kimono wapperde open in de wind en ik zag haar borst, laag en vol. Haar schoonheid was als de snede van een heel scherp mes.

Ik steunde mijn hoofd op haar been. Ze rook naar viooltjes. 'Wij zijn de staven,' zei ze. 'We streven naar schoonheid en evenwicht, het sensuele boven het sentimentele.'

'De staven,' herhaalde ik. Ik wilde haar laten merken dat ik luisterde. Onze tarotreeks, de staven. Vroeger legde ze het spel voor me uit, verklaarde ze de betekenis van de reeksen: staven en munten, bekers en zwaarden, maar tegenwoordig las ze de kaarten niet meer. Ze wilde de toekomst niet meer weten.

'We hebben onze teint van de vikingen geërfd,' zei ze. 'Harige wilden die hun goden aan stukken hakten en het vlees in de bomen hingen. Wij zijn het volk dat Rome heeft geplunderd. Vrees alleen zwakte door ouderdom en doodgaan in bed. Vergeet niet wie je bent.'

'Goed,' zei ik.

Beneden ons in de straten van Hollywood jankten sirenes, zagend over mijn zenuwen.

Tijdens de Santa Ana vatten eucalyptusbomen vlam als reusachtige kaarsen. Het vuur raasde door het struikgewas op olievette hellingen en jaagde uitgehongerde coyotes en herten de berg af tot in Franklin Avenue.

Ze hief haar gezicht op naar de geschroeide maan en baadde het in zijn sombere stralen. 'Ravenoogmaan.'

'Babygezichtmaan,' antwoordde ik met mijn hoofd op haar knie.

Ze streelde zachtjes mijn haar. 'Het is een verradersmaan.'

IN DE LENTE was deze wond, deze gekte, onvoorstelbaar geweest, maar zij had al in het verschiet gelegen, onzichtbaar als een landmijn. We kenden toen de naam Barry Kolker nog niet eens.

Barry. Toen hij verscheen, was hij zo klein. Kleiner dan een komma, onbeduidend als een kuchje. Iemand die ze leerde kennen op een poëzieavond. Het was in een wijnschenkerij in Venice. Zoals altijd wanneer ze haar gedichten voorlas, was mijn moeder in het wit, en haar haar had de kleur van verse sneeuw tegen haar licht gebruinde huid. Ze stond in de schaduw van een dikke vijgenboom met bladeren die op handen leken. Ik zat aan de tafel achter stapels boeken die ik na de voordracht moest zien te verkopen, dunne bundeltjes, uitgegeven door de Blue Shoe Press in Austin, Texas. Ik tekende de handen van de boom en de trossen bijen op de afgevallen vijgen, die van de in de zon gefermenteerde vruchten aten tot ze dronken werden en telkens probeerden op te vliegen en weer neervielen. Haar stem bedwelmde me – donker en door de zon verwarmd, een vleugje van een buitenlands accent, Zweedse zangerigheid van een generatie terug. Als je haar ooit gehoord had, kende je de macht van die hypnotische stem.

Na de voordracht dromden de mensen om me heen, gaven me geld om in de sigarendoos te stoppen, terwijl mijn moeder boeken signeerde. 'Ach ja, het leven van een schrijver,' zei ze ironisch terwijl de mensen mij de verfrommelde briefjes van vijf en één dollar gaven. Maar ze was dol op die lezingen, net zo dol als op de avonden met haar schrijvende vrienden, waar ze beroemde dichters afkraakten bij een borrel en een joint, maar ze verafschuwde ze tegelijkertijd. Zoals ze ook haar snertbaantje bij het tijdschrift *Cinema Scene* verafschuwde, waar ze de teksten opplakte van andere schrijvers die voor vijftig dollarcent per woord schaamteloze clichés, afgezaagde zelfstandige naamwoorden en slappe werkwoorden spuiden, terwijl mijn moeder soms uren zat te dubben of ze *een* of *de* zou gebruiken.

Ze signeerde haar boeken met haar gebruikelijke halve lachje, meer naar binnen dan naar buiten gericht, een binnenpretje, terwijl ze de mensen bedankte voor hun komst. Ik wist dat ze op een bepaalde man wachtte, ik had hem al gezien, een verlegen blonde jongen met een mouwloos shirt en een ketting van kralen aan een koord, die wat achteraf stond en hulpeloos, in trance, naar haar keek. Na twaalf jaar als Ingrids dochter kon ik ze in mijn slaap aanwijzen.

Een dikkige man, zijn donkere haar naar achteren getrokken in een krullende paardenstaart, drong zich naar voren en gaf haar zijn boek om te signeren. 'Barry Kolker. Ik hou erg van je werk.' Ze signeerde het boek en gaf het hem terug zonder hem zelfs maar aan te kijken. 'Wat doe je na afloop?' vroeg hij.

'Ik heb een afspraak,' zei ze terwijl ze haar hand uitstrekte naar het volgende boek.

'Daarna,' zei hij, en zijn zelfverzekerdheid stond me wel aan, hoewel hij haar type niet was, mollig, donker, in een pak van het Leger des Heils.

Zij wilde de verlegen blonde natuurlijk, een stuk jonger dan zij, die ook dichter wilde worden. Die kwam dan ook met ons mee naar huis.

Ik lag op de matras op de veranda tot hij weg zou gaan, keek hoe het blauw van de avond fluwelig werd, indigo, dat bleef hangen als een onuitgesproken hoop, terwijl mijn moeder en de blonde man aan de andere kant van de horren zachtjes praatten. De lucht was geparfumeerd met wierook, een speciaal soort dat ze in Little Tokyo kocht, helemaal niet zoet, duur; met een geur van hout en groene thee. Er verscheen een handvol sterren in de lucht, maar in LA klopten de sterrenbeelden geen van alle, dus maakte ik er nieuwe figuren van: de Spin, de Golf, de Gitaar.

Toen hij weg was, ging ik naar de grote kamer. Ze zat met gekruiste benen in haar witte kimono op het bed in een opschrijfboekje te schrijven, met een pen die ze in een inktpot doopte. 'Laat een man nooit de hele nacht blijven,' zei ze tegen me. 'De dageraad zet vaak een domper op de magie van de nacht.'

De magie van de nacht klonk heerlijk. Ooit zou ik minnaars hebben en na afloop een gedicht schrijven. Ik keek naar de witte oleanders die ze 's ochtends op de salontafel had geschikt, drie trossen bloemen die de hemel, de mens en de aarde vertegenwoordigden, en ik dacht aan de muziek van de stemmen van haar minnaars in de nacht, hun zachte gelach, de geur van de wierook. Ik raakte de bloemen aan. *De hemel. De mens.* Ik voelde me op de grens van iets, een geheim dat me omringde als gaas dat ik op het punt stond los te wikkelen.

DIE HELE ZOMER ging ik met haar mee naar het tijdschrift. Ze dacht nooit ver genoeg vooruit om me op te geven voor activiteiten voor kinderen en ik begon zelf nooit over de mogelijkheid van een zomerschool. De school zelf vond ik prettig, maar het was een marteling voor me om te proberen als meisje mijn plaats te vinden tussen andere meisjes. Meisjes van mijn eigen leeftijd behoorden tot een andere soort, hun interesses waren me even vreemd als die van de Dogons van Mali. Ik had het heel moeilijk gehad in de eerste en kon haast niet wachten op het moment dat ik weer bij mijn moeder kon zijn. De studio van *Cinema Scene*, met zijn tekenpennen en een carrousel van kleurpotloden, vellen papier ter grootte van een tafel, kleurstalen, rasters, afgekeurde kopregels en foto's die ik kon waxen om er een collage mee te maken, was mijn paradijs. Ik vond het prettig de volwassenen om me heen te horen praten; ze vergaten dat ik er was en zeiden de raarste dingen. Vandaag roddelden de schrijvers en de artdirector, Marlene, over de affaire van de uitgever met de redactrice van het blad. 'Een bizar voorbeeld van Santa Ana-gekte,' zei mijn moeder aan de plaktafel. 'Die anorexiapatiënt met haar snavelkop en die chihuahua met zijn toupetje. Het is te grotesk voor woorden. Hun kinderen zouden niet weten of ze moesten pikken of blaffen.'

Ze lachten. Mijn moeder was iemand die altijd hardop zei wat de anderen dachten.

Ik zat aan de lege montagetafel naast die van mijn moeder en tekende het licht dat door de jaloezieën als kaas in plakjes werd gesneden. Ik wachtte op wat mijn moeder nog meer zou zeggen, maar ze zette haar koptelefoon weer op, als een punt aan het eind van een zin. Zo zat ze altijd te plakken. Ze luisterde via de koptelefoon naar exotische muziek en deed of ze ver weg was, in een geparfumeerd koninkrijk van vuur en schaduwen, in plaats van aan de montagetafel van een filmtijdschrift, waar ze voor acht dollar per uur interviews met acteurs opplakte. Ze concentreerde zich op de beweging van haar stalen x-actomes waarmee ze de stroken sneed. Ze trok lange repen omhoog, die aan het mes bleven plakken. 'Dit is hun huid die ik afpel,' zei ze. 'De huid van die geestloze krabbelaars die ik op de bladzijde ent om monsters van nietszeggendheid te scheppen.'

De schrijvers lachten wat ongemakkelijk.

Niemand reageerde toen Bob, de uitgever, binnenkwam. Ik boog mijn hoofd en ging met de tekenhaak aan de gang alsof ik met iets belangrijks bezig was. Tot nu toe had hij er niets van gezegd dat ik met mijn moeder meekwam naar haar werk, maar Marlene, de art director, raadde me aan 'laag te vliegen, de radar te vermijden'.

Hij zag me nooit. Alleen mijn moeder. Die dag kwam hij naast haar kruk staan en las over haar schouder. Hij wilde alleen maar dicht naast haar staan, haar haar aanraken, dat wit was als gletsjermelk, terwijl hij probeerde in haar blouse te kijken. Ik zag de afkeer op haar gezicht toen hij zich over haar heen boog en, alsof hij bijna viel, met zijn hand op haar dij steunde.

Ze deed alsof ze schrok en stak met een kleine beweging het vlijmscherpe mes in zijn onderarm.

Hij keek naar zijn arm, verbaasd dat er een streepje bloed uit opwelde.

'O, Bob!' zei ze. 'Neem me niet kwalijk, ik zag niet dat je daar stond. Heb ik je pijn gedaan?' Maar de blik die ze hem met haar korenbloemblauwe ogen toewierp, vertelde hem dat ze met hetzelfde gemak zijn keel had kunnen doorsnijden.

'Geeft niet, het was maar een ongelukje,' zei hij. Er zat een vijf centimeter lange snee in zijn arm onder de mouw van zijn poloshirt. 'Het was maar een ongelukje,' zei hij iets luider, alsof hij iedereen wilde geruststellen, en hij vluchtte haastig zijn kantoor weer in.

TUSSEN DE MIDDAG reden we de heuvels in en parkeerden in de gevlekte schaduw van een grote plataan, waarvan de poederachtige witte stam als een vrouwenlichaam afstak tegen de onnatuurlijk blauwe lucht. We aten yoghurt uit een bekertje en luisterden naar een bandje waarop Anne Sexton voordroeg uit eigen werk met dat angstaanjagend ironische, slepende Amerikaanse accent van haar. Het was een gedicht over haar verblijf in een psychiatrische inrichting, waar ze de klokken luidde. Mijn moeder stopte het bandje. 'Wat is de volgende regel?'

Ik vond het prettig als mijn moeder probeerde me dingen te leren, als ze aandacht aan me schonk. Ze was zo vaak onbereikbaar als ik bij haar was. Elke keer dat ze die enorme concentratie van haar op me richtte, voelde ik de warmte die bloemen moeten voelen als ze door de sneeuw heen openbloeien onder de eerste felle stralen van de zon.

Ik hoefde niet over het antwoord na te denken. Het leek op een lied en het gefilterde licht viel door de bladeren van de plataan terwijl gekke Anne haar klok luidde in Bes, en mijn moeder knikte.

'Je moet gedichten altijd uit je hoofd leren,' zei ze. 'Ze moeten het merg in je botten worden. Net als fluoride in het water zullen ze je ziel ongevoelig maken voor het sluipende bederf van de wereld.'

In mijn verbeelding nam mijn ziel die woorden in zich op als tot silicaat gestold water in het Versteende Woud, en veranderde mijn hout in patronen van agaat. Ik vond het prettig als mijn moeder me zo vormde. Het leek me dat klei zich gelukkig moest voelen in de handen van een goede pottenbakker.

'S MIDDAGS VERSCHEEN KIT, de redactrice, in de studio, met wolken oosterse parfum om zich heen die nog lang nadat ze weg was in de lucht bleven hangen. Een magere vrouw met te heldere ogen en de nerveuze bewegingen van een bange vogel, die te breed glimlachte met haar rode lippenstift, terwijl ze nu hier- dan daarheen vloog, de opmaak keurde, bladzijden bekeek, bleef staan om tekststroken te lezen over mijn moeders schouder, en correcties aangaf. Mijn moeder gooide haar haar naar achteren, als een kat die met zijn staart zwaait voor hij zijn klauwen in je slaat.

'Al dat haar,' zei Kit. 'Is dat niet gevaarlijk bij het werk dat je doet. Vlak bij de waxer en zo?' Haar eigen kapsel was geometrisch, inktzwart geverfd en opgeschoren in de nek.

Mijn moeder negeerde haar, maar liet het x-actomes vallen, dat het bureaublad doorboorde als een werpspies.

Toen Kit weg was, zei mijn moeder tegen de artdirector: 'Waarschijnlijk zou ze me het liefst met stoppeltjes zien. In dezelfde asfaltkleur geverfd als die van haar.'

'De praktische vampiermode,' zei Marlene.

Ik keek niet op. Ik wist dat ik de enige reden was waarom we hier waren. Als ik er niet was, zou ze dit soort baantjes niet hoeven doen. Dan zou ze een halve planeet hier vandaan in een turquoise zee drijven en dansen in het maanlicht bij flamencogitaarmuziek. Ik voelde mijn schuld als een brandmerk.

DIE AVOND GING ze alleen uit. Ik zat een uur te tekenen, at een boterham met pindakaas en mayonaise, zakte toen af naar Michaels flat, klopte op de holle deur. Er werden drie grendels weggeschoven. 'Het is *Koningin Christina*.' Hij glimlachte, een vriendelijke zachte man, ongeveer van mijn moeders leeftijd, maar pafferig en bleek van de drank en het altijd binnen zitten. Hij gooide een stapel vuile kleren en *Variety*'s van de divan zodat ik kon gaan zitten.

De flat was heel anders dan die van ons, volgepropt met meubels en souvenirs en filmposters, nummers van *Variety*, kranten en lege wijnflessen. Uit hun krachten gegroeide tomatenplanten op de vensterbanken reikhalsden naar een beetje licht. Het was er donker, zelfs overdag, omdat het op het noorden lag, maar het had een fantastisch uitzicht op het met neonletters geschreven HOLLYWOOD van de filmstudio's, de voornaamste reden dat hij de flat had genomen.

'*Alweer sneeuw*,' zei hij samen met Garbo, zijn gezicht schuin omhoog, net als zij. '*Eeuwige sneeuw*.' Hij gaf me een schaal met zonnebloempitten. 'Ik *ben* Garbo.'

Ik kraakte pitten tussen mijn tanden en schopte de rubber teenslippers uit waar ik al vanaf april op liep. Ik kon niet tegen mijn moeder zeggen dat ik weer uit mijn schoenen was gegroeid. Ik wilde haar er niet aan herinneren dat ik de reden was dat ze verstrikt zat in energienota's en te klein geworden kinderschoenen, de reden dat ze tegen de ramen klauwde als Michaels stervende tomaten. Ze was een mooie vrouw die een klompvoet achter zich aan sleepte, en die voet was ik. Ik was een lading bakstenen in de zoom van haar kleren, ik was een jurk van staal.

'Wat ben je op het ogenblik aan het lezen?' vroeg ik Michael. Hij was acteur, maar hij had niet zoveel werk en hij wilde niet voor de tv spelen, dus verdiende hij zijn geld voornamelijk met voorlezen voor *Books on Tape*. Dat moest onder een pseudoniem, Wolfram Malevich, omdat de vakbond dit werk niet toestond. We konden hem 's morgens in alle vroegte door de muur heen horen. Hij kende Duits en Russisch uit het leger, hij had een tijdje bij de inlichtingendienst gezeten – nooit één inlichting gekregen, zei hij altijd – en daarom lieten ze hem meestal Duitse en Russische auteurs lezen.

'Korte verhalen van Tsjechov.' Hij strekte zijn arm uit en gaf me het boek van de salontafel. Het stond vol aantekeningen en onderstrepingen en er zaten gele plakkertjes tussen de pagina's.

Ik bladerde in het boek. 'Mijn moeder heeft een hekel aan Tsjechov. Ze zegt dat iedereen die hem heeft gelezen, weet waarom er een revolutie moest komen.'

'Je moeder.' Michael glimlachte. 'Misschien zou je Tsjechov best mooi vinden. Hij heeft een verrukkelijk soort melancholie.' We draaiden ons allebei naar de tv om de mooiste zin uit *Koningin Christina* te horen en zeiden samen met Garbo: '*De sneeuw is als een witte zee, je zou naar buiten kunnen gaan en je erin verliezen... en de wereld vergeten.*'

Ik dacht aan mijn moeder als koningin Christina, koel en triest, de ogen op een verre horizon gericht. Daar hoorde ze thuis, in bont gehuld, in paleizen vol zeldzame schatten, met open haarden die groot genoeg waren om een rendier in te roosteren, schepen van Zweeds esdoornhout. Mijn grootste angst was dat ze op een dag de weg terug zou vinden en voorgoed zou wegblijven. Dat was de reden waarom ik altijd opbleef op avonden dat ze uitging zoals nu, hoe laat ze ook thuiskwam. Ik moest de sleutel in het slot horen, haar viooltjesparfum weer ruiken.

En ik probeerde het niet erger te maken door haar om van alles te vragen, haar met mijn gedachten naar beneden te halen. Ik kende meisjes die om nieuwe dingen zeurden en mopperden over het eten dat hun moeder 's avonds klaarmaakte. Ik vond dat altijd vreselijk. Wisten ze dan niet dat ze hun moeder aan de grond ketenden? Schaamden de kettingen zich niet voor hun gevangenen?

Maar wat was ik jaloers als hun moeders op hun bed kwamen zitten en vroegen waaraan ze dachten. Mijn moeder was helemaal niet nieuwsgierig naar mij. Ik vroeg me vaak af waar ze me voor hield, een hond die ze voor de winkel kon vastbinden, een papegaai op haar schouder?

Ik zei nooit tegen haar dat ik wou dat ik een vader had, dat ik 's zomers graag naar een kamp zou willen, dat ze me soms bang maakte. Ik was bang dat ze weg zou vliegen, dat ik alleen zou achterblijven en ergens zou moeten wonen waar te veel kinderen waren, te veel luchtjes, waar schoonheid en stilte en de bedwelming van haar in de lucht opstijgende woorden even ver weg zouden zijn als Saturnus.

De neonletters HOLLYWOOD buiten het raam waren een beetje nevelig in de junimist, een zachte vochtigheid op de bergen die de geur van salie en chamisee losmaakte, vocht dat de ruit schoonwaste met dromen.

ZE KWAM OM twee uur thuis, toen de kroegen dichtgingen, alleen, haar rusteloosheid voor even bedaard. Ik ging op haar bed zitten en keek toe terwijl ze zich uitkleedde, en ik aanbad elk gebaar. Op een dag zou ik dit ook doen, zoals zij haar armen kruiste en haar jurk over haar hoofd trok, haar hoge hakken uitschopte. Ik trok ze aan en bewonderde ze aan mijn voeten. Ze pasten me bijna. Nog een jaartje en ik zou erop kunnen lopen. Ze kwam naast me zitten, gaf me haar borstel, en ik borstelde haar lichte haar glad, schilderde de lucht vol met haar viooltjes. 'Ik heb die geitenbokman weer ontmoet,' zei ze.

'Welke geitenbokman?'

'Van de wijnschenkerij, weet je nog? Die grijnzende Pan met gespleten hoefjes die onder zijn broekspijpen uit piepten.'

Ik zag ons samen in de ronde spiegel aan de muur, ons loshangende lange haar, onze blauwe ogen, vikingvrouwen. Als ik ons zo zag, kon ik me haast herinneren dat we in koude diepe zeeën visten, de geur van kabeljauw, de houtskool van onze vuren, onze vilten laarzen, ons vreemde alfabet, op stokjes lijkende runen, een taal als het ploegen van velden.

'Hij zat me de hele tijd aan te staren,' zei ze. 'Barry Kolker. Marlene zegt dat hij columns schrijft.' Haar mooie lippen veranderden in twee lange komma's van afkeer. 'Hij was met die actrice uit *The Cactus Garden*, Jill Lewis.'

Haar witte haar, als ongebleekte zij, gleed door de varkensharen borstel.

'Met die dikke geitenbok van een vent. Snap je dat nou?' Zij niet, dat was zeker. Schoonheid was mijn moeders wet, haar religie. Je kon doen wat je wilde, als je maar mooi was, als je alles maar mooi deed. Als dat niet zo was, dan bestond je niet. Dat had ze er van jongs af aan bij me in gestampt. Maar ik had langzamerhand gemerkt dat de werkelijkheid niet altijd met de ideeën van mijn moeder overeenkwam.

'Misschien vindt ze hem aardig,' zei ik.

'Dan is ze gek,' zei mijn moeder terwijl ze de borstel van me overnam en nu mijn haar borstelde, hard op mijn hoofdhuid drukkend. 'Ze kan iedere man krijgen die ze wil. Wat haalt ze zich in hemelsnaam in haar hoofd?'

ZE KWAM HEM weer tegen in haar favoriete kunstenaarscafé, een kroeg zonder uithangbord bij de spoorlijn in de stad. Ze zag hem op een feestje in Silverlake. Overal waar ze heen ging, klaagde ze, daar was hij ook, de geitenbok.

Ik dacht dat het toeval was, maar op een avond, in een zaaltje in Santa Monica waar we heen gingen om naar een van haar vrienden te kijken die op Sparkletts-flesjes trommelde en een tirade hield over de droogte, zag ik hem ook, vier rijen achter ons. Hij probeerde de hele tijd haar blik op te vangen. Hij wuifde naar me en ik wuifde terug, onopvallend, opdat zij het niet zou zien.

Na afloop wilde ik met hem praten, maar ze sleurde me snel naar buiten. 'Moedig hem niet aan,' siste ze.

Toen hij op de jaarlijkse receptie van *Cinema Scene* verscheen, moest ik toegeven dat hij haar naliep. Het was buiten, op de binnenplaats van een oud hotel aan de Strip. De hitte van de dag begon te vervliegen. De vrouwen droegen blote jurken, mijn moeder was als een nachtvlinder in haar witte zij. Ik drong me door de menigte heen naar de tafel met hors-d'oeuvres, stopte snel mijn tas vol met dingen die volgens mij wel een paar uur uit de koelkast konden blijven – krabscharen met aspergepunten, met spek omwikkelde rolletjes lever – en daar stond Barry een bord vol te laden met garnalen. Hij zag me en zijn ogen zochten meteen de menigte af naar mijn moeder. Ze stond een eindje achter me witte wijn te drinken en te praten met

Miles, de fotoredacteur, een magere Engelsman met een stoppeltjeskin en vingers die bruin waren van de nicotine. Ze had Barry nog niet gezien. Hij begon zich door de menigte heen naar haar toe te wringen. Ik kwam vlak achter hem aan.

'Ingrid,' zei Barry, haar kring van twee binnendringend. 'Waar heb je gezeten?' Hij glimlachte. Haar ogen streken wreed over zijn scheef hangende mosterdkleurige das, zijn bruine overhemd dat een beetje trok bij de knopen op zijn buik, zijn onregelmatige tanden, het bord garnalen in zijn mollige vuist. Ik hoorde de ijzige wind van Zweden, maar hij scheen de kou niet te voelen.

'Ik heb aan je gedacht,' zei hij terwijl hij nog dichter naar haar toe kwam.

'Doe dat maar liever niet,' antwoordde ze.

'Je zult nog wel anders over me gaan denken,' zei hij. Hij legde zijn vinger langs zijn neus, knipoogde naar mij en liep door naar een ander groepje. Legde zijn arm om een knap meisje, kuste haar in haar nek. Mijn moeder draaide zich om. Die kus druiste in tegen alles waar ze in geloofde. In haar universum zou die gewoon nooit voorkomen.

'Ken je Barry?' vroeg Miles.

'Wie?' zei mijn moeder.

Die nacht kon ze niet slapen. We gingen naar beneden naar het zwembad dat bij het appartement hoorde en zwommen langzame, kalme baantjes onder de plaatselijke sterren, de Krabschaar, de Grote Garnaal.

MIJN MOEDER BOOG zich over haar montagetafel en sneed zonder liniaal met lange elegante halen stroken tekst af. 'Dit is zen,' zei ze. 'Zonder een fout, zonder enige hapering. Een venster naar de schoonheid.' Ze zag er werkelijk gelukkig uit. Dat gebeurde soms, als ze feilloos plakte, dan vergat ze waar ze was, waarom ze daar was, waar ze was geweest en waar ze liever wilde zijn, vergat ze alles behalve de gave om uit de vrije hand een volmaakt rechte lijn te snijden, een even zuiver genot als wanneer ze zojuist een mooie dichtregel had geschreven.

Maar toen zag ik wat zij niet zag: de geitenbokman die de productieafdeling binnenkwam. Ik wilde niet degene zijn die haar ogenblik van schoonheid zou bederven, dus ging ik door met de Chinese boom die ik aan het maken was van rasterprints, en verkeerd-formaat filmfoto's uit *Salaam Bombay!* Toen ik opkeek, ontmoette hij mijn blik en legde zijn vinger op zijn lippen, sloop achter haar en tikte op haar schouder. Haar mes sneed in de tekst. Ze draaide zich met een ruk om en ik dacht dat ze hem een haal zou geven, maar hij liet haar iets zien dat haar tegenhield, een kleine envelop die hij op haar tafel legde.

'Voor jou en je dochter,' zei hij. Ze maakte hem open, haalde er twee kaartjes uit. Blauw-met-wit. Haar stilte verbaasde me. Ze staarde naar de kaartjes, toen naar hem, terwijl ze de punt van haar mesje in het rubberachtige oppervlak van de tafel prikte, een pijltje, dat er even in bleef steken voor ze het eruit trok.

'Alleen het concert,' zei ze. 'Niet uit eten, niet dansen.'

'Afgesproken,' zei hij, maar ik zag dat hij haar niet echt geloofde. Hij kende haar nog niet.

Het was een gamelanconcert in het museum. Nu wist ik waarom ze het had aangenomen. Ik vroeg me alleen af hoe hij zo precies had geweten wat hij haar moest aanbieden, het enige dat ze nooit zou afslaan. Had hij zich verstopt tussen de oleanders voor ons huis? Met haar vrienden gepraat? Iemand omgekocht?

DE LUCHT KNETTERDE die avond toen mijn moeder en ik op het voorplein van het museum op hem stonden te wachten. Alles was vol statische elektriciteit in de hitte. Ik kamde mijn haar om de vonken te zien die van de punten vlogen.

Gedwongen om te wachten, maakte mijn moeder kleine rukkerige bewegingen met haar armen, haar handen. 'Te laat. Wat min. Ik had het moeten weten. Waarschijnlijk ligt hij ergens in een weiland te copuleren met de andere geiten. Help me onthouden dat ik nooit meer een afspraak met een viervoeter maak.'

Hoewel ze tijd had gehad om zich te verkleden, had ze haar werkkleren nog aan. Dat was om hem duidelijk te maken dat ze niet echt met hem uit was, dat dit niets betekende. Overal om ons heen wierpen vrouwen in kleurige zijden zomerjaponnetjes en een wisselend bouquet van dure parfums haar afkeurende blikken toe. Mannen bewonderden haar, glimlachten, keken openlijk naar haar. Ze keek met brandende blauwe ogen terug, tot ze zich ongemakkelijk gingen voelen en zich afwendden.

'Mannen,' zei ze. 'Hoe onaantrekkelijk ze ook zijn, ze denken allemaal dat ze op de een of andere manier de moeite waard zijn.'

Ik zag Barry aan de overkant van het plein, zijn dikke lichaam bewoog zich met schokjes op zijn korte benen. Hij grijnsde het gat tussen zijn tanden bloot. 'Sorry, maar het verkeer was moordend.'

Mijn moeder wendde zich van de verontschuldiging af. Alleen bedienden kwamen met excuses aan, had ze me geleerd. Verontschuldig je nooit, leg nooit iets uit.

HET GAMELANORKEST BESTOND uit twintig kleine, tengere mannen, die knielden bij rijkversierde klokkenspelen, gongs en trommen. De trom begon en een van de laagst klinkende klokken viel in. Toen voegden zich meer klanken bij de aanzwellende massa van geluid. Er begonnen zich ritmes af te tekenen die zich uitbreidden, complex als lianen. Mijn moeder zei dat de gamelan bij de toehoorders hersengolven veroorzaakte die alle alfa's en bèta's en thèta's te boven gingen, hersengolven die de normale kanalen van het denken verlamden en nieuwe aanboorden in de onaangeraakte gebieden van de geest, zoals er parallelle bloedvaten ontstaan om een beschadigd hart te voeden.

Ik deed mijn ogen dicht en zag kleine dansers als met juwelen bedekte vogels over het donkere scherm van mijn oogleden bewegen. Ze voerden me mee, spraken tegen me in talen die geen woorden kenden voor vreemde moeders met ijsblauwe ogen of appartementen met lelijke glinstertjes aan de voorkant en dode bladeren in het zwembad.

Na afloop klapte het publiek de pluchen stoelen dicht en dromde naar de uitgangen, maar mijn moeder verroerde zich niet. Ze bleef op haar stoel zitten, met haar ogen dicht. Ze ging graag als laatste weg. Ze had een hekel aan mensenmassa's en hun meningen als ze een voorstelling verlieten of, erger nog, het hadden over de rij voor de toiletten of waar wil je gaan eten? Het bedierf haar stemming. Ze verkeerde nog in die andere wereld en bleef daar zo lang mogelijk, terwijl de parallelle kanalen zich als door koraal een slingerende weg baanden door haar cortex.

'Het is afgelopen,' zei Barry.

Ze gebaarde dat hij stil moest zijn. Hij keek me aan en ik haalde mijn schouders op. Ik was eraan gewend. We wachtten tot het laatste geluid uit de zaal was weggestorven. Eindelijk deed ze haar ogen open.

'Nou, zullen we ergens een hapje gaan eten?' vroeg hij.

'Ik eet nooit,' zei ze.

Ik had honger, maar als mijn moeder eenmaal een standpunt had ingenomen, week ze daar nooit van af. We gingen naar huis waar ik tonijn uit blik at terwijl zij de ritmes van de gamelan verwerkte in een gedicht over wajangpoppen en de goden van het toeval.

2

IN DE ZOMER toen ik twaalf was, vond ik het prettig rond te dwalen door het complex waarin het filmblad kantoor hield. Het heette *Crossroads of the World*, een binnenplaats uit de jaren twintig met in het midden een modern gestroomlijnde oceaanstomer waar een reclamebureau in gevestigd was. Ik zat op een stenen bank en zag in mijn verbeelding Fred Astaire met een zeilpetje op in een blauwe blazer op de koperen reling van het stoomschip leunen.

Om het met klinkers geplaveide plein heen stonden fantasiebungalows, in uiteenlopende stijlen, van de gebroeders Grimm tot Don Quichot, die verhuurd werden aan fotoateliers, modellenbureaus, drukkerijtjes. Ik tekende een lachende Carmen die onder een hangmand met geraniums in de Sevilliaanse deuropening van het modellenbureau leunde, en een zedige Grietje met vlechtjes die met een rijsbezem de Duitse stoep van het fotoatelier veegde.

Terwijl ik zat te tekenen, zag ik de rijzige mooie meisjes deuren in- en uitgaan op weg van het agentschap naar het atelier en weer terug naar het agentschap om ter bevordering van hun carrière nog wat van het geld neer te tellen dat ze moeizaam hadden verdiend als serveerster of in een ander tijdelijk baantje. Het was oplichterij, zei mijn moeder en ik wilde ze waarschuwen, maar hun schoonheid leek een tovermantel. Wat kon hun gebeuren, die langbenige meisjes in hun strakzittende heupbroeken en hun doorschijnende zomerjurken, hun heldere ogen en gebeeldhouwde gezichten? De hitte van de dag deerde hun niet, ze leefden in een ander klimaat.

Op een ochtend verscheen mijn moeder om een uur of elf in de betegelde deuropening naar de trap van *Cinema Scene*. Ik dacht dat ze vroeg ging lunchen en deed mijn schetsboek dicht. Maar we gingen niet naar de auto. In plaats daarvan volgde ik haar de hoek om en daar stond Barry Kolker tegen een oude goudkleurige Lincoln met van die naar de verkeerde kant openklappende 'zelfmoord'-portieren geleund. Hij had een felgekleurd geruit colbertje aan.

Mijn moeder wierp één blik op hem en deed haar ogen dicht. 'Wat een monsterlijk jasje, ik kan niet eens naar je kijken. Heb je dat van een lijk gestolen?'

Barry grijnsde en deed de portieren open voor mijn moeder en mij. 'Ben je nog nooit naar de paardenrennen geweest? Je móet daar opzichtige kleren dragen. Dat is traditie.'

'Je lijkt net een sofa in een bejaardenhuis,' zei ze terwijl we instapten. 'Goddank zal niemand die ik ken me daar met je zien.'

We gingen uit met Barry. Ik was verbaasd. Ik had nooit gedacht dat we hem na het gamelanconcert nog terug zouden zien. En nu hield hij de achterdeur van de Lincoln voor me open. Ik was nog nooit naar de renbaan geweest. Het zou niet bij mijn moeder opkomen me mee te nemen naar zo'n plek – buiten, paarden, niemand die een boek las of nadacht over de Schoonheid of het Noodlot.

'Normaal gesproken zou ik dit nooit doen,' zei mijn moeder terwijl ze voorin ging zitten en de autogordel vastmaakte. 'Maar het idee van een gestolen uurtje was te heerlijk om te weerstaan.'

'Je zult het geweldig vinden.' Barry klom achter het stuur. 'Het is een veel te mooie dag om in dat slavenhok opgesloten te zitten.'

'Dat is het altijd,' zei mijn moeder.

We namen de snelweg bij Cahuenga, reden in noordelijke richting Hollywood uit, de Valley in, toen naar het oosten, naar Pasadena. De hitte lag als een deksel op de stad.

Santa Anita lag aan de voet van het San Gabrielgebergte, een steile wand van blauw graniet, oprijzend als een vloedgolf. Kleurige bloemperken en smetteloos groene gazons verspreidden een zwaar parfum in de met smog gevulde lucht. Mijn moeder liep een eindje voor Barry uit en deed alsof ze hem niet kende, tot het eindelijk tot haar doordrong dat iedereen zo gekleed was: witte schoenen en groen polyester.

De paarden waren nauwkeurig afgestelde machines op stalen veren. Ze glommen als metaal en de satijnen hemden van de jockeys glansden in de zon toen ze hun rijdier rond de renbaan leidden, elk dier gekoppeld aan een oudere, kalmere partner. De paarden schrokken van kinderen bij de reling, van vlaggen, een en al spanning en opwinding.

'Kies een paard uit,' zei Barry tegen mijn moeder.

Ze koos nummer zeven, een wit paard, vanwege haar naam, Medea's Trots.

Het kostte de jockeys moeite de dieren voor de starthekken te krijgen, maar toen de hekken opengingen denderden de paarden als een eenheid over het bruin van de racebaan.

'Vooruit, zeven,' schreeuwden we, 'gelukszeven.'

Ze won. Mijn moeder lachte en omhelsde me, omhelsde Barry. Ik had haar nog nooit zo gezien, opgewonden, lachend, ze leek zo jong. Barry had twintig dollar voor haar ingezet en hij gaf haar het geld, honderd dollar.

'Zullen we wat gaan eten?' vroeg hij haar.

Ja, bad ik. Zeg alsjeblieft ja. Trouwens, hoe zou ze nu kunnen weigeren?

Ze nam ons mee naar de nabijgelegen Surf 'n' Turf, waar Barry en ik allebei een salade bestelden met biefstuk, half doorbakken, en gepofte aardappels met zure room. Mijn moeder nam alleen een glas witte wijn. Zo was Ingrid Magnussen. Ze bedacht regels en plotseling stonden die in de steen van Rosetta gegrift, waren ze opgegraven in een grot onder de Dode Zee, stonden ze geschreven op rollen uit de T'angdynastie.

Tijdens het eten vertelde Barry ons over zijn reizen in het Verre Oosten, waar wij nooit waren geweest. De keer dat hij psychedelische paddestoelen had besteld van het menu van een strandtentje op Bali, waarna hij hallucinerend, denkend dat hij in het paradijs was, langs de turquoise kust had gedwaald. Zijn tocht naar de tempels van Angkor Vat in het oerwoud van Cambodja in gezelschap van Thaise opiumsmokkelaars. De week die hij in de drijvende bordelen van Bangkok had doorgebracht. Hij was mij helemaal vergeten, zo ging hij op in het hypnotiseren van mijn moeder. Zijn stem was kruidnagelgeur en nachtegalen, zij bracht ons naar specerijenmarkten op Celebes, we dreven met hem mee op een woonboot, tot voorbij de Koraalzee. We waren als cobra's die een rietfluit volgen.

Toen we teruggingen, liet ze toe dat hij haar middel aanraakte bij het instappen.

BARRY VROEG ONS te eten bij hem thuis, hij zei dat hij een paar Indonesische gerechten voor ons wilde koken die hij daar had leren klaarmaken. Ik wachtte tot de middag en zei toen tegen haar dat ik me niet lekker voelde, dat ze maar zonder mij moest gaan. Ik hunkerde naar Barry, ik dacht dat hij misschien de juiste man zou zijn, iemand die ons kon voeden en omarmen, ons tot echte mensen maken.

Ze stond een uur lang kleren te passen, een witte Indiase pyjama, haar doorzichtige blauwe jurk, de ananassen en hoelameisjes. Ik had haar nog nooit zo besluiteloos gezien.

'De blauwe,' zei ik. Die had een lage hals en het blauw was precies de kleur van haar ogen. Niemand kon haar weerstaan in haar blauwe jurk.

Ze koos de Indiase pyjama, die iedere centimeter van haar goudkleurige huid bedekte. 'Ik kom op tijd thuis,' zei ze.

Toen ze weg was, ging ik op haar bed liggen en zag ze voor me, hun lage stemmen een duet in de schemering boven de rijsttafel. Ik had geen rijsttafel meer gegeten sinds we uit Amsterdam waren weggegaan, waar we woonden toen ik zeven was. Onze hele buurt had ernaar geroken. Mijn moeder zei altijd dat we naar Bali zouden gaan. In mijn fantasie zag ik ons in een huis met een buitenissig hoog puntdak, dat uitkeek op groene sawa's en een wonderbaarlijk heldere zee, waar we zouden worden gewekt door het geluid van gongs en blatende geiten.

Na een poosje maakte ik een boterham met kaas en zoetzuur voor mezelf klaar en ging naar onze buurman, Michael. Hij had een halve fles wijn op van 'Trader Joe' – 'armoe-chic' noemde hij het, vanwege de kurk – en zat te huilen bij een film met Lana Turner. Ik hield niet van Lana Turner en kon de aanblik van die stervende tomaten niet verdragen, dus las ik Tsjechov tot Michael in slaap viel, en ging toen naar beneden om te zwemmen. Het water was lauw als tranen. Ik dreef op mijn rug en keek omhoog naar de sterren, de Geit, de Zwaan, en hoopte dat mijn moeder verliefd zou worden.

Dat hele weekend zei ze niets over haar avond met Barry, maar ze schreef gedichten die ze verfrommelde en naar de prullenmand smeet.

IN DE STUDIO stond Kit over de schouder van mijn moeder proeven te lezen terwijl ik aan mijn tafel in de hoek een collage over Tsjechov zat te maken, de dame met het hondje, waarvoor ik figuren uit afgekeurde foto's knipte. Marlene nam de telefoon op, legde haar hand op de hoorn,

'Het is Barry Kolker.'

Kits hoofd kwam met een ruk omhoog toen ze de naam hoorde, een marionet in de handen van een stuntelige poppenspeler. 'Ik neem hem wel op mijn kamer.'

'Het is voor Ingrid,' zei Marlene.

Mijn moeder keek niet op van haar montagevel. 'Zeg maar dat ik hier niet meer werk.'

Marlene gaf het door, een geroutineerde leugen.

'Waarvan ken jij Barry Kolker?' vroeg de redactrice, haar zwarte ogen zo groot als olijven.

'Gewoon, die heb ik eens ergens ontmoet,' zei mijn moeder.

's Avonds in de lange zomeravondschemering, kwamen de mensen naar buiten, lieten hun honden uit, dronken drankjes uit de blender bij het zwembad, lieten hun voeten in het water bungelen. De maan kwam op, hurkte in het gezeefde blauw. Mijn moeder zat op haar knieën aan haar tafel te schrijven terwijl een zacht briesje door het klokkenspel speelde dat we in de oude eucalyptus hadden gehangen, en ik lag op haar bed. Ik wilde dat ik dit ogenblik voor altijd kon bevriezen, de klokjes, het zachte gespetter van het water, het gerinkel van hondenlijnen, gelach bij het zwembad, het krassen van mijn moeders kroontjespen, de geur van de boom, de stilte. Ik zou het in een medaillon willen stoppen en om mijn hals hangen. Kon er maar een duizendjarige slaap over ons komen op dit volmaakte ogenblik, zoals in het sprookje van Doornroosje.

Een klop op de deur verstoorde de vrede. Er kwam nooit iemand bij ons aan de deur. Mijn moeder legde de pen neer en pakte het knipmes dat ze bij de potloden in het jampotje bewaarde. Het koolzwarte lemmet was zo scherp dat je er een kat mee kon scheren. Ze maakte het open tegen haar dij en legde een vinger tegen haar lippen. Haar hand greep haar witte kimono met daaronder haar naakte huid.

Het was Barry. Hij riep haar: 'Ingrid!'

'Hoe haalt hij het in zijn hoofd,' zei ze. 'Ik wil niet dat hij hier zomaar onuitgenodigd komt aanzetten.'

Ze rukte de deur open. Barry had een gekreukeld hawaïhemd aan en hij had een fles wijn en een zak die naar iets heerlijks rook bij zich. 'Hallo,' zei hij. 'Ik was toevallig in de buurt en dacht: kom, ik ga even langs.'

Ze stond in de deuropening met het open mes nog steeds tegen haar dij. 'O ja?'

Toen deed ze iets wat ik nooit voor mogelijk had gehouden. Ze vroeg hem binnen en klapte het mes dicht tegen haar been.

Hij keek onze grote, elegant lege kamer rond. 'Pas verhuisd?' vroeg hij. Ze zei niets. We woonden er al een jaar.

DE ZON SCHEEN warm door de horren toen ik wakker werd, en verlichtte de melkachtige, roerloze lucht die zich als een handdoek om de ochtend had geslagen. Ik hoorde een man zingen en het bonken van de buizen van de douche toen hij de kraan dichtdraaide. Barry was de hele nacht gebleven. Ze had haar eigen regels gebroken. Ze waren blijkbaar toch niet van steen, maar klein en broos als papieren kraanvogels. Ik staarde haar aan terwijl ze zich aankleedde voor haar werk en wachtte op een verklaring, maar ze glimlachte alleen.

Na die nacht was de verandering opvallend. 's Zondags gingen we samen naar de boerenmarkt in Hollywood, waar zij en Barry spinazie, sperzieboontjes, tomaten, druiven, niet groter dan de kop van een punaise, en papierachtige strengen knoflook kochten, terwijl ik achter hen aan slenterde, sprakeloos van verbazing toen ik zag hoe mijn moeder de uitgestalde waren bekeek alsof we een bezoek aan een boekhandel brachten. Mijn moeder, voor wie een maaltijd bestond uit een bekertje yoghurt of een blikje sardientjes en crackers. Ze kon weken achtereen pindakaas eten zonder het zich bewust te zijn. Ik keek toe terwijl ze uitstallingen van haar favoriete witte bloemen, lelies en chrysanten, voorbijliep en in plaats daarvan haar armen vulde met enorme rode klaprozen met zwarte vlekken in de harten. Op de terugweg liepen zij en Barry hand in hand en neurieden zachtjes oude liedjes uit de jaren zestig: 'Wear Your Love Like Heaven' en 'Waterloo Sunset'.

ZOVEEL DINGEN DIE ik nooit voor mogelijk had gehouden. Ze schreef kleine haiku-achtige gedichtjes die ze in zijn zak stopte. Als ik de kans kreeg, viste ik ze eruit om te zien wat ze had geschreven. Ik moest ervan blozen als ik ze las: *Klaproosblaadjes, bloedend van overdaad. Jij en ik. O zoete strijd.*

Op een ochtend liet ze me op haar werk een foto in het weekblaadje *Caligula's Mother* zien, genomen op een feestje na de première van een toneelstuk. Ze leken allebei stoned. Het onderschrift betitelde haar als Barry's nieuwe geliefde. Daar had ze nou juist een vreselijke hekel aan, een vrouw als wat dan ook van een man. Nu leek het of ze een wedstrijd had gewonnen.

Hartstocht. Ik had nooit gedacht dat zoiets haar kon overkomen. Het was een tijd waarin ze zichzelf in de spiegel niet herkende, haar ogen waren zwart, haar haar zat altijd in de war en rook naar muskus, Barry's bokkenlucht.

Ze gingen uit en na afloop vertelde ze me er lachend over. 'Er komen allemaal vrouwen naar hem toe en die roepen met pauwenstemmen: "Barry! Waar heb je gezeten?" Maar dat hindert niet. Hij hoort nu bij mij. Ik ben de enige die hij wil.'

Ze werd geregeerd door de hartstocht. Verdwenen waren de toespelingen op zijn bokkenfiguur, zijn slechte tanden, zijn kwabbige lijf, zijn weerzinwekkende smaak voor kleren, zijn beroerde Engels, zijn schaamteloze clichés, de verschrikkelijke banaliteit van zijn werk, een man die 'gesnopen' schreef. Ik had nooit gedacht dat ik nog eens zou zien dat mijn moeder zich in de gang voor ons appartement tegen een dikke man met een paardenstaart aan zou drukken, of dat ze zou toestaan dat hij onder de tafel zijn hand omhoog liet kruipen onder haar rok toen we op een avond in een donker Hunan-restaurant in het oude Chinatown aten. Ik zag hoe ze haar ogen dichtdeed, ik voelde de golven van haar passie als een parfum boven de theekopjes hangen.

Als ik 's morgens door de kamer liep om naar de wc te gaan, lag hij naast haar op de brede witte matras. Ze praatten zelfs tegen me, zij met haar hoofd op zijn arm gesteund, de kamer riekend naar hun liefde, alsof dat allemaal heel gewoon was. Ik had wel hardop willen lachen. Op de binnenplaats van *Crossroads of the World* zat ik onder een peperboom en schreef 'De heer en mevrouw Barry Kolker' in mijn schetsboek. Ik repeteerde de vraag: 'Mag ik papa tegen je zeggen?'

Ik had nooit tegen mijn moeder gezegd dat ik een vader wilde. Ik had haar maar één keer iets over het onderwerp gevraagd, ik moet toen op de peuterschool hebben gezeten. We waren dat jaar weer in de Verenigde Staten en woonden in Hollywood. Een hete dag met smog. Mijn moeder was in een slecht humeur. Ze kwam me laat uit het kinderdagverblijf halen, we moesten naar de markt. We reden in een oude Datsun die ze toen had, ik kan me de gloeiendhete wafeltjesstof van de zitting nog herinneren en dat ik door een gat in de vloer de straat kon zien.

De school was net begonnen en onze jonge juf, mevrouw Williams, had ons naar onze vaders gevraagd. De vaders woonden in Seattle of Panorama City of San Salvador, een paar waren zelfs dood. Ze waren advocaat of slagwerker of zetten autoruiten in.

'Waar is mijn vader?' vroeg ik aan mijn moeder.

Ze schakelde geërgerd, zodat ik tegen de autogordel smakte. 'Je hebt geen vader,' zei ze.

'Iedereen heeft een vader,' zei ik.

'Vaders zijn niet belangrijk. Geloof me, je boft. Ik heb er een gehad. Ik kan het weten. Denk er maar niet meer aan.' Ze zette de radio aan, harde rock 'n' roll.

Het was alsof ik blind was en ze tegen me zei: zien is niet belangrijk, het is maar goed dat je niet kunt zien. Ik begon op vaders te letten, in winkels, op speelplaatsen, waar ze hun dochters duwden op de schommel. Het beviel me dat ze altijd schenen te weten wat ze moesten doen. Ze leken een ligplaats in de haven, stevig vastzittend aan de wereld, dan kon je veilig zijn, niet altijd rondzwerven zoals wij. Ik bad dat Barry Kolker die man zou zijn.

Hun gefluisterde woordjes waren mijn slaaplied, mijn kast met uitzet. Ik stouwde hem vol met linnengoed, zomerkampen, nieuwe schoenen, Kerstmis. Ik spaarde samen-eten-aan-tafel, een eigen kamer, een fiets, ouderavonden op school. Ieder jaar net als het vorige, en het volgende weer net zo, jaar na jaar, een brug, en duizend subtielere, minder benoembare dingen die meisjes zonder vader kennen.

Barry nam ons mee naar het Dodger Stadion voor de wedstrijd op Onafhankelijkheidsdag en kocht Dodger-petjes voor ons. We aten hotdogs en zij dronken bier uit kartonnen bekertjes, en hij legde haar het honkballen uit alsof het een filosofie was, de sleutel tot de Amerikaanse aard. Barry gooide de pindaverkoper geld toe en ving de zak op die de man terugwierp. We lieten de doppen van de pinda's op de grond vallen. Ik herkende ons nauwelijks met onze blauwe petjes. We waren net een gezin. Ik deed alsof we gewoon vader en moeder en kind waren. We deden de *wave* en ze zaten tijdens de hele zevende innings te zoenen terwijl ik gezichtjes tekende op de pinda's. Door het vuurwerk ging het alarm af van alle auto's op de parkeerplaats.

Een ander weekend ging hij met ons naar Catalina. Ik was verschrikkelijk zeeziek op de veerboot en Barry drukte een koude zakdoek tegen mijn voorhoofd en gaf me een paar pepermuntjes om op te zuigen. Ik genoot van zijn bruine ogen en zijn bezorgde blik, alsof hij nooit eerder een kind had zien kotsen. Ik probeerde niet te veel achter hen aan te lopen toen we er waren, in de hoop dat hij haar zou vragen, terwijl ze langs de zeilschepen slenterden en garnalen aten uit een papieren puntzakje.

ER GEBEURDE IETS. Het enige wat ik me herinner is dat de wind was opgestoken. Het skeletachtige geratel van de wind in de palmen. Barry had gezegd dat hij er die avond om negen uur zou zijn, maar het werd elf uur en hij was er nog steeds niet. Om haar zenuwen tot rust te brengen draaide mijn moeder het bandje met de Peruviaanse fluit, de Ierse harpmuziek, Bulgaarse zangers, maar niets hielp. De harmonieuze klanken pasten slecht bij haar stemming. Haar gebaren waren nerveus en onaf.

'Laten we gaan zwemmen,' opperde ik.

'Dat kan niet,' zei ze. 'Misschien belt hij.'

Ten slotte klikte ze de muziek uit en zette een bandje van Barry op, jazzmuziek met Chet Baker, romantisch, het soort muziek waar ze altijd een hekel aan had gehad.

'Cafémuziek. Waar mensen bij in hun bier kunnen huilen,' zei ze. 'Alleen heb ik geen bier.'

Hij ging de stad uit voor opdrachten van verschillende tijdschriften. Hij zei hun afspraken af. Mijn moeder kon niet slapen, ze schrok elke keer als de telefoon ging. Ik vond het verschrikkelijk om haar gezichtsuitdrukking te zien als het Barry niet was. Er sloop een toon in haar stem die ik nooit eerder had gehoord, raspend als een zaagblad.

Ik begreep niet hoe dit kon gebeuren, hoe hij ons vuurwerk kon geven, en Catalina, hoe hij die koele doek tegen mijn voorhoofd kon houden en praten over naar Bali gaan, en vervolgens ons adres vergat.

OP EEN MIDDAG stopten we onaangekondigd voor zijn huis.

'Hij wordt vast kwaad,' zei ik.

'We waren toevallig in de buurt en dachten: kom, we gaan even langs,' zei ze.

Ik kon haar net zomin verhinderen te gaan als de zon om op te komen door de gekookte smog op een augustusochtend, maar ik hoefde het niet te zien. Ik wachtte in de auto op haar. Ze klopte op de deur en hij deed open in een badjas van bobbeltjesstof. Ik hoefde haar niet te verstaan om te weten wat ze zei. Ze droeg haar blauwe gazen jurk. De hete wind waaide de zoom van haar rok op, de zon achter haar maakte hem doorschijnend. Hij stond in de deuropening en versperde de toegang, zij hield haar hoofd scheef, stapte dichter naar hem toe, raakte haar haar aan. Ik voelde me alsof een stuk elastiek zich om mijn hersenen spande, strakker en strakker, tot ze in het huis verdwenen.

Ik zette de radio aan, klassieke muziek. Gesproken woord kon ik niet verdragen. In mijn verbeelding zag ik mezelf met ijsblauwe ogen een man aankijken en tegen hem zeggen dat hij weg moest gaan, dat ik geen tijd had. 'Je bent mijn type niet,' zei ik koel tegen de achteruitkijkspiegel.

Een halfuur later kwam ze naar buiten. Ze liep strompelend naar de auto, struikelde bijna over een sproeier, alsof ze blind was. Ze stapte in, ging achter het stuur zitten en wiegde heen en weer, haar mond open in een vierkant, maar ze gaf geen geluid. Mijn moeder huilde. Het was de ultieme onmogelijkheid.

'Hij heeft een afspraakje,' zei ze eindelijk, fluisterend, met een stem alsof iemands handen haar keel dicht knepen. 'Hij heeft met me gevreeën en toen zei hij dat ik weg moest. Omdat hij een afspraakje had.'

Ik wist dat we niet hadden moeten komen. Nu wenste ik dat ze nooit één van haar regels had gebroken. Ik begreep waarom ze zich er zo krampachtig aan had gehouden. Als je eenmaal de eerste had gebroken, gingen ze er allemaal aan, stuk voor stuk, als zevenklappers die in je gezicht ontploften op een parkeerterrein op Onafhankelijkheidsdag.

Ik durfde haar zo niet te laten rijden, met haar wilde, nietsziende blik. Ze zou ons allebei doodrijden voor we drie straten verder waren. Maar ze startte de auto niet. Ze zat maar door de voorruit te staren en wiegde haar lichaam, met haar armen tegen haar middel gedrukt.

Even later stopte er een auto op de oprit, een nieuw model sportwagen met open dak, een blond meisje achter het stuur. Ze was heel jong en droeg een kort rokje. Ze rekte zich uit om haar tas van de achterbank te pakken.

'Ze is niet zo mooi als jij,' zei ik.

'Maar ze heeft een eenvoudiger geest,' fluisterde mijn moeder bitter.

KIT LEUNDE OP de werkbank in de productiekamer, haar magentakleurige lippen vertrokken, als de rood bevlekte grijns van een wolf.

'Ingrid, je raadt nooit wie ik gisteren in The Virgins heb gezien,' zei ze. Haar hoge stem hijgde van boosaardigheid. 'Onze goeie vriend Barry Kolker.' Ze zuchtte gemaakt. 'Met een ordinair blondje, half zo oud als hij. Wat vergeten mannen toch snel, hè?' Met trillende neusvleugels onderdrukte ze een lach.

Toen het tijd was voor de lunch, zei mijn moeder tegen me dat ik alles wat ik nodig had moest meenemen, tekenspullen, papier. We gingen weg en kwamen niet meer terug.

3

'IK ZOU MIJN hoofd kaal moeten scheren,' zei ze, 'mijn gezicht met as beschilderen.'

Haar ogen waren vreemd, met donkere kringen eromheen, als beurse plekken, en haar haar was vettig en slap. Ze lag op bed of staarde naar zichzelf in de spiegel. 'Hoe kan ik een traan laten om een man die ik zelfs nooit had moeten toestaan me aan te raken?'

Ze ging niet terug naar haar werk. Ze weigerde het verduisterde appartement te verlaten, behalve om naar het zwembad te gaan, waar ze urenlang naar de weerspiegelingen in het glinsterende blauw zat te kijken of geluidloos onder water zwom, als een vis in een aquarium. Ik moest eigenlijk weer naar school, maar ik kon haar niet alleen laten zolang ze zo was. Anders zou ze misschien wel weg zijn als ik terugkwam. We bleven dus binnen en maakten alle blikjes op die we in huis hadden. Daarna aten we rijst en havermout.

'Wat moet ik doen?' vroeg ik aan Michael, die me kaas en sardientjes voorzette op zijn gebutste salontafel. Het televisiejournaal toonde bosbranden op de Angeles Crest. Michael schudde zijn hoofd, naar mij, naar de rij brandweermannen die zich verspreid over de heuvel bewogen. 'Lieverd, zulke dingen gebeuren als iemand verliefd wordt. We hebben hier met een natuurramp te maken.'

Ik zwoer dat ik nooit verliefd zou worden. Ik hoopte dat Barry langzaam aan een slepende ziekte zou bezwijken voor wat hij mijn moeder aandeed.

ER KWAM EEN rode maan op boven de stad, rood van de branden die in het noorden en in Malibu woedden. Het was het seizoen van de branden en we zaten gevangen in het hart van het laaiende landschap. In het zwembad dreef as. We zaten in de verschroeide wind op het dak.

'Mijn rafelige hart,' zei ze. Ze trok aan haar kimono. 'Ik zou het uit mijn borst moeten rukken en begraven om er compost van te maken.'

Ik zou haar zo graag willen bereiken, maar ze zat alleen in een glazen hokje, als een schoonheidskoningin bij de Miss America-verkiezing op de televisie. Ze kon me niet horen achter het glas.

Ze vouwde zich dubbel, drukte haar onderarmen tegen haar borst, perste de lucht uit haar longen. 'Ik pers het samen in mijn lijf,' zei ze, 'zoals de aarde diep onder de grond met haar hitte en haar verpletterende gewicht een brokje prehistorische mest samenperst. Ik haat hem. Haat hem. Ik haat hem.' Ze zei die laatste woorden fluisterend, maar ze klonken fel. 'Er is zich een juweel aan het vormen in mijn lichaam. Nee, het is niet mijn hart. Dit is harder, koud en zuiver. Ik wikkel me eromheen, om dit nieuwe juweel, ik koester het in mijn borst.'

De volgende ochtend stond ze op. Ze douchte, ging boodschappen doen. Ik dacht dat alles nu beter zou gaan. Ze belde Marlene en vroeg of ze weer kon komen werken. Het blad moest die week de deur uit en ze zaten om haar te springen. Ze zette me bij school af, waar ik in de tweede klas zou beginnen op de Le Conte Junior High. Alsof er niets was gebeurd. En ik dacht dat het voorbij was.

Het was niet voorbij. Ze begon Barry te volgen, zoals hij in het begin haar had gevolgd. Ze ging overal heen waar hij zou kunnen zijn, jaagde op hem zodat ze haar haat kon oppoetsen met zijn aanwezigheid.

'Mijn haat geeft me kracht,' zei ze.

Ze nodigde Marlene uit voor de lunch in zijn lievelingsrestaurant, waar hij aan de bar zat te eten, en ze glimlachte naar hem. Hij deed of hij haar niet zag, maar voelde telkens even aan zijn gezicht, streek over zijn kaak. 'Op zoek naar pukkels die er niet meer waren,' vertelde ze me die avond. 'De macht van mijn blik dreigde ze weer tot leven te wekken.'

Ze leek heel gelukkig, en ik wist niet wat erger was, dit of zoals het eerst was, toen ze haar hoofd kaal wilde scheren.

We deden boodschappen in dezelfde winkel als hij, reden kilometers om, om hem bij de meloenen tegen te komen. We gingen snuffelen in zijn favoriete muziekwinkel. We gingen naar gelegenheden waar vrienden van hem hun boeken signeerden.

OP EEN NACHT kwam ze pas na drieën thuis. Ik moest de volgende dag naar school, maar was opgebleven en had naar een junglefilm op de kabel gekeken, met Stewart Granger als blanke held. Michael lag te ronken op de divan. De hete wind testte de ramen als een inbreker die een weg naar binnen zocht. Ten slotte ging ik naar huis en viel op het bed van mijn moeder in slaap. Ik droomde dat ik voorraden op mijn hoofd door het oerwoud droeg, maar de blanke held was nergens te zien.

Ze zat op de rand van het bed en trok haar schoenen uit. 'Ik heb hem gevonden. Op een feestje bij Gracie Kelleher thuis. Ik kruiste zijn pad bij de duikplank.' Ze kwam naast me liggen en fluisterde in mijn oor: 'Hij en een mollige dame met rood haar in een doorschijnende blouse hadden daar een tête-à-tête. Hij kwam overeind en pakte me bij mijn arm.' Ze duwde haar mouw omhoog en liet me de afdrukken op haar arm zien, rood en vurig. '"Volg je me soms?" siste hij. Ik had hem ter plekke zijn keel kunnen doorsnijden. "Ik hoef je niet te volgen," antwoordde ik. "Ik kan je gedachten lezen. Ik voorzie elke beweging die je gaat maken. Ik ken je toekomst, Barry, en die ziet er niet best uit." "Ik wil dat je weggaat," zei hij. Ik glimlachte. "Dat zal best." Zelfs in het donker zag ik dat hij rood werd. "Je gaat te ver," zei hij. "Ik waarschuw je, Ingrid, je gaat te ver."' Mijn moeder lachte en strengelde haar armen in elkaar achter haar hoofd. 'Hij begrijpt het niet. Hij weet nog niet half hoe ver ik al gegaan ben.'

EEN ZATERDAGMIDDAG, HEET, de reuk van vuur, een uitgedroogde hemel. De tijd van het jaar waarin je zelfs niet naar het strand kon vanwege het giftige rode tij, de tijd waarin de stad op zijn knieën lag als het oude Sodom, en om redding smeekte. We zaten in de auto, een eindje voorbij Barry's huis, onder een johannesbroodboom. De manier waarop ze naar zijn huis keek beviel me niet, met die abnormale kalmte, als een geduldige havik boven in een door de bliksem getroffen boom. Maar het had geen zin te proberen haar over te halen om naar huis te gaan. Ze sprak niet langer dezelfde taal als ik. Ik brak een johannesbroodpeul onder mijn neus en snoof de muskusachtige geur op, en ik verbeeldde me dat ik op mijn vader wachtte, een loodgieter die een stel leidingen moest controleren in dat bakstenen huisje daar met het grasveld vol paardebloemen en het panoramaraam met glas-in-loodruitjes waar een lamp in stond.

Toen kwam Barry naar buiten, in een bermudashort, een T-shirt waar 'Local Motion' op stond, een snel John Lennon-zonnebrilletje, zijn haar zoals altijd in een paardenstaart. Hij stapte in de oude goudkleurige Lincoln en reed weg. 'Kom mee,' zei mijn moeder. Ze trok een paar witte katoenen handschoenen aan zoals de fotoredacteur droeg als hij met filmfoto's bezig was, en gooide mij ook een paar toe. Ik wilde niet met haar mee, maar ik wilde ook niet in de auto achterblijven, dus ging ik maar.

We liepen het pad naar zijn huis op alsof we er thuishoorden en mijn moeder stak haar hand in een Balinees geestenhuisje dat op de veranda stond en haalde er een sleutel uit. Binnen werd ik weer gegrepen door de triestheid van wat er was gebeurd, het was zo definitief. Ooit had ik gedacht dat ik daar zelfs misschien wel zou gaan wonen, bij de grote wajang koelit-poppen. De gebatikte kussens en de drakenvliegers die aan het plafond hingen. Zijn beeldjes van Sjiva en Parvati in hun eeuwige omhelzing hadden me vroeger niet gehinderd, toen ik dacht dat hij en mijn moeder zo samen zouden zijn, dat het eeuwig zou duren en dat er daardoor een nieuw heelal zou ontstaan. Maar nu vond ik ze walgelijk.

Mijn moeder zette zijn computer aan op het grote, met snijwerk versierde bureau. Het apparaat zoemde. Ze typte iets en alles wat op het scherm stond verdween. Ik begreep waarom ze het deed. Op dat ogenblik begreep ik waarom mensen graffiti op de muren van keurige woninkjes spoten, in de lak van nieuwe auto's krasten of goedverzorgde kinderen sloegen. Het was niet meer dan natuurlijk om iets wat je nooit zou krijgen te willen vernielen. Ze nam een hoefijzermagneet uit haar tas en haalde die over alle diskettes waar 'back-up' op stond.

'Ik heb bijna met hem te doen,' zei ze toen ze de computer uitzette, 'maar niet heus.'

Ze pakte haar x-actomes en koos een overhemd uit zijn kast, zijn bruine lievelingshemd. 'Wat toepasselijk dat hij kleren draagt in de kleur van uitwerpselen,' zei ze. Ze ging op het bed zitten en sneed het in reepjes. Toen stak ze een witte oleander in een knoopsgat.

ER BONSDE IEMAND op onze deur. Ze keek op van een nieuw gedicht dat ze zat te schrijven. Ze schreef nu zonder ophouden. 'Denk je dat hij iets van waarde is kwijtgeraakt op die harde schijf? Misschien een verzameling essays die dit najaar naar de uitgever moesten?' Ik werd bang toen ik de deur zag schudden in zijn hengsels. Ik dacht aan de afdrukken op mijn moeders armen. Barry was geen gewelddadig mens, maar iedereen heeft zijn grenzen. Als hij erin kwam, was het met haar gedaan.

Maar mijn moeder leek niet ongerust. Integendeel, hoe harder hij bonsde, des te vrolijker keek ze, met rode wangen, heldere ogen. Ze had hem hierheen gekregen. Ze haalde het knipmes uit het potlodenbekertje en maakte het open tegen haar dij. We hoorden hem schreeuwen, krijsen, zijn fluwelen stem tot op de draad versleten: 'Ik vermoord je, Ingrid. Ik zweer het je.'

Het bonzen hield op. Mijn moeder luisterde, het geopende mes tegen de witte zij van haar kimono. Plotseling stond hij aan de achterkant van het appartement op de ramen te bonzen. We zagen hem met van woede vertrokken gezicht groot en angstaanjagend tussen de oleanders staan. Ik deinsde achteruit tegen de muur, maar mijn moeder bleef gewoon midden in de kamer staan, smeulend als brandend gras.

'Ik vermoord je!' schreeuwde hij.

'Wat is hij machteloos in zijn woede,' zei mijn moeder. 'Impotent, zou je kunnen zeggen.'

Hij brak een ruit. Ik zag dat dit niet zijn bedoeling was geweest, want hij aarzelde, en toen, in een plotselinge vlaag van moed, stak hij zijn arm naar binnen en tastte naar de knop. Sneller dan ik voor mogelijk had gehouden, was ze de kamer door, hief haar arm op en stak hem in zijn hand. Het mes drong diep door. Ze moest het er met een ruk uit trekken en zijn arm vloog terug door het gat in het raam. 'Teringwijf!' gilde hij.

Ik wilde me verbergen, mijn oren dichtstoppen, maar ik moest blijven kijken. Zo eindigden liefde en hartstocht. In het gebouw naast ons gingen de lichten aan.

'Mijn buren bellen de politie,' zei ze door het gebroken raam. 'Ik zou maar gaan, als ik jou was.'

Hij liep struikelend weg en even later hoorden we hem tegen de voordeur trappen. 'Kutwijf. Ik krijg je nog wel. Dit pik ik niet.'

Ze gooide de deur open en stond daar in haar witte kimono, met zijn bloed op het mes. 'Je hebt geen idee wat jij allemaal zult moeten pikken,' zei ze zachtjes.

NA DIE AVOND kwam hij niet meer bij The Virgins of Barney's, op feestjes of clubdagen. Hij liet nieuwe sloten op zijn deur zetten. We moesten een metalen liniaal gebruiken om zijn raam open te wrikken. Deze keer stopte ze een takje oleander in zijn melk en ook een in de oestersaus en de verse kaas. Ze prikte er een in zijn tandpasta. Ze zette een boeket witte oleanders in een ambachtelijk geblazen vaas op zijn salontafel en strooide bloemen op zijn bed.

Ik voelde me verscheurd. Hij had haar straf verdiend, maar nu had ze een grens overschreden. Dit was geen wraak meer. Ze had zich al gewroken, ze had gewonnen, maar het leek of ze dat helemaal niet wist. Ze zweefde buiten alle grenzen van de redelijkheid, waar het volgende station lichtjaren verwijderd was, een reis door louter duisternis. Met hoeveel liefde schikte ze het donkere blad, de witte bloemen.

ER KWAM EEN politieman naar ons appartement. De man, inspecteur Ramirez, vertelde haar dat Barry haar beschuldigde van inbraak en poging tot vergiftiging. Ze was volmaakt kalm en stond met gekruiste armen in de deuropening. 'Barry is verschrikkelijk boos op me,' zei ze. 'Ik heb een paar weken geleden een eind aan onze relatie gemaakt en hij kan me maar niet loslaten. Ik ben een obsessie voor hem. Hij heeft zelfs geprobeerd hier in te breken. Dit is mijn dochter, Astrid, zij kan u vertellen wat er is gebeurd.'

Ik haalde mijn schouders op. Ik vond dit niet prettig. Het ging veel te ver.

Mijn moeder praatte zonder een komma over te slaan door. 'De buren hebben zelfs de politie gebeld die avond. Daar hebt u vast wel een rapportje van. En nu beschuldigt hij mij ervan dat ik in zijn huis heb ingebroken? Zielig eigenlijk, hij is niet bepaald aantrekkelijk, het moet moeilijk voor hem zijn.'

Haar haat glinsterde onweerstaanbaar. Ik zag het voor me, het juweel, het was een saffier, de koude meren van Noorwegen. Ach, inspecteur Ramirez, zeiden haar ogen, u bent aantrekkelijk, dus hoe zou u zo'n wanhopige man als Barry Kolker kunnen begrijpen?

O, wat lachte ze toen hij weg was.

DE VOLGENDE KEER zagen we Barry in de Rose Bowl, een rommelwinkel waar hij voor de grap afschuwelijke cadeaus kocht voor zijn vrienden. Mijn moeder had een hoed op die vlekken licht en schaduw wierp op haar gezicht. Hij zag haar en wendde zich snel af, zijn angst zichtbaar als een reclamebord, maar toen bedacht hij zich, draaide zich weer om en lachte naar ons.

'Verandering van tactiek,' fluisterde ze. 'Hier komt hij.'

Hij kwam recht op ons af, met een Oscar van papier-maché in zijn hand. 'Gelukgewenst met je voorstelling voor Ramirez,' zei hij, en hij stak haar het beeldje toe. 'Beste actrice van het jaar.'

'Ik weet niet waar je het over hebt,' zei mijn moeder. Ze kneep in mijn hand, heel hard, maar ze glimlachte en haar gezicht was ontspannen.

'Dat weet je best,' zei hij terwijl hij Oscar onder zijn arm stopte.

'Maar dat is niet de reden waarom ik naar je toe kom. Ik dacht zo dat we de strijdbijl maar moesten begraven. Kijk, ik geef toe dat ik te ver ben gegaan door de politie erbij te halen. Ik weet dat het een stomme streek was, maar jezus, je hebt geprobeerd bijna een jaar werk te vernielen. Mijn agent had natuurlijk een voorlopige versie, godzijdank, maar toch. Zullen we er nu maar niet mee ophouden?'

Mijn moeder glimlachte, verplaatste haar gewicht naar haar andere voet. Ze wachtte of hij iets zou doen, iets zou zeggen.

'Het is niet dat ik geen respect voor je heb als mens,' zei hij. 'En als auteur. Niemand zal ontkennen dat je prachtige poëzie schrijft. Ik heb je zelfs aangeprezen bij sommige tijdschriften. Kunnen we nu niet aan de volgende fase beginnen en gewoon goede vrienden worden?'

Ze beet op haar lip alsof ze er serieus over nadacht, maar al die tijd priemde haar nagel midden in mijn handpalm, zodat ik op het laatst dacht dat hij er aan de andere kant uit zou komen. Ten slotte zei ze met haar zachte, welluidende stem: 'Natuurlijk kan dat. Waarom ook niet?'

Ze gaven elkaar een hand. Hij keek een beetje achterdochtig maar wel opgelucht en ging verder met zijn koopjesjacht. Hij begrijpt nog steeds niets van haar, dacht ik.

Die avond gingen we naar zijn huis. Hij had nu tralies voor alle ramen. Ze streelde zijn nieuwe beveiligde deur met haar vingertoppen alsof hij van bont was. 'Proef zijn angst. Net champagne. Koel en droog en zonder het geringste vleugje zoet.'

Ze belde aan. Hij deed de binnendeur open en keek naar ons door het hekwerk van het veiligheidsscherm. Glimlachte onzeker. De wind blies door haar zijden jurk en haar maan-witte haar. Ze hield de fles riesling die ze had meegenomen omhoog. 'Omdat we nu weer vrienden zijn en zo.'

'Ingrid, ik kan je niet binnenlaten,' zei hij.

Ze glimlachte, liet haar vinger langs een van de tralies glijden, zei flemend: 'Is dat een manier om je vrienden te ontvangen?'

WE ZWOMMEN 'S AVONDS laat in het warme aquamarijn van het

zwembad. Boven ons ratelden de palmen en twinkelde de pas geschuurde hemel. Mijn moeder dreef op haar rug en neuriede zachtjes. 'God, wat is dit heerlijk.' Ze spetterde loom met haar vingers in het water en liet haar lichaam in een trage cirkel ronddobberen. 'Is dat niet gek? Ik geniet zoveel meer van mijn haat dan ik ooit van de liefde heb genoten. Liefde is grillig. Vermoeiend. Stelt eisen. Liefde gebruikt je. Verandert van gedachten.' Haar ogen waren gesloten. Waterdruppels versierden haar gezicht; haar haar waaierde uit in het water als de tentakels van een kwal. 'Maar de haat. Dat is iets wat je kunt hanteren. Boetseren. Gebruiken. Haat is hard of zacht, al naar gelang het nodig is. Liefde vernedert je, maar haat koestert je. Je wordt er heel rustig van. Ik voel me veel beter.'

'Dat is fijn,' zei ik. Ik was blij dat ze zich gelukkiger voelde, maar het soort geluk stond me niet aan, ik geloofde er niet in. Ik was bang dat het vroeg of laat zou openbarsten en dat er dan verschrikkelijke dingen uit zouden komen vliegen.

WE REDEN NAAR Tijuana. We hielden niet stil om piñata's of bloemen van crêpepapier of oorbellen of tasjes te kopen. Ze keek aldoor op een papiertje in haar hand terwijl we door de zijstraten dwaalden, langs de als zebra's beschilderde burro's en de kleine Indiaanse vrouwen die bedelden met hun kinderen. Ik gaf hun mijn kleingeld tot alles op was en kauwde op de muffe kauwgom die ze me gaven. Zij lette er niet op. Toen vond ze wat ze zocht, een apotheek, net zo een als de apotheken in LA, helder verlicht, de apotheker in een witte jas.

'*Por favor, tiene usted* DMSO?' Vroeg ze.

'Hebt u artritis?' vroeg hij in vlot Engels.

'Ja,' zei ze. 'Inderdaad. Ik hoorde van een vriendin dat u het verkoopt.'

'Hoeveel wilt u hebben?' Hij haalde drie flessen te voorschijn, een zo groot als een flesje vanille-essence, een met het formaat van een flesje nagellakremover, en de grootste met het formaat van een fles azijn. Ze koos de grote.

'Hoeveel kost die?'

'Tachtig dollar, mevrouw.'

'Tachtig.' Mijn moeder aarzelde. Voor tachtig dollar konden we twee weken eten, voor tachtig dollar konden we voor twee maanden benzine kopen voor de auto. Wat kon er tachtig dollar waard zijn dat we helemaal in Tijuana gingen kopen?

'Laten we weggaan,' zei ik, 'laten we in de auto stappen en gewoon wegrijden. Laten we naar La Paz gaan.'

Ze keek me aan. Ik had haar verrast en ik praatte door, omdat ik dacht dat we dan misschien terug konden gaan naar een planeet die ik herkende. 'We kunnen morgenochtend de eerste veerboot nemen. Kunnen we dat niet gewoon doen? Naar Jalisco rijden, San Miguel de Allende. We kunnen onze bankrekening opzeggen en het geld naar de American Express laten telegraferen en gewoon almaar doorrijden.'

Het zou zo makkelijk kunnen. Ze wist alle benzinepompen te staan tussen hier en Panama, de goedkope ouderwetse hotels met hoge plafonds en bedden met een gebeeldhouwd hoofdeind, in zijstraatjes in de buurt van de belangrijke pleinen. In twee dagen konden we vijftienhonderd kilometer van die rampzalige fles vandaan zijn. 'Je vond het altijd prettig daar. Je wilde nooit terug naar de Verenigde Staten.'

Een ogenblik lang had ik haar aandacht. Ik wist dat ze terugdacht aan de jaren die we daar hadden doorgebracht, aan haar minnaars, de kleur van de zee. Maar de betovering was niet sterk genoeg, ik kon niet met woorden toveren zoals zij, niet goed genoeg, en het beeld ebde weg, terug naar het scherm van haar obsessie. Barry en de blondine, Barry en het roodharige meisje, Barry in een badjas van bobbeltjesstof.

'Te laat,' zei ze. Ze haalde haar beurs te voorschijn, telde vier briefjes van twintig op de toonbank.

'S AVONDS TOOG ZE aan het werk in de keuken, met dingen die te vreemd waren om over te praten. Ze liet oleander trekken in kokend water, en toen de wortels van een klimplant met witte trompetvormige bloemen die glansden als gezichten. Ze weekte een plant met kleine hartvormige bloemen die ze bij maanlicht uit het hek van de buren had geplukt. Toen liet ze het vocht inkoken en de hele keuken rook naar groene en rottende bladeren. Ze gooide kilo's van de natte spinaziegroene troep weg in het vuilnisvat van iemand anders. Ze praatte niet meer tegen me. Ze zat op het dak en praatte tegen de maan.

'WAT IS DMSO?' vroeg ik op een avond aan Michael toen ze uit was. Hij zat whisky te drinken, echte Johnnie Walker, om te vieren dat hij een rol had gekregen bij het Music Centre, in *MacBeth*, hoewel hij het niet zo mocht noemen, dat bracht ongeluk. Al die heksen en zo. Het Schotse stuk, moest je zeggen. Michael nam geen enkel risico, hij had al een jaar lang niets anders gedaan dan *Books on Tape*.

'Dat gebruiken mensen met artritis,' zei hij.

Ik bladerde in een *Variety* en probeerde achteloos te klinken. 'Is het gevaarlijk?' vroeg ik.

'Volkomen onschuldig,' zei hij. Hij hield zijn glas omhoog, keek naar de amberkleurige vloeistof, en nam er langzaam, genietend, met gesloten ogen, kleine slokjes van.

Zulk goed nieuws had ik niet verwacht. 'Waar is het dan voor?'

'Het helpt medicijnen om door je huid heen te dringen. Nicotinepleisters werken net zo, en die pleisters tegen zeeziekte. Je smeert het erop en de DMSO zorgt ervoor dat het door je huid heen in de bloedstroom komt. Fantastisch spul. Ik weet nog dat ze zich zorgen maakten dat de hippies het met LSD zouden vermengen en op de deurknoppen van openbare gebouwen smeren.' Hij lachte in zijn whisky. 'Alsof iemand z'n acid aan een stelletje squares zou verspillen.'

IK ZOCHT NAAR de fles DMSO. Ik kon hem nergens vinden. Ik keek onder de gootsteen en in de badkamer, in de laden – er waren niet zoveel plaatsen waar je iets kon verstoppen in ons appartement, en het was trouwens ook niets voor mijn moeder om dingen te verstoppen. Ik bleef op tot ze thuiskwam. Ze kwam heel laat, met een knappe jongeman met donkere krullen tot halverwege zijn rug. Ze hield zijn hand vast.

'Dit is Jesus,' zei ze. 'Hij is dichter. Mijn dochter, Astrid.'
'Hoi,' zei ik. 'Mam, kan ik even met je praten?'
'Je hoort in je bed te liggen,' zei ze. 'Ik ben zo terug.' Ze glimlachte naar Jesus, liet zijn hand los en liep met me mee naar de veranda. Ze was weer mooi, geen kringen onder haar ogen, haar als vallend water.
Ik ging op bed liggen en ze dekte me toe met een laken, streelde mijn gezicht. 'Mam, wat heb je met dat spul uit Mexico gedaan?'
Ze glimlachte nog steeds, maar haar gezicht zei me alles.
'Doe nou niet,' zei ik.
Ze kuste me en aaide over mijn haar met haar koele hand, altijd koel, ondanks de hitte, ondanks de wind en de branden, en toen was ze weg.

DE VOLGENDE DAG draaide ik Barry's nummer.
Een meisje nam op. 'Tunnel of Love', zei ze, stoned, giechelend. Ik hoorde zijn stem, fluwelig op de achtergrond. Toen kwam hij aan de lijn. 'Hallo?'
Ik had hem willen waarschuwen, maar nu herinnerde ik me alleen maar het gezicht van mijn moeder toen ze die dag zijn huis uitkwam. Zoals ze zat te wiegen, het vierkant van haar mond. Trouwens, wat moest ik tegen hem zeggen – raak niets aan, eet niets, wees voorzichtig? Hij vertrouwde haar toch al niet. Als ik het hem vertelde, zouden ze haar misschien arresteren en ik wilde mijn moeder geen kwaad doen, niet ter wille van Barry Kolker en zijn neukende Sjiva's. Hij verdiende het. Hij had erom gevraagd.
'Hallo?' zei hij terwijl het meisje iets zei en stom lachte. 'Nou, lazer dan op,' riep hij en hing op.
Ik belde niet nog een keer.

WE ZATEN OP het dak en keken naar de maan, die rood en enorm in de met as bezwangerde lucht hing, boven de als een ouijabord uitgespreide stad. Overal om ons heen klonk een Grieks koor van sirenes en de zachte, krankzinnige stem van mijn moeder mompelde telkens weer: 'Ze kunnen ons niets doen. Wij zijn de vikingen. Wij gaan zonder wapenrusting de slag in, om de opwinding en het bloed.' Ze boog zich naar me toe en kuste me op mijn hoofd, met de geur van metaal en rook.

De hete wind waaide en waaide maar en wilde niet gaan liggen.

4

ER VOLGDE EEN periode die ik nauwelijks kan beschrijven, een ondergrondse tijd. Een vogel, gevangen in een riool. Haar vleugels klapperden tegen het plafond van dat donkere natte hol terwijl boven haar de stad voortdenderde. Ze heette Verdwaald. Ze heette Niemands Dochter.

In mijn dromen liep mijn moeder door een stad van bakstenen en puin, een stad na een oorlog, en ze was blind, haar ogen leeg en wit als steen. Overal om haar heen stonden hoge huizen met driehoeken boven de ramen, alles was dichtgemetseld, alles brandde. Geblindeerde ramen en haar blinde ogen, en nog kwam ze naar me toe, onontkoombaar, een krankzinnige. Ik zag dat haar gezicht gesmolten was en griezelig kneedbaar. Er zaten holten boven aan haar wangen, onder haar ogen, alsof iemand met zijn duimen in zachte klei had gedrukt.

In die zware tijd, onder die zware laaghangende grijze lucht, waren mijn vleugels loodzwaar, loodzwaar mijn panische vlucht onder de grond. Zoveel gezichten, zoveel monden die wilden dat ik alles vertelde, dat maakte me moe, ik viel in slaap terwijl ze tegen me praatten. *Vertel maar gewoon wat er is gebeurd.* Wat moest ik vertellen? Als ik mijn mond opendeed, viel er een steen uit. Haar arme witte oogbollen. Juist waar ik vertroosting hoopte te vinden. Ik droomde van witte melk op straat, witte melk en glas. Melk in de goot, tranen van melk. Ik hield haar kimono tegen mijn gezicht, haar geur van viooltjes en as. Ik wreef de zij tussen mijn vingers.

In dat hol onder de grond woonden een heleboel kinderen, baby's, tieners, en het lawaai galmde door de kamers als in de ondergrondse. Muziek als een treinbotsing, geruzie, geschreeuw, de eeuwige tv. De zware lucht van gekookt eten, dunne ziekelijke urine, schoonmaakmiddel met dennengeur. De vrouw die de leiding had dwong me op gezette tijden uit bed te komen, met de anderen aan tafel te gaan zitten achter schalen met bonen en groente en vlees. Ik kwam er gehoorzaam uit, ging zitten, at, ging dan terug naar de cocon van het bed en de slaap, liggend op een rimpelend plastic zeiltje. De meeste nachten werd ik doorweekt tot aan mijn oksels wakker.

Het meisje in het andere bed had toevallen. Dat vertelde de nicht me: 'Er valt meer te verdienen aan gehandicapte kinderen zoals jullie.'

Langs de muur van de kamer dwarrelden rozen, in bruinige schuine strepen. Ik telde rozen. Diagonale rijen van veertig, tweeënnegentig in de breedte. Boven de commode Jezus, JFK en Martin Luther King junior, allemaal en profil met hun gezicht naar links, als renpaarden voor de starthekken, Jezus aan de buitenkant. Mevrouw Campbell, de vrouw die het tehuis leidde, mager en zuur, stofte af met een geel T-shirt. De paarden allemaal op een rij ongeduldig achter de barrière. Dat van haar was nummer zeven, Medea's Trots. Er had een valluik in die dag gezeten en daar waren we allemaal doorheen gevallen. Ik streek met de ceintuur van haar kimono over mijn mond, telkens weer, de hele dag, de smaak van wat verloren was gegaan.

DE DAG DAT ze werd gearresteerd kwam in mijn dromen terug, dromen als tunnels die steeds weer op dezelfde plek uitkwamen. De klop op de deur. Het was heel vroeg, nog donker. Nog een klop, toen stemmen, gebons, ik rende naar haar kamer toen de agenten, agenten in uniform, zonder uniform, naar binnen stormden. De manager stond in de deuropening met een douchemuts op zijn hoofd. Ze trokken mijn moeder uit bed, stemmen als grauwende honden. Ze schreeuwde tegen hen in het Duits, noemde ze nazi's, noemde ze zwarthemden. '*Schutzstaffel. Durch ihre Verordnung, mein Führer.*' Haar naakte lichaam, haar wiegende borsten, zachte rode striemen op haar buik van de lakens. Het was onmogelijk, een getrukeerde foto. Iemand had die politieagenten uitgeknipt en in ons appartement geplakt. Ze keken aldoor naar haar, een pornoblaadje. Haar lichaam als maanlicht.

'Astrid, ze kunnen me niet vasthouden,' zei ze. 'Maak je niet ongerust. Over een uur ben ik terug.'

Zei ze. Zei ze.

Ik zat op Michaels bank, sliep en wachtte zoals honden wachten, de hele dag, en de volgende. Er ging een week voorbij, maar ze kwam niet. Ze had gezegd dat ze zou komen, maar ze kwam helemaal niet.

TOEN ZE ME kwamen halen, gaven ze me een kwartier om te besluiten wat ik uit ons appartement wilde meenemen. We hadden nooit veel bezeten. Ik nam haar vier boeken mee, een doos met haar dagboeken, de witte kimono, haar tarotkaarten en haar knipmes.

'Het spijt me,' zei Michael. 'Ik zou je hier houden als het kon, maar je weet hoe het is.'

Hoe het is. Hoe het is als de aarde zich onder je opent en je opslokt alsof je er nooit bent geweest. Zoals Persephone, die door de god werd ontvoerd. De grond opende zich en daar was hij. Hij sleurde haar in een zwarte strijdwagen. Toen doken ze omlaag, onder de grond, de duisternis in, de aarde sloot zich boven haar hoofd en ze was verdwenen, alsof ze er nooit was geweest.

Zo kwam ik onder de grond terecht, in het huis van de slaap, in het huis van de plastic zeiltjes en huilende baby's en dwarrelende bruine rozen, veertig naar beneden, tweeënnegentig in de breedte. Drieduizendzeshonderdtachtig bruine rozen.

ÉÉN KEER NAMEN ze me mee om haar te bezoeken, achter glas. Ze droeg een oranje overal, als een automonteur, en ze was niet in orde. Haar ogen waren helemaal wazig. Ik zei tegen haar dat ik van haar hield, maar ze herkende me niet. In mijn dromen zag ik haar zo terug, telkens weer, haar blinde ogen.

Het was een jaar van monden die open- en dichtgingen, steeds weer hetzelfde vroegen, hetzelfde zeiden. *Vertel maar gewoon wat er is gebeurd. Vertel ons wat we willen weten.* Ik wilde haar helpen, maar ik wist niet hoe. Ik kon geen woorden vinden, ik had geen woorden. In de rechtszaal droeg ze een witte blouse. Ik zag die blouse als ik wakker was en ik zag hem als ik sliep. Ik zag haar in de beklaagdenbank in die blouse, haar ogen leeg als die van een pop. Ik zag haar rug in die witte blouse toen ze wegliep. Vijfendertig jaar tot levenslang, zei iemand. Ik kwam thuis en telde rozen, en sliep.

ALS IK WAKKER was, probeerde ik me alles te herinneren wat ze me had geleerd. Wij waren de staven. Wij hingen onze goden in bomen. Laat een man nooit de hele nacht blijven. Vergeet niet wie je bent. Maar ik wist het niet meer. Ik was het meisje met de handicap, met stenen in mijn mond, verdwaald op het slagveld, plastic zeiltjes in mijn bed. Ik was hulpwasvrouw. Ik hielp de nicht de spullen naar de wasserette te brengen. Ik keek naar het ronddraaiende wasgoed. Het rook lekker, dat gaf me een veilig gevoel. Ik sliep tot slapen waken leek en waken slapen. Soms lag ik op mijn bed in de kamer met de rozen naar het meisje op het andere bed te kijken. Ze tatoeëerde littekens op haar askleurige donkere huid, met een veiligheidsspeld, een luierspeld, met een gele eend erop. Ze kraste lijnen en lussen open op haar huid. Als ze dichtgroeiden werden het roze kussentjes. Die krabde ze opnieuw open. Het duurde een tijdje, maar eindelijk begreep ik het. Ze wilde dat het te zien was.

Ik droomde dat mijn moeder me achternazat door de platgebrande stad, blind, genadeloos. *De waarheid en niets dan de waarheid*. Ik wilde liegen, maar de woorden lieten me in de steek. Zij was degene die altijd voor ons sprak. Zij was de godin die de gouden appels wierp. Dan bukten ze om die op te rapen zodat wij konden ontsnappen. Maar toen ík in mijn zak voelde, vond ik alleen stof en dorre bladeren. Ik had niets om haar mee te beschermen, haar naakte lichaam mee te bedekken. Ik had haar veroordeeld door mijn zwijgen, ik had ons allebei veroordeeld.

OP EEN DAG werd ik wakker en zag dat het meisje van het andere bed in mijn la van de commode aan het snuffelen was. Ze bekeek een boek, sloeg met een rukje de bladzijden om. Het boek van mijn moeder. Mijn tengere, naakte moeder, alleen tussen de zwarthemden. Ze zat met haar poten aan mijn moeders woorden. 'Blijf van mijn spullen af,' zei ik.

Het meisje keek naar me op, verschrikt. Ze wist niet dat ik kon praten. We zaten nu al maanden samen op deze kamer en ik had nooit een woord gezegd.

'Leg terug,' zei ik.

Er kwam een grijns op haar gezicht. Ze pakte een bladzij, verfrommelde hem en scheurde hem uit het boek, terwijl ze de hele tijd naar me bleef kijken. Wat zou ik doen? De woorden van mijn moeder in haar schubbige knokkelhand. Wat zou ik doen, wat zou ik doen. Ze pakte nog een bladzij, scheurde hem eruit, propte hem in haar mond, nog steeds grijnzend, de flarden hingen uit haar stukke lippen.

Ik stortte me op haar, gooide haar op de grond. Ging op haar zitten, met mijn knieën in haar rug, het donkere lemmet van het mes van mijn moeder prikte in haar wervels. Een lied in mijn bloed. *Vergeet niet wie je bent.*

Ik wilde haar steken. Ik kon de punt van het mes in haar lijf voelen dringen, hij gleed in haar nek, in de holte onder aan haar schedel, als in een putje. Ze bleef doodstil liggen en wachtte op wat er zou gebeuren. Ik keek naar mijn hand, een hand die wist hoe je een mes vasthield, hoe je het in de rug van een geschift meisje moest steken. Het was niet mijn hand. Zo was ik niet. Nee.

'Spuug het uit,' fluisterde ik in haar oor.

Ze spuugde de stukken uit, briesend als een paard.

'Blijf van mijn spullen af,' zei ik.

Ze knikte.

Ik liet haar opstaan.

Ze ging terug naar haar bed en begon zichzelf met de veiligheidsspeld te prikken. Ik stopte het mes in mijn zak, raapte de verfrommelde bladzijde op, de eraf gescheurde snippers.

In de keuken zaten de nicht en haar vriend aan de tafel Colt 45 te drinken en naar de radio te luisteren. Ze hadden ruzie. 'Je ziet nooit een cent van dat geld terug, stommeling.' zei ze. Ze zagen me niet. Ze zagen ons nooit. Ik pakte het plakband en ging terug naar mijn kamer.

Ik plakte de gescheurde bladzijde aan elkaar, plakte ze allebei weer in het boek. Het was haar eerste boek, een donkerblauw omslag met een zilverkleurige margriet, een art-nouveaubloem. Ik streek met mijn vingers langs de ijle zilverige lijn, die kronkelende als een zweepkoord. Het was haar voordrachtexemplaar, met zacht potlood geschreven aantekeningen in de marges. *PAUZEREN. Omhooggaande stembuiging.* Ik raakte de bladzijden aan, die haar handen hadden aangeraakt, ik drukte ze tegen mijn lippen, het zachte dikke oude papier, geel geworden, teer als een huid. Ik stak mijn neus in het bindwerk en rook alle voordrachten die ze had gegeven, de geur van sigaretten zonder filter en het espressoapparaat, stranden en wierook en gefluisterde woorden in de nacht. Ik kon haar stem horen opstijgen uit de bladzijden. De omslag was bij de hoeken omgekruld, als twee zeilen.

De foto op de achterkant. Mijn moeder in een korte jurk met lange elegante mouwen, haar haar in een lange pony geknipt, waar haar ogen onderuit gluurden. Als een kat die onder een bed uit gluurt. Dat mooie meisje, ze was een universum, de draagster van deze woorden die galmden als gongslagen, die buitelden als van doodsbeenderen gemaakte fluiten. Op de foto was er nog niets van dit alles gebeurd. Toen was ik veilig, een speldenknop van een eicel, begraven in haar rechter eileider, en waren we altijd samen.

TOEN IK GING praten, stuurden ze me naar school. Ik heette het Witte Meisje. Ik was een albino, een monster. Ik had helemaal geen huid. Ik was doorschijnend, je kon mijn bloed zien circuleren. In elke les maakte ik tekeningen. Ik maakte tekeningen op de computerkaarten door de puntjes met elkaar te verbinden en zo nieuwe sterrenbeelden te vormen.

5

ER KWAMEN TELKENS andere maatschappelijk werkers, maar ze leken allemaal op elkaar. Ze gingen met me naar McDonald's, sloegen hun dossiers open, stelden hun vragen. Ik was bang bij McDonald's. Er waren te veel schreeuwende en huilende en in bakken met gekleurde ballen rondglijdende kinderen. Ik had niets te zeggen. Deze keer was het een man, blank, met een kort baardje, net de schoppenboer. Handen als kolenscheppen, een zegelring aan zijn pink.

Hij vond een permanente plaats voor me. Toen ik wegging uit het groepstehuis aan de Crenshaw Boulevard, zei niemand me gedag. Maar het meisje met de littekentatoeages stond me op de stoep na te kijken toen ik wegreed. Trossen lavendelkleurige jacaranda's sprongen te voorschijn uit de bomenrijen terwijl onze auto zich door de grijs-met-witte straten heen weefde.

We moesten over vier snelwegen om bij mijn nieuwe huis te komen. We namen een afslag naar een weg die schuin omhoogliep als een talud. Tujunga, zeiden de borden. Ik keek naar de lage boerenhuizen die groter, toen kleiner werden, met rommelige tuinen. De trottoirs verdwenen. Huisraad schoot als paddestoelen uit de veranda's op. Een wasmachine, sloophout, een witte kip, een geit. Eindelijk waren we de stad uit. We kwamen over een heuveltop en zagen de droge rivierbedding van de Tujunga liggen, bijna een kilometer breed. Jongens op crossmotortjes trokken sporen in de vlakte, wervelden witte stofwolken op. In contrast hiermee leek de lucht lusteloos, mismoedig.

We stopten op het zanderige erf van een huis – gedeeltelijk een caravan, maar met zoveel aanbouwsels dat je het een huis moest noemen. Een plastic siermolentje stond roerloos in een bed geraniums. Op het brede caravanbalkon hingen potten met sprietenplanten. Er zaten drie jongetjes naar ons te kijken. Een van hen had een potje met een of ander beest erin in zijn hand. De grootste duwde zijn afgezakte bril omhoog op zijn neus, riep over zijn schouder iets door de hordeur. De vrouw die naar buiten kwam, liet veel boezem en been zien en had een brede lach, witte, korte tanden, allemaal vóór in haar mond. Ze had een platte neus, als een bokser.

Ze heette Starr en het was donker in haar caravan. Ze gaf ons mierzoete cola, die we uit het blikje dronken terwijl de maatschappelijk werker met haar praatte. Als ze sprak, bewoog Starr haar hele lichaam, gooide haar hoofd achterover om te lachen. Een gouden kruisje glinsterde tussen haar borsten en de maatschappelijk werker kon zijn ogen niet van die diepe geheime plek afhouden. Zij en de maatschappelijk werker merkten het niet eens toen ik naar buiten ging.

Er waren hier geen jacarandafranjes, alleen oleanders en palmen, vijgcactussen en een treurpeperboom. Het stof dat alles bedekte had de roze-beige kleur van zandsteen, maar de lucht was breed, als een sereen voorhoofd, het heldere loodblauw van gebrandschilderd glas. Voor het eerst drukte er geen plafond op mijn hoofd.

De grootste jongen, die met de bril, stond op.

'We gaan hagedissen vangen, wil je mee?'

Ze vingen de hagedissen met van schoenendozen gemaakte vallen bij de rivierbedding. Het geduld van die kleine jongens terwijl ze wachtten, zwijgend, roerloos, tot er een groene hagedis in de val kroop. Ze trokken aan het touwtje en de doos viel om. De grootste jongen schoof er een stuk karton onder en draaide hem om, de middelste pakte het diertje eruit en stopte het in een glazen potje.

'Wat gaan jullie ermee doen?' vroeg ik.

De jongen met de bril keek me verbaasd aan. 'Bestuderen natuurlijk.'

De hagedis in het potje deed opdrukoefeningen, werd toen roerloos. Nu hij zo geïsoleerd was, kon je zien hoe volmaakt hij was, tot aan de kleinste schub en de rij geëtste nageltjes toe. Tot iets bijzonders gemaakt door zijn gevangenschap. Boven ons rees de berg op, een ontzagwekkende aanwezigheid. Als ik er op een bepaalde manier naar keek, kreeg ik het gevoel dat die enorme massa met zijn brede schouders op me af kwam, met groene vlekjes salie op zijn flanken en al. Er stak een briesje op. Een vogel krijste. De chaparral verspreidde een warme frisse geur.

Ik dwaalde tussen door de zon verwarmde rotsblokken over de bedding. Ik legde mijn wang tegen een rots en verbeeldde me dat ik net zo roerloos, net zo stil werd, niet geïnteresseerd waar de rivier me na de laatste storm had gedumpt. De grootste jongen kwam ineens naast me staan. 'Pas op voor de ratelslangen. Ze liggen graag op die rotsen.'

Ik stapte achteruit.

'De westelijke diamantratelslang is de grootste adderachtige van Amerika,' zei hij. 'Maar ze bijten zelden boven de enkel. Je moet gewoon opletten waar je loopt en niet op de rotsen klimmen, en als je dat toch doet, kijk dan uit waar je je handen legt. Kijk.' Hij pakte een kleine steen en tikte ermee op de dichtstbijzijnde rots, alsof hij op een deur klopte. 'Ze gaan je uit de weg, als ze kunnen. Kijk ook uit voor schorpioenen. Schud je schoenen leeg voor je ze aantrekt, vooral buiten.'

Ik keek hem onderzoekend aan, dit magere sproetige joch, dat waarschijnlijk iets jonger was dan ik, en probeerde uit te maken of hij me misschien bang wilde maken. Maar hij leek er eerder op uit te bewijzen wat een bolleboos hij was. Ik liep door, keek naar de vormen van de rotsen, hun blauwzwarte schaduwen. Ik had het gevoel dat ze bewoond waren, alsof zich er mensen in schuilhielden. De jongen liep achter me aan.

'Konijn,' zei hij, naar het zand wijzend.

Ik kon de verwaaide afdrukken maar net zien, twee grotere gevolgd door een kleintje en dan nog een. Hij glimlachte. Zijn tanden stonden wat naar achteren en hij had zelf wel iets van een konijn.

Het was een jongen die voor de televisie hoorde te zitten of in een bibliotheek, maar hij kon het witte zand lezen zoals een andere jongen een stripboek, zoals mijn moeder de kaarten las. Kon hij mijn toekomst maar in het zand lezen.

'Je ziet veel,' zei ik.

Hij glimlachte. Het was een jongen die graag gezien wilde worden. Hij vertelde me dat hij Davey heette, hij was Starrs echte zoon. Er was ook een dochter, Carolee. De twee anderen, Owen en Peter, waren pleegkinderen, net als ik. Maar haar eigen kinderen hadden ook in pleeggezinnen gezeten toen Starr aan het afkicken was.

Met hoeveel kinderen gebeurde dit? Hoeveel kinderen dreven er nog meer als plankton in de uitgestrekte oceaan? Ik dacht eraan hoe kwetsbaar de banden waren tussen moeders en kinderen, vrienden, familie, dingen waarvan je denkt dat ze eeuwig zijn. Je kon alles verliezen, gemakkelijker dan iedereen voor mogelijk hield.

We liepen verder. Davey trok aan een struik met helgele bloemen. 'Rolklaver, familie van de erwt.' De bries waaide door de cañon en de bomen glinsterden groen en grijs. 'Die met de groene bast is een paloverde. De andere is een tesota.'

De stilte, de compacte berg, de witte vlinders. De groene geur van de fluweelboom die de indianen hier volgens Davey vroeger gebruikten om de lucht in hun wik-i-ups te zuiveren. Pollen reuzenraaigras, dat nog groen was, maar al knetterde als vuur. Twee haviken cirkelden krijsend in de naadloze blauwe lucht.

DIE NACHT LAG ik in bed in een slaapzaak versierd met een patroon van cowboys op wilde paarden, lasso's en sporen, met de rits los om de koelte binnen te laten, en keek naar Carolee – zestien jaar oud, even lang als haar moeder, een nors meisje met pruillippen – terwijl ze haar topje dichtritste. 'Die denkt dat ze me huisarrest kan geven,' zei Carolee tegen haar spiegelbeeld. 'Had ze gedroomd.'

Aan de andere kant van de dunne kamermuur lagen de moeder en haar hippievriend te vrijen. Het hoofdeind van hun bed bonkte tegen de wand. Het had niets van de nachtelijke magie van mijn moeder en haar jongemannen, zacht gefluister bij de klanken van keizerlijke kotomuziek in het geparfumeerde donker.

'Godallejezus!' krijste Starr.

Carolees mond vertrok zich tot bijna een lachje. Ze stond met haar schoen op het bed haar veters vast te maken. 'Christenen zeggen nooit: "Neuk me, schat." Eigenlijk mogen ze het niet eens, maar ze heeft het virus van de zonde in haar bloed.' Ze poseerde voor de spiegel, trok de rits van haar topje een paar centimeter omlaag, zodat je de inham tussen haar borsten kon zien. Ze ontblootte haar tanden en maakte ze schoon met haar vinger.

Buiten gierde een crossmotor. Ze duwde de hor open en klom op de commode, waarbij ze bijna haar make-upmandje omgooide. 'Tot morgenochtend. Niet het raam dichtdoen, hoor.'

Ik stond op en keek haar na toen ze verdween op de motor over de weg, die breed en wit in het maanlicht lag, de donkerte van de bergen donkerder dan de lucht, een volmaakt verdwijnpunt van rijbaan en telefoonpalen. Ik stelde me voor dat je door het verdwijnpunt heen zou kunnen rijden en ergens aankomen waar alles anders was.

'ZONDER JEZUS WAS ik nu dood geweest,' zei Starr. Ze sneed een vrachtwagen die ons strafte met oorverdovend getoeter. 'Ik zweer het je. Ze hadden mijn kinderen afgepakt, ik was goed voor de schroothoop.'

Ik zat op de voorbank naast Starr in haar Ford Torino en Carolee hing op de achterbank, met een glinsterend enkelbandje om haar been, een cadeau van haar vriend, Derrick. Starr reed te hard. Ze hotste kettingrokend uit een goudkleurig pak Benson & Hedges 100 over de weg en luisterde naar de evangelische radiozender. Ze vertelde dat ze aan alcohol en coke verslaafd was geweest en als topless serveerster had gewerkt in een club die de Trop heette.

Ze was niet mooi zoals mijn moeder, maar je kon je ogen niet van haar af houden. Ik had nog nooit iemand met zo'n figuur gezien. Alleen achter in de *LA Weekly*, kauwend op een telefoonsnoer. Maar haar energie was overweldigend. Ze hield geen ogenblik op met praten, lachen, standjes geven, roken. Ik vroeg me af hoe ze was als ze cocaïne had gebruikt.

'Ik verheug me er verschrikkelijk op je aan eerwaarde Thomas voor te stellen. Heb je Christus als je persoonlijke verlosser aanvaard?'

Bijna had ik gezegd dat wij onze goden in de bomen hingen, maar ik deed het toch maar niet.

'Nou, dat komt dan nog wel. Hemel, als je die man één keer hebt gehoord, ben je gelijk bekeerd.'

Carolee stak een Marlboro op, draaide het achterraam open. 'Die schijnheilige klootzak. Ik snap niet dat je die bullshit gelooft.'

'Wie in mij gelooft, zal leven, ook al is hij gestorven. Denk daaraan, jongedame,' zei Starr. Ze noemde ons nooit bij onze namen, zelfs haar eigen kinderen niet, alleen 'jongedame' of 'meneertje'.

Ze ging met ons naar de Clothestime in het naburige stadje, Sunland, want ze wilde wat spullen voor me kopen voor mijn nieuwe leven. Ik was nog nooit in zo'n winkel geweest, mijn moeder en ik kochten onze kleren op de boulevard in Venice. In de Clothestime vielen de kleuren van alle kanten op ons aan. Magenta, krijsten ze. Turquoise! Zwavelgeel! onder de flikkerende tl-buizen. Starr gooide stapels kleren op mijn armen om te passen en nam dezelfde paskamer als ik, zodat we verder konden praten.

In het pashokje wurmde ze zich in een gestreept mini-jurkje, trok het glad over haar ribben en draaide voor de spiegel heen en weer om te kijken hoe het van opzij stond. De strepen verbreedden en versmalden zich over haar borsten en billen als op-art. Ik probeerde haar niet aan te gapen, maar was wel stomverbaasd. Ik vroeg me af wat de eerwaarde Thomas van haar zou vinden in zo'n jurk.

Ze fronste, trok de jurk over haar hoofd en hing hem weer op. Je kon haar figuur er nog in zien. Dat lijf van haar in die kleine paskamer was bijna te veel. Ik kon alleen in de spiegel naar haar kijken, naar haar borsten die uit de bovenkant van haar beugelbeha puilden, het kruisje dat er tussen verscholen lag als een slang in een rotsspleet.

'De zonde is een virus. Dat zegt de eerwaarde Thomas. Het hele land raakt erdoor besmet, net als door syfilis,' vertelde ze me. Er bestaat nu een soort syfilis waar je nooit meer van af komt. De zonde is precies zo. We kennen alle smoezen die je maar kunt bedenken. Bijvoorbeeld: wat voor verschil maakt het nou of ik coke in mijn neus plemp of niet? Wat is er mis mee om je altijd lekker te willen voelen. Wie schaad je ermee?'

Ze sperde haar ogen wijd open. Ik zag de lijm van haar valse wimpers. 'Het schaadt jezelf en het schaadt Jezus. Omdat het slecht is.' Haar stem klonk zacht en lief , als die van een kleuterjuf. Ik probeerde me voor te stellen hoe het was om in een herenclub te werken. Om naakt een kamer vol mannen binnen te lopen.

Ze paste een roze stretchjurkje aan, rolde het omlaag over haar heupen. 'Het is een virus dat je van binnenuit opvreet, je besmet iedereen om je heen ermee. O, wacht maar tot je de eerwaarde Thomas hoort.'

Ze keek fronsend in de spiegel hoe de jurk er van achteren uitzag. Hij zat zo strak dat hij opkroop tussen haar benen. 'Dit lijkt me meer iets voor jou.'

Ze stroopte hem af en gaf hem aan mij. Hij rook naar haar zware parfum. Obsession. Toen ik mijn kleren uittrok, keek ze keurend naar mijn lijf alsof ze probeerde te besluiten of ze het zou kopen of niet. Mijn ondergoed was gescheurd. 'Je moest maar eens een beha gaan dragen, jongedame. Al dertien, het zal tijd worden. Ik kreeg mijn eerste beha toen ik in de vierde klas lagere school zat. Je wilt toch niet dat ze op je knieën hangen als je dertig bent?'

Dertien? Van schrik liet ik een stapeltje kleren van de haak vallen. Ik dacht terug aan het afgelopen jaar. Mijn moeders proces, al die zittingen en vragen, medicijnen en maatschappelijk werkers. Ergens in die tijd was ik dertien geworden. Ik was de grens in mijn slaap gepasseerd en niemand had me wakker gemaakt om een stempel in mijn pas te zetten. Dertien. Ik was er zo door overdonderd dat ik niet eens protesteerde toen Starr erop stond de roze jurk te kopen om naar de kerk te dragen, plus twee beha's, zodat ze niet op mijn knieën zouden hangen als ik dertig was, een doosje panty's en nog een paar dingen.

We gingen naar de Payless, daar vlak naast, om schoenen te kopen. Starr pakte een rode schoen met hoge hak van de stellage, paste hem zonder kousje, ging erop staan, streek haar short glad over haar heupen, hield haar hoofd scheef, trok een gezicht en zette hem terug. 'Ik bedoel, zo dacht ik er echt over. Wie kan het wat schelen als ik mijn tieten in het gezicht van een vreemde man duw? Dat gaat alleen mij wat aan.'

Carolee fluisterde: 'Hou alsjeblieft je mond, moeder. Iedereen kijkt.'

Starr gaf me een paar roze schoenen met hoge hakken om te passen, voor bij mijn jurk. Ik trok ze aan. Ik leek net Katrien Duck, maar Starr vond ze prachtig en drong erop aan dat ik ze zou kopen.

'Ze heeft eerder een paar gympen of zo nodig,' zei Carolee. 'Het enige wat ze heeft, zijn die stomme teenslippers.'

Ik koos een paar stevige hoge schoenen uit in de hoop dat ze niet te duur waren. Starr keek gekwetst toen ik ze haar liet zien. 'Ze zijn niet erg... flatteus.'

Maar slangen beten zelden boven de enkel.

ZONDAGOCHTEND WAS CAROLEE vroeg op. Ik was verbaasd. Zaterdag had ze tot twaalf uur geslapen. Maar kijk haar nu eens, om acht uur op, aangekleed, haar rugzakje om.

'Waar ga je naar toe?'

Ze borstelde haar rossige haar. 'Wat dacht je? Dat ik de hele dag naar het gezeik van eerwaarde Engerd over het Bloed van het Lam ga zitten luisteren?' Ze legde haar borstel neer en rende de kamer uit. 'Sayonara!' Ik hoorde de hordeur dichtslaan.

Ik nam de hint van Carolee ter harte en deed of ik ziek was. Starr keek me strak aan en zei: 'Volgende week ga je mee, jongedame.' Ze had een korte witte rok aan met een perzikkleurige blouse en schoenen met hakken van tien centimeter. Ik rook een dikke wolk Obsession. 'En geen smoesjes.'

Pas toen ik Starrs Torino steunend de weg op hoorde draaien, durfde ik me aan te kleden en te voorschijn te komen, een ontbijt voor mezelf klaar te maken. Het was prettig om alleen te zijn, de jongens ergens verstopt bij de rivierbedding, het gierende geluid van crossmotortjes in de verte. Ik begon net te eten toen Starrs hippievriend in spijkerbroek, op blote voeten en een T-shirt over zijn hoofd trekkend uit de slaapkamer kwam. Zijn borst was mager en harig, rossig en doorschoten met grijs, zijn weerbarstige haar niet zoals anders in een paardenstaart gebonden. Hij stommelde de gang door. Ik hoorde hem piesen, het geluid van het water. Kletteren, spoelen. Hij kwam de huiskamer binnen, pakte een sigaret uit een pakje op de tafel, stak hem op. Er ontbrak een vinger aan de hand die de sigaret vasthield, en het topje van de volgende.

Hij glimlachte toen hij zag dat ik ernaar keek. 'Wel eens een timmerman om een tafeltje in een restaurant horen vragen? Tafel voor drie, alstublieft.' Hij stak zijn verminkte hand op.

Hij deed er tenminste niet moeilijk over. Ik mocht hem wel, maar vond het nogal gênant dat hij de oorzaak van de 'godallejezussen' aan de andere kant van de muur was. Hij was een lelijke man met een mager gezicht, trieste ogen, lang grijzend haar. We moesten oom Ray tegen hem zeggen. Hij deed de koelkast open en haalde er een blikje bier uit. Sjsssst, siste het, toen hij het opentrok.

'Je loopt de Jezus-show mis.' Hij goot het bier bijna zonder te slikken door zijn keel.

'Jij ook,' antwoordde ik.

'Ik laat me nog liever doodschieten,' zei hij. 'Als er een God bestaat, dan heeft ie er zo'n zootje van gemaakt dat hij het niet verdient dat we tot hem bidden. Dat is mijn theorie.' Hij liet een harde boer en glimlachte.

Ik had nooit veel over God nagedacht. We hadden de godenschemering, we hadden de wereldboom. We hadden de Olympus en zijn schandalen. Ariadne en Bacchus, de verkrachting van Danaë. Ik wist van Sjiva en Parvati en Kali, en Pele, de vulkaangodin, maar mijn moeder had iedere toespeling op Jezus taboe verklaard. Ze wilde zelfs niet naar het kerstspel op school komen kijken. Ze zei dat ik maar een lift aan een ander kind moest vragen.

Voor mij was de dichtste benadering van een religieus gevoel de simpele wolkeloze blauwe lucht en een bepaald soort stilte, hoe kon je nu tot zoiets bidden?

Oom Ray stond tegen de deurpost geleund te roken met zijn gezicht naar de grote peperboom en zijn bestelwagen op het erf. Hij nam kleine teugjes van zijn bier, dat hij in dezelfde hand hield als zijn sigaret, niet slecht voor iemand die twee vingers miste. Hij kneep zijn ogen samen tegen de rook, die hij door de hordeur naar buiten blies. 'Hij is er alleen maar op uit om haar te neuken. Over een tijdje zegt hij dat ze mij moet dumpen, en dan pak ik mijn achtendertig, en zal ik die klootzak eens een lesje leren. Dan zul je Bloed van het Lam te zien krijgen.'

Ik zocht de marshmallows uit mijn ontbijtmix en legde ze op de rand van mijn bord, paarse maantjes, groene klavertjes. 'Het is geen zonde als je getrouwd bent,' zei ik. Ik dacht dat hij het niet zou horen, maar hij had me verstaan.

'Ik ben al getrouwd,' zei hij. Hij keek door de hordeur naar de peperboom. De takken zwaaiden in de wind als het lange haar van een vrouw. Hij grijnsde naar me over zijn schouder. 'Het virus heeft me goed te pakken.'

Ik legde om en om een maantje en een klavertje op de rand. Als er een in het bord viel, at ik het op. 'Waar is je vrouw?'

'Weet ik niet. Ik heb haar al een paar jaar niet gezien.'

Hij leek er wel erg kalm onder, dat er iemand rondliep met zijn naam en zijn levensgeschiedenis en dat hij niet eens wist waar ze was. Ik werd er duizelig van, ik had het gevoel dat ik iets zwaars moest beetpakken om me aan vast te houden. Dit was het soort leven dat ik zou krijgen, iedereen van alle anderen gescheiden, je kon je even vasthouden maar dan werd je weer meegesleurd. Ik zou ook kunnen afdrijven als ik groot werd. Mijn moeder zou helemaal niet weten waar ik was en als iemand later naar me vroeg, zou ze net als hij haar schouders ophalen en zeggen: 'Ik heb haar al een paar jaar niet gezien.'

Het trof me als een stomp in mijn maag. Er konden jaren voorbijgaan zonder dat ik haar ooit zag. Dat kon. Mensen die elkaar kwijtraken omdat hun handen uit elkaar glijden in een menigte. Misschien zou ik haar nooit terugzien. Die doffe ogen in dat droge aquarium, de vorm van haar rug. Mijn god, hoe had ik dat al die maanden voor mezelf verborgen kunnen houden? Ik wilde mijn moeder, ik wilde iets dat me vast zou houden, dat me niet zou laten wegglippen.

'Hé, wat krijgen we nou?' Oom Ray kwam naar me toe en ging naast me aan de tafel zitten. Hij gooide zijn sigaret in het bierblikje en pakte mijn handen. 'Niet huilen, meisje. Wat is er? Vertel het maar aan oom Ray.'

Ik kon alleen mijn hoofd schudden, rauwe snikken, scherp als scheermessen.

'Mis je je moeder?'

Ik knikte. Mijn keel voelde aan alsof er twee handen omheen waren geklemd, erin knepen, het water uit mijn ogen persten. Mijn neus liep.

Ray verschoof zijn stoel zodat hij zijn arm om me heen kon slaan, gaf me een servetje van de tafel. Ik verborg mijn gezicht tegen zijn borst en doorweekte de voorkant van zijn T-shirt met tranen en snot. Het was prettig iemands armen om me heen te voelen, ik ademde zijn geur in, sigaretten en ongewassen lijf en bier en pas gehakt hout, iets groens.

Hij hield me vast, hij was betrouwbaar, hij zou me niet laten wegdrijven. Praatte tegen me, zei dat niemand me kwaad zou doen, ik was een fantastisch meisje, er kon me niets gebeuren. Na een tijdje veegde hij mijn wangen af met de rug van zijn hand, tilde mijn kin op zodat hij me aan kon kijken, duwde het haar uit mijn ogen. 'Je mist haar echt, hè? Zeg, is ze net zo mooi als jij?'

Ik glimlachte even, zijn blik was zo triest en lief. 'Ik heb een foto.' Ik rende naar boven en nam een exemplaar van mijn moeders laatste boek mee, *Dust*. Ik streek zachtjes met mijn hand over de foto op het achterblad, op het strand van Big Sur. Enorme rotsen in het water, drijfhout. Ze droeg een visserstrui, haar haar wapperde naar achteren in de wind. Ze leek een Lorelei, iemand die schipbreuken veroorzaakt, Odysseus had zich aan de mast moeten laten vastbinden.

'Jij wordt mooier,' zei hij.

Ik veegde mijn neus af met de mouw van mijn T-shirt, glimlachte. Mijn moeder was een vrouw voor wie de mensen vol bewondering bleven stilstaan op de markt. Niet zoals bij Starr, maar alleen omdat ze zo mooi was. Ze leken verbaasd dat ze boodschappen moest doen en moest eten, net als iedereen. Ik kon me niet voorstellen dat ik het soort schoonheid van mijn moeder zou bezitten. Ik zou het niet durven. Het zou veel te griezelig zijn. 'Echt niet.'

'Nou en of. Je bent alleen een ander type. Jij bent het lievemeisjestype. Je moeder ziet eruit alsof ze zo een hap uit je zou kunnen nemen – niet dat ik dat erg zou vinden, ik hou wel van een beetje ruig, maar je snapt wel wat ik bedoel. Ze zullen als vliegen om je heen zwermen.' Hij gluurde met zijn vriendelijke ogen in mijn gebogen gezicht, praatte heel zachtjes. 'Geloof me maar. Je zult ze van je af moeten slaan als je over straat loopt.'

Niemand had ooit zoiets tegen me gezegd. Zelfs als hij alleen maar loog om me te troosten – wie nam er nog de moeite om dat te doen?

Hij sloeg een paar bladzijden om, en las. 'Kijk, dit gaat over jou.'

Ik rukte het uit zijn hand, vuurrood. Ik kende dat gedicht.

Ssst
Astrid slaapt
Roze diepte van haar woordloze mond
Eén lang been hangt half van het bed
Als een onaffe zin
Een sterrenbeeld van fijne sproeten spreekt van nieuwe kansen
Haar kaurischelp
Waar de nog ongeopende vrouw fluistert...

Ze las het vaak voor op poëzieavonden. Ik zat dan aan mijn tafel te tekenen en deed alsof ik haar niet hoorde, alsof ze het niet over mij had, mijn lijf, mijn kinderlijke lichaamsdelen. Ik haatte dat gedicht. Dacht ze soms dat ik niet wist waar ze het over had? Dat het me niet kon schelen aan wie ze het voorlas? Nee, ze dacht dat ik, als haar dochter, haar eigendom was, dat ze alles met me kon doen wat ze wilde. Poëzie van me maken, iedereen mijn sleutelbeenderen en mijn kaurischelp, mijn ongeopende vrouw laten zien.

'Wat is er met haar gebeurd?' vroeg hij.

'Ze heeft haar vriend vermoord,' zei ik op de foto neerkijkend, het profiel een speer onder mijn ribben, die mijn lever, mijn rechterlong doorboorde. Er viel een traan van mijn wimper op de foto. Ik veegde hem af. 'Ze zit in de gevangenis.'

Hij haalde zijn schouders op. Alsof mensen wel vaker zulke dingen deden. Niet goed, maar ook niet schokkend.

IK GING NAAR de tweede klas van de Mount Gleason Junior High, mijn derde school dit jaar. Ik kende er niemand, wilde niemand kennen. Ik at tussen de middag met Davey. We deden een quiz met behulp van kaartjes die hij voor zichzelf had gemaakt. Hoe heten de jonkies van fretten? Puppy's. Hoeveel puppy's per worp? Zes tot negen. Het sterrenbeeld Andromeda. Belangrijkste kenmerk? De Grote Andromedanevel. Meest geliefd object voor waarnemingen? De dubbelster Gamma Andromedae. Afstand tot de aarde? Twee miljoen lichtjaren. Afwijkende eigenschap? In tegenstelling tot andere spiraalnevels, die zich met hoge snelheid van ons verwijderen, komt Andromeda met een snelheid van driehonderd kilometer per seconde dichterbij.

Mijn maatschappelijk werker kwam vaak naar onze caravan; dan ging hij bij Starr zitten en probeerde er aantrekkelijk uit te zien onder de sprietenplanten op de veranda. Op een keer zei hij dat mijn moeder nu was ingeburgerd in de vrouwengevangenis in Chino en vanaf donderdag bezoek mocht ontvangen. Er was een groep die kinderen naar de gevangenis bracht om hun ouders op te zoeken, en ik mocht mee.

Na dat laatste bezoek was ik bang. Ik wist niet of ik dat nog een keer aankon. Stel dat ze nog zo was, een zombie? Dat zou ik niet kunnen verdragen. En ik was bang voor de gevangenis, de tralies en handen die zich ertussendoor wrongen. Er hun bekers tegenaan sloegen. Hoe kon mijn moeder daar leven, mijn moeder die witte bloemen schikte in een craquelé-glazen vaas, die uren kon discussiëren over de vraag of Frost een belangrijke dichter was?

Maar ik wist het: gedrogeerd in een hoekje, waar ze afwezig haar gedichten murmelde, terwijl ze pluisjes wol uit een deken plukte.

Zo dus. Of bewusteloos geslagen door bewaarders of door andere gevangenen. Ze wist niet wanneer ze zich gedeisd moest houden, de radar moest ontwijken.

En als ze me nu eens niet zou willen zien? Als ze boos was dat ik haar niet kon helpen? Het was acht maanden geleden, die dag in de gevangenis, toen ze me niet eens had herkend. Ik overwoog die nacht zelfs even om niet te gaan. Maar om vijf uur stond ik op, nam een douche en kleedde me aan.

'Denk erom, geen spijkerbroek, niets blauws,' hielp Starr me de avond tevoren herinneren. 'Je wilt er toch zeker ook weer uit kunnen straks.' Ik had haar raad niet nodig. Ik trok mijn nieuwe roze jurk aan, en mijn beha en mijn Katrien Duck-schoenen. Ik wilde haar bewijzen dat ik al volwassen werd, dat ik op mezelf kon passen.

HET BUSJE KWAM om zeven uur. Starr stond op en zette haar handtekening op de papieren terwijl de chauffeur naar haar figuur onder de badjas stond te loeren. Er zat één ander kind in het busje. Ik ging voor hem zitten, ook bij het raam. Onderweg pikten we er nog drie op.

Het was een bewolkte dag, donker juniweer, het vocht in de lucht vormde druppeltjes op de voorruit. Het zicht op de snelweg was zo slecht dat je het volgende viaduct niet eens kon zien. Het doemde op uit de mist en verdween weer, alsof de wereld zichzelf schiep en weer uitwiste. Ik werd er wagenziek van. Ik deed het raam op een kiertje open. We reden een heel eind, door buitenwijken en nog meer buitenwijken. Wist ik maar hoe het zou lopen als we daar aankwamen. Ik kon me mijn moeder niet voorstellen in de gevangenis. Ze rookte niet en ze kauwde niet op tandenstokers. Ze zei nooit 'teringwijf' of 'kut'. Ze sprak vier talen, citeerde T.S. Eliot en Dylan Thomas, dronk lapsang souchong uit een porseleinen kopje. Ze was nooit bij McDonald's geweest. Ze had in Parijs en Amsterdam gewoond. In Freiburg en op Martinique. Hoe kon ze dan in de gevangenis zitten?

Bij Chino verlieten we de snelweg en reden naar het zuiden. Ik probeerde het in mijn geheugen te prenten, zodat ik het terug zou kunnen vinden in mijn dromen. We reden door mooie buitenwijken, toen door minder mooie. Daarna langs gloednieuwe wijken afgewisseld met houthandels en bedrijven die landbouwmachines verhuurden. Eindelijk kwamen we echt buiten en reden over wegen zonder borden, alleen melkschuren en weilanden, de lucht van mest.

Ik zag een groot gebouwencomplex rechts van ons. 'Is het daar?' vroeg ik aan het meisje naast me.

'De CYA', zei ze.

Ik schudde mijn hoofd.

'Jeugdgevangenis.'

Alle kinderen keken er grimmig naar toen we voorbijreden. Wij zouden daar kunnen zitten, achter dat scheermesdraad. We werden doodstil toen we langs de California Institution for Men, de mannengevangenis, kwamen, een eindje van de weg af, midden in een veld. Eindelijk reden we een pas geasfalteerde weg in, langs een kleine supermarkt, *Bud, $5.99 per krat*. Ik wilde het allemaal onthouden. De kinderen pakten hun tassen, hun rugzakken. Nu zag ik de gevangenis – een schoorsteen, een watertoren, de wachttoren. Die had aluminiumwanden, net als Starrs caravan. Frontera was heel anders dan ik me had voorgesteld. Ik had *Birdman of Alcatraz* of *I want to live!* in mijn hoofd gehad, met mijn moeder als Susan Hayward. De lage bakstenen gebouwen stonden ver uit elkaar in een landschapspark met bomen en rozen en kilometers gazon. Het leek meer op een dure school in een buitenwijk dan op een gevangenis. Behalve de wachttorens, het scheermesdraad.

Kraaien krasten schor in de bomen. Het klonk alsof ze iets verscheurden, iets wat ze niet eens wilden hebben, gewoon om het plezier iets kapot te maken. We liepen één voor één onder de wachttoren door, zetten onze handtekening. Ze doorzochten onze rugzakken en we moesten door de metaaldetector. Bij één meisje namen ze een pakje in beslag. Geen cadeaus. Die moest je per post verzenden, ze mochten vier keer per jaar een pakje van familie ontvangen. We schrokken van de klap waarmee de poort achter ons dichtsloeg. We waren opgesloten.

Ze zeiden dat ik moest wachten aan een oranje picknicktafel onder een boom. Ik was zenuwachtig, en misselijk van de busrit. Ik wist niet eens of ik haar wel zou herkennen. Ik rilde en had spijt dat ik geen trui had meegenomen. En wat zou ze van me zeggen, met mijn beha en mijn hoge hakken?

Achter het overdekte gedeelte van de bezoekersruimte verdrong zich een drom vrouwen. Gedetineerden, met gezichten als maskers. Ze riepen hatelijke opmerkingen naar ons. Een van de vrouwen floot naar me en likte tussen haar vingers en de anderen lachten. Ze bleven maar lachen, ze hielden niet meer op. Ze klonken net als de kraaien.

De eerste moeders kwamen uit de gevangenis naar buiten, door een andere poort. Ze droegen spijkerbroeken en T-shirts, grijze truien, trainingspakken. Ik zag mijn moeder staan wachten tot de gevangenbewaarster haar naar buiten liet. Ze droeg een eenvoudige jurk van spijkerstof, met knopen aan de voorkant, maar bij haar was het blauw een kleur, als een lied. Het witblonde haar was in de hals afgeknipt door iemand die dat niet in de vingers had, maar haar blauwe ogen waren helder als een hoge toon van een viool. Ze was mooier dan ooit. Ik stond op en kon me niet meer bewegen, wachtte bevend tot ze bij me kwam en me tegen zich aan drukte.

Alleen al het gevoel van haar aanraking, mijn armen om haar heen, na al die maanden! Ik legde mijn hoofd tegen haar borst en ze kuste me, rook aan mijn haar, ze rook niet meer naar viooltjes, alleen naar wasmiddel in spijkerstof. Ze tilde mijn gezicht op met haar hand en kuste me overal, veegde mijn tranen af met haar sterke duimen. Ze trok me neer op een stoel naast haar.

Ik smachtte naar haar, naar haar aanraking, haar gezicht, de klank van haar stem, de stand van haar tanden, de middelste vierkant, die daarnaast ietsje scheef, het ene kuiltje in haar wang, aan de linkerkant, haar halve glimlach, haar prachtig blauwe ogen met witte vlekjes, als nieuwe melkwegstelsels, de vaste, gave trekken van haar gezicht. Ze zag er helemaal niet uit alsof ze in de gevangenis thuishoorde, ze zag eruit alsof ze zo van de promenade in Venice had kunnen komen, met een boek onder haar arm, klaar om zich in een strandcafé te installeren.

Ze trok me neer op een stoel naast haar aan de picknicktafel en fluisterde tegen me: 'Niet huilen. Zo zijn wij niet. Wij zijn de vikingen, weet je nog?'

Ik knikte, maar mijn tranen drupten op het oranje vinyl van de tafel. Lois, had iemand erin gekrast, 18th Street. Kutwijf.

Een van de vrouwen op de betonnen binnenplaats achter de overdekte bezoekersruimte floot en schreeuwde iets over mijn moeder of mij. Mijn moeder keek op en haar blik trof de vrouw midden in haar gezicht, als een stomp. Ze hield meteen op. Ze draaide zich haastig om, alsof zíj niets had gezegd.

'Wat ben je mooi,' zei ik. Ik raakte haar haren aan, haar kraag, haar wang. Helemaal niet kneedbaar.

'De gevangenis bevalt me uitstekend,' zei ze. 'Er is hier geen hypocrisie. Het is erop of eronder en iedereen weet dat.'

'Ik heb je zo gemist,' fluisterde ik.

Ze sloeg haar arm om me heen, haar hoofd vlak naast het mijne. Ze drukte haar hand tegen mijn voorhoofd, haar lippen tegen mijn slaap. 'Ik blijf hier niet eeuwig. Er is meer voor nodig om mij achter de tralies te houden, dat beloof ik je. Op een dag kijk je uit je raam en dan sta ik voor je neus.'

Ik keek in haar vastberaden gezicht, jukbeenderen als scheermessen, ogen die me dwongen haar te geloven. 'Ik was bang dat je boos op me zou zijn.'

Ze duwde me met gestrekte armen van zich af om naar me te kijken. Haar handen om mijn schouders geklemd. 'Waarom zou ik?'

Omdat ik niet goed genoeg kon liegen. Maar ik kon het niet zeggen.

Ze omhelsde me weer. Met die armen om me heen zou ik hier altijd willen blijven. Ik zou een bank gaan beroven en me laten veroordelen, zodat we altijd samen konden zijn. Ik wilde op haar schoot kruipen, ik wilde in haar lichaam verdwijnen, ik wilde een van haar ooghaartjes zijn, of een ader in haar dij, een moedervlekje in haar hals.

'Is het hier erg? Doen ze je pijn?'

'Niet zoveel als ik hun,' zei ze, en ik wist dat ze glimlachte, hoewel ik alleen de spijkerstof van haar mouw kon zien, en haar arm, die nog een beetje bruin was. Ik moest een eindje achteruitschuiven om haar te kunnen zien. Ja, ze glimlachte, dat halve lachje van haar, die kleine krul in de vorm van een komma in haar mondhoek. Ik raakte haar lippen aan. Ze kuste mijn vingers.

'Ze wilden me kantoorwerk laten doen. Ik heb gezegd dat ik nog liever wc's schoonmaakte dan hun bureaucratische uitbraaksels voor ze te typen. Nee, ze mogen me niet zo. Ik zit in de terreinploeg. Ik veeg, wied, alleen binnen het prikkeldraad natuurlijk. Ze beschouwen me als vluchtgevaarlijk. Stel je voor. Ik ben niet van plan hun analfabeten te helpen, cursussen verhalenschrijven te geven, de machine anderszins te oliën. *Ik weiger te dienen.*' Ze stak haar neus in mijn haar, ze rook aan me. 'Je haar ruikt naar brood. Klaver en nootmuskaat. Zo wil ik me je herinneren, precies zo, in die triestig hoopvolle roze jurk en die bruidsmeisjes pumps, schoenen voor de prinses-van-het-schoolbal. Van je pleegmoeder zeker. Roze is het ultieme cliché.'

Ik vertelde haar over Starr en oom Ray, de andere kinderen, crossmotoren en paloverde en tesota's, de kleuren van de rotsblokken in de rivierbedding, de bergen en de haviken. Ik vertelde haar over het virus van de zonde. Ik vond het heerlijk haar te horen lachen.

'Je moet me tekeningen sturen,' zei ze. 'Je kon altijd beter tekenen dan schrijven. Ik kan geen andere reden bedenken waarom je niet hebt geschreven.'

Mocht ik schrijven? 'Jij hebt ook nooit geschreven.'

'Heb je mijn brieven niet gekregen?' vroeg ze. Haar glimlach was verdwenen, haar gezicht plotseling leeg, maskerachtig, als dat van de vrouwen achter het hek. 'Geef me je adres. Dan stuur ik het je regelrecht. En jij ook aan mij, doe het niet via je maatschappelijk werker. Mijn schuld. O, we leren het nog wel.' En de vitaliteit keerde terug in haar ogen. 'Wij zijn slimmer dan zij, *ma petite*.'

Ik wist mijn adres niet, maar ze gaf me dat van de vrouwengevangenis, liet het me een paar keer herhalen, zodat ik het zou onthouden. Mijn geest kwam in opstand tegen haar adres: Ingrid Magnussen, Gedetineerde w99235, California Institution for Women. Corona-Frontera.

'Waar je ook heen gaat, schrijf me. Schrijf minstens één keer in de week. Of stuur tekeningen. God weet dat de visuele prikkels hier nogal te wensen overlaten. Ik wil vooral graag de ex-toplessdanseres zien en oom Ernie, de onhandige timmerman.'

Dat kwetste me. Oom Ray was er geweest toen ik hem nodig had. Ze kende hem niet eens. 'Hij heet Ray en hij is aardig.'

'Ja, ja,' zei ze. 'Blijf maar bij oom Ray uit de buurt, vooral als hij zo aardig is.'

Maar zij zat hier en ik woonde daar. Ik had een vriend. Die liet ik me niet door haar afnemen.

'Ik denk de hele tijd aan je,' zei ze. 'Vooral 's nachts. Ik stel me voor waar je bent. Als het stil is in de gevangenis en iedereen slaapt, verbeeld ik me dat ik je kan zien, dan probeer ik contact met je te maken. Heb je me nooit horen roepen, mijn aanwezigheid in je kamer gevoeld?' Ze wreef een lok van mijn haar tussen haar vingers, trok hem strak om te kijken hoe lang hij was tegen mijn arm. Hij reikte tot mijn elleboog.

Ik had haar gevoeld, echt waar. Ik had haar horen roepen. *Astrid? Ben je wakker?* 'Diep in de nacht. Je kon nooit slapen.'

Ze kuste me op mijn hoofd, midden op de scheiding. 'Jij ook niet. Nu moet je me over jezelf vertellen. Ik wil alles over je weten.'

Dat was nieuw. Vroeger had ze nooit iets over me willen weten. Maar de eentonigheid van de lange dagen had haar bij me teruggebracht, ze wist weer dat ze ergens een dochter had zitten. De zon kwam te voorschijn en de grondnevel gloeide op als een lampion.

6

DE VOLGENDE ZONDAG versliep ik me. Dat kwam doordat ik van mijn moeder had gedroomd. Het was een heerlijke droom. We waren in Arles en liepen door de laan met de donkere cipressen langs graven en wilde bloemen. Ze was uit de gevangenis ontsnapt – ze had een grasmaaier voortgeduwd voor het gebouw en was gewoon weggelopen. Arles stond voor diepe schaduw en zon met de kleur van honing, Romeinse ruïnes en ons pensionnetje. Als ik niet zo gretig was geweest om bij die droom te blijven, bij de zonnebloemen van Arles, zou ik zijn opgestaan toen de jongens naar de rivierbedding vluchtten.

Maar nu zat ik op de voorbank van de Torino. Carolee zat kreunend achterin, ze had een kater na een hele nacht aan de drugs met haar vrienden. Starr had ook haar in haar slaap overvallen. Amy Grant was op de radio en Starr zong mee. Ze droeg haar haar in een soort slordige Franse wrong, zoals Brigitte Bardot, en ze had lange bungelende oorbellen in. Ze zag eruit of ze naar de kroeg ging in plaats van naar de Waarheidskerk van Christus.

'GATVER,' FLUISTERDE MIJN pleegzusje in mijn oor, toen we achter haar moeder naar binnen liepen. 'Ik zou een moord doen voor een beetje speed.'

De gemeente kwam bijeen in een gebouw van betonblokken met linoleumtegels op de vloer, een hoog matglazen raam in plaats van gebrandschilderd glas. Voorin stond een groot modern kruis van perenhout en een vrouw met een hoog suikerspinkapsel speelde op het orgel. We zaten op witte klapstoeltjes, Carolee aan mijn linkerkant, haar gezicht somber van de hoofdpijn en chagrijnig, Starr naast het middenpad, stralend van verwachting. Haar rok was zo kort dat ik kon zien waar het donkere stuk van haar panty begon.

Het orgelspel zwol aan en er liep een man naar de lessenaar, gekleed in een donker pak met een das en glimmende zwarte schoenen, zoals een zakenman. Ik had gedacht dat hij een soort toga zou dragen. Zijn korte bruine haar, met de scheiding opzij, glinsterde als cellofaan onder de gekleurde lampen. Starr zat nu kaarsrecht in de hoop dat hij haar zou opmerken.

Toen hij begon te praten, merkte ik tot mijn verbazing dat hij een soort spraakgebrek had. Hij slikte de l in, zodat 'leven' klonk als 'ljeven'. 'Door onze zonden waren we als doden geworden, maar Hij heeft ons allen tot leven gewekt in Christus. Door het kruis zijn wij gered. Hij verheft ons tot het leven... voor eeuwig.' Hij hief zijn armen alsof hij ons wilde optillen. Hij was goed. Hij wist wanneer hij de spanning moest opvoeren en laten vieren, en op het ogenblik dat hij stil werd, sloeg hij toe, met zijn grote glanzende ogen, kleine platte neus en een mond zonder lippen, zodat hij net een Muppet leek, alsof zijn hele hoofd open- en dichtging als hij iets zei: 'Ja, wij kunnen weer leven, ook al zijn wij al bijna gestorven ... aan het virus van de zonde.'

Carolee liet expres haar stoel kraken terwijl ze ging verzitten. Starr wapperde met haar hand, stootte me aan en wees naar de voorganger, alsof er iets anders te zien was.

De eerwaarde Thomas begon een verhaal te vertellen over een jongeman uit de jaren zestig, een aardige jongen die dacht dat hij zijn eigen weg kon gaan zolang hij niemand kwaad deed. 'Hij ontmoette een goeroe die hem leerde de waarheid in zichzelf te zoeken.' De predikant zweeg even en glimlachte, alsof het idee van de waarheid in jezelf absurd was, belachelijk, het rode licht dat waarschuwde dat de ondergang ophanden was. 'Je kunt zelf wel beoordelen wat de waarheid is.' Hij glimlachte weer en ik had nu door dat hij telkens even zweeg en glimlachte als hij over iets sprak wat hij afkeurde. Hij deed me denken aan iemand die al pratend je vingers tussen de deur klemde en ze glimlachend verbrijzelde.

'O, hij was beslist niet de enige die deze filosofie aanhing in die tijd,' vervolgde de eerwaarde Thomas en zijn ogen glommen als knopen. '"Do your own thing, man," luidde de wijsheid van die tijd. Wat je zelf wou, was altijd goed, omdat jij het wou. Er bestond geen God, geen dood, alleen het eigen genot.' Hij glimlachte bij het woord 'genot' alsof genot iets weerzinwekkends was, een gruwel, en hij iedereen beklaagde die zo zwak was het belangrijk te vinden. 'En als er iemand was die van verantwoordelijkheid of van gevolgen repte, werd die weggehoond: "Relax, man, wat een slap gelul." Ja, die knaap had ongemerkt het dodelijke virus opgelopen. Het was zijn hart binnengedrongen, het verzwakte de structuur van zijn geweten, verwaterde zijn oordeel.' De eerwaarde Thomas leek letterlijk buiten zichzelf van vreugde. 'Na verloop van tijd zag hij nauwelijks meer verschil tussen goed en kwaad.'

Dus wat had die jongen ten slotte anders kunnen worden dan een van de Manson-moordenaars?

Ik zat nu net zo ver onderuitgezakt op mijn stoel als Carolee, en Starrs parfum en de slissende spraak van de eerwaarde Thomas maakten me misselijk.

Gelukkig kreeg de jongeman in de gevangenis een openbaring. Hij besefte dat hij deel uitmaakte van de voortrazende epidemie van het zondevirus, en dankzij een andere gedetineerde ontdekte hij de Here en het levensreddende serum van Zijn Bloed. Sindsdien preekte hij voor de andere gevangenen en verrichtte hij goede werken onder mensen zonder hoop. Hoewel hij levenslang had gekregen en inmiddels al vijfentwintig jaar in de gevangenis zat, was zijn leven niet verspild. Hij had een reden om te leven, om anderen te helpen en de Goede Boodschap te brengen aan mensen die nooit verder hadden gekeken dan hun eigen kortstondige verlangens. Hij was gered, een ander mens geworden, herboren in de Here.

Het kostte me geen moeite me de Manson-volgeling in de gevangenis voor te stellen, zijn hardheid, zijn verwrongen ideeën, een moordenaar. Toen was er iets gebeurd. Er was een licht verschenen dat hem de gruwelijke werkelijkheid van zijn misdaad had laten zien. Ik stelde me zijn vertwijfeling voor toen hij besefte wat voor monster hij was geworden en zich realiseerde dat hij zijn leven voor niets had vergooid. Hij had er een eind aan kunnen maken, was daar waarschijnlijk na aan toe geweest. Maar toen kwam dat straaltje hoop dat hij op een andere manier zou kunnen leven, en kreeg zijn leven toch nog zin. En hij bad en de geest nam bezit van zijn hart.

En in plaats van zijn jaren in San Quentin door te brengen als een levende dode, vol haat en nog meer haat, was hij nu iemand met een doel, iemand die innerlijk was verlicht. Dat begreep ik. Dat kon ik geloven.

'Er bestaat een remedie tegen deze dodelijke epidemie die onze levenssappen vernietigt,' zei de eerwaarde Thomas nu en hij hief zijn armen op als om iemand te omhelzen. 'Een machtig vaccin tegen de verwoestende infectie in het menselijke hart. Maar we moeten het gevaar waarin we verkeren herkennen. We moeten de harde diagnose aanvaarden dat wij, door naar onze eigen begeerten te luisteren in plaats van Gods plan te volgen, met deze verschrikkelijke pestilentie besmet zijn geraakt. We moeten ons bewust zijn van onze verantwoordelijkheid jegens de goddelijke macht en van onze kwetsbaarheid.'

Plotseling kwam een gebeurtenis die ik al die maanden had buitengesloten, onverbiddelijk op me af. De dag dat ik Barry had opgebeld om hem te waarschuwen en toen had opgehangen. Ik voelde het gewicht van de hoorn toen ik die neerlegde nog in mijn hand. Mijn verantwoordelijkheid. Mijn besmetting.

'We hebben Christus' antilichamen nodig om deze besmetting in onze ziel te overwinnen. En zij die liever zichzelf dienen in plaats van de Hemelse Vader, zullen de dodelijke gevolgen moeten ondergaan.'

Het was niet langer onwerkelijk. Wat de eerwaarde Thomas zei was waar. Ik had het virus opgelopen. Ik was er al tijden mee besmet. Er kleefde bloed aan mijn handen. Ik dacht aan mijn mooie moeder in haar kleine cel, haar leven afgebroken. Ze was net als die Manson-jongen. Ze geloofde nergens in, alleen in zichzelf, geen hogere wet, geen moraal. Ze dacht dat ze alles kon rechtvaardigen, zelfs moord, alleen omdat zij wilde moorden. Ze had zelfs nooit gebruikgemaakt van het excuus dat ze niemand kwaad deed. Ze had geen geweten. *Ik weiger te dienen*. Dat waren de woorden van Stephen Dedalus in *Een portret van de kunstenaar als jonge man* maar ze stonden voor Satan. Daar draaide de zondeval om. Satan wilde niet dienen.

Een oude dame stapte naar voren uit het koor en begon te zingen: 'Het bloed dat Jezus voor mij gaf, die dag op Golgotha...' Ze zong goed. En ik huilde, de tranen stroomden over mijn gezicht. Wij waren vanbinnen aan het doodgaan, mijn moeder en ik. Hadden wij God maar, Jezus, iets wat groter was dan wijzelf om in te geloven, dan konden we nog geheeld worden. Dan konden we toch nog een nieuw leven beginnen.

IN JULI WERD ik gedoopt als lid van de Waarheidskerk van Christus. Het was niet eens erg dat de eerwaarde Thomas het deed, ook al was hij een huichelaar en probeerde hij in Starrs jurk te kijken, streelde hij haar met zijn ogen terwijl ze voor hem uit de treden op liep. Ik deed mijn ogen dicht, toen hij me in het vierkante bassin achter de kerk achterover liet zakken en het chloorwater in mijn neus liep. Ik wilde dat de geest bij mij binnen kwam, mij rein zou wassen. Ik wilde Gods plan voor mij volgen. Ik wist hoe het met me zou aflopen als ik mijn eigen plan volgde.

Na afloop gingen we naar Church's Fried Chicken om het te vieren. Er had nog nooit iemand een feestje voor mij gegeven. Van Starr kreeg ik een in wit kunstleer gebonden bijbel met sommige passages in rood gedrukt. Van Carolee en de jongens een doos postpapier met een duif in de hoek die een lint in zijn snavel had waar 'Loof de Heer' op stond, maar ik snapte wel dat Starr dat voor hen moest hebben uitgezocht. Oom Ray gaf me een piepklein gouden kruisje aan een ketting. Al vond hij dat ik stapel was om me te laten dopen.

'Je gelooft die onzin toch niet echt,' fluisterde hij in mijn oor toen hij me hielp het kettinkje om te doen.

Ik tilde mijn haar op zodat hij het kon dichtmaken. 'Ik moet gewoon ergens in geloven,' zei ik, zachtjes.

Zijn hand rustte in mijn nek, warm, zwaar. Zijn lieve, lelijke gezicht, zijn trieste lichtbruine ogen. En ik wist dat hij me wilde kussen. Ik voelde het vanbinnen. En toen hij merkte dat ik het voelde, werd hij rood en keek de andere kant uit.

Lieve Astrid,

BEN JE HELEMAAL GEK GEWORDEN? Ik wil niet hebben dat je 1) wordt gedoopt, 2) jezelf een christen noemt, 3) mij brieven schrijft op dat belachelijke postpapier. Ik verbied je je brieven te ondertekenen met 'wedergeboren in Christus'! God is dood, wist je dat nog niet, hij is honderd jaar geleden gestorven, heeft er uit louter gebrek aan belangstelling de brui aan gegeven, heeft besloten liever golf te gaan spelen. Ik heb geprobeerd je enig zelfrespect bij te brengen, en nu vertel je me dat je dat allemaal hebt opgegeven voor een driedimensionele prentbriefkaart-Jezus. Als het niet zo verschrikkelijk treurig was, zou ik erom lachen.

Waag het niet me te vragen Jezus als mijn redder te aanvaarden, mijn ziel te wassen in het Bloed van het Lam. Laat de gedachte zelfs niet bij je opkomen om te proberen mij te redden. Ik heb NERGENS spijt van. Iedere vrouw met het kleinste beetje zelfrespect zou hetzelfde hebben gedaan.

Vragen met betrekking tot het wezen van goed en kwaad zullen altijd tot de interessantste problemen van de filosofie blijven horen, op hetzelfde niveau als het vraagstuk van het bestaan zelf. Ik heb niets tegen de keus van je vragen, alleen tegen je halfzachte benadering. Als het kwaad inhoudt dat je je drijfveren in jezelf zoekt, dat je het middelpunt van je eigen wereld bent, dat je leeft op je eigen voorwaarden, dan is iedere kunstenaar, iedere denker, iedere originele geest door het kwaad besmet. Omdat wij met onze eigen ogen durven kijken in plaats van clichés na te wauwelen die de zogenaamde Kerkvaders ons hebben aangereikt. Durven zien is vuur stelen van de goden. Dat is de bestemming van de mensheid, de motor die onze soort van brandstof voorziet.

Driewerf hoera voor Eva!
Moeder

Ik bad voor haar bekering. Ze had iemand vermoord die haar had vernederd, haar beeld van zichzelf als Walkure, de onaantastbare krijgsvrouw, had beschadigd. Haar zwakheid, die alleen liefde was, zichtbaar had gemaakt. Daarom had ze wraak genomen. Erg gemakkelijk te rechtvaardigen, schreef ik haar. Je voelde je een slachtoffer en daarom heb je het gedaan. Als je werkelijk sterk was, had je de vernedering kunnen verdragen. Alleen Jezus kan ons zo sterk maken dat we tegen de verleiding van de zonde kunnen vechten.

Ze antwoordde met een citaat van Milton, de rol van Satan in *Paradise Lost*:

> *[...] Als ik de slag verlies*
> *Dan rest mij nog mijn niet te sturen wil*
> *Zinnen op wraak, mijn haat die eeuwig duurt*
> *De moed om nooit te zwichten of te wijken.*

OOM RAY LEERDE me schaken uit een boek: *Bobby Fischer Teaches Chess*. Hij had het zichzelf geleerd in Vietnam. 'Ik had daar veel tijd zoek te brengen,' zei hij, met zijn vingers over de puntige hoed van de witte pion strijkend. Hij had het spel daar gesneden, Vietnamese koningen, boeddha's als lopers, paarden met gedetailleerd gesneden wangen en gekamde manen. Ik kon het me niet voorstellen, hoe hij daar maandenlang aan had gewerkt, geduldig had zitten snijden met een Zwitsers zakmes terwijl al die bommen om hem heen ontploften.

De ordelijkheid van het schaakspel stond me aan, de koele beredenering, de vreugde van de geduldige zetten. We speelden meestal 's avonds als Starr naar een bijeenkomst van de AA of de AC of naar bijbelstudie was en de jongens tv keken. Oom Ray had een pijpje met wiet naast zich op de stoelleuning liggen, dat hij rookte terwijl hij wachtte op mijn zet.

Die avond keken de jongens naar een natuurdocumentaire. De kleinste, Owen, zoog op zijn duim en omklemde zijn speelgoedgiraf, terwijl Peter aldoor een lokje van zijn haar om zijn vinger zat te draaien. Davey wees naar het scherm en vertelde wat er in het programma gebeurde. 'Dat is Smokey, hij is het dominante mannetje.' Het licht van het scherm werd weerspiegeld in zijn brillenglazen.

Oom Ray wachtte op mijn zet en keek naar me met een blik waarvan mijn hart opensprong als een witte margriet – zijn ogen rustten op mijn gezicht, mijn keel, het haar op mijn schouders dat van kleur veranderde in het licht van de tv. Op het scherm zag ik het wit van sneeuw, de in paren jagende wolven, hun vreemde gele ogen. Ik voelde me als een onontwikkelde foto die hij aan het afdrukken was, waarbij mijn beeld zichtbaar werd onder zijn blik.

'Nee, niet doen!' riep Owen. Hij klemde zijn giraf met de gebroken nek steviger vast toen de wolven op het hert sprongen en het bij zijn keel op de grond trokken.

'Dat is de wet van de natuur,' zei Davey.

'Hé, moet je zien,' Ray wees met de zwarte loper terwijl hij hem verzette. 'Als God het hert redde, zou hij de wolf laten verhongeren, daar draait het om. Waarom zou hij de een boven de ander bevoordelen?' Hij had zich er nooit echt bij neergelegd dat ik christen was geworden. 'Fatsoenlijke mensen krijgen helemaal geen betere kansen dan de rest. Je kunt goddomme een heilige zijn en evengoed doodgaan aan de pest of op een landmijn trappen.'

'Je hebt tenminste iets wat groter is dan jezelf, waar je op kunt terugvallen,' zei ik, en ik raakte het kruisje om mijn hals aan en ritste het langs de ketting heen en weer. 'Je hebt een kompas, een landkaart.'

'En als er geen God is?'

'Dan doe je alsof hij er wel is, en dan komt het op hetzelfde neer.'

Hij zoog aan zijn pijp die de lucht vulde met zijn scherpe geur, terwijl ik naar het bord keek. 'En wat vindt je moeder hiervan?' vroeg hij.

'Die zegt: "Beter de vorst der hel dan 's hemels knecht."'

'Een vrouw naar mijn hart.'

Ik vertelde hem niet dat ze hem oom Ernie noemde. Buiten de hordeur zongen de zomerkrekels. Ik zwiepte mijn haar achter mijn schouders, en speelde mijn loper naar B3, zodat ik zijn paard bedreigde. Ik voelde hem kijken naar mijn blote arm, mijn schouder, mijn lippen. De wetenschap dat ik in zijn ogen mooi was, maakte me mooi. Ik was nog nooit in mijn leven mooi geweest. Ik geloofde niet dat het tegen Christus in ging. Iedereen had er behoefte aan liefde te voelen.

We hoorden Starrs Torino het erf op knerpen, autobanden over het grind, vroeger dan ze gewoonlijk thuiskwam. Ik was teleurgesteld, Ray had aandacht voor me als ze er niet was, maar zodra ze thuiskwam, werd ik weer gewoon een van de kinderen. Waarom kwam ze trouwens zo vroeg thuis? Meestal bleef ze weg tot een uur of elf om koffie te drinken met de verslaafden of over Mattheus 20 vers 13 te praten met de oude dames van de kerk.

'Shit.' Oom Ray stak haastig zijn wiet en het pijpje in zijn zak, net op het ogenblik dat de hordeur openzwaaide en de muggenval een joekel te pakken kreeg.

Starr bleef even bij de deur staan en keek naar ons en de jongens op de bank, die gebiologeerd naar de tv staarden. Ze leek van haar stuk gebracht dat ze zo vroeg thuis was. Ze liet de sleutels vallen en raapte ze op. Oom Ray keek naar haar, haar borsten vielen zowat uit de diep uitgesneden hals van haar jurk.

Toen kwam haar glimlach te voorschijn, en ze schopte haar schoenen uit, ging op de leuning van zijn stoel zitten en kuste hem. Ik zag dat ze haar tong in zijn oor stak.

'Ging het niet door?' vroeg hij.

Ik was aan de beurt, maar hij lette niet op me.

Ze drapeerde zich over zijn schouder, haar borst platgedrukt tegen zijn nek. 'Ik krijg er soms zo verschrikkelijk genoeg van om naar dat stomme gekanker van die mensen te luisteren. Je krijgt iedereen z'n hele hebben en houwen over je heen.' Ze pakte mijn laatste witte paard op. 'Mooi is die,' zei ze. 'Waarom wil je het mij niet leren, Ray, schatje?'

'Dat heb ik toch geprobeerd,' antwoordde hij met een zachte, tedere stem, en hij draaide zijn hoofd om en kuste haar borst, zomaar waar ik bij zat. 'Weet je dat niet meer? Je werd zo kwaad dat je het bord ondersteboven keerde.' Hij nam het paard uit haar hand en zette het weer op het bord: e5.

'Dat was toen ik nog dronk,' zei ze.

'Kan wit in één zet mat geven?' citeerde hij het Bobby Fischer-boek.

'In één zet klaar?' zei ze met een haarlokje in zijn neus kriebelend. 'Dat klinkt niet erg spannend.'

Wit speelt pf6. Ik stuurde het fraai gesneden paard naar zijn plaats. 'Mat.'

Maar ze zaten te zoenen. Toen zei ze tegen de jongens dat ze naar bed moesten gaan als het afgelopen was, en nam oom Ray mee naar haar slaapkamer.

DE HELE NACHT hoorde ik in mijn slaapzak met bokkende paarden en lasso's het hoofdeind van hun bed tegen de muur bonken, hun gelach. Ik vroeg me af of echte dochters jaloers waren op hun ouders, of ze er misselijk van werden als ze zagen dat hun vader hun moeder kuste, in haar boezem kneep. Ik kneep in mijn eigen kleine borsten, heet van de slaapzak, en ik stelde me voor hoe die zouden aanvoelen voor de hand van iemand anders, stelde me voor dat ik zo'n lichaam had als Starr. Zij was haast van een andere soort met haar smalle middel, borsten rond als grapefruit, billen met dezelfde ronding. In mijn verbeelding zag ik mezelf mijn kleren uittrekken terwijl een man als oom Ray naar me keek zoals hij naar haar keek.

God, wat was het warm. Ik ritste de slaapzak open en ging boven op de warme flanellen stof liggen.

En ze verborg het niet eens, zo christelijk was ze nou ook weer niet. Altijd een zo kort mogelijk short, een zo strak mogelijk truitje. Je kon zien hoe haar spijkerbroek opkroop tussen haar schaamlippen. Had ik maar iemand die me op die manier begeerde, die me aanraakte zoals oom Ray haar aanraakte, zoals Barry mijn moeder had aangeraakt.

Was Carolee er maar. Die zou gekke opmerkingen maken over het bonkende hoofdeind of grappen maken over oom Ray dat hij wel eens een hartaanval zou kunnen krijgen – jezus, hij was al bijna vijftig, hij zou zo dood kunnen neervallen. Hij had Starr op de club leren kennen toen ze daar nog serveerster was, en wat waren dat trouwens voor vieze kerels die naar zo'n tent gingen? Maar Carolee was 's nachts nooit meer thuis. Zodra Starr ons welterusten had gezegd, klom ze uit het raam en ging naar haar vrienden bij de rivierbedding. Ze vroeg nooit of ik mee wilde. Dat kwetste me, maar ik had niet veel op met haar vrienden – meisjes die vals lachten en jongens met kale koppen, slungelige opscheppertjes.

Ik stak mijn handen onder mijn nachtpon en voelde de verschillende soorten huid onder mijn vingertoppen – het haar op mijn benen, het zachte vel tussen mijn dijen en de gladde, geurende huid van mijn geslacht. Ik voelde de plooien, het topje, en dacht aan ruwe handen met ontbrekende vingers die al die geheime plekjes aftastten. Aan de andere kant van de hardboard wand bonkte het hoofdeind.

MIJN MOEDER STUURDE me die zomer een leeslijst met vierhonderd boeken erop: Colette, Chinua Akebe en Mishima, Dostojevski en Anaïs Nin, D.H. Lawrence en Henry Miller. In mijn verbeelding zag ik haar op bed liggen terwijl ze hun namen reciteerde als een rozenkrans, ze streelde met haar tong, als ronde kralen. Soms ging Starr met ons naar de bibliotheek. Ze wachtte in de auto en gaf ons tien minuten om onze boeken uit te zoeken, anders ging ze zonder ons weg. 'Ik heb het enige boek dat ik nodig heb, jongedame,' zei ze.

Davey en ik graaiden onze boeken uit de kast als mensen die een prijs hebben gewonnen en in één minuut hun karretje mogen volladen in de supermarkt, terwijl Peter en Owen verlangend om de voorleesopa heen draaiden, die kinderen verhaaltjes voorlas. Het was fijner toen Ray nog thuis was – hij zette ons af, ging een biertje drinken en haalde ons een uur later weer op. Dan konden de jongetjes net zo lang naar de voorleesopa luisteren als die het kon volhouden.

Maar Ray werkte tegenwoordig als timmerman in een nieuwbouwproject waar hij het fijne timmerwerk deed. Ik was eraan gewend dat hij de hele dag thuis was, en ik miste hem. Hij had geen vaste baan meer gehad sinds hij zijn betrekking als leraar handenarbeid aan de highschool in Sunland had opgegeven. Hij had ruzie gekregen met het schoolhoofd toen hij weigerde op te staan voor de Belofte van Trouw tijdens de ochtendbijeenkomst. 'Ik heb godverdomme in Vietnam gevochten en ik heb een Purple Heart gekregen,' zei hij. 'En wat heeft die teringlijer gedaan? Die is naar de Valley State gegaan. Jezus, wat een held!'

De projectontwikkelaar woonde in Maryland en had geen boodschap aan de Belofte van Trouw. Ray kende iemand die de onderaannemer kende. Zodoende zat ik hartje zomer in de caravan toe te kijken terwijl Starr een reusachtige sprei breide die eruitzag alsof er een regenboog op had gekotst. Ik las, tekende. Ray bracht een doos waterverf voor kinderen voor me mee uit de drugstore en ik ging schilderen. Ik had mijn pogingen mijn moeder over te halen om Jezus te aanvaarden opgegeven. Het was hopeloos, ze zou er zelf achter moeten komen. Het was Gods wil, net als bij Dimitri in *De gebroeders Karamazov*, een van de boeken van haar leeslijst.

In plaats van brieven stuurde ik haar tekeningen en aquarellen: Starr die in korte broek en op hoge hakken de geraniums water gaf met een tuinslang. Ray die een biertje dronk terwijl hij op de veranda naar de zonsondergang keek. De jongens die in de warme, zwoele avonden met zaklantaarns door de rivierbedding zwierven en een ransuil verrasten. Rays schaakspel. De manier waarop hij het bord bestudeerde, met zijn vuist onder zijn kin. De paloverdebomen in de koelte van de vroege ochtend, een ratelslang die in zijn volle lengte op een rots lag.

Ik maakte die zomer voor iedereen aquarellen: hagedissen voor Peter, en kinderen die op witte giraffen en eenhoorns reden voor Owen, roofvogels voor Davey, zittend en in hun vlucht, naar afbeeldingen in tijdschriften: steenarenden, roodschouderbuizerds, slechtvalken, kabouteruiltjes. Ik schilderde een buste van Carolee om aan haar vriend te geven, en een paar dingen voor Starr, voornamelijk engelen, Jezus die over het water liep. Ook haarzelf in verschillende houdingen, in zwempak, in de houding van pin-ups uit de Tweede Wereldoorlog.

Oom Ray wilde alleen een plaatje van zijn bestelwagen. Het was een oude Ford, hoog en zeegroen. Een jointklemmetje met een veertje aan de achteruitkijkspiegel en een sticker op de bumper met de woorden 'Dit terrein wordt beschermd door Smith & Wesson'. Ik schilderde hem tegen de achtergrond van de bergen op een heldere ochtend, zeegroen, zalmroze en lichtblauw.

TIJDENS HET HOOGTEPUNT van de zomer stak er een Santa Ana op zoals ik nog nooit eerder had meegemaakt. Het vuur klom over de bergkammen en legde de flanken van de bergen nog geen twee kilometer van ons vandaan in de as. Dit was meer dan een grijs wolkje aan de horizon met kilometers beton tussen jou en de brand. We zagen vierhonderd hectare in brand staan langs de Big Tujunga. We hadden wat spullen in Rays bestelwagen en de kofferbak van de Torino gepakt. De wind blies als een orkaan, de omvang van de branden werd vermeld in hectaren en in de stad werd er geplunderd. Oom Ray ging na zijn werk zijn pistolen zitten schoonmaken op de patio, waar de as van de branden alles met een fijn poeder bedekte. Hij gaf me het kleinste pistool, een Beretta. Het lag als een stuk speelgoed in mijn hand. 'Wil je een keer schieten?'

'Best,' zei ik. De jongens mochten nooit aan zijn pistolen komen. Starr wilde er niet eens naar kijken, maar nu er rellen waren, vroeg ze hem niet meer om ze weg te doen. Hij pakte een bus autolak, spoot een menselijke gestalte, die hij voor de grap met een tv liet sjouwen, op een plank, en zette hem tegen een oleander achter in de tuin. 'Hij pikt je tv, Astrid. Neem hem te grazen.'

Het was leuk met die kleine Beretta .22. Ik schoot vier van de negen keer raak. Hij plakte cellotape over de kogelgaten zodat ik kon zien welke oud waren en welke nieuw. Ten slotte mocht ik alle wapens proberen – de buks, de kort model .38 politierevolver van Smith & Wesson, en zelfs de riotgun. De Beretta beviel me het best, maar Ray hield vol dat de Smith & Wesson het best schoot, die had de beste 'stopkracht'. Hij had hem in mijn hand gedrukt en me gewezen hoe ik moest richten, hoe ik de trekker in mijn gedachten moest overhalen. De .38 was het moeilijkst van allemaal om mee te schieten en iets te raken. Je moest je twee handen gebruiken en je armen helemaal gestrekt houden, anders sloeg hij terug in je gezicht.

Elk wapen was voor iets speciaals bestemd, net als een hamer of een schroevendraaier. De buks was voor de jacht, de Beretta voor potentieel gevaarlijke omstandigheden – een kroeg, een ontmoeting met je ex, een afspraak, wat Ray man-tegen-mansituaties noemde. De riotgun was voor de bescherming van je huis. 'Ga achter me staan, kinderen,' zei hij met een grootmoederstem en wij renden allemaal achter hem terwijl hij demonstreerde hoe je de oleanders vol hagel sproeide.

En de .38? 'Er is maar één reden voor een achtendertig. En dat is om de ander te doden.'

Ik voelde me net een Israëlische soldate in mijn short in de hete wind, terwijl ik langs de loop van de buks keek, de .38 met beide handen vasthield. Het gaf me een vreemd gevoel als hij naar me keek terwijl ik richtte. Ik merkte dat ik me niet volledig op het doel kon concentreren. Zijn ogen, de wetenschap dat hij naar me keek, trokken mijn aandacht weg van de C van Cola.

Zo moest het voelen om mooi te zijn, dacht ik. Zo moest mijn moeder zich voelen. De macht van de ogen, die je wegtrok van je baan naar het doel. Ik was op twee plaatsen tegelijk, niet alleen met mijn aandacht, het richten, maar ook in mijn blote voeten op het stoffige erf, mijn benen, die zich spanden, mijn borsten in mijn nieuwe beha, mijn lange gebruinde armen, mijn haar dat wit in de hete wind wapperde. Hij nam me mijn stilte af, maar hij gaf me er iets voor terug, de vervulling van iemand die erkend wordt. Ik voelde me mooi, maar ook onderbroken. Het was nieuw voor me om zo complex te zijn.

7

IN NOVEMBER, TOEN de middaglucht vol blauwe tinten was en het zonlicht de rotsblokken overspoelde met goud, werd ik veertien. Starr gaf een partijtje voor me, met feestmutsen en slingers. Ze nodigde Carolees vriendje uit en ook mijn maatschappelijk werker, de schoppenboer. Er was een taart van Ralph's Market, met een hoelameisje in een grasrokje en mijn naam in blauwe letters erop, en iedereen zong 'Happy birthday to you'. Er zat een fopkaars op de taart die niet uit wilde gaan, zodat ik mijn wens misliep. Die trouwens alleen maar was dat het altijd zo mocht blijven, dat mijn leven een feest helemaal voor mij alleen zou mogen zijn.

Carolee had een spiegeltje voor in mijn tas gekocht en Owen en Peter gaven me een hagedis in een potje met een strik eromheen. Van Davey kreeg ik een groot stuk karton waar hij keutels van dieren en kopieën van de sporen die erbij hoorden op had geplakt, met keurige handgeschreven etiketjes ernaast. Starrs cadeau was een groen stretchtruitje en de maatschappelijk werker had een stel haarspelden met glittersteentjes meegebracht.

Het laatste cadeau was van Ray. Ik maakte het voorzichtig open en zag het hout, uitgesneden en ingelegd met een art-nouveaupatroon van een margriet, het motief op het omslag van mijn moeders eerste boek. Ik hield mijn adem in en haalde het uit het papier: een sieradenkistje. Het rook naar nieuw hout. Ik streek met mijn vingers over de margriet, zag voor me hoe Ray elk onderdeeltje, elk slingerend randje, had uitgesneden tot ze zo precies pasten dat je de overgang van de verschillende houtsoorten niet meer kon voelen. Hij moest het 's avonds laat hebben gedaan, toen ik sliep. Ik durfde niet te laten merken hoe blij ik ermee was en ik zei alleen maar: 'Dank je.' Maar ik hoopte dat hij het aan me kon zien.

TOEN DE REGEN kwam, veranderde het erf in een dikke modderbrij, en de rivier steeg en vulde zijn enorme bedding. Waar eerst een reusachtige droge vlakte bedekt met rotsblokken en chaparral was geweest, was nu een enorme troebele stroom met de kleur van koffie verkeerd. Gedeelten van de verbrande berg zuchtten en zegen ineen. Ik had nooit geweten dat het zo hard kon regenen. We waren de hele dag bezig om potten en kartonnen bekertjes en vazen onder de lekken in Starrs dak te zetten en op het erf leeg te gooien.

Het was het eind van zeven jaar droogte en de regen die was achtergehouden, werd nu in één keer allemaal tegelijk afgeleverd. Het bleef zonder onderbreking regenen tot na Kerstmis en we zaten met z'n allen dicht op elkaar in Starrs caravan. De jongens speelden racebaantje en Nintendo en bekeken telkens opnieuw een dubbele video over tornado's van National Geographic.

Ik zat iedere dag op de verandaschommel naar de regen te kijken en luisterde naar de stemmen ervan op het metalen dak van de caravan en het gebulder van de Tujunga, rollende stenen en met wortel en al meegesleurde bomen die als kegels tegen elkaar bonkten. Alle kleur veranderde in een bleek, bruinachtig grijs.

Als er geen kleur was en ik me eenzaam voelde, dacht ik aan Jezus. Jezus kende mijn gedachten, wist alles, en ook al kon ik Hem niet zien of Hem echt voelen, Hij zou ervoor zorgen dat ik niet viel, dat ik niet werd meegesleurd door het water. Soms las ik de tarotkaarten, maar die waren altijd hetzelfde, de zwaarden, de maan, de gehangene, de brandende toren met zijn ingestorte trans en vallende mensen. Als hij thuis was, kwam Ray soms naar buiten met zijn schaakspel en dan speelden we, terwijl hij high werd, of gingen we naar het schuurtje waar hij zijn werkbank had staan, en leerde hij me kleine dingen te maken, een vogelhuisje, een schilderijlijst. Soms praatten we alleen wat op de veranda en luisterden naar de door de regen gedempte straatgevechteffecten van de jongens die videospelletjes deden, Double Dragons en Zaxxon. Ray leunde tegen een van de pilaren terwijl ik op de schommelbank lag en me met één voet afzette.

Op een dag kwam hij naar buiten en bleef een tijdje met één schouder tegen een pilaar van de veranda geleund zijn pijpje staan roken. Hij keek niet naar me. Hij leek somber en zijn gezicht stond verdrietig.

'Denk je wel eens aan je vader?' vroeg hij.

'Ik heb hem nooit gekend,' zei ik, zachtjes met mijn bungelende voet zwaaiend om de schommel in beweging te houden. 'Toen ik twee was, is hij bij ons weggegaan of zij bij hem of hoe het ook is gegaan.'

'Heeft ze je wel eens iets over hem verteld?'

Mijn vader, die schim, een figuur die bestond uit alles wat ik niet wist, een met regen gevulde vorm. 'Als ik haar iets vroeg, zei ze altijd: "Jij had geen vader. Ik ben je vader. Je bent kant en klaar uit mijn voorhoofd ontsprongen, net als Athene."'

Hij lachte, maar het klonk triest. 'Een ongewone vrouw.'

'Ik heb mijn geboortebewijs een keer gevonden. "Vader: Anders, Klaus, geen tweede voornaam. Geboorteplaats: Kopenhagen, Denemarken. Adres: Venice Beach, Californië." Hij moet nu vierenvijftig zijn.' Ray was jonger.

De donder rommelde, maar de wolken waren te dik om bliksem te kunnen zien. De bank piepte terwijl ik zat te schommelen en aan mijn vader dacht, Klaus Anders, zonder tweede voornaam. Ik had ooit een polaroidfoto van hem gevonden tussen de bladzijden van een boek van mijn moeder, *Windward Avenue*. Ze zaten samen in een café aan de boulevard, met een stel anderen die er allemaal uitzagen alsof ze net van het strand kwamen – gebruinde mensen met lang haar, kralenkettingen om, de tafel vol bierflesjes. Klaus had zijn arm over de rugleuning van haar stoel gelegd, achteloos, ze was van hem. Het leek of ze in hun eigen plekje zonlicht zaten, een stralenkrans van schoonheid om hen heen. Ze hadden broer en zus kunnen zijn. Een man met blonde manen en een sensuele mond, die glimlachte met zijn hele gezicht, zijn ooghoeken omhooggetrokken. Mijn moeder en ik lachten nooit zo.

Die foto en het geboortebewijs waren het enige wat ik van hem had, behalve dan het vraagteken in mijn genetische code, alle dingen die ik niet over mezelf wist. 'Ik vraag me vaak af wat hij van me zou vinden.'

We keken naar de bruinzwarte peperboom, de modder op het erf, diep als het geheugen. Ray draaide zich een beetje zodat hij met zijn vlakke rug tegen de pilaar kon leunen, en strekte zijn handen boven zijn hoofd. Zijn T-shirt kroop op zodat ik het haar op zijn buik kon zien. 'Waarschijnlijk denkt hij dat je nog twee bent. Dat denk ik ook van Seth. Als de jongens bij de rivier zijn, stel ik me voor dat hij daar ook is. Ik moet mezelf voorhouden dat hij nu te groot is voor kikkers.'

Klaus dacht aan mij als een kind van twee. Mijn haar als witte veertjes, mijn luier vol zand. Het kwam nooit bij hem op dat ik groot was geworden. Ik zou hem zo voorbij kunnen lopen, hij zou zelfs met net zo'n blik naar me kunnen kijken als Ray, zonder ooit te weten dat ik zijn eigen dochter was. Ik rilde, trok de mouwen van mijn trui over mijn handen.

'Heb je er ooit aan gedacht hem te bellen, hem te zoeken?' vroeg ik.

Ray schudde zijn hoofd. 'Hij heeft vast een gloeiende hekel aan me. Ik weet dat zijn moeder hem allerlei leugens over me heeft verteld.'

'Maar ik wed dat hij je mist,' zei ik. 'Ik mis Klaus en ik heb hem zelfs nooit gezien. Hij was ook kunstenaar. Schilder. Ik denk dat hij trots op me zou zijn.'

'Reken maar,' zei Ray. 'Misschien ontmoet je hem nog wel eens een keer.'

'Daar denk ik soms ook aan. Dat hij mijn naam in de krant leest, als ik later schilder ben. Dan kan hij zien wat er van me terecht is gekomen. Als ik ergens een blonde man van middelbare leeftijd zie lopen, dan heb ik soms zin om "Klaus!" te roepen, alleen om te kijken wat er gebeurt.' Ik schommelde zachtjes op de piepende bank.

Mijn moeder heeft me een keer verteld dat ze hem had gekozen omdat hij op haar leek, zodat het was alsof ze een kind van zichzelf kreeg. Maar het rode Tibetaanse opschrijfboekje met de oranje band waar 'Venice Beach, 1972' op stond, vertelde een ander verhaal.

12 juli. Vanmiddag K tegengekomen in Small World. Zag hem het eerst. Het gaf me een schokje toen ik hem ontdekte, de iets afhangende brede schouders, verf in zijn haar. Dat tot op de draad versleten hemd, zo stokoud dat het meer een idee van een hemd is.

Ik wilde dat hij mij op dezelfde manier zou zien, dus draaide ik me om, bladerde in een door Illuminati uitgegeven volksboek. Wist hoe ik eruitzag tegen het licht door het raam, vlammend haar, mijn jurk nauwelijks aanwezig. Wachtte tot zijn hart een slag zou overslaan.

Ik keek naar Ray, die de regen in tuurde – en ik wist hoe ze zich toen had gevoeld. Ik hield van zijn pijp, zijn geur, zijn trieste bruine ogen. Hij kon niet mijn vader vervangen, maar we konden tenminste hier op de veranda op deze manier met elkaar praten. Hij stak zijn pijp opnieuw aan, nam een haal, hoestte.

'Misschien zou hij je tegenvallen,' zei hij. 'Misschien is het een klootzak. De meeste mannen zijn klootzakken.'

Ik bleef schommelen. Ik wist dat het niet waar was. 'Jij niet.'

'Vraag maar aan mijn ex.'

'Wat doen jullie daar?' Starr deed de hordeur open, trok hem met een klap achter zich dicht. Ze had een trui aan die ze zelf had gebreid, pluizig en geel als een kuiken. 'Is dit een onderonsje of mag ik erbij komen zitten?'

'Ik schop die klotetelevisie nog eens aan poeier,' zei Ray effen.

Ze trok aan de bruine stengels van de sprietenplanten boven haar hoofd, haalde de verdorde sprietjes eraf en gooide ze van de veranda. Haar borsten puilden uit haar v-hals. 'Zit je weer te roken waar de kinderen bij zijn? Je geeft ze een slecht voorbeeld.' Maar ze glimlachte toen ze het zei, zacht en flirtend. 'Doe me een plezier, Ray, liefje?

Mijn peuken zijn op. Wil je een pakje voor me gaan halen in de winkel?' Ze flitste haar vlakke brede glimlach naar hem.

'Ik moet toch bier halen,' zei hij. 'Zin om mee te gaan, Astrid?'

Haar glimlach sprong terug naar het midden alsof hij te ver was uitgerekt, werd toen weer breder. 'Je kunt best alleen gaan, je bent een grote jongen. Astrid moet me even ergens mee helpen.' Pluk, pluk. Samen met de verdorde sprieten rukte ze ook de nieuwe stekjes van de plant.

Ray deed zijn jasje aan, trok het over zijn hoofd en dook onder de waterval door die van het golfplaten dak op de veranda kletterde.

'Wij moeten eens praten, jongedame,' zei Starr tegen me toen Ray de cabinedeur van de bestelwagen dichtsloeg en de motor startte.

Met tegenzin volgde ik haar het huis in naar haar slaapkamer. Starr praatte nooit met de kinderen. Haar kamer was donker en rook naar ongewassen mensen, zwaar, een beetje leemachtig, een vrouw en een man. Het bed was niet opgemaakt. Een kinderkamer rook nooit zo, met hoeveel je er ook sliep. Het liefst had ik het raam opengezet.

Ze ging op het onopgemaakte bed zitten en reikte naar het pakje Benson & Hedges 100, zag dat het leeg was, gooide het weg. 'Het bevalt je hier wel, hè?' zei ze terwijl ze in de la van het nachtkastje gluurde en erin rommelde. 'Je vindt het hier prettig. Je voelt je hier thuis.'

Ik streek met mijn vinger over het bloempatroon op haar lakens. Het was een klaproos. Mijn vingers volgden de lijnen van de kelk en de meeldraden in het midden. Klaproos, de vorm van de ondergang van mijn moeder.

'Een beetje te, lijkt me zo.' Ze deed de la dicht. Het ringetje waaraan je hem opentrok klikte. Ze trok de deken omhoog, zodat ik de bloem niet meer kon zien. 'Ik ben misschien wel geen licht, maar ik heb je wel door, hoor. Reken maar. Ik ken jouw soort, je bent net als ik.'

'Hoezo?' Ik zou wel eens willen weten wat Starr van mij in zichzelf herkende.

'Je zit achter mijn vriend aan.' Ze fatsoeneerde een sigarettenpeuk uit de met geruite stof beklede asbak en stak hem op.

Ik schoot in de lach. 'Dat is niet waar.' Dacht ze zo over ons? Bonkebonkebonk, godallejezus? 'Dat is niet zo.'

'Je hangt altijd bij hem rond, zit aan zijn gereedschap – "Waar is dit voor, oom Ray?" Speelt met zijn pistolen. Ik heb jullie wel in de gaten. Iedereen slaapt behalve jullie tweeën, aanhalig als tortelduifjes.' Ze blies de muffe rook van de peuk in de bedompte vochtige lucht.

'Hij is oud,' zei ik. 'We doen niks.'

'Zo oud nou ook weer niet,' zei Starr. 'Het blijft een man, jongedame. Hij ziet wat hij ziet en hij doet wat hij niet kan laten. Ik moet het kort houden, hij komt zo terug, maar ik wou je zeggen dat ik heb besloten de kinderbescherming te bellen. Dus wat je ook van plan was, dat is nu afgelopen, jongedame. Je bent verleden tijd.'

Ik staarde haar aan, haar pluizige wimpers. Zo gemeen was ze toch niet? Dat kon niet. Ik had niets gedaan. Goed, ik hield van hem, maar dat kon ik niet helpen. Ik hield ook van haar, en van Davey, van allemaal. Het was niet eerlijk. Dit kon ze niet menen.

Ik begon te protesteren, maar ze hield haar hand op met de smeulende peuk tussen haar vingers. 'Probeer maar niet me te vermurwen. Ik heb het nu goed hier. Ray is de beste kerel die ik ooit heb gehad, hij is goed voor me. Misschien heb je het nog niet geprobeerd, maar ik ruik S-E-K-S, jongedame, en ik neem geen risico's. Ik ben te oud en loop al te lang mee om het nu te laten verpesten.'

Ik spartelde als een vis in die benauwde kamer, terwijl de regen tegen het metalen dak en de muren kletterde. Ze schopte me eruit om niets. Ik voelde dat de oceaan me wegzoog van mijn plekje op de rots. Ik hoorde de rivier voortrazen met zijn tonnen puin. Ik probeerde een verklaring te bedenken, een reden die ze zou kunnen geloven.

'Ik heb nooit een vader gehad,' zei ik.

'Bespaar je de moeite.' Ze drukte de twee keer gerookte peuk uit in de asbak en keek naar haar vingers. 'Ik heb mezelf en mijn eigen kinderen om me druk om te maken. Jij en ik, wij kennen elkaar nauwelijks. Ik ben je niks verschuldigd.' Ze keek in de opening van haar pluizige trui en veegde wat as weg die op haar volle boezem was gevallen.

Ik gleed weg, viel. Ik had Starr vertrouwd en ik had haar nooit een reden gegeven mij te wantrouwen. Het was niet eerlijk. Ze was een christen, maar wat ze deed kwam niet voort uit geloof, uit goedheid. 'En de barmhartigheid dan?' zei ik, als iemand die dreigde te vallen en een tak probeerde te grijpen. 'Jezus zou me nog een kans geven.'

Ze stond op. 'Ik ben Jezus niet,' zei ze. 'In de verste verte niet.'

Ik zat op het bed en bad tot de stem in de regen. Alsjeblieft, Jezus, laat haar me dit niet aandoen. Jezus, als je dit ziet, open dan haar hart. Alsjeblieft, Jezus, laat dit niet gebeuren.

'Het spijt me, ik heb verder geen last van je,' zei ze. 'Maar zo is het leven nou eenmaal.'

Het enige antwoord was de regen. Stilte en tranen. Niets. Ik dacht aan mijn moeder. Wat zou zij doen als ze mij was? Ze zou niet aarzelen. Ze zou niets en niemand ontzien om te krijgen wat ze hebben wilde. En toen ik aan haar dacht, voelde ik iets mijn leegte binnenstromen, alsof er een staaf betonstaal in mijn rug omhoogschoof. Ik wist dat het slecht was wat ik voelde, halsstarrigheid, maar als dat zo was, dan moest dat maar. Ik zag ons plotseling als stukken op een reusachtig schaakbord, en ik zag mijn volgende zet.

'Misschien wordt hij wel kwaad,' zei ik. 'Heb je daar wel aan gedacht? Als hij weet dat je me wegstuurt omdat je jaloers bent.'

Starr was al halverwege de deur, maar nu bleef ze staan en draaide zich om. Ze keek naar me alsof ze me nog nooit had gezien. Ik was verbaasd hoe snel de woorden eruit kwamen stromen. Ik die nooit woorden kon vinden. 'Mannen houden niet van jaloerse vrouwen. Je probeert een gevangene van hem te maken. Hij zal een hekel aan je krijgen. Misschien maakt hij het zelfs wel uit.'

Haar gezicht vertrok zich, en ik was blij toen ik dat zag, want ik wist dat ik de oorzaak was van die frons op haar voorhoofd. Ik beschikte nu over een macht die ik eerst niet had gehad.

Ze trok haar trui omlaag zodat haar borsten er nog meer uit puilden, en keek naar zichzelf in de spiegel. Toen lachte ze. 'Wat weet jij nou helemaal van mannen af. Je bent nog een kind.'

Maar ik voelde de twijfel die haar had gedwongen zich naar de spiegel toe te draaien, en ik praatte door. 'Ik weet dat mannen er niet van houden als een vrouw probeert ze te bezitten. Dan laten ze haar vallen.'

Starr bleef aarzelend voor de ladekast staan. Ze wist niet wat ze moest doen: weigeren naar me te luisteren en me snel de deur uit zetten of me dieper laten graven naar de mogelijke gevolgen van haar twijfels. Om tijd te winnen zocht ze nog een peuk in de asbak, vond er een die niet erg lang was, fatsoeneerde hem tussen haar vingers en stak hem met haar knalblauwe Bic-aansteker aan.

'Vooral omdat er niets aan de hand is. Ik vind jou aardig, ik vind hem aardig, ik vind de jongens aardig, ik zou nooit iets doen om dat te verpesten. Dat snap je toch wel?' Hoe meer ik zei, hoe minder waar het was. De engel op haar commode keek naar de grond; hij schaamde zich en wilde me niet zien. De regen trommelde op het dak.

'Zweer je dat je niets met hem hebt?' zei ze eindelijk, haar ogen dichtknijpend tegen de stinkende rook. Ze graaide de bijbel van het nachtkastje, een witleren bijbel met rode leeslinten en een vergulde rand. 'Zweer je het op de bijbel?'

Ik legde mijn hand erop. Wat mij betreft had het ook het telefoonboek kunnen zijn. Het interesseerde me niet meer. 'Ik zweer het bij God,' zei ik.

ZE BELDE NIET naar de kinderbescherming, maar ze hield elke beweging, elk gebaar dat ik maakte in de gaten. Ik was er niet aan gewend te worden bespied en ik voelde me belangrijk. Er was een laagje van me afgepeld die dag in haar slaapkamer, en wat eronder zat glinsterde.

Op een avond was ze laat met koken en toen we bijna klaar waren met eten, keek oom Ray op de klok. 'Je komt nog te laat als je niet opschiet.'

Starr leunde achterover op haar stoel. Ze pakte de koffiepot die achter haar op het aanrecht stond, schonk zich in. 'Ze kunnen vast wel een avondje zonder me, denk je ook niet, schat?'

De week daarop sloeg ze nog twee bijeenkomsten over en de derde week ging ze ook niet naar de kerk. In plaats daarvan lagen ze de hele ochtend te vrijen en toen ze eindelijk opstond nam ze ons allemaal mee naar het pannenkoekenhuis, waar we chocoladepannenkoeken en wafels met slagroom aten in een grote nis in een hoek. Iedereen lachte en had plezier, maar ik zag alleen Rays arm achter haar schouders op de kunstleren rugleuning van de bank. Ik voelde me raar en schoof de wafel heen en weer op mijn bord. Ik had geen trek meer.

DE REGENS WAREN voorbij en nu spreidde de schoongewassen lucht 's nachts al zijn sterren tentoon. De jongens en ik gingen op het donkerste deel van het erf in de modderige klei staan en luisterden naar het water dat ginds in het donker, achter de bomen, van de berg in de Tujunga stroomde. Dikke plakken modder stolden om mijn schoenen heen terwijl ik met mijn hoofd achterover de Beren en de Kruisen zocht. Er waren veel meer sterren dan in Daveys boeken. Ik kon ze niet uit elkaar houden.

Ik dacht dat ik een lichtende streep zag. Ik wist niet zeker of ik hem wel echt had gezien en ik probeerde strak naar de lucht te blijven kijken en wachtte.

'Daar!' Davey wees.

In een ander kwadrant van de hemel brak weer een ster los. Het was griezelig, het enige waar je net niet op rekende, dat sterren zich verplaatsten. Ik probeerde zonder knipperen te kijken. Als je knipperde zag je ze niet. Ik hield mijn ogen open zodat het licht zich erop kon ontwikkelen als op een foto.

De jongetjes rilden van de kou, ondanks de jasjes over hun pyjama en hun modderige laarzen; druk pratend en giechelend van opwinding dat ze nog zo laat op waren, keken ze naar de sterren, die begonnen te verschieten als de lichtjes van een flipperkast, hun mond open in de hoop dat er een in zou vallen. Afgezien van de rij kerstlichtjes die langs de rand van de veranda twinkelden, was het pikdonker.

De hordeur ging open en sloeg dicht. Ik hoefde niet te kijken om te weten dat hij het was. Het vlammetje van een lucifer, de warme kruidige geur van wiet. 'Ik moet die kerstverlichting eens weghalen,' zei hij. Hij kwam naar de plek waar we stonden, het opgloeien van zijn pijp, toen de scherpe geur van zijn lichaam, de geur van nieuw hout.

'Het is de Quadrantidenzwerm,' zei Davey. 'Zo meteen worden het er veertig per uur. Het is de kortst durende meteorietenzwerm, maar wel de dichtste, op de Perseïden na.'

Ik hoorde de modder aan zijn laarzen zuigen toen hij zijn gewicht verplaatste. Ik was blij dat het donker was, dat hij de blos van vreugde op mijn gezicht toen hij dichterbij kwam niet kon zien. Hij keek omhoog alsof de Quadrantiden hem interesseerden, alsof hij daarvoor naar buiten was gekomen.

'Daar!' zei Owen. 'Zag je dat, oom Ray? Zag je dat?'

'Ja, kerel, ik zag het. Ik heb het gezien.'

Hij stond vlak naast me. Als ik een paar centimeter naar links schoof, zou ik hem met mijn mouw kunnen aanraken. Ik voelde de uitstraling van zijn lichaamswarmte, zo klein was de afstand tussen ons in het donker. We hadden nog nooit zo dicht naast elkaar gestaan.

'Heb je bonje gehad met Starr?' vroeg hij zachtjes.

Ik blies een wolkje damp uit en verbeeldde me dat ik stond te roken, net als Dietrich in *Der Blaue Engel*. 'Wat heeft ze gezegd?'

'O, niks. Ze doet gewoon een beetje raar de laatste tijd.'

Vallende sterren stortten zich de leegten in, brandden op. Gewoon voor de pret. Zomaar. Ik had die hele nacht wel met huid en haar willen opslokken.

Ray inhaleerde te diep, hoestte, spuwde. 'Het is vast wel moeilijk voor haar, nu ze ouder wordt, om van die mooie tienermeisjes in huis te hebben.'

Ik keek naar de lucht alsof ik het niet had gehoord, maar intussen dacht ik: ga door over die mooie tienermeisjes. Ik schaamde me dat ik dat wilde, het was minderwaardig, wat deed mooi ertoe? Ik had dat zo vaak over mijn moeder gedacht. Het was niet belangrijk of iemand mooi was, het was alleen belangrijk dat er iemand van je hield. Maar toch wilde ik het, ik kon er niets aan doen. Als er om die reden iemand van me kon houden, omdat ik mooi was, dan moest dat maar.

'Ze ziet er nog goed uit,' zei ik, en ik bedacht dat het minder moeilijk voor haar zou zijn, als hij niet achter me aan liep, naar buiten onder de sterrenhemel, als hij niet naar me keek zoals nu, terwijl hij met zijn vingertoppen over zijn mond streek.

Maar ik wilde niet dat hij ermee ophield. Ik had met Starr te doen, maar niet genoeg. Ik had het zondevirus. Ik was het middelpunt van mijn eigen wereld, terwijl de sterren zich verplaatsten, zich herschikten om me heen, en ik vond het prettig dat hij zo naar me keek. Wie had er ooit naar me gekeken, wie had me ooit opgemerkt? Als dit slecht was, dan moest God me maar op andere gedachten brengen.

Lieve Astrid,

Kom me er niet mee aan dat je zo'n bewondering voor die man hebt, dat hij zoveel om je geeft! Ik weet niet wat erger is, je Jezusfase of de komst van een vrijer van middelbare leeftijd. Zoek een vriendje van je eigen leeftijd, neem een zachte, mooie jongen als minnaar. Iemand die beeft als je hem aanraakt, die je met neergeslagen ogen een margriet aan een lange steel aanbiedt, iemand wiens vingers een gedicht zijn. Geef je nooit aan de vader. Ik verbied het je, hoor je?

Moeder

Je kon het niet tegenhouden, moeder. Ik hoefde niet meer naar je te luisteren.

DE LENTE KLEURDE de hellingen met oranje wolken Californische papaver en bespikkelde de barsten in het plaveisel bij benzinestations en op parkeerterreinen met klaprozen, blauwe lupine en castilleja. Zelfs in de verbrande gebieden zagen de passen geel van de bloeiende mosterd, toen we er in Rays oude bestelbusje doorheen hobbelden.

Ik had tegen hem gezegd dat ik de nieuwbouwwijk in Lancaster graag wilde zien, het maattimmerwerk waar hij daar mee bezig was. Misschien kon hij me een keer van school komen afhalen. 'Je weet hoe raar Starr de laatste tijd doet,' zei ik. Iedere dag als ik uit school kwam, hoopte ik dat ik zijn busje met het met een veertje versierde jointklemmetje aan de achteruitkijkspiegel zou zien staan. Eindelijk was hij gekomen.

De nieuwbouwwijk zelf was kaal als een litteken, stukgereden stoffige wegen met grote nieuwe huizen. Sommige hadden al een dak en muren, van sommige was de isolatie klaar, andere waren nog skeletten waar de wind doorheen blies. Ray liet me het huis zien waar hij aan het werk was, schoon, de buitenkant klaar, ruikend naar vers zaagsel. Hij liet me de lambrisering van massief esdoornhout in de eetkeuken zien, de erker, de ingebouwde boekenkasten, het prieel in de achtertuin. Ik voelde dat mijn haar het zonlicht weerkaatste en ik wist hoe mijn moeder zich had gevoeld die dag lang geleden, in boekhandel Small World, toen ze mijn vader had gezien en bij het raam was gaan staan, mooi in het licht.

Ik liet me door hem rondleiden alsof hij een makelaar was – het twee verdiepingen hoge panoramaraam van de woonkamer, de gestroomlijnde wc's in de luxebadkamers, het gedraaide hout van de trapleuning, de met snijwerk versierde trappaal. 'Ik heb zelf in zo'n huis gewoond, toen ik getrouwd was,' zei hij. Hij liet zijn hand over de zijkant van de zware trapleuning glijden en duwde tegen het solide hout van de paal. Ik probeerde me Rays leven in zo'n huis vol luxebadkamers voor te stellen, om zes uur het eten op tafel, de vaste baan, zijn vrouw, het kind. Maar het lukte me niet. Trouwens, ook toen hij er woonde ging hij al naar de Trop in plaats van naar huis en werd hij verliefd op stripteasedanseressen.

Ik liep met hem mee naar boven, waar hij me het fijne beschot liet zien, de met cederhout beklede linnenkasten en vensterbanken. In de grote slaapkamer hoorden we het gehamer uit andere huizen en het geluid van de bulldozer die een stuk grond egaliseerde voor het volgende. Ray keek uit het groezelige raam naar de bouwwerkzaamheden om ons heen. Ik stelde me voor hoe de kamer eruit zou zien als er mensen in kwamen wonen. Lila vloerbedekking en een sprei met blauwe rozen, een wit-met-gouden dubbele toilettafel, dito hoofdeind van het ledikant. Ik vond het mooier zoals het nu was, roze hout, de lekkere lucht van een nieuw huis. Ik keek naar het bruin en groen van zijn Pendleton-hemd, zijn gespreide handen aan weerskanten van het raam terwijl hij neerkeek op de nog kale tuin. 'Waar denk je aan?' vroeg ik hem.

'Dat ze hier niet gelukkig zullen zijn,' zei hij zachtjes.

'Wie?'

'De mensen die deze huizen kopen. Ik bouw huizen voor mensen die er niet gelukkig in zullen worden.' Zijn lieve gezicht keek heel triest.

Ik ging dichter bij hem staan. 'Waarom niet?'

Hij drukte zijn voorhoofd tegen de ruit, die zo nieuw was dat er nog een sticker op zat. 'Omdat het altijd fout gaat. Ze willen niemand kwetsen.'

Ik rook zijn zweet, scherp en sterk, een mannenlucht, en het was warm in de kamer met de nieuwe ramen, de bedwelmende geur van nieuw hout. Ik legde mijn handen om zijn middel, drukte mijn gezicht tegen de kriebelige wollen stof tussen zijn schouderbladen, iets wat ik al wilde doen sinds hij zijn arm om me heen had geslagen, die eerste zondag, toen ik had gespijbeld van de kerk en in de caravan was achtergebleven. Ik sloot mijn ogen, ademde zijn geur in, wiet en zweet en nieuw hout. Hij maakte geen beweging, slaakte alleen een sidderende zucht.

'Je bent nog een kind,' zei hij.

'Ik ben een vis die voorbij komt zwemmen, Ray,' fluisterde ik tegen zijn hals. 'Vang me maar als je me wilt hebben.'

Een ogenblik lang stond hij roerloos als een verdachte in de beklaagdenbank, zijn geopende handen op het raamkozijn. Toen greep hij mijn handen, draaide ze om, kuste de palmen, drukte ze tegen zijn gezicht. En ik was degene die beefde, ik was degene met de margriet.

Hij draaide zich om en sloeg zijn armen om me heen. Mijn hele leven had ik ernaar verlangd om zo te worden vastgehouden – door sterke armen en een brede met een wollen hemd bedekte borst die rook naar wiet en tabak. Ik gooide mijn hoofd achterover en het was mijn eerste kus. Ik deed mijn mond voor hem open, zodat hij me kon proeven, mijn lippen, mijn tong. Ik kon niet ophouden met beven als hij me niet heel stevig omklemde.

Hij duwde me zachtjes weg. 'Misschien moeten we maar naar huis gaan. Dit is niet goed.'

Het kon me niets meer schelen of het goed was of niet. Ik had een condoom uit Carolees la in mijn zak en ik was eindelijk alleen met de man die ik altijd had willen hebben, op een plaats waar niemand ons kon storen.

Ik trok mijn geruite blouse uit, gooide hem op de grond. Ik trok mijn T-shirt uit. Ik trok mijn beha uit en ontblootte me voor hem, klein en bleek, niet Starr, maar ik, alles wat ik had. Ik maakte mijn hoge schoenen los, schopte ze uit. Ik ritste mijn spijkerbroek open, liet hem vallen.

Ray zag er triest uit op dat ogenblik, alsof er iemand doodging, hij had zijn rug tegen het vuile raam gedrukt. 'Ik heb dit niet gewild,' zei hij.

'Dat lieg je, Ray,' zei ik.

Toen knielde hij voor me neer, legde zijn armen om mijn heupen en kuste mijn buik, mijn dijen, zijn handen om mijn naakte billen, zijn vingers in de zijdeachtige vochtige plek tussen mijn benen, proefde me daar. Mijn geur op zijn mond, terwijl ik samen met hem knielde, mijn handen over zijn lichaam liet gaan, zijn kleren losmaakte, hem voelde, hard, groter dan ik had verwacht. En ik dacht: er is geen God, er is alleen wat je wilt.

8

DE HELE DAG op school en op de Ray-loze middagen bij de rivierbedding, tijdens het eten met Starr en de kinderen of als we 's avonds tv keken, dacht ik alleen maar aan Ray, kon ik aan helemaal niets anders denken. Die zachte huid van hem, zachter dan je voor mogelijk zou houden bij een man, en de dikte van zijn armen, de pezen die over zijn onderarmen liepen als boomwortels en de trieste blik waarmee hij naar me keek wanneer ik mijn kleren uit had getrokken.

Ik schetste hem naakt als hij uit het raam stond te kijken nadat we hadden gevreeën, of liggend op de stapel ondertapijt voor de vloerbedekking, die hij naar de hoek van de nieuwe slaapkamer had gesleept. Als we 's middags samen waren, lagen we op die stapel, onze benen in elkaar gestrengeld, glad op harig, zijn vingers lichtjes op mijn borst, terwijl ze met mijn tepel speelden, die overeind stond als een potloodgum. Ik verstopte de tekeningen in de doos met mijn moeders dagboeken, een plek waar Starr nooit zou kijken. Ik wist dat het beter was ze weg te gooien, maar dat kon ik niet over me verkrijgen.

'Waarom ben je met Starr?' vroeg ik hem op een middag, terwijl ik met mijn vinger over het witte litteken onder zijn ribben streek dat een kogel van de Vietcong daar had achtergelaten.

Hij streelde mijn ribben, wat me kippenvel bezorgde. 'Ze is de enige vrouw die me gewoon mezelf laat zijn,' zei hij.

'Dat zou ik ook doen,' zei ik. Ik streek met de bovenkant van mijn nagels over zijn ballen en hij schokte even op. 'Is ze goed in bed, is het daarom?'

'Dat is privé,' zei hij. Hij pakte mijn hand en drukte hem in zijn lies. Ik voelde dat hij weer hard werd. 'Ik praat nooit met de ene vrouw over de andere. Dat doe je gewoon niet.'

Hij ging met zijn vinger de zijdeachtige vochtigheid tussen mijn benen binnen en stak hem toen in zijn mond. Ik had nooit kunnen dromen hoe het zou zijn door iemand begeerd te worden. Alles was mogelijk. Hij trok me boven op zich en ik bereed hem als een paard in de branding, mijn voorhoofd tegen zijn borst, dwars door het schuim van opspattende vonken. Als mijn moeder vrij was geweest, zou het dan een van haar minnaars zijn geweest, die me vulde met zijn sterren? En zou mijn moeder me dan hebben bespied, zoals Starr nu deed, en beseft hebben dat ik niet meer doorzichtig was, als een montagevel voor een encyclopedie?

Nee, als ze vrij was, zou ik hier niet zijn. Ze zou me dit nooit hebben gegund. Ze hield alle fijne dingen voor zichzelf.

'Ik hou van je, Ray,' zei ik.

'Ssssst,' zei hij, met zijn handen om mijn heupen. Zijn oogleden knipperden. 'Niets zeggen.'

Dus reed ik alleen maar en mijn huid tintelde in de oceaan van schuim, terwijl de vloed, vol zeesterren, lichtend op kwam zetten in de dageraad.

STARRS ONRUST STROOMDE over, meestal naar de kinderen. Ze beschuldigde haar dochter van alles waarvan ze mij wilde beschuldigen. Carolee kwam zelfs bijna niet meer thuis. Ze ging elke middag motorrijden met Derrick, het gezoem van de crossmotortjes was als een zeurende twijfel. Als ik niet bij Ray was, bleef ik op school of ging naar de bieb of ik ging kikkers vangen met de jongens, terwijl de wintervloed van de Big Tujunga langzaam opdroogde tot kleine stroompjes en modderpoelen. De kikkers zagen eruit als kluitjes modder en je moest heel stil zitten om ze te kunnen zien. Meestal zat ik gewoon op een rotsblok in de zon te tekenen.

Maar toen ik op een dag thuiskwam van de rivier, trof ik Starr opgekruld op de schommelbank op de veranda, haar hoofd vol verwarmde krulspelden, een blauwe blouse dichtgeknoopt onder haar borsten, met daaronder een onwaarschijnlijk kort afgeknipt short dat te strak zat in haar kruis. Ze speelde met de jonkies van de kat, die dat voorjaar een nest onder het huis had gekregen, en hengelde naar ze met de linten die Davey aan een stok had gebonden. Ze lachte en praatte tegen ze en dat was helemaal niets voor haar. Gewoonlijk had ze het over ratten met een bontje.

'Kijk eens aan, de kunstenares. Kom erbij zitten, jongedame, ik zit me zo te vervelen dat ik zelfs tegen de katten praat.'

Ze wilde anders nooit met me praten, en er was iets met haar mond, alsof die langzamer was dan de woorden die eruit kwamen. Ze gaf de stok aan mij en nam een sigaret uit het pakje Benson & Hedges. Ze stopte hem verkeerd om in haar mond en ik keek of ze hem zou aansteken. Ze merkte het net op tijd. 'Ik weet niet meer wat onder of boven is,' lachte ze, en ze nam een slokje van haar koffie. Ik trok de linten over het kleed en lokte een grijs-met-wit balletje onder de schommel vandaan. Het maakte een sprongetje, viel aan en rende weg.

'Nou, vertel eens wat,' zei ze terwijl ze een overdreven haal van haar sigaret nam en de rook in een lange sliert uitblies. Haar mooie hals kwam bloot toen ze haar nek naar achteren boog, haar hoofd, enorm groot met al die rollers, net de kaars van een uitgebloeide paardebloem. 'Vroeger praatten we altijd met elkaar. Iedereen heeft het zo verrekte druk, dat is wat er mis is met de wereld. Heb je Carolee ergens gezien?'

Aan het eind van de weg zagen we de stofwolken van de motortjes opwervelen in de ijle blauwe lucht. Was ik maar stof, rook, de wind, de zon die op de chaparral glinsterde, alles behalve hier te zitten met de vrouw van wie ik haar man probeerde af te pikken.

'Carolee is onmogelijk,' zei Starr. Ze stak haar been uit om naar de goedverzorgde zilvergelakte teennagels te kijken. 'Blijf maar bij haar uit de buurt. Die moet eens goed onder handen worden genomen, anders gaat het van kwaad tot erger. Ze heeft een flinke dosis van Gods woord nodig.' Ze trok een krulspeld van haar hoofd, loenste naar het krulletje op haar voorhoofd, begon de rest eruit te trekken en liet ze een voor een in haar schoot vallen. 'Jij bent niet lastig. Ik meen het goed met je. G-o-e-d. Waar is Carolee. Heb je haar ergens gezien?' vroeg ze weer.

'Ik geloof dat ze bij Derrick is,' zei ik. Ik bewoog de stok met het lint op en neer naast de schommel, waar het poesje zich onder had verstopt.

Ze boog haar hoofd om bij de krulspelden aan de achterkant te kunnen. 'Asociaal blank gespuis. Hoe zoekt ze 't uit. Zijn moeder is zo stom dat ze de diepvriesmaaltijd met verpakking en al in de oven stopt.' Ze lachte en liet de krulspeld vallen, en het poesje, dat net te voorschijn was gekomen, schoot weer onder de bank.

Ik begreep ineens dat Starr dronken was. Ze was anderhalf jaar nuchter gebleven, had de AA-labeltjes aan haar sleutelring hangen, rood, geel, blauw, paars. En ze was er zo trots op geweest. Ik had dat nooit helemaal begrepen. Ray dronk. Mijn moeder dronk. Michael begon te drinken zodra hij rond twaalf uur 's middags ophield met voorlezen voor *Books on Tape*, en ging dan door tot hij om twaalf uur 's nachts buiten westen raakte. Het scheen hem geen kwaad te doen. Starr leek nu trouwens gelukkiger. Ik vroeg me af waarom ze zo haar best had gedaan om een soort heilige te worden terwijl dat helemaal niet bij haar paste. Wat had ze daaraan?

'Hij is weg van me, weet je,' zei ze. 'Die Ray. Dat is nou een man die een *echte* vrouw nodig heeft.' Ze draaide met haar heupen in het strakke broekje alsof ze nu, op ditzelfde ogenblik, boven op hem zat. 'Z'n vrouw wou niks.' Ze nam nog een haal van haar sigaret, sloeg haar geverfde wimpers neer, terug in het verleden. 'Die man snakte naar seks. Ik heb d'r een keer gezien, weet je. Z'n vrouw.' Ze dronk uit haar koffiekop en nu kon ik het ook ruiken. 'Stijve trut, degelijke schoenen, je weet wel. Wou hem nooit pijpen of wat dan ook. Hij kwam naar de Trop en daar zat ie dan met die trieste ogen van hem naar de meisjes te kijken, als een uitgehongerde stakker in een supermarkt.' Ze trok haar schouders recht, liet ze naar voren rollen om me een idee te geven waar Ray naar had zitten kijken, het kruisje gevangen tussen haar borsten, Jezus verzuipend in het vlees.

Ze lachte, tikte as op het zwart-witte poesje. 'Ik moest wel verliefd op hem worden.'

Het maakte me een beetje misselijk, het idee dat Ray in de een of andere striptent naar die meisjes met hun enorme borsten had zitten staren. Hij had gewoon niet geweten waar hij anders heen moest. Ik pakte de stok weer op, ritselde met de linten, probeerde de aandacht van het poesje te trekken om mijn rode hoofd voor haar te verbergen.

'Ik leek wel gek om te denken dat ie iets met jou had,' zei ze in haar koffiekop, dronk hem leeg en zette hem met een klap op het met mozaïek versierde tafelblad. 'Ik bedoel, moet je zien, je bent nog maar een kind. Je droeg geeneens een beha voordat ik er een voor je kocht.'

Ze probeerde zichzelf ervan te overtuigen dat er niets aan de hand was tussen Ray en mij, dat er niets aan de hand kón zijn, omdat zij een vrouw was en ik helemaal niks. Maar ik voelde nog hoe het was toen hij voor me geknield zat op de kale vloer, zijn handen om mijn dijen, hoe hij mijn blote buik had gekust. Ik rook nog de geur van het nieuwe hout, voelde zijn grijpende vingers, hoe we waren ontvlamd als de olievette chaparral in de oleandertijd.

EEN VOLLE MAAN stroomde wit door de gordijnen. De koelkast walste de keuken rond, ijsblokjes rinkelden in het vriesvak. 'Niet te geloven dat ze na al die tijd weer is gaan drinken,' zei Carolee. 'Vertrouw nooit een alcoholist, Astrid. Regel één, twee en drie.'

Carolee ging overeind zitten in bed, trok haar nachtpon uit, trok haar minirok, haar nylons en haar glimmende blouse aan. Ze deed het raam open, duwde de hor naar buiten en klom op de commode, haar naaldhakschoenen in haar hand. Ik hoorde haar buiten op de veranda ploffen.

'En waar gaat dat heen, jongedame?' kwam Starrs stem uit het donker.

'Sinds wanneer kan dat jou wat schelen?' hoorde ik Carolee antwoorden.

Ik ging naar het raam. Ik kon Starr niet zien, alleen Carolees naar voren gestoken heup in haar witte rokje, de handen in haar zij, uitdagende ellebogen.

'Voor Jan en alleman op je rug liggen zeker.' Starr had zeker op de veranda zitten drinken, op de dekstoel voor het zitkamerraam.

Carolee trok haar schoenen aan, eerst de ene toen de andere, en liep het erf op, dat helverlicht als een toneel in het schijnsel van de volle maan lag. 'En wat dan nog?' Jammer dat ik haar niet kon tekenen, haar breedgeschouderde lichaam en de schaduw die het wierp op de maanbleke grond. Wat zag ze er dapper uit op dat ogenblik.

Starr was nog niet met haar klaar. 'Weet je wat ze over je zeggen: "Bel Carolee, die lust er wel drie." Hoeren laten zich betalen, wist je dat nog niet?'

'Daar weet jij meer van dan ik.' Carolee draaide zich om en begon naar de weg te lopen.

Starr, alleen in een mininachtpon, waggelde mijn gezichtsveld in. Ze struikelde het trapje af en sloeg Carolee hard in haar gezicht. Het geluid van de klap daverde door de stille nacht, onherroepelijk.

Carolees arm ging naar achteren en mepte. Starrs hoofd vloog met een ruk naar opzij. Het was akelig, maar ook fascinerend, als een film, alsof ik ze helemaal niet kende. Starr greep een pluk van Carolees haar en sleurde haar over het erf. Carolee gilde en probeerde haar te slaan, maar ze kon niet ver genoeg overeind komen om haar te raken. Toen trok ze haar ene naaldhak uit en mepte haar daarmee. Starr liet haar los.

Ik zag Ray het trapje afkomen, met alleen een spijkerbroek aan. Ik wist dat hij er niets onder had, alleen dat prachtige lijf van hem. Carolee greep Starr bij de voorkant van haar nachtpon en smakte haar hard tegen de grond. Ze stond vlak naast Starr, zodat die op moest kijken naar haar benen in hun nylons, haar hoge hakken. Hoe ver kon zoiets gaan, kon een dochter haar moeder een schop in haar gezicht geven? Het was duidelijk dat ze er zin in had.

Ik was opgelucht toen Ray tussenbeide kwam en Starr overeind hielp. 'Kom mee naar bed, lieverd.'

‘Dronken lor,’ gilde Carolee hen na. ‘Ik haat je.’

‘Rot dan maar op,’ zei Starr voortwaggelend aan Rays arm. ‘Barst jij maar. Krijg de tering.’

‘Dat meen je niet,’ zei Ray. ‘Laten we er een nachtje over slapen, goed?’

‘Ik ga weg,’ zei Carolee. ‘Als je dat maar weet.’

‘Als je weggaat, hoef je niet meer terug te komen, jongedame.’

‘Alsof ik dat zou willen,’ riep Carolee.

Ze kwam onze kamer binnen stormen, rukte laden open, smeet spullen op het bed, propte alles wat erin paste in een gebloemde koffer. ‘Tot kijk, Astrid. Het was tof.’

Davey en de jongetjes wachtten in de gang, angstig, hun ogen knipperend van de slaap. ‘Niet weggaan,’ zei Davey.

‘Ik kan hier niet blijven. In dit gekkenhuis.’ Carolee sloeg even haar arm om hem heen en liep naar buiten; haar koffer bonkte tegen haar knie. Ze liep vlak langs Ray en Starr heen, zonder ze een blik te gunnen, toen het erf af en de weg op, steeds kleiner.

Zo liepen meisjes dus weg. Ze pakten hun koffer en beenden weg op hoge hakken. Ze deden alsof ze niet huilden, alsof dit niet de verschrikkelijkste dag van hun leven was. Alsof ze niet wilden dat hun moeder hen achterna zou komen rennen en hun smeken om te blijven, alsof ze niet God op hun blote knieën zouden danken als ze konden blijven.

MET CAROLEES VERTREK verloor Starr iets essentieels, iets waar ze niet buiten kon, zoals een gyroscoop die verhindert dat het vliegtuig omkiepert, of een dieplood waarop je kunt zien of het water dieper of ondieper wordt. Nu eens wilde ze ineens gaan dansen, dan weer bleef ze thuis zitten drinken en klagen, of ze werd sentimenteel en wilde een gezinnetje zijn, spelletjes doen en chocoladecakejes bakken, die ze liet verbranden, en je wist nooit waar je aan toe was. Toen Peter op een avond geen zin had in haar stoofschotel, pakte ze zijn bord op en kieperde het boven zijn hoofd om. En ik wist dat het allemaal door mijn slechtheid, mijn zonde kwam. Ik liet het allemaal gebeuren, en zei geen woord.

Was ik maar nooit iets met Ray begonnen. Door mij was ze weer gaan drinken, ik was de slang in het paradijs.

Maar die wetenschap bracht me er niet toe er een eind aan te maken. Ik had het virus. Ray en ik vrijden in de nieuwe huizen, we vrijden in zijn werkplaats achter de garage, soms zelfs in de rivierbedding tussen de rotsen. We probeerden niet tegelijk in een kamer te zijn als Starr erbij was, de lucht tussen ons in vatte vlam.

OP EEN DAG begon Starr tegen de jongens te krijsen over de rommel in de woonkamer, een paar plastic hagedissen en legoblokjes en een werkstuk waar Davey mee bezig was. Het was een heel zorgvuldig gemaakt model van de Vasques Rocks met de fossielen die hij daar had gevonden tijdens een schoolreisje met zijn klas, turritellaschelpen, trilobieten uit het Cambrium. Starr smeet met speelgoed en puzzels, liep naar Davey toe, tilde haar voet op en stampte met twee snelle schoppen zijn project aan gruis. 'Ik heb je gezegd dat je die rotzooi op moest ruimen!'

De andere jongens renden door de hordeur naar buiten, maar Davey zat op zijn knieën naast zijn vernielde werkstuk en streelde de verbrijzelde schelpen. Hij keek op en ik hoefde niet naar zijn ogen achter zijn brillenglazen te kijken om te weten dat hij huilde. 'Ik haat je!' gilde Davey. 'Je maakt alles kapot. Je snapt niet eens...'

Starr pakte hem beet en begon hem te slaan terwijl ze hem bij zijn ene arm vasthield zodat hij niet kon ontsnappen. Ze schreeuwde: 'Weet je wel tegen wie je het hebt? Waag het niet mij stom te noemen! Ik ben je moeder! Ik ben ook een mens! Ik kan dit niet allemaal in m'n eentje af. Toon een beetje respect!'

Het begon als slaag maar het veranderde in slaan om het slaan. De jongetjes waren weggelopen, maar ik kon dat niet. Dit was mijn schuld.

'Starr,' zei ik, en ik probeerde haar van hem af te trekken. 'Niet doen.'

'Hou jij je mond!' schreeuwde ze en ze gooide me van zich af. Haar haren hingen voor haar gezicht, haar oogwit was aan alle kanten om de pupil heen zichtbaar. 'Jij hebt hier niks te zeggen, hoor je me?'

Eindelijk strompelde ze weg, huilend, met haar handen voor haar gezicht. Davey zat roerloos bij de brokstukken van zijn werkstuk en ik zag de tranen over zijn gezicht rollen. Ik ging op mijn hurken naast hem zitten om te kijken of er nog iets te redden viel.

Starr maakte de fles Jim Beam open die ze tegenwoordig naast de cornflakes in de kast had staan, schonk zich een glas in, gooide er paar ijsblokjes bij. Ze dronk nu gewoon waar we bij waren. 'Je mag zo niet tegen mensen praten,' zei ze en veegde haar ogen af, haar mond. 'Rotjong.'

Davey's arm hing er in een rare hoek bij. 'Doet je arm pijn?' vroeg ik zachtjes.

Hij knikte, maar wilde me niet aankijken. Wist hij het, zou hij het vermoeden?

Starr zat op de plastic keukenstoel, in elkaar gezakt, moe van het slaan. Ze zat nors te drinken. Ze pakte een sigaret uit het goudkleurige pakje en stak hem op.

'Ik denk dat hij uit de kom is,' zei Davey.

'Dat gezeik altijd van jou. Ga maar ergens anders zitten zeuren.'

Ik vulde een zakje met ijs en legde het tegen Davey's schouder. Hij zag er akelig uit. Zijn mond was vertrokken. Hij zeurde nooit.

'Hij moet naar het ziekenhuis,' zei ik. Ik was bang, probeerde niet beschuldigend te klinken.

'Nou, ik kan hem er niet naar toe rijden. Rij jij maar.' Ze wroette in haar tas naar de sleutels en gooide ze me toe. Ze was vergeten dat ik pas veertien was.

'Bel oom Ray.'

'Nee.'

'Mam?' Davey snikte nu. 'Help me nou.'

Ze keek naar hem, en nu zag ze de rare hoek van zijn arm, de manier waarop hij hem bij elleboog voor zijn lichaam hield. 'O hemel.' Ze rende naar hem toe, stootte onderweg haar scheen tegen de salontafel, hurkte naast hem neer bij de bank, waar hij met zijn hand onder zijn elleboog zat. 'O jochie, het spijt me. Het spijt mammie, schatje.' Hoe meer ze eraan dacht, hoe meer ze van streek raakte;

haar neus liep, en onhandig probeerde ze zijn haar naar achteren te strijken, met rukkerige, nutteloze bewegingen. Hij wendde zijn hoofd af.

Ze kruiste haar armen voor haar borst, maar laag, vlak boven haar buik, en bleef ineengedoken naast de bank op de grond zitten, schommelde heen en weer, sloeg met haar vuist tegen haar voorhoofd.

'Ik bel oom Ray,' zei ik.

Davey kende het nummer uit zijn hoofd en zei het op terwijl ik hem belde op de nieuwbouw. Een halfuur later was hij thuis, zijn mond samengeknepen tot een smalle streep.

'Het was een ongeluk,' zei Starr. Ze hield haar handen voor haar lichaam als een operazangeres. 'Ik heb het niet expres gedaan. Dat zweer ik.'

Niemand zei iets. Starr snikte eentonig. We lieten haar alleen en reden met Davey naar de eerstehulp, waar ze zijn arm weer in de kom trokken en hem verbonden. We verzonnen een smoes dat we bij de rivier hadden gespeeld. *Hij is van een rots gesprongen en gevallen.* Het klonk stom, zelfs in mijn oren, maar Davey had ons laten beloven dat we niet zouden vertellen dat Starr het had gedaan. Hij hield nog steeds van haar, ondanks alles.

PASEN. EEN KRISTALHELDERE ochtend waarop je elke afzonderlijke struik en rots op de berg kon zien. De lucht was zo helder dat het pijn deed. Starr stond in de keuken een ham klaar te maken, duwde kruidnagels in de vierkantjes die ze in de bovenkant had gesneden. Ze had al twee weken niet meer gedronken en ging iedere dag naar een bijeenkomst. We zetten allemaal ons beste beentje voor. Daveys mitella herinnerde ons er voortdurend aan hoe erg het kon worden.

Starr zette de ham in de oven en we gingen met z'n allen naar de kerk, zelfs oom Ray, maar die bleef wel nog even in de auto zitten om stoned te worden voor hij naar binnen ging. Ik rook het toen hij langs me liep en tussen Owen en Starr in ging zitten. Haar ogen smeekten de eerwaarde Thomas om een portie van het Bloed. Ik probeerde te bidden, het gevoel weer op te roepen dat er iets groters bestond dan ik alleen, iemand die het belangrijk vond wat ik deed, maar het was weg, ik kon Gods aanwezigheid niet meer ontdekken in die kerk van blokken lavasteen of in mijn ziel, als daar nog iets van over was. Starr keek smachtend naar de in elkaar gezakte Jezus aan het perenhouten kruis, terwijl oom Ray zijn nagels schoonmaakte met zijn Zwitserse zakmes en ik wachtte tot het zingen zou beginnen.

Na afloop stopten we bij een benzinepomp, waar Ray een bos gele narcissen voor haar kocht, de belofte van nieuw leven,

Thuis geurde de caravan naar ham. Starr diende de lunch op: maïs in roomsaus, ananas uit blik, voorgebakken broodjes uit de oven. Ray en ik konden elkaar niet aankijken, want dan zou het weer beginnen. We keken naar de jongetjes, we treuzelden met ons eten, gaven Starr een complimentje voor haar kookkunst. Ray zei dat de eerwaarde Thomas lang niet slecht was. We keken alle kanten op, behalve naar elkaar. Ik keek naar de schaal met roze pepermuntijs met suikertjes, en naar de narcissen midden op tafel in een in aluminiumfolie gepakte pot. We waren niet meer samen geweest sinds we Davey naar de eerstehulp hadden gebracht. We hadden er niet over gepraat, hoe het allemaal zover had kunnen komen.

We keken de hele middag naar paasprogramma's op tv. Evangelisten met roze gezichten en koortjes in bijpassende satinetten toga's. Een publiek alsof het om een rock'n'rollconcert ging. Hun handen wuifden als zonnebloemen in de lucht. Hij is opgestaan. Christus onze Heer. Kon ik er maar weer in geloven.

'We zouden erbij moeten zijn,' zei Starr. 'Volgend jaar gaan we naar de Crystal Cathedral. Goed, Ray?'

'Tuurlijk,' zei Ray. Na de kerk had hij zijn daagse T-shirt en spijkerbroek weer aangetrokken. We speelden halma met de jongens en ontweken elkaars blik, maar het viel ons zwaar samen in de kamer te zijn zonder elkaar aan te raken, vooral met Starr naast hem, haar ene hand hoog op zijn zachtgewassen spijkerbroek. Ik kon er niet meer tegen. Toen Davey had gewonnen, ging ik naar buiten en liep doelloos langs de rivierbedding. Ik kon alleen maar aan haar hand op zijn spijkerbroek denken.

Ik was slecht, ik had slechte dingen gedaan, ik had mensen pijn gedaan, en het ergste was dat ik er niet mee wilde ophouden.

Er klommen blauwe schaduwen tegen de goudbruine ronde hellingen van de berg op, als handen die de vorm van de dijen van een geliefde modelleerden. Een hagedis zat op een rots in de waan dat hij onzichtbaar was. Ik gooide een steentje naar hem, keek hoe hij wegschoot onder het struikgewas. Ik verscheurde een blaadje van een fluweelboom en hield het voor mijn neus in de hoop dat het mijn gedachten zou opfrissen.

Ik rook hem eerst, de geur van wiet dreef door de avondlucht. Hij was op het erf. Het zonlicht viel op zijn gezicht en verwarmde het als een steen. Mijn keel kneep zich dicht toen ik hem zag. Ik besefte ineens dat ik op hem had gewacht. Ik ging op een heuveltje staan, zodat hij me kon zien, aan de oostkant, waar de caravan geen raam had, en klom toen naar beneden, in een dalletje tussen de rotsblokken.

Even later hoorde ik hem over de bedding lopen, die al weer droogstond, hoewel het pas april was. Ik wist dat Davey morgen alles wat we deden aan onze sporen zou kunnen zien. Maar zodra ik Ray aanraakte, wist ik dat we nooit zonder elkaar zouden kunnen, hoe graag we het ook wilden, hoeveel verdriet we ook veroorzaakten. Zijn lippen tegen mijn hals, zijn handen onder mijn shirt, die mijn broek openmaakten, omlaagtrokken. Mijn dijen snakten om de naakte aanraking van zijn heupen, we pasten op elkaar als twee magneten toen we neerzonken in het zand. Ik dacht niet aan schorpioenen of de westelijke diamantslang. Ik dacht niet aan rotsblokken of wie ons zou kunnen zien.

'Schatje, je maakt me nog gek,' fluisterde hij in mijn haar.

DE LAATSTE KEER dat ik twee volwassenen had horen ruziemaken, was op die avond toen mijn moeder Barry in zijn hand stak. Bonken, smijten. Ik stopte mijn hoofd onder het kussen, maar kon alles toch nog woord voor woord door het dunne wandje heen verstaan. Starrs dronken gekrijs, Rays zachte tegenwerpingen.

'Vroeger kon je hem anders best omhoog krijgen, voordat je

met dat kleine kreng neukte. Geef het maar toe, rotschoft, je neukt haar.'

Zwetend kroop ik dieper in mijn slaapzak en deed of het niet over mij ging, maar over een ander meisje, alsof ik gewoon maar een kind was dat hier niets mee te maken had.

'De pot op met mijn mentor! God, ik had haar eruit moeten gooien toen ik de kans had!'

In mijn verbeelding zag ik hoe Ray zonder haar te onderbreken op de rand van het bed zat, met gebogen rug en tussen zijn benen bungelende handen. Hoe hij haar dronken klappen afweerde, hopend dat ze buiten westen zou raken. Ik hoorde zijn stem, nog steeds rustig, kalmerend, redelijk. 'Starr, je bent ladderzat.'

'Vuile pedo. Vind je het lekker om kinderen te neuken? Ga je het straks met honden doen? Heb je die gratenkut nou echt liever dan mij? Dat kind zonder tieten.'

De schaamte, de wetenschap dat de jongens luisterden, dat ze nu alles wisten.

'Heeft ze soms een strakkere kut dan ik? Pijpt ze je net als ik? Laat ze zich van achteren nemen? Nee, vertel op, ik wil weten wat kinderneukers doen.'

Hoe lang had ik verwacht zo te kunnen doorgaan? Was ik hier maar nooit gekomen. Was ik maar nooit geboren. En toch moest ik toegeven dat een deel van me trots, en zelfs opgewonden was dat Ray hem niet omhoog kreeg voor Starr. Hij kon het niet met haar, al had ze nog zulke grote tieten, al mocht hij het van achteren doen. Hij wilde mij.

'Donder op met die mentor, bel hem zelf. Ik ga naar binnen, ik maak haar af.'

Ik hoorde nog meer lawaai, gegil, en plotseling vloog de deur naar mijn kamer open en daar stond Starr, haar roze ochtendjas met kantjes helemaal scheefgedraaid, haar enorme borsten ontbloot, de .38 in haar handen. Jarenlang zou ik dat beeld in mijn dromen zien. Ze vuurde zonder te mikken, met één uitgestrekte arm. Ik rolde op de grond en de kamer was vol rook en rondvliegende spaanders. Ik probeerde onder het bed te kruipen.

'Ben je gek geworden?' Ray en Starr worstelden met elkaar. Ik kroop te voorschijn zodat ik ze kon zien. Hij draaide haar arm achter haar rug en pakte het pistool af. Hij was naakt, zijn rug naar achteren gebogen door haar arm zodat zijn pik in haar billen drukte. Haar tieten wezen omhoog en bibberden als bange diertjes, terwijl hij haar met zijn heupen naar de deur duwde.

'Val dood, Ray. Val dood!'

'Insgelijks,' zei Ray en hij duwde haar naar buiten.

Misschien zouden ze het nu doen en mij helemaal vergeten. Er zat een gat in de wand van de kast. Ik begon me aan te kleden. Ik was niet van plan hier te blijven, met die dronken gekkin in een huis vol vuurwapens. Ik ging vannacht nog mijn maatschappelijk werker bellen. Ik zou Ray wel laten weten waar ik zat, maar hier kon ik niet blijven.

Ik hoorde ze vechten in hun kamer en ineens was Starr terug en schoot op me terwijl ik probeerde me aan te kleden. Ik voelde pijn opbloeien in mijn schouder, zich uitbreiden naar mijn ribben. Ik wankelde naar de commode om erop te klimmen en door het raam te vluchten, maar toen schoot ze nog een keer en mijn heup explodeerde. Ik viel op de grond. Ik zag haar koraalrode teennagels. 'Ik heb je gezegd dat je hem met rust moest laten.' Het plafond, geen lucht, de metalige stank van statische elektriciteit en kruit en mijn eigen bloed.

LICHT IN MIJN ogen. Handen die me optilden. Er gilde iemand. God – uniformen, vragen. Man met een baard, vrouw, scheef dichtgeknoopte blouse. Het licht van een zaklantaarn in mijn ogen. Ik draaide mijn hoofd weg. 'Waar is Ray?' vroeg ik.

'Astrid?' Davey, het licht spiegelde in zijn brillenglazen. Hij hield me bij elkaar. 'Ze komt bij.'

Een ander gezicht. Blond, popperig. Valse wimpers. Zwarthemd. Schutzstaffel. 'Astrid. Wie heeft dit gedaan? Wie heeft er op je geschoten? Zeg het maar, vertel ons wie het was.'

Davey schoof zijn bril omhoog op zijn neus. Keek me strak aan. Hij schudde zijn hoofd, onmerkbaar, maar ik zag het.

In de deuropening stonden de twee jongetjes tegen elkaar aan gedrukt. Jasjes over hun pyjama. Owen met de bungelende kop van zijn kapotte giraf over zijn arm. Peter met zijn hagedissen in een potje. De pleegkinderen. Zij wisten wat hun te wachten stond.

'Astrid, wat is er gebeurd? Wie heeft dit gedaan?' Ik deed mijn ogen dicht. Waar moest ik beginnen als ik die vraag wilde beantwoorden?

Baardmans veegde met een watje mijn arm schoon, stak de naald erin, een infuus.

'Wordt ze beter?' vroeg Davey.

'Je hebt het prima gedaan, kerel. Zonder jou was ze al doodgebloed.'

Handen onder me. Vuurstormen van pijn toen ze me op de brancard tilden. Gillen. Brand. Brand. Baardmans hield de zak van het infuus omhoog.

'Het is al gebeurd,' zei hij. 'Probeer je maar te ontspannen.'

Ik keek in Davey's ogen en ik wist dat het nog maar de vraag was wie zich het rotst voelde. Hij hield mijn hand vast en ik die van hem, zo stevig als ik kon, maar de pijnstillers kregen de overhand. 'Mijn spullen.'

'Die halen we later wel op.' Maatschappelijk werker. Kon niet eens haar blouse goed dichtknopen.

Davey begon spullen bij elkaar te graaien, mijn moeders boeken, mijn schetsblok, een paar tekeningen, de poster met keutels. Maar Ray... 'Davey, mijn kistje.'

Davey's gezicht werd somber. Hij had de sporen gelezen. Mijn gedachten vervaagden tot blauw-groene en gele lichten, een fonkelende flikkering van Tiffany-glas. 'Davey?' fluisterde ik.

'Ontspan je nou maar, lieverd. Je gaat met ons mee.'

Hij pakte het houten sieradenkistje, met vertrokken gezicht, zoals die keer toen zijn arm uit de kom was geschoten. Hij bleef bij me toen ze me naar de ambulance reden en schudde de zwarthemdpoppenvrouw van zich af toen ze probeerde hem weg te halen. Boven mijn hoofd scheen de maansikkel als een zilveren hoepel. Baardmans praatte tegen me terwijl hij me achter in de ambulance schoof. 'Ontspan je nou maar, je moet je ontspannen. We hebben je spullen bij ons.' Toen ging de achterdeur dicht. Davey verdween, de nacht slokte hem op, slokte iedereen op.

9

HAAR VINGERS ROERDEN tussen zeepokken en mosselen, blauwzwart, met scherpe randjes. Neonrode zeesterren leken net slappe Dalí's op de rotsen, met boeketten van prikkende zeeanemonen en trossen stekelige zee-egels eromheen. Haar vingers raakten de stijve punten van een zee-egel aan en ik zag de inerte plantenstekels bewegen, tot leven komen; hij probeerde mijn moeder te bereiken, tastend naar haar vorm en haar bedoeling. Ze wilde dat ik hem ook aanraakte, maar dat durfde ik niet. Ik zag verbaasd dat de witte vingers en de paarse stekels met elkaar communiceerden over een afstand die niet minder uitgestrekt was dan de ruimte tussen sterrenstelsels, een wonder in vijftien centimeter water. Zo raakte ze mij ook aan, mijn wangen, mijn haar, en zo probeerde ik van mijn kant haar te bereiken.

El cielo es azul. We waren op Isla Mujeres, het Vrouweneiland. Ik was een klein meisje in een verschoten jurk, bruin van de zon, op blote voeten, haren wit als paardebloemenpluis. De straten, waar we iedere ochtend met de Mexicaanse vrouwen in de rij stonden bij de tortillawinkel, waren van schelpenzand. *¿Quál es su nombre? Su hija es más guapa*, zeiden ze. Je dochter is veel te mooi, en ze streelden mijn haar. Mijn moeders huid gebladderd als verf. Haar ogen blauwer dan de lucht, *azul claro*.

In een groot roze en oranje geschilderd hotel rook een man met een donkere snor naar gekneusde bloemen. Er waren taxi's en muziek en mijn moeder ging uit in geborduurde jurken met blote schouders. Maar toen was hij weg en verhuisden wij naar het Vrouweneiland.

Mijn moeder wachtte daar ergens op, ik wist niet waarop. We kochten elke dag onze tortilla's, liepen met ons boodschappennetje terug naar de kleine, witgekalkte bungalow, langs huisjes met traliewerk voor de ramen, hun openstaande deuren als lijsten. Binnen hingen er schilderijen aan de muren, grootmoeders met waaiers, soms waren er boeken. We aten garnalen met knoflook op terrasjes aan het strand. *Camarones con ajo*. Een paar vissers hadden een hamerhaai gevangen en op het strand getrokken. Hij was twee keer zo groot als de bootjes die de vissers gebruikten, en iedereen kwam naar het strand om ernaar te kijken en naast zijn monsterlijke kop te poseren, die even breed was als ik lang. Bataljons tanden glitterden in zijn humorloze grijns. Ik was bang als mijn moeder me alleen liet op het strand om te gaan zwemmen in het zachte blauw. Wat zou er gebeuren als de haai kwam en het water rood kleurde en de botten eruit staken?

TELKENS ALS IK wakker werd, was er Demerol. Dokters met maskertjes voor, verpleegsters met zachte handen. Bloemen. Hun vriendelijke lachjes als nectar. Er waren infuzen en andere kinderen, schoon verband en Tom en Jerry op tv, ballonnen en vreemden. *Vertel het ons maar. Vertel het ons maar.* Schutzstaffel. Agenten in burger. Hoe moest ik in hemelsnaam beschrijven hoe Starr in haar helemaal verdraaide nachtpon de .38 in mijn kamer leeg schoot. Ik dacht liever aan Mexico. In Mexico waren de gezichten verweerd en zacht als zeep. Dat gezoem in mijn kamer, dat waren alleen maar de muggen in onze bungalow op het Vrouweneiland.

IN EEN DOOR de volle maan verlichte nacht kreeg ze het startsein en vertrokken we, met alleen onze passen en ons geld, in een gordel onder haar jurk. Op de veerboot moest ik overgeven. We sliepen op een nieuw strand, ver naar het zuiden. De volgende dag danste ze met een jonge man, Eduardo, op het platte dak, het hotel was van hem, alle ramen stonden open en ik kon het rif zien, de zee als een lens. De bovenste verdieping was nog niet af, er hingen hangmatten onder een dak van palmbladen en we mochten net zo lang blijven als we wilden. We waren gelukkig in Playa del Carmen, waar we met Eduardo in zijn zwarte Volare door het dorp reden en ons verschrikkelijk rijk voelden. *¡Qué rico!*, hoewel er daar maar twee verharde wegen waren en een ijskraam van Miochoacán. Besneeuwde vulkaantoppen. De toeristenboot deed Playa del Carmen twee keer in de week aan en dobberde dan, vijf verdiepingen hoog, als een drijvende bruidstaart op het water. Mijn moeder legde de kaarten in het café, dat doortrokken was van de vette walm van gegrilde *pollo en carnitas*. Ik keek toe terwijl de man de stapeltjes vlees met een machete op de tortilla's schoof. We aten daar goed.

'sAvonds speelde Eduardo gitaar en zong hij zigeunerliedjes met de gasten van zijn hotel en ik schommelde in mijn hangmat, als een vleermuis met zijn leerachtige vleugels om zich heen geslagen. 's Nachts stikte het er van de vleermuizen. Dat kwam door het fruit, zei mijn moeder, mango's, *plátanos* en papaja's. Mijn hele lichaam zat ineens vol heksenkringen van de ringworm. Een dokter in een van betonblokken gebouwde kliniek gaf me een drankje. Kunnen we nooit meer naar huis, vroeg ik aan mijn moeder. We hebben geen huis, antwoordde ze. Ik ben jouw thuis.

Wat was ze mooi: op blote voeten, in badpak, een tafelkleed om haar heupen gewikkeld. Mijn moeder hield van me. Ik voelde nóg hoe ik in de hangmat schommelde terwijl mijn moeder met Eduardo danste. Jij was mijn thuis.

Maar het weer sloeg om en Eduardo sloot het hotel voor het seizoen en ging terug naar Mexico City, waar zijn ouders woonden. Hij zei dat we mochten blijven als we wilden. Het was ongezellig en griezelig. We sloten de luiken en de wind stak op, de vriendelijke zee rees op en verslond het strand, overstroomde de blauwe druifjes. Er waren geen toeristen meer. We aten uit blikjes, *frijoles refritos*, gecondenseerde melk. Het hotel werd belegerd door katten, mager, wild of gewoon in de steek gelaten gedurende de winter. Mijn moeder liet ze allemaal binnen. De lucht was gelig, als een beurse plek.

Het water kwam schuin naar beneden toen de regentijd begon, en het sijpelde door de luiken en onder deuren door naar binnen. De katten verstopten zich in de schaduwen. Nu en dan voelden we een lijf of een staart langs onze benen strijken als we aan de tafel zaten, waar mijn moeder bij het licht van een petroleumlamp zat te schrijven. De katten hadden honger, maar mijn moeder negeerde hun gemiauw als we zaten te eten.

Ten slotte sloot mijn moeder het hotel af en liftten we met een stel studenten mee naar naar Progreso aan de Golf van Mexico. De boot uit Texas stonk naar vis. De kapitein gaf me een pil en ik werd wakker op een divan in Galveston.

'WE HEBBEN HAAR te pakken,' zei de politieman in burger met zijn witte sokken. 'We hebben haar ingerekend toen ze probeerde de jongen te bezoeken. Beweert dat ze bij haar zus heeft gelogeerd. We weten best dat zij op je heeft geschoten. Waarom verzin je dat verhaal over een inbreker? Ze is niet eens je moeder.'

Als ik Starr was geweest, had ik misschien ook op mij geschoten. Misschien had ik de deurknoppen wel met oleander ingesmeerd, zoals mijn moeder had gedaan, als Ray tegen me had gezegd dat hij niet meer van me hield. Ik kon me niet goed concentreren. Starr in haar nachtpon, mijn moeder in haar blauwe jurk. Barry die een natte zakdoek tegen mijn voorhoofd drukte. Waarom leek dat allemaal hetzelfde, waarom liep het allemaal door elkaar, als kleurkrijt dat je op een warme dag in de auto had laten liggen? De enige die ik duidelijk voor me zag, was Davey. Ik kreeg hoofdpijn van die politieman en ik had weer Demerol nodig.

ER KWAMEN BRIEVEN van mijn moeder. Een meisje van mijn leeftijd, een vrijwilliger van het ziekenhuis, met pluizig bruin haar en lichtgroene oogschaduw, probeerde ze me voor te lezen, maar dat klonk veel te onwerkelijk, de woorden van mijn moeder voorgelezen door haar hoge, domme stem. Ik vroeg haar op te houden.

Lieve Astrid,

Ze zeggen dat ze niet weten of je de ochtend wel haalt. Ik ijsbeer de hele nacht door mijn cel, drie stappen heen en drie stappen terug. Er kwam zostraks een geestelijke langs. Ik heb tegen hem gezegd dat ik zijn lever uit z'n lijf zou rukken als hij me nog eens lastigviel. Ik hou zo verschrikkelijk veel van je, Astrid. Het is niet te verdragen. Er bestaat niemand anders in de wereld dan jij en ik, weet je dat niet? Ik smeek je me hier niet alleen te laten. Bij alle machten van licht en duisternis smeek ik je, ga niet weg.

Ik las die alinea telkens opnieuw, proefde hem. Woord voor woord, zoals Starr altijd haar bijbel las. Terwijl ik in slaap sukkelde, hoorde ik hem in mijn hoofd. Jij was mijn thuis, moeder. Een ander thuis had ik niet.

Freude! De negende van Beethoven, Ode aan de vreugde, onder Solti, Chicago Symphony Orchestra. De gedachte dat ik je bijna kwijt was! Ik leef voor jou, de wetenschap dat jij leeft geeft mij de kracht om dit vol te houden. Ik wou dat ik je in mijn armen kon houden, ik wil je aanraken, je vasthouden, je hart horen kloppen. Ik ben een gedicht voor je aan het schrijven. Het heet: 'Voor Astrid, die toch zal blijven leven.'

Nieuws verspreidt zich snel in een gevangenis, en vrouwen met wie ik nooit een woord heb gewisseld vragen me hoe het met je gaat. Ik voel me met allemaal verwant. Ik zou uit louter dankbaarheid op mijn knieën de muffe aarde kunnen kussen. Ik zal proberen uitzonderingsverlof te krijgen om je te bezoeken, maar ze doen hier niet zo aan uitzonderingen, vrees ik.

Wat kan ik over het leven zeggen? Moet ik het loven omdat het jou heeft behouden of moet ik het vervloeken vanwege de rest? Heb je wel eens van het Stockholmsyndroom gehoord? Gijzelaars vatten sympathie op voor de mensen die hen gevangen houden, uit dankbaarheid dat die hen niet meteen hebben vermoord. Laten we niet de een of andere hypothetische God danken. Rust liever uit en verzamel je krachten voor de nieuwe campagne. Al weet ik dat die uit zuurstokken en het

Verantwoorde Kinderboek zal bestaan en misschien een morfine-infuus als je zoet bent.

Wees sterk.

Moeder

En ze zei niet één keer: ik heb je gewaarschuwd.

ER KWAM EEN goochelaar om ons af te leiden. Zijn mooie handen, zijn vloeiende, afgeronde gebaren hypnotiseerden me. Ik kon mijn ogen er niet van afhouden. Ze waren mooier dan al zijn trucjes bij elkaar. Hij plukte een boeket papieren bloemen uit de lucht en gaf ze mij met een hoffelijke buiging, en de gedachte kwam bij me op dat de liefde net zo was, iets wat uit de lucht werd geplukt, kleurig en onwaarschijnlijk. Zoals Ray me tussen zijn vingers boetseerde, als zachte was.

Ray. Ik probeerde niet aan hem te denken, de reden waarom hij ervandoor was gegaan toen ik bloedend in mijn slaapkamer op de grond lag, neergeschoten door zijn geliefde. Ik wist waarom hij was verdwenen toen de ambulance kwam. Ik voelde me net zo, als ik aan Davey dacht, wiens leven ik kapot had gemaakt. Ray kon het niet aan. Hij had van het begin af aan nooit gewild dat dit met ons zou gebeuren, maar ik was degene die de situatie had geschapen, uitsluitend door mijn eigen begeerte. Het leek wel of Ray had geweten hoe het zou aflopen, al vanaf het ogenblik dat we elkaar voor het eerst aanraakten. Elke keer dat hij naar me keek, hadden zijn ogen me gesmeekt hem met rust te laten. Ik wou dat ik met hem kon praten, één keertje maar, om tegen hem te zeggen dat ik hem niets verweet.

Soms wist ik als ik wakker werd heel zeker dat hij zou komen, vermomd, en dat we weer bij elkaar zouden zijn. Ik ving een glimp op van een mij onbekende co-assistent, een nieuwe zaalhulp, een bezoeker die een bepaald bed op de kinderafdeling zocht, en was ervan overtuigd dat hij het was. Ik nam niemand iets kwalijk. Ik had moeten weten wat er kon gebeuren. Natuurlijk had ik dat moeten weten, na mijn moeder en Barry.

De enige wie geen schuld trof, was Davey. Eerst vroeg ik me af waarom Starr hem niet mee had genomen. Waarschijnlijk had ze gedacht dat ze makkelijker zou kunnen ontsnappen zonder hem. Misschien was ze zo buiten zichzelf geweest dat ze hem helemaal was vergeten. Maar nu wist ik dat het Davey zelf was geweest. Dat hij had geweigerd om mee te gaan terwijl ik lag dood te bloeden op de grond. Hij had geweigerd. Hij had zijn moeder in de steek gelaten om mij in leven te houden tot de ambulance kwam. Ik kende Davey, dat moest de reden zijn. En ik werd overspoeld door nieuwe golven van schaamte en spijt. Hij had er geen vermoeden van gehad, die dag dat hij me voor het eerst zag en met de kleintjes op de veranda zat, dat ik zijn leven kapot zou maken, zoals Starr zijn werkstuk in de woonkamer stuk had getrapt. Ik had het vertrapt toen ik naar mijn ontmoeting met Ray toe rende.

MIJN MOEDER STUURDE me haar gedicht 'Voor Astrid, die achteraf toch zal blijven leven'. Een paar regels bleven door mijn hoofd spoken.

Na alle angsten, de waarschuwingen
Na dat alles
Is er een verschil tussen fouten van een vrouw en van een meisje
Ze zijn met vuur in steen gegrift
Ze zijn een eigenschap en geen vergissing...

Dit was erger dan: ik heb je gewaarschuwd. Ik kon het niet geloven. Ik was nog een kind, pas veertien. Er was nog redding mogelijk, toch? Vergeving. Ik zou een nieuw leven beginnen. Ik zou heengaan en niet meer zondigen. Toen de fysiotherapeut, een magere jongen, aardig, knap, met me flirtte, keek ik hem woedend aan. Ik had een halve dag nodig om naar het eind van de gang te lopen en weer terug. Ze vervingen het Demerol-infuus door Percodan-tabletten.

ALS IK ERGENS heen had gekund, had ik na twee weken weg gemogen, maar nu revalideerde ik op kosten van de staat tot ik met een stok kon lopen en het verband eraf mocht. Toen werd ik in een nieuw pleeggezin geplaatst, weggestuurd met recepten voor een maand Percodan, de brieven van mijn moeder, haar boeken, het houten kistje en de poster met keutels van een jongetje dat voorgoed weg was.

10

IN VAN NUYS was de lucht zwaarder dan in Sunland-Tujunga, Het was een koninkrijk van winkelcentra en promenades van wel een halve kilometer, uitgestrekte wijken met laagbouw die nietig leek naast volgroeide peperbomen en liquidambars van bijna twintig meter hoog. Het zag er goed uit, tot ik dat huis in die straat zag. O Jezus, bad ik, laat het alsjeblieft niet dat turquoise huis zijn met het geasfalteerde erf achter dat hek van harmonicagaas.

De maatschappelijk werker stopte er vlak voor. Mijn mond viel open. Het had de kleur van een tropische baai op een prentbriefkaart van dertig jaar geleden, een syfilitische nachtmerrie van Gauguin. Het vormde een gat in de rij loofbomen die bijna alle huizen in de straat overschaduwden, en was uitdagend lelijk in zijn naaktheid.

De deur van bobbeltjesglas was ook turquoise en de pleegmoeder was een brede vrouw met blond haar en een hard gezicht, die een stomverbaasd kijkende peuter op haar heup droeg.

Een jongetje stak van achter zijn moeders rug zijn tong naar me uit. Ze keek naar mijn metalen ziekenhuisstok en kneep haar kleine ogen samen. 'U hebt niet gezegd dat ze kreupel was.'

De maatschappelijk werker haalde haar smalle schouders op. Ik was blij dat ik onder de Percodan zat, anders was ik misschien gaan huilen.

Marvel Turlock ging ons voor door haar woonkamer, die werd gedomineerd door een televisietoestel zo groot als de staat Arizona, waarop de presentatrice van een talkshow een boom van een vent met een tatoeage en een baard toesprak, en door een lange gang naar mijn nieuwe kamer, een verbouwd washok op de veranda, met marineblauw-en-groen gestreepte gordijnen en een ribfluwelen sprei op de smalle stretcher. Het jongetje trok aan haar oversized blouse en jengelde als een zingende zaag.

Terug in de tv-kamer spreidde de maatschappelijk werker haar papieren op de salontafel uit, klaar om de bijzonderheden van mijn leven uit de doeken te doen voor deze vrouw met haar harde gezicht, die met een stem die eraan gewend was meisjes te commanderen tegen me zei dat ik met Justin in de achtertuin moest gaan spelen.

Het was smoorheet op het geasfalteerde plaatsje, en er stond zoveel speelgoed dat het wel een crèche leek. Ik zag dat een kat bezig was iets te begraven in de zandbak en toen wegrende. Ik liet hem begaan. Justin scheurde rond op zijn driewieler en vloog om de paar rondjes tegen de speelhut aan. Ik hoopte dat hij zin zou krijgen zandtaartjes te gaan bakken. Mmmm.

Na een poosje kwam het kleintje naar buiten, een blond kindje met grote doorschijnend blauwe ogen. Zij wist niet dat ik zo bang voor de kleur turquoise was, en dat ik bijna moest kotsen als ik eraan dacht dat haar moeder mijn dossier aan het lezen was. Had ik maar in het ziekenhuis kunnen blijven met een eindeloos druppelend Demerol-infuus. Het kleine meisje liep op de zandbak af. Ik wilde me er niets van aantrekken, maar stond ondanks mezelf op, schepte met een emmertje de kattenpoep eruit en gooide het zaakje over het hek.

ED EN MARVEL Turlock waren mijn eerste echte gezin. We aten kip met onze handen, likten de barbecuesaus van onze vingers alsof de vork nog niet was uitgevonden. Ed was een lange man met een rood gezicht, rustig, met dunnend rossig haar. Hij werkte op de verfafdeling van Home Depot. Het verbaasde me niets toen ik hoorde dat ze de blauwe verf tegen kostprijs hadden gekregen. De tv stond de hele maaltijd aan, iedereen praatte en niemand luisterde, en ik dacht aan Ray en Starr en de laatste keer dat ik Davey had gezien.

Rotsblokken en groene paloverde, roodschouderbuizerds. De schoonheid van stenen, de overstroomde rivier, de stilte. Mijn heimwee werd afgewisseld door brandende schaamte. Veertien en ik had al iets stukgemaakt dat ik nooit meer kon repareren. Ik had dit verdiend.

Ik maakte de derde klas af op de Madison Junior High, waar ik met mijn stok van het ene lokaal naar het andere strompelde. Mijn gebroken heup was aan het genezen, maar het duurde wel erg lang. Mijn schouder kon ik alweer gebruiken en zelfs de wond in mijn borst, die mijn rib had gebroken, deed niet meer zo'n pijn als ik opstond of me bukte. Maar de heup genas heel langzaam. Ik kwam altijd te laat in de les. Ik bracht mijn dagen door in een mist van Percodan. Schoolbanken en de bel en dan maar weer hompelend naar de volgende les. Als de leraren iets zeiden, kwam er een stroom vlinders uit hun mond, te snel om te kunnen vangen. Ik genoot van de steeds veranderende kleuren van de groepjes op het schoolplein, maar ik kon de kinderen niet uit elkaar houden. Ze waren te jong en onbeschadigd, te zeker van zichzelf. Voor hen was pijn een land waar ze wel eens van hadden gehoord, waar ze misschien wel eens een tv-programma over hadden gezien, maar waarvan het stempel nog niet in hun paspoort stond. Hoe moest ik een punt vinden waar mijn wereld aansloot bij die van hen?

MIJN ROL IN het turquoise huis werd me algauw duidelijk: kinderoppas, pannenschuurster, wasmeid en kapster. Het laatste vond ik het ergst. Marvel zat als een pad onder een steen in de badcel, en riep me op precies dezelfde toon die Justin tegen háár gebruikte: meedogenloos. Ik probeerde te ontsnappen door aan andere dingen te denken: gamelanorkesten, diertjes in rotspoelen, of zelfs de gordijnen, marineblauw met groen, waarvan me was opgevallen dat ze hun vorm ontleenden aan de manier waarop de strepen doorliepen of afbraken. Ik dacht dat dit een betekenis moest hebben, maar ze hield niet op met roepen.

'Astrid! Waar zit dat kind nou weer?'

Het had geen zin te doen alsof ik haar niet hoorde, ze zou blijven roepen tot ik overdreven hinkend als een bediende in een griezelfilm naar haar toe ging.

Ze zag vuurrood toen ik binnenkwam, haar handen op haar brede heupen. 'Waar bleef je nou, verdomme?'

Ik gaf daar nooit antwoord op, draaide alleen de kraan open, voelde of de temperatuur van het water goed was.

'Niet te heet,' prentte ze me in, 'ik heb een gevoelige hoofdhuid.'

Ik zorgde ervoor dat het voor mijn gevoel een beetje te koud was. Door de Percodan die ik de hele dag slikte, kon ik de temperatuur niet goed schatten. Ze ging op haar knieën op de badmat zitten en hield haar hoofd onder de kraan terwijl ik haar haar waste, dat stijf stond van het vuil en de lak. De inplant moest worden bijgekleurd. Ze had een voorliefde voor een blonde tint die op de verpakking de goudgele kleur van boter had, maar op haar hoofd meer weg had van de cellofaansliertjes waarmee die paasmandjes voor kinderen worden opgevuld. Ik masseerde er een conditioner in die naar ranzig vet stonk en spoelde hem er weer uit, waarna ze op de kruk ging zitten die ze uit de keuken had meegenomen. Ik legde kranten op de wasbak en begon te kammen. Het was alsof je klitten uit spaghetti kamde. Eén flinke ruk en je zou de hele zaak eruit trekken. Ik werkte van onder naar boven met mijn kam en herinnerde me hoe ik vroeger 's avonds het haar van mijn moeder had geborsteld. Het glansde als glas.

Marvel praatte aan één stuk door over haar vriendinnen, haar Mary Kay-klanten, iets wat een vrouw bij Oprah had gezien – niet dat Marvel naar Oprah keek, alleen naar Sally Jessy, want Oprah was een dik zwart wijf dat nog niet goed genoeg was om Marvels vloer te schrobben, ook al verdiende ze wel tien miljoen per seizoen, blablabla. Ik deed of ze Hongaars sprak en ik geen woord verstond van wat ze zei, terwijl ik de rubberhandschoenen aantrok en de inhoud van de twee flesjes mengde. De stank van de ammoniak was overweldigend in de kleine raamloze badcel, maar Marvel wilde niet dat ik de deur openzette. Ed mocht niet merken dat ze haar haren verfde.

Ik maakte scheidingen in de haarslierten, smeerde het mengsel op de inplant en stelde de wekker in. Als ik het spul er te lang in liet zitten, zou het bloedige wonden in haar hoofdhuid uitbijten en zouden al haar haren uitvallen. Dat leek me best interessant, maar ik wist dat er nog ergere plaatsen bestonden dan het huis van de Turlocks. Marvel dronk tenminste niet en Ed was onaantrekkelijk en merkte me nauwelijks op. Wat dat betreft kon ik hier weinig schade aanrichten.

'Dit is een goeie oefening voor je,' zei Marvel terwijl we de laatste vijf minuten wachtten tot ik de haarverf naar de punten toe kon masseren. 'Je zou naar de kappersschool kunnen gaan. Dat is een mooi vak voor een vrouw.'

Ze had grote plannen voor me, Marvel Turlock. Ze dacht aan mijn welzijn. Ik dronk nog liever bleekwater. Ik boog me over haar heen alsof ze een rotsblok was, en spoelde de verf eruit. Ze liet me een bladzijde in het kappersblad zien met een schema voor het inzetten van de krulspelden, dat er even ingewikkeld uitzag als een elektrisch diagram. Een haarmode die Cosmopoliet heette, omhoog geborsteld aan de zijkanten, van achteren gekruld en een pony met krulletjes, zoals Barbara Stanwyck het droeg in *Meet John Doe*. Ik dacht aan Michael en hoe hij zou rillen van afschuw. Hij was dol op Stanwyck. Ik vroeg me af hoe het met het Schotse stuk ging. Ik vroeg me af of hij wel eens aan me dacht. Je hebt in de verste verte geen idee van hoe het hier is, Michael.

Terwijl ik de slierten haar om de rollers draaide, maakte de stank van de kleverige roze versteviger het nog benauwder in de warme badcel. Ik begon me flauw te voelen. Zodra ik klaar was met inzetten, bond ik de sjaal over de roze krulspelden heen en toen mocht eindelijk de deur open. Ik voelde me alsof ik een uur lang geen adem had gehaald. Marvel liep de woonkamer in. 'Ed?' hoorde ik haar roepen.

De tv stond aan, maar Ed was hem gesmeerd naar de Good Knight, de kroeg waar hij bier dronk en op betaaltelevisie naar het honkballen keek.

'Klootzak,' zei ze zonder bitterheid. Ze zette een programma aan over zusters van middelbare leeftijd en installeerde zich met een bekertje ijs op de sofa.

Lieve Astrid,

Beklaag je niet over je nieuwe pleeggezin. Je mag van geluk spreken als ze je niet slaan. Eenzaamheid is de normale toestand van de mens. Die moet je koesteren. De tunnels die zij in je geest graaft scheppen ruimte waar je ziel in kan groeien. Denk maar niet dat je de eenzaamheid ooit achter je zult laten. Verwacht maar niet dat je ooit mensen zult vinden die je begrijpen, iemand die die leegte kan vullen. Een intelligent, gevoelig mens is een uitzondering, een heel grote uitzondering. Als je verwacht dat je mensen zult vinden die je begrijpen, zal de teleurstelling een moordenaar van je maken. Het enige wat je kunt bereiken is dat je jezelf begrijpt, dat je weet wat je wilt, en dat je niet toelaat dat het domme vee je de weg verspert.

M(b)oe

IK BEGREEP PAS dat het nog erger kon worden, toen mijn Percodan-recepten op waren. Ik was zo dom geweest de dosis te verdubbelen, en nu leed ik schipbreuk op een sombere kust bezaaid met gebroken glas. Ik vatte kou door de airconditioning, die te goed werkte in mijn hokje op de veranda. Het enige waar ik aan kon denken was dat ik zo alleen was. Mijn eenzaamheid smaakte naar kopergeld. Ik dacht aan de dood. Een jongen in het ziekenhuis had me verteld dat een luchtbel in de bloedstroom de beste methode was. Hij had botkanker en had een injectiespuit gejat, die hij in een Archie-stripboek had verstopt. Als het op een dag te erg werd, zou hij zich een beetje lucht inspuiten, zei hij, en dan was het in een paar tellen voorbij. Als mijn moeders brieven er niet waren geweest, zou ik er iets op hebben gevonden. Ik herlas ze tot het papier slap werd en stukging bij de vouwen.

Als ik niet kon slapen, ging ik naar het achtererf, waar de krekels duetten zongen en het asfalt onder mijn blote voeten warm was als een dier. Het aangestampte witte grind van de borders glansde in het maanlicht en het steriele oppervlak werd onderbroken door witte plastic dahlia's die op regelmatige afstand van elkaar in de grond waren gestoken. Ik stuurde mijn moeder een keer een tekening van het huis in zijn asfaltzee met witte kiezelranden, en zij stuurde me een gedicht over Achilles, die als kind door zijn moeder in zwart water werd ondergedompeld om hem onsterfelijk te maken. Het vrolijkte me niet op.

Ik ging op de hardhouten picknicktafel zitten en luisterde naar de muziek die door de gesloten luiken van het huis van de buren kwam. Ze waren altijd dicht, maar de klanken van een jazzsaxofoon sijpelden tussen de houten lamellen door naar buiten, muziek die persoonlijk was als een aanraking. Ik bewoog mijn vingertoppen langs het koolzwarte lemmet van het oude mes van mijn moeder, stelde me voor dat ik mijn polsen ermee doorsneed. Als je het in het bad deed, voelde je er niets van, zeiden ze. Ik had geen seconde geaarzeld, als mijn moeder er niet was geweest. Maar het evenwicht was wankel: alles aan één kant van de balans, behalve de brieven van mijn moeder, licht als een nachtkus, een hand die mijn haar streelde.

Ik speelde met het mes, legde mijn gespreide hand op de bovenkant van de glijbaan en prikte met de punt langs mijn vingers. Ertussen ertussen ertussen erop! Ertussen ertussen erop! Ertussen ertussen ertussen ertussen. Ik vond het helemaal niet erg als het erop was.

Lieve Astrid,

Ik weet wat je nu moet leren te verdragen. Er is niets aan te doen. Zorg er alleen voor dat er niets verloren gaat. Maak aantekeningen. Onthoud alles, iedere belediging, iedere traan. Tatoeëer het op de binnenkant van je geest. De kennis van soorten gif is onmisbaar in het leven. Ik heb het je al eens gezegd, niemand wordt kunstenaar, tenzij hij niet anders kan.

Moeder

ZONDER DE PERCODAN begon ik te begrijpen waarom moeders hun kinderen in de steek lieten, ze achterlieten in een supermarkt of een speeltuin. Ik had geen notie gehad van het gejengel, die nooit aflatende kleine eisen, het eindeloze opletten. Ik zei tegen Marvel dat ik opstellen en verslagen moest schrijven, zocht na school mijn toevlucht tussen de boekenkasten in de bibliotheek, waar ik tafels deelde met oude mannetjes die aan latten bevestigde kranten lazen, en katholieke schoolmeisjes die tienerbladen in hun geschiedenisboeken verstopten, en werkte me door de boekenlijsten heen die mijn moeder met haar brieven meestuurde.

Ik las alles: Colette, Françoise Sagan, *Spion in het huis van liefde* van Anaïs Nin, *Een portret van de kunstenaar als jonge man*. Ik las *Het donker vuur* van Somerset Maugham over Gauguin, en de korte verhalen van Tsjechov die Michael me had aangeraden. Miller hadden ze niet, maar wel Kerouac. Ik las *Lolita*, maar die man leek helemaal niet op Ray. Ik dwaalde tussen de kasten en streek met mijn hand langs de ruggen van de boeken op de planken. Ze deden me denken aan erudiete of eigenzinnige gasten op een fantastisch feest, die met elkaar zaten te fluisteren.

Op een dag werd mijn oog getroffen door een titel op een plank met avonturenverhalen. Ik nam het boek mee naar een tafel, sloeg de zachte, ivoorwitte bladzijden open, zonder op de onvriendelijke blikken van de meisjes in hun witte blouses en geruite jumpers te letten, en dook erin alsof het een zwembad was in een droge zomer.

Het boek heette *De kunst van het overleven*.

Elke godsdienst heeft zijn bijbel nodig en ik had de mijne gevonden, nog net op tijd. Ik las het in achttien uur uit en begon toen van voor af aan. Ik leerde hoe ik weken lang op de open zee in leven kon blijven als mijn witte oceaanstomer zou zinken. Als je schipbreuk lijdt, vang je vis en druk je het vocht eruit om te drinken. Je sponst de ochtenddauw van het met rubber beklede dek van je reddingsvlot. Als je ronddobbert in een zeilboot, vang je het regenwater op in het zeil. Maar als de zeilen vuil waren, legde het boek uit, en het dek vol aangekoekt zout zat, zou al het water dat je opving onbruikbaar zijn. Je moest het dek schrobben, de zeilen schoonspoelen, je moest op alles voorbereid zijn.

Ik bekeek mijn leven en zag heel duidelijk dat ik niet aan het overleven was in het turquoise huis. Ik liet mijn zeilen dichtslibben met zout. Ik moest ophouden ertussen en erop te spelen en me concentreren, me voorbereiden op de regen, op mijn redding. Ik besloot dat ik iedere dag een eind zou gaan lopen, zou ophouden met overdreven mank te lopen, mijn stok de bons zou geven. Ik zou mezelf gaan aanpakken.

ALS IK NA school, met hoofdpijn van het schelle gelach van de andere kinderen, in de bus naar huis zat, zette ik de grimmige maatregelen waarmee je een ramp op zee kunt overleven op een rij. Je maakt vishaken van elk stukje gebogen metaal dat je maar kunt vinden, maakt een snoer van de draad van je kleding. Als aas gebruik je brokjes vis of dode medepassagier of zelfs een reepje van je eigen vlees, als het niet anders kan. Ik dwong mezelf me voor te stellen dat ik met de scherpe rand van een leeg rantsoenblik mijn dij opensneed. Het deed verschrikkelijk zeer en ik viel bijna flauw, maar ik wist dat ik het karwei moest afmaken, flauwvallen had geen zin, het zou gewoon genezen en dan moest ik het nog een keer doen. Ik zette dus door tot ik het gele wormpje, warm en met een bloederige rug, in mijn hand hield. Prikte het aan het scherp geslepen reepje blik, gooide het in zee aan mijn zelfgemaakte snoer.

Paniek was het ergste. Als je in paniek raakte, zag je geen mogelijkheden meer. Dan sloeg de wanhoop toe. Een Japanner had vier dagen rondgedobberd in een boot. Toen raakte hij in paniek en hing zich op. Twintig minuten later werd hij gevonden. Een matroos uit Suzhou dreef honderdzestien dagen rond op een reddingsvlot voor hij werd gevonden. Je wist nooit wanneer de redding nabij was.

En al bestond mijn leven nu voornamelijk uit schaamte, lange busritten, dieselstank in de lucht, ervoor zorgen dat ik niet in elkaar werd geslagen op de Madison Junior High, Justins truitje en Caitlins rode eczeem – er waren mensen die veel erger dingen hadden meegemaakt en die het hadden overleefd. Wanhoop betekende de dood. Ik moest voorbereid zijn, de hoop tussen mijn handpalmen koesteren als het vlammetje van de laatste lucifer in een lange poolnacht.

Als ik niet kon slapen, ging ik op de picknicktafel op het achtererf zitten luisteren naar de muziek uit het buurhuis, en zag in mijn verbeelding mijn moeder, ook wakker, in haar cel. Zou ik haar bij me willen hebben, als ik met mijn vliegtuig was neergestort in Papoea-Nieuw-Guinea of Pará, in Brazilië? We zouden door een labyrint van honderden kilometers mangrovebos soppen, onder de bloedzuigers, zoals in *The African Queen*, misschien zelfs gewond door de lange speer van een inboorling. Mijn moeder zou niet in paniek raken, de speer uit haar lichaam rukken en doodbloeden. Ze zou weten wat ze moest doen: ze zou de wond laten schoon eten door maden en dan, na vijf dagen of een week, de speer eruit trekken. Ze zou er zelfs een gedicht over schrijven.

Maar ik zag haar ook wel een verschrikkelijke vergissing maken, een beoordelingsfout. Ik zag ons tien dagen buiten de vaarroutes ronddrijven op een reddingsvlot, het vocht uit vissen persen, de ochtenddauw tot de laatste druppel van het schone dek sponzen, waarna ze plotseling zou besluiten dat je eigenlijk best zeewater kon drinken. Ik zag haar gaan zwemmen tussen de haaien.

'ASTRID, HELP EENS even,' riep Marvel. Ze kwam de keukendeur uit, waar ik op de stoep op de kinderen zat te passen, en strekte haar hals om het plaatje te kunnen zien: vijf zwartverbrande Fransen die probeerden bij daglicht door het Qazabassin in Egypte te trekken. 'Ben je nog steeds met dat boek bezig? Misschien moet je bij het leger gaan, als je van dat soort dingen houdt. Ze zorgen er goed voor hun mensen. Nu ze ook vrouwen aannemen, zou je er misschien best op je plaats zijn. Je werkt hard en je kletst niet. Kom op, help me even met de boodschappen.'

Ik ging met haar mee om de blikken soep en flessen fris, pakjes met gesneden kaas en de gezinsverpakking met varkenskarbonaadjes uit te pakken. Meer eten dan ik ooit bij elkaar had gezien. Het leger, dacht ik. Wat kende ze me slecht. Ik waardeerde haar belangstelling en ik geloofde nu dat ze me oprecht een prettig, goedbetaald baantje toewenste. Maar ik zou nog liever als een oude goudzoeker in m'n eentje in de woestijn leven. Het enige wat ik nodig had was een kleine waterput. Wat had het voor zin eenzaam te zijn tussen de mensen? Dáár was je tenminste alleen en had je een goede reden om je eenzaam te voelen.

Of nog beter, dacht ik, terwijl ik pakken cacaopoeder en sinaasappelsap in de kasten opborg, een blokhut in de bossen, sneeuw in de winter, aan alle kanten woeste bergen, waar je alleen lopend doorheen kon. Ik zou zelf houthakken, een paar honden nemen, misschien een paard, enorme voorraden eten inslaan en daar jaren blijven. Ik zou een koe houden, een tuin aanleggen, het zomerseizoen was kort, maar ik zou genoeg oogsten om mee toe te kunnen.

Mijn moeder had een hekel aan het buitenleven, wilde altijd zo gauw mogelijk weg. Zolang ik haar bij me had, vond ik het prima in de stad te wonen; het betekende vrije donderdagmiddagen in het museum in het centrum, zondagse concerten, poëzievoordrachten, haar vrienden, die acteerden of schilderden of gipsafdrukken van hun geslachtsdelen maakten. Maar wat had dat nu nog voor zin? Ik was sinds haar aanhouding niet meer in een museum geweest. Ik had die ochtend net een stukje in de krant gelezen over een tentoonstelling van Georgia O'Keeffe in het County Art Museum van LA, en aan Marvel gevraagd of ze me erheen wilde brengen.

'Sorry hoor, prinses Gracia,' had Marvel gezegd. 'Straks wil je zeker ook naar de opera. Doe Caitlin een schone luier aan, wil je. Ik moet pissen.'

Ik belde het kantoor van de busmaatschappij. Ze zeiden dat het drie uur heen en drie uur terug was. Nu pas drong het tot me door hoe ver ik van mijn oorsprong verwijderd was.

Als je in de woestijn verongelukte, moest je snel handelen. In de Mojave kon het achtenveertig graden in de schaduw worden. Soms raakte je in een uur bijna een liter vocht kwijt van het zweten. Mensen werden gek van de dorst. Je danste en zong en ten slotte omhelsde je een kandelaarcactus in de veronderstelling dat het iets heel anders was. Je minnaar, je moeder, je God. Dan rende je bloedend weg en ging dood. Om in de woestijn te overleven moest je anderhalve liter water per dag drinken. Rantsoeneren had geen zin – al die films logen. Minder drinken betekende gewoon langzaam zelfmoord plegen.

Daar dacht ik aan, aan wat het betekende, toen ik het reuzenpak wegwerpluiers en het wc-papier naar de badkamer terugbracht. Blijven hopen was prima, maar je moest intussen goed voor jezelf zorgen, anders overleefde je het niet. Je legde je wieldoppen op de grond om de ochtenddauw op te vangen, dronk water uit de radiator en groef je tot je nek in het zand. Als het nacht werd, ging je lopen, langs dezelfde route als je gekomen was. Boven je hoofd zou de hemel vol sterren zijn. Je had een zaklantaarn nodig, een kompas, je moest op de heenweg hebben opgelet hoe je daar was gekomen.

Davey had dat allemaal geweten. Ik was er ineens zeker van dat hij ook zou overleven.

Ik stond in de lange schemering van de lengende dag het eten klaar te maken en dacht onderhand aan de woestijn, stelde me voor dat ik tot mijn nek in het zand was begraven, toen ik het zachte geronk van de Corvette van onze buurvrouw hoorde, die haar oprit in draaide. Ik keek net op tijd op om haar te zien: een mooie zwarte vrouw in een witlinnen pakje. Ik had haar nog maar een paar keer gezien, als ze haar tijdschriften van de stoep raapte of 's avonds uitging, in zij en parels. Ze sprak nooit tegen ons of tegen andere mensen uit de buurt.

Marvel hoorde de auto ook. Ze was Caitlins flesje aan het klaarmaken, maar hield daarmee op en keek vol haat over mijn schouder naar buiten. 'Vuile hoer. Doet alsof ze de hertogin van Windsor is. Kotsmisselijk word ik ervan.' We bleven kijken terwijl de buurvrouw haar twee kleine tassen met boodschappen van Whole Foods uit de champagnekleurige sportwagen haalde.

'Mammie, *dinke*,' jengelde Caitlin en ze trok aan Marvels T-shirt.

Marvel rukte haar shirt los uit haar handjes. 'Denk erom dat je nooit tegen haar praat,' zei ze tegen me. 'Gatver, ik weet nog dat dit een nette buurt was. Nu wonen er allemaal zwarten en hoeren en spleetogen en bonenvreters met kippen in hun tuin. Je vraagt je af waar dat heen moet.'

Ik vond het vervelend dat Marvel zo tegen me praatte, alsof ik het met haar eens was, alsof we bij een of ander geheim genootschap van ariërs hoorden, hier in de Valley. 'Ik zal wat sap voor haar inschenken,' zei ik. Ik wilde zelfs niet naast haar staan.

Terwijl ik het sap mengde, zag ik dat de buurvrouw zich bukte om de tijdschriften van de stoep te rapen en ze in haar boodschappentas stopte. Ze had witte schoenen aan met een open hiel en zwarte tenen, net hertenhoefjes.

Toen verdween ze in het huis achter de gesloten luiken. Ik vond het jammer dat ze naar binnen ging, maar was blij dat ze buiten het bereik was van Marvels gescheld, dat stonk en walmde als kokende pek als het uit haar mond kwam. Ik vroeg me af of de vrouw in het linnen pakje dacht dat we allemaal zo waren als Marvel, dat ik ook zo was. Ik kromp in elkaar bij de gedachte dat ze dat waarschijnlijk inderdaad dacht.

Marvel pakte het sap, vulde het flesje en gaf het aan Caitlin, die haar speciale fluwelen kussen met Guam erop tegen zich aan drukte en weg waggelde. 'Dat rijdt maar in die dure auto,' mopperde Marvel, 'om nette mensen de ogen uit te steken. Alsof we niet weten hoe ze aan het geld gekomen is. Op haar rug dus.'

De auto glansde als de flanken van een man, zacht en gespierd, soepel. Ik had wel op de motorkap willen gaan liggen, waarschijnlijk zou ik alleen al door erop te gaan liggen kunnen klaarkomen, dacht ik. Ik keek langs de carport naar de deur waar ze door naar binnen was gegaan, en wou dat ik niets te doen had en de hele avond daar kon blijven staan om te kijken of ze weer naar buiten kwam.

Toen de afwas klaar was en de kinderen in bed lagen, glipte ik door de zijdeur naar buiten en ging naast haar jacaranda staan, die paarse bloemen op Marvels asfalt strooide over het hek, en de warme avond parfumeerde met zijn geur. Er sijpelde muziek naar buiten, een zangeres, eerst dacht ik dat ze dronken was, maar toen begreep ik dat dat helemaal niet zo was, dat ze op een heel eigen manier met woorden omging, ze aandachtig proefde in haar mond, als kersenbonbons.

Ik weet niet hoe lang ik daar in het donker bleef staan, meewiegend met die muziek, die vrouw met een stem als een trompet. Het leek onmogelijk dat zo'n elegante vrouw vlak naast ons met onze grootbeeld-tv van één meter twintig woonde. Ik zou onder haar raam willen sluipen en naar binnen kijken door een kier tussen de brede lamellen van haar luiken om te zien wat ze daar aan het doen was. Maar dat durfde ik niet. Ik raapte een paar van haar jacarandabloesems van de grond en drukte ze tegen mijn gezicht.

DE VOLGENDE DAG stapte ik om vier uur in de namiddaghitte uit de bus en liep de laatste anderhalve kilometer naar huis. Ik had geen stok meer nodig, maar de lange wandeling over straat bezorgde me nog steeds pijn in mijn heup, en ik begon weer met mijn been te trekken. Ik voelde me vies en log toen ik ons huis naderde in mijn kleren uit de tweedehandswinkel van de Joodse Vrouwenvereniging, een langs mijn huid schurende blouse die nooit zacht werd in de was en een mislukte zelfgemaakte rok.

In de schaduw voor het huis naast ons was onze elegante buurvrouw agapanthussen aan het plukken, in dezelfde kleur als de jacarandabloesem. Ze liep op blote voeten en droeg een eenvoudige jurk; haar voeten en handpalmen staken roze af tegen haar caramelkleurige huid. Het leken versieringen, alsof ze uit een land kwam waar de vrouwen hun handen en voeten in roze poeder doopten. Ze glimlachte niet. Ze ging volledig op in haar schaar en knipte hier een takje rozemarijn, daar een paar blaadjes munt, in de wisselende vlekken licht en schaduw. Een afgevallen jacarandabloem bleef hangen in haar donkere haar, dat was opgestoken in een achteloze Franse wrong. Wat mooi, die ene afgevallen bloem.

Ik voelde me lomp en schaamde me voor mijn trekkende been en mijn lelijke kleren. Ik hoopte dat ze me niet zou zien, dat ik het huis zou bereiken voor ze opkeek. Maar toen ik ons harmonicahek en ons asfalt bereikte en ze nog steeds niet in mijn richting had gekeken, was ik teleurgesteld. Ik wou dat ze me zou zien, zodat ik tegen haar kon zeggen: ik ben niet zoals die anderen. Praat tegen me. Kijk op, dacht ik.

Maar ze keek niet op en bleef alleen even staan om een takje alyssum te plukken en eraan te ruiken. Ik kerfde een reepje uit mijn hart en liet het aan een zelfgemaakte haak voor haar ogen dansen.

'Mooie tuin hebt u,' riep ik.

Ze keek op, verrast, alsof ze had geweten dat ik daar was, maar niet had verwacht dat ik iets zou zeggen. Ze had grote amandelvormige ogen met de kleur van donker bier. Er zat een smal litteken op haar wang en ze droeg een gouden horloge om haar smalle pols. Ze duwde een lok gewatergolfd haar van haar voorhoofd en wierp me een snelle glimlach toe, die even snel weer verdween. Ze ging terug naar haar agapanthussen. 'Laat haar maar niet zien dat je tegen me praat. Straks zet ze een brandend kruis op mijn gazon.'

'U hebt geen gazon,' zei ik.

Ze glimlachte, maar keek niet meer op.

'Ik heet Astrid,' zei ik.

'Ga nou maar naar binnen,' zei ze. 'Astrid.'

11

ZE HEETTE OLIVIA Johnstone. Dat was de naam die op de tijdschriften en catalogi op haar deurmat stond. Ze was geabonneerd op *Condé Nast Traveler* en de Franse *Vogue*, zo dik als een telefoonboek. Ik ging nu in de voortuin zitten als ik op de kinderen paste, om geen seconde te hoeven missen als ze haar huis uitkwam met haar Jackie-O-zonnebril op, thuiskwam na het boodschappen doen, kruiden plukte. In de hoop haar blik nog een keer op te vangen. Er kwamen bijna iedere dag pakjes voor haar en de knappe postbode treuzelde in de deuropening. Ik vroeg me af of hij verliefd op haar was, met zijn benen als boomstammen in de bruine short van zijn uniform.

Ik begon er 's avonds van achter het keukenraam op te letten wie er bij haar op bezoek kwamen. Altijd mannen. Een zwarte man met witte Franse manchetten die helder afstaken tegen zijn donkere huid, glinsterend gouden manchetknopen. Hij had een zwarte BMW, arriveerde om een uur of half acht en was altijd vóór middernacht weer vertrokken. Een jongeman met rastahaar en Birckenstock-sandalen kwam in een Porsche. Soms was hij er nog als ik 's morgens opstond. Een grote kalende blanke man die gestreepte overhemden en een dubbelrijs pak met brede revers droeg. Hij reed in een monsterlijk grote Mercedes en kwam een week lang iedere dag.

Wat me vooral opviel was de haast waarmee ze uit hun glanzende wagens kwamen, hun enthousiasme. Ik vroeg me af wat ze precies deed waarvoor ze zo hard liepen. Ik vroeg me af welke ze het aardigst vond. Ik dacht dat ze wel heel veel over mannen moest weten, dat ze in hun ogen wel moest stralen als een vuurtoren.

Ik weigerde om ook maar een ogenblik te geloven dat Marvel over wat dan ook gelijk kon hebben, en zeker niet over Olivia Johnstone. Mijn hele leven was erop gericht haar te zien, als ze de vuilnisbak buiten zette, in de vroege ochtend uit haar auto stapte als ik mijn ontbijt aan het klaarmaken was. Het betekende net genoeg dauw op mijn dek om het nog een dag vol te kunnen houden.

Ik plukte takjes van haar rozemarijn af en stopte die in mijn zakken. Ik snuffelde in haar vuilnisbak als ik wist dat ze er niet was, zo graag wilde ik meer over haar te weten komen, dingen aanraken die zij had aangeraakt. Ik vond een schildpadden kam met brede tanden van Kent of London, zo goed als nieuw, op een gebroken tand na, en een zeepdoos, vlierbloesem van Crabtree and Evelyn. Ze dronk Myers' rum, gebruikte olijfolie extra vergine in een hoge fles. Een van haar minnaars rookte sigaren. Ik vond een onwaarschijnlijk zachte kous, zo een die je met jarretels vastmaakt, wolkig taupe, met een ladder erin, en een leeg parfumflesje van Ma Griffe, met een etiket dat versierd was met zwarte kriebellijntjes op wit. Het rook naar ruisende organdie-jurken, naar gevlekte groene orchideeën en het Bois de Boulogne na een regenbui, waar moeder en ik een keer uren hadden gewandeld. Het wond me op Parijs met Olivia Johnstone te kunnen delen. Ik bewaarde het flesje in mijn la om de geur in mijn kleren te laten trekken.

MAAR OP EEN dag bleven Olivia's kranten en tijdschriften onaangeroerd op haar stoep liggen. De Corvette stond nors onder een bruine canvas hoes, bezaaid met afgevallen jacarandabloesems, als gedenktekens van een verlies. Alleen al bij het zien van de gestrande Corvette snakte ik weer naar een beetje Percodan. Ik moest het doen met een restje hoestsiroop met codeïne uit Marvels medicijnkastje. Ik proefde het kleverige mierzoete spul nog in mijn mond toen ik op mijn ribfluwelen sprei zittend mijn haar kamde met Olivia's kam. Ik voelde een diepe eerbied voor haar volmaaktheid. Een vrouw die een handgemaakte schildpadden kam weggooide, alleen omdat er een tand aan ontbrak. Ik vroeg me af of ze echt voor geld met mannen vrijde, en hoe dat was. *Prostituee*. *Hoer*. Wat betekende dat nou helemaal? Het waren maar woorden. Mijn moeder zou dat verschrikkelijk vinden, maar het was waar. Woorden waar de wimpels van een oordeel achteraan wapperden. Huisvrouwen kregen geld van hun man en daar zei niemand wat van. En stel dat Olivia's vriendjes haar geld gaven? Wat dan nog?

Ik kamde mijn haar, maakte er een Franse wrong in en deed alsof ik Olivia was. Ik beende door de kleine kamer en imiteerde haar loop, vanuit de heupen, als een mannequin op de catwalk. Wat maakte het uit of ze een hoer was. Alleen het woord al klonk onecht, alsof een buikspreker het zei. Ik had trouwens een hekel aan etiketten. Mensen pasten niet in hokjes – hoer, huisvrouw, heilige – alsof je de post sorteerde. We waren zo onbestendig, gedreven door angst en begeerte, idealen en gezichtspunten, veranderlijk als water. Ik trok de kous over mijn been, snoof de geur van Ma Griffe op.

Ik stelde me voor dat ze naar Parijs was gegaan, dat ze in een café een wolkige Pernod met water zat te drinken, haar sjaal om de riem van haar tas geknoopt, net als de vrouwen in haar Franse *Vogue*. Ik stelde me voor dat ze er met de man van de BMW was, die rustige, met de gouden manchetknopen, die van jazz hield. In mijn verbeelding had ik ze vaak samen zien dansen, in een ouderwetse stijl, nauwelijks hun voeten bewegend, zijn wang tegen de bovenkant van haar dikke gekrulde haar gedrukt. Zo zag ik haar voor me in Parijs. Tot diep in de nacht in een jazzclub die alleen zwarte Parijzenaars kenden; in een keldertje op de Rive Gauche, dansend. Ik zag het voor me: champagne, hun ogen dicht, alleen denkend aan wat ze aan het doen waren.

Na school zat ik in de weerkaatsing van de zon op het gloeiende asfalt, maakte mijn huiswerk en luisterde naar Justin en Caitlin, die in hun opblaasbare badje met water spatten, krijsend om een stuk speelgoed vochten. Ik wachtte, dacht vooruit, zette mijn wieldoppen klaar. Om vijf voor half vijf stopte de postbode voor Olivia's deur en begon een formuliertje in te vullen.

Ik liep naar het harmonicahek. 'Meneer,' zei ik, 'Olivia heeft gezegd dat u het pakje wel aan mij kunt afgeven.' Ik lachte naar hem en probeerde eruit te zien als een betrouwbare buurvrouw. Ik woonde tenslotte naast haar. 'Ze zei dat ze iets verwachtte.'

Hij kwam met zijn klembord naar me toe en ik tekende. Het pakketje was een doosje waar Williams-Sonoma op stond. Ik vroeg me af wat erin zou zitten, maar mijn nieuwsgierigheid naar de inhoud van het doosje verbleekte bij mijn verlangen vriendschap te sluiten met Olivia Johnstone, op een dag het huis achter de gesloten luiken binnen te gaan.

OP DE DAG dat ze terugkwam, verzon ik een smoes over een project dat ik met een klasgenootje moest afmaken. Ik kon niet erg goed liegen. Mijn moeder zei altijd dat ik geen fantasie had. Maar ik hield het kort en Marvel gaf me een uur de tijd. 'Om vijf uur heb ik je hier nodig. Ik heb een bijeenkomst.' Ze verkocht make-upspullen van Mary Kay en hoewel ze er niet veel mee verdiende, gaf het haar het gevoel dat ze belangrijk was.

Ik haalde het doosje uit mijn waszak waar ik het in had verstopt en liep het trapje van Olivia's veranda op. Ik belde aan.

Bijna meteen verscheen haar schaduw achter de ruitjes van bobbeltjesglas in haar deur, die net zo was als die van ons, behalve dat het houtwerk geel was in plaats van turquoise. Ik voelde dat ze me door het kijkgaatje opnam. Ik probeerde er kalm uit te zien. Gewoon een buurmeisje dat haar een kleine dienst bewees. De deur ging open. Olivia Johnstone had een lange halterjurk van bedrukte katoen aan, een chignon laag in haar hals, haar blote kaneelkleurige schouders glad als beddenknoppen.

Ik gaf haar het pakje. 'Dit heeft de post gebracht.' Eén tand van haar kam, één tand. Ze was volmaakt.

Olivia nam het doosje glimlachend aan. Haar nagels waren kort, met witte randjes. Ze bedankte me met een geamuseerde klank in haar stem. Ik zag wel dat ze begreep dat het maar een foefje was, dat ik haar leven binnen wilde klimmen. Ik probeerde langs haar heen te kijken, maar het enige wat ik kon zien was een spiegel en een roodgelakt tafeltje.

Toen zei ze de woorden waar ik van had gedroomd, op had gehoopt. 'Wil je niet even binnenkomen? Ik wou net gaan theedrinken.'

Bestond er iets eleganters dan Olivia's huis? Op de muren zat goudkleurig behang dat glansde als gepolijste kurk. Ze had een taupekleurige fluwelen sofa met een gewelfde rugleuning en een met luipaard bekleed kussen, een geelbruine leren leunstoel en een met snijwerk versierde slaapbank met een gestreepte katoenen sprei. Op een houten tafel waar kleinere tafeltjes onder pasten, stond een bloempot van dofgroen aardewerk met een tak witte orchideeën erin die net vlinders leken. Jazzmuziek verlevendigde de sfeer in de kamer, het soort waar de BMW-man van hield, ingewikkelde loopjes op de trompet, vol mannelijk smachten.

'Van wie is die muziek?' vroeg ik.

'Miles Davis,' antwoordde ze. 'Seven Steps to Heaven.'

Zeven stappen maar, dacht ik, en dan was je al in de hemel?

Waar wij glazen schuifdeuren hadden, had Olivia openslaande deuren naar haar achtertuin. In plaats van airconditioning had ze langzaam draaiende ventilatoren aan het plafond. Toen ik goed keek, zag ik dat er een namaakpapegaai in de grote vergulde kooi zat. Hij had een piepklein sombrerootje op zijn kop en een sigaar in zijn snavel. 'Dat is Charlie,' zei Olivia. 'Voorzichtig, hij bijt.' Ze lachte. Haar boventanden staken iets naar voren. Ik begreep best waarom een man haar zou willen kussen.

We zaten op de fluwelen sofa en dronken met honing en munt gezoete ijsthee. Nu ik hier eenmaal zat, wist ik niet goed hoe ik moest beginnen. Ik had zoveel vragen en nu kon ik er niet één bedenken. De inrichting maakte me sprakeloos. Overal waar ik keek, zag ik weer iets nieuws. Botanische prenten: een doorsnede van granaatappels, een rank en de vruchten van een passiebloem. De salontafel ging schuil onder stapels dikke boeken over schilderkunst en vormgeving en een verzameling glazen presse-papiers. Het was verschrikkelijk mooi, een verfijning die ik nooit eerder had gezien, een ontspannen luxe. Ik stelde me de verachtelijke blik voor waarmee mijn moeder naar die overdaad zou kijken, maar drie witte bloemen in een glazen vaas konden me niet meer bekoren. Het leven had meer te bieden.

'Hoe lang woon je daar al?' vroeg Olivia. Met een gemanicuurde wijsvinger duwde ze de condensdruppeltjes op haar glas naar omlaag. Haar profiel was een beetje komvormig, haar voorhoofd hoog en bol.

'Nog niet zo lang. Een maand of twee.' Ik knikte naar het postpakketje dat onaangeroerd op de koffietafel lag. 'Wat zit erin?'

Olivia liep naar een bureautje, maakte het open en pakte er een briefopener uit. Ze sneed de zijkant van het doosje open en haalde er twee terracotta harten uit. 'Dat zijn broodwarmers. Je verhit ze en dan leg je ze in het mandje om de broodjes warm te houden.'

Ik was teleurgesteld. Ik had gedacht dat het iets geheims zou zijn, iets wat met seks te maken had. Broodwarmers pasten niet bij mijn fantasie over Olivia Johnstone.

Ze kwam nu dichter bij me zitten, haar arm over de rugleuning van de sofa. Ik vond het prettig, maar het maakte me ook zenuwachtig. Ze scheen precies te weten wat voor uitwerking ze op me had. Ik kon mijn ogen niet van haar huid afhouden, die glansde alsof hij gepolijst was, precies dezelfde kleur als het behang; en ik rook Ma Griffe.

'Waar ben je naar toe geweest?' vroeg ik.

'Het oosten. New York, Washington,' zei ze. 'Een vriend van me moest erheen voor zaken.'

'De BMW?'

Ze lachte, haar iets vooruitstekende tanden glinsterden me toe. Ze had iets kwajongensachtigs als je haar van dichtbij zag, niet helemaal volmaakt, maar beter. 'Nee, niet de BMW. Die is heel erg getrouwd. Die ander komt hier nooit.'

Ik was bang geweest dat ze over broodwarmers zou gaan praten, maar niets ervan; daar zat ze over haar mannen te praten alsof ze het over het weer had. Aangemoedigd vroeg ik verder. 'Ben je niet bang dat ze elkaar hier zullen tegenkomen?'

Ze stak haar lippen naar voren, trok haar wenkbrauwen op. 'Ik doe mijn best dat te voorkomen.'

Misschien was het waar. Misschien was ze zo iemand. Maar als dat zo was, leek ze in geen enkel opzicht op de meisjes op de Van Nuys Boulevard met hun hotpants en satijnen honkbaljacks. Olivia stond voor linnen en champagne en terracotta, botanische prenten en 'Seven Steps to Heaven'.

'Vind je een van hen de aardigste?' vroeg ik.

Ze roerde met een lang lepeltje in haar ijsthee en liet Miles Davis onze poriën binnendringen. 'Nee. Niet echt. En jij? Heb je verkering, heb je een vriend?'

Ik was van plan geweest om 'ja' te zeggen, 'een oudere man', om het opwindender te laten lijken, maar in plaats daarvan vertelde ik haar mijn treurige levensverhaal, Starr en Ray, mijn moeder, Marvel Turlock. Ze kon goed luisteren, was echt geïnteresseerd. Ze stelde vragen, luisterde en zorgde intussen dat er muziek was, thee en koekjes met citroenvulling. Ik voelde me alsof ik op mijn reddingsvlot was wakker geworden op het ogenblik dat een jacht een touwladder neerliet. *Je wist nooit wanneer de redding nabij was.*

'Het blijft niet altijd zo moeilijk, Astrid,' zei ze, een lok achter mijn oor strijkend. 'Mooie meisjes zijn op een bepaalde manier in het voordeel.'

Ik wilde haar geloven. Ik wilde alles weten wat zij wist, zodat ik niet meer bang hoefde te zijn, zodat ik kon geloven dat er ooit een eind aan zou komen. 'Hoe dan?'

Ze nam me nauwkeurig op, bekeek de trekken van mijn gezicht, de pony, die ik nu zelf bijknipte. Mijn eigengereide kin, mijn dikke gebarsten lippen. Ik probeerde eruit te zien alsof ik er klaar voor was. Ze pakte mijn hand op en hield hem tussen haar vingers. Haar handen waren fijner dan ik had gedacht, niet groter dan de mijne, warm en verrassend droog, maar een beetje ruw. Ze strengelde haar vingers door de mijne, alsof we al ons hele leven hand in hand zaten.

'We leven in een mannenwereld, Astrid,' zei ze. 'Heb je dat wel eens gehoord?'

Ik knikte. Een mannenwereld. Maar wat betekende dat? Dat

mannen naar je floten en je aangaapten en je nariepen, en dat jij dat moest nemen, anders zouden ze je misschien verkrachten of in elkaar slaan. Een mannenwereld betekende plaatsen waar mannen konden komen en vrouwen niet. Het betekende dat ze meer geld hadden, en geen kinderen op wie ze iedere seconde van de dag moesten letten, zoals vrouwen. En het betekende dat vrouwen meer van hen hielden dan zij van de vrouwen, dat ze met hun hele hart naar iets konden verlangen en dan ineens niet meer.

Maar veel meer wist ik niet over een mannenwereld. De wereld waarin mannen pakken en horloges en manchetknopen droegen, kantoorgebouwen binnengingen, aten in restaurants, in hun mobiele telefoon pratend door de straat reden. Ik had ze gezien, maar ik begreep even weinig van hun leven als van de gewoonten van de Tibetaanse sherpa's of de stamhoofden van de indianen in het Amazonegebied.

Olivia pakte mijn hand en draaide hem om, streek met haar droge vingers over mijn vochtige palm, wat elektrische stroompjes door mijn armen joeg. 'Wie hebben het geld?' vroeg ze zachtjes. 'Wie hebben de macht? Je hebt een goed verstand, je bent artistiek, je bent heel gevoelig, kijk maar.' Ze liet me de lijnen in mijn hand zien, haar vingertoppen streken als een korrelige stof over mijn huid. 'Je moet niet tegen de wereld vechten. Je vriend de timmerman vocht toch ook niet tegen het hout? Hij liefkoosde het en alles wat hij ervan maakte was mooi.'

Ik dacht daarover na. Mijn moeder vocht tegen het hout, hakte erin, probeerde het met een hamer op zijn plaats te rammen. Ze beschouwde het als de lafheid ten top om dat niet te doen. 'Wat zie je nog meer?' vroeg ik.

Olivia vouwde mijn vingers dicht, pakte mijn lot in, gaf het me terug.

Ik peuterde aan een brandblaar op mijn middelvinger en vroeg me af of je tegendraads moest zijn of niet. Vrouwen als mijn moeder, eenzaam als tijgers, bevochten iedere stap. Vrouwen met een man, zoals Marvel en Starr, probeerden te behagen. Geen van beiden scheen in het voordeel te zijn. Maar Olivia had het niet over mannen als Ed Turlock of zelfs als Ray. Ze had het over mannen met geld. Die mannenwereld. De manchetknopen en de kantoren.

'Je komt er nog wel achter wat mannen willen en hoe je het hun moet geven. En hoe niet.' Ze trok haar ondeugende scheve grijns. 'En wat je moet doen, en wanneer.'

Het koperen klokje snorde en sloeg vijf uur, een muziekdoosdeuntje, tinkelende klokjes. Zoveel mooie dingen, maar het werd laat; ik wilde niet weg, ik wilde meer te weten komen, ik wilde dat Olivia mijn toekomst zou kneden als was, hem zacht maakte in de warmte van haar droge handen, er een vorm aan gaf waar ik niet bang voor hoefde te zijn. 'Bedoel je seks?'

'Niet per se.' Ze keek naar de ronde spiegel boven de schoorsteenmantel, naar het bureautje met zijn uitklapbare blad en geheime laatjes en vakjes. 'Het is goochelen, Astrid. Je moet de kunst verstaan om zomaar met je hand iets moois uit de lucht te plukken.' Ze deed alsof ze haar hand omhoogstak om een vuurvliegje te vangen, opende langzaam haar palm en keek het na toen het eruit vloog. 'De mensen hebben behoefte aan een beetje magie. Seks is theater. Er zijn schuifpanelen en valluiken.'

De nachtelijke magie. *Laat een man nooit de hele nacht blijven.* Maar het theater van mijn moeder was haar eigen genot. Dit was iets heel anders. Het wond me op dat ik dit wist.

'Het geheim is – dat een goochelaar zichzelf niet laat begoochelen. Bewonder de handigheid van een collega, maar raak nooit in zijn ban.' Ze kwam overeind en pakte onze glazen op. En ik dacht eraan hoe Barry mijn moeder had verleid, zijn beroete spiegels en zijn kunstjes met duiven uit een hoge hoed. Ze had hem nooit zelf gekozen, niet echt, maar ze had hem alles gegeven. Ze zou altijd van hem blijven, zelfs nu hij dood was. Hij had haar lot bepaald.

'En de liefde dan?' vroeg ik.

Ze was al op weg naar de keuken, maar bleef staan, draaide zich om, de glazen in haar handen. 'Hoezo?' Als Olivia fronste verschenen er twee verticale groefjes tussen haar wenkbrauwen, die sneetjes maakten in haar ronde voorhoofd.

Ik werd vuurrood, maar ik móest het weten. Kon ik het maar

vragen zonder over mijn woorden te struikelen als een clown met schoenmaat vijftig. 'Geloof je daar niet in?'

'Ik geloof er niet in zoals mensen in God geloven of in de kerstman. Het heeft meer van de *National Enquirer*. Een vette kop boven een verschrikkelijk saai verhaal.'

Ik volgde haar naar de keuken, het evenbeeld van de onze, maar toch lichtjaren ervandaan, een parallel heelal. Haar potten en pannen hingen boven haar hoofd aan zo'n restaurantrek – koper, gietijzer. Die van ons waren fabrieksgoed met blauwe bloemetjes erop. Ik streek met mijn handen over Olivia's terracottakleurige aanrecht, ingelegd met beschilderd keramiek. Dat van ons was vlekkerig groen met wit, als een zware verkoudheid.

'Waar geloof je dan wel in?' vroeg ik haar.

Haar donkere ogen streken vergenoegd over de warme kaneelkleurige tegels, de kap van gesmeed koper boven het fornuis. 'Ik geloof in leven zoals ik het graag wil. Ik zie een Stickley-lamp, een kasjmiertrui, en ik weet dat ik die kan kopen. Ik heb behalve dit nog twee huizen. Als de asbakken in mijn auto vol zijn, verkoop ik hem.'

Ik lachte, zag in mijn verbeelding hoe ze hem terugbracht naar de handelaar en hem uitlegde waarom ze hem kwijt wilde. Waarschijnlijk zou ze het nog doen ook. Iemand die zo dicht bij haar eigen wensen leefde was niet makkelijk te doorgronden.

'Ik ben onlangs een paar weken in Toscane geweest. Ik heb de Palio in Siena gezien,' zei ze, en haar woorden klonken alsof ze op de snaren van een gitaar tokkelde. 'Het is een uit de vijftiende eeuw stammende paardenrace door de met kinderhoofdjes geplaveide straten. Moet ik dat inruilen voor een man en kindertjes en ze leefden nog lang en gelukkig? Om maar niet te praten over de waarschijnlijke afloop, een scheiding, overuren maken bij de bank en onzekere alimentatie voor de kinderen. Wacht, ik zal je iets laten zien.'

Ze pakte haar tasje van doorgestikte stof van het aanrecht, haalde haar portefeuille eruit, maakte hem open, zodat ik de vingerdikke stapel bankbiljetten kon zien. Ze spreidde ze uit, minstens tien honderdjes tussen de rest. 'Liefde is een illusie. Het is een droom waar je uit ontwaakt met een enorme kater en schulden. Geef mij maar contanten.' Ze stopte het geld weg, ritste de tas dicht.

Toen legde ze haar arm om mijn schouder en bracht me naar de deur. Het amberkleurige licht viel door het bobbeltjesglas op onze wangen. Ze drukte me even tegen zich aan. Ik rook Ma Griffe, de geur warmer op haar lichaam. 'Kom nog eens terug. Je bent altijd welkom. Ik ken niet veel vrouwen. Jou zou ik graag beter leren kennen.'

Ik liep achteruit het hek uit om haar tot het laatst te kunnen zien. Het idee dat ik naar Marvel terug moest, was ondraaglijk, dus ging ik een straatje om en ik voelde Olivia's armen nog om me heen, rook haar parfum, de geur van haar huid, duizelde van alles wat ik had gezien en gehoord in het huis dat zo op het onze leek en toch helemaal niet. En toen ik zo door de buurt liep, besefte ik dat de werkelijkheid er in ieder huis weer anders uit kon zien. In één straat konden vijftig verschillende werelden bestaan. Niemand kon ooit echt weten wat er zich in het huis van zijn naaste buren afspeelde.

12

IK LAG OP mijn bed en vroeg me af wat voor vrouw ik later zou zijn. Ik had er eerder nooit zo over nagedacht, wat voor toekomst ik zou hebben. Ik had het te druk met vissap drinken, mezelf tot mijn nek in het zand begraven tegen de moordende stralen van de woestijnzon. Maar nu was ik nieuwsgierig naar die toekomstige Astrid die Olivia in me had gezien. Ik zag mezelf als een soort Cathérine Deneuve, bleek en stoïcijns, zoals in *Belle de Jour*. Of misschien Dietrich in *Shanghai Express*, een en al glitter en sigarettenrook. Zou ik fascinerend zijn, de ster van mijn eigen show? Wat zou ik met een stapel honderdjes doen?

Ik verbeeldde me dat ik het geld in mijn hand had. Er gebeurde niets. Tot nu toe had ik me in mijn fantasieën altijd alleen op overleven gericht. Luxe ging mijn voorstellingsvermogen te boven, om van schoonheid maar niet te spreken. Ik liet mijn ogen op de gestreepte gordijnen rusten tot de strepen vanzelf een sculptuur vormden. Ray had me mooi gevonden. Met hulp van Olivia zou ik schoonheid kunnen bezitten, scheppen, gebruiken. Ik zou ermee kunnen werken, zoals een kunstenaar met verf of taal.

Ik zou drie minnaars nemen, besloot ik. Een oudere man, gedistingeerd, met zilverwit haar en een grijs pak, die me zou meenemen op reis, om hem gezelschap te houden op lange eersteklasvluchten naar Europa en op saaie cocktailparty's voor belangrijke bezoekers.

Ik noemde hem de Zweedse ambassadeur. Ja, moeder, ik zou me met genoegen aan de vader geven.

Dan had je Xavier, mijn Mexicaanse minnaar, een nieuwe versie van moeders Eduardo, maar liever, hartstochtelijker, minder stom en verwend. Xavier strooide camelia's op het bed en zwoer dat hij met me zou trouwen als dat kon, maar hij was al vanaf zijn geboorte verloofd met een meisje met een hazenlip. Ik vond het best, ik had geen zin om bij zijn bazige ouders in Mexico City te wonen en zijn tien katholieke kinderen te baren. Ik had mijn eigen kamer in het hotel en een kamermeisje dat me 's ochtends Mexicaanse chocolademelk op bed bracht.

De derde man was Ray. Ik ontmoette hem in het geheim in hotels in de grote stad; hij zat met zijn trieste gezicht in de bar en dan kwam ik binnen met mijn witlinnen pakje en schoenen met zwarte punten, mijn haar in een chignon, mijn sjaal aan de riem van mijn tas geknoopt. 'Ik wist niet zeker of je er zou zijn,' zei ik met een lage, licht geamuseerde stem, zoals die van Dietrich. 'Maar ik ben toch maar gekomen.'

Ik hoorde Marvel roepen, maar ze was in een ander land, te ver weg. Ze had het niet tegen mij. Ze riep een ander meisje, een saai hopeloos kind dat bestemd was voor het leger of anders de kappersschool. Ik lag met mijn benen om Ray geklemd in een kamer met hoge ramen, een boeket volle rode rozen in een vaas op de commode.

'Astrid!'

Haar stem was als een boor, doordringend, meedogenloos. Als ik mocht kiezen, zou ik liever de slavin van een man dan van een vrouw zijn. Ik hees me overeind en strompelde naar de woonkamer, waar Marvel en haar vriendinnen op de gebloemde sofa zaten, hun hoofden naast elkaar boven glazen fris met onwaarschijnlijke buitenaardse kleuren, hun handen in de schaal snacks die ik volgens een recept op de doos van het graanontbijt had klaargemaakt.

'Daar is ze.' Debby keek op. Ze had een paardengezicht onder gepermanente krulletjes, dikke lagen oogschaduw, als afzettingsgesteente op een rots.'Vraag het haar eens.'

'Geef mij maar de auto,' zei Marvel. 'Als je terugkomt, woon je nog steeds in hetzelfde krot en rijd je nog steeds in hetzelfde stuk oudroest. Wat heb je daaraan?'

Linda trok aan haar sigaret en wapperde met haar parelmoeren nagels om de rook weg te wuiven. Ze was een blonde vrouw met blauwe ogen die altijd groot waren van verbazing, en ze gebruikte glimmende oogschaduw in de tint van de binnenkant van een schelp. Ze hadden allemaal samen op de Birmingham High gezeten, waren elkaars bruidsmeisjes geweest en verkochten nu allemaal Mary Kay.

Ze hadden zitten kibbelen over de nieuwe Mary Kay-brochure, waar plaatjes in stonden van de prijzen die ze konden winnen als ze genoeg mascararollers, lippenpotloden en antirimpelmaskers verkochten. 'Vroeger kreeg je een Cadillac,' snoof Linda.

Marvel dronk haar glas leeg en zette het met een klap op de salontafel. 'Ik zou verdomme wel eens één keer in mijn leven een nieuwe auto willen. Is dat te veel gevraagd? Iedereen heeft een nieuwe auto. Zelfs schoolkinderen. Die slet van hiernaast heeft godbetert een Corvette.' Ze gaf me haar glas. 'Astrid, haal nog een Tiki-Punch voor me.'

Debby gaf me ook haar glas. Ik nam ze mee naar de keuken, schonk het tropische mengsel in uit de grote Shasta-fles en verloor me een ogenblik in de glinsterende Venusiaans roze kleur.

'Astrid,' riep Linda, haar voeten onder zich getrokken op de bloemetjesbank, 'als je mocht kiezen tussen twee weken gratis naar Parijs en een nieuwe auto...'

'Een stomme rot-Buick,' kwam Debby ertussen.

'Er is niks mis met een Buick,' zei Marvel.

'...wat zou je dan doen?' Linda wipte met een lange kunstnagel iets uit haar ooghoek.

Toen ik de Tiki-Punch binnenbracht, bedwong ik de neiging om overdreven met mijn been te trekken, de mismaakte bediende te spelen, en drukte zonder morsen iedereen een glas in de hand. Dat meenden ze niet! Parijs? Mijn Parijs? Prachtige fruitwinkels, Gitanes zonder filter, zwarte wollen mantels, het Bois de Boulogne? 'De auto,' zei ik. 'Zeker weten.'

'Prima keus,' zei Marvel en ze proostte naar me met haar glas. 'Aan verstand heeft het je nooit ontbroken.'

'Weet je wat, laten we Astrid opmaken,' zei Debby.

Drie paar ogen, allemaal cirkels, die me aankeken. Het was griezelig. Meestal was ik voor iedereen onzichtbaar in het turqoise huis.

Ze zetten me op een kruk in de keuken. Ik was ineens een geziene gast. Was die staande lamp te schel in mijn ogen? Wilde ik iets drinken? Linda draaide mijn gezicht heen en weer. Ze bekeken mijn poriën, wreven over mijn huid met een papieren zakdoekje om te kijken of die vet, normaal of droog was. Ik vond het prettig het middelpunt van de belangstelling te zijn. Ik voelde me dichter bij hen. Ze bogen zich over mijn sproeten, de vorm van mijn voorhoofd. Ze bespraken welke foundation het beste zou zijn, smeerden er een veegje van op mijn kin.

'Te rood,' zei Linda.

De anderen knikten wijs. Ik had correctie nodig. Correcties waren belangrijk. Potjes en tubetjes met wit en bruin. Je kon alles corrigeren. Mijn vikingneus, mijn vierkante kin, mijn dikke lippen, allemaal verre van ideaal. Ik moest denken aan een blote aankleedpop die ik ooit had gezien in een etalage, waar twee mannen stonden te praten en te lachen onder haar tepelloze borsten terwijl ze haar kleedden. Ik herinnerde me dat een van hen een speldenkussen op zijn kaalgeschoren hoofd had geplakt.

'Je hebt een volmaakt gezicht om op te maken,' zei Debby terwijl ze met een sponsje een foundation aanbracht en me nu deze, dan die kant op draaide, als een beeldhouwer die zijn klei modelleert.

Logisch. Ik was een onbeschreven blad, iedereen kon erop invullen wat hij wilde. Ik wachtte af wie ik zou worden, wat ze op die heerlijk lege bladzijde zouden schrijven. De vrouw in de eersteklascabine die de Franse *Vogue* las en champagne nipte? Cathérine Deneuve, bewonderend aangegaapt door vreemden als ze haar hond uitliet in het Bois de Boulogne?

Linda omlijnde de omtrekken van mijn ogen aan de binnenkant, klapte mijn oogleden dubbel, depte voorzichtig mijn tranen weg met het puntje van een wattenstaafje toen ik moest huilen. Ze smeerde vier lagen mascara op mijn wimpers, zodat ik ten slotte door een kluwen spinnenpoten heen moest kijken. Ik zou verschrikkelijk mooi worden, dat voelde ik gewoon. Marvel veranderde de vorm van mijn dikke lippen door ze binnen de randen te omlijnen en in te vullen met Piquant Peach.

'God, ze zou zo Miss America kunnen worden,' zei Debby.

Linda zei: 'Zeker weten. Kijk maar eens in de spiegel.'

'D'r haar,' zei Debby. 'Wacht, dan pak ik mijn krultang.'

'Laten we nou niet overdrijven,' zei Marvel. Ze herinnerde zich ineens wie ik was, helemaal geen Miss America, maar gewoon het meisje dat haar haar waste en watergolfde.

Maar Debby veegde haar bezwaren van tafel door over 'het totaalbeeld' te beginnen. De hitte en de stank van schroeiend haar tussen de tanden van de krultang, telkens een stukje verder.

Toen was ik klaar. Ze trokken me bij mijn armen mee naar Marvels slaapkamer, met mijn ogen dicht. Ik had kippenvel van de spanning. Wie zou ik zijn? 'En nu de vertegenwoordigster van onze mooie staat Californië – Astrid!'

Ze trokken me voor de spiegel.

Mijn haar krulde en kroesde op mijn schouders en stond acht centimeter hoog op mijn schedel. Over mijn voorhoofd en mijn neus liepen witte strepen, als de kastetekens van een hindoe. De bovenrand van mijn jukbeenderen was wit, met daaronder bruine vlekken, zodat mijn verder egaal beige gezicht op zo'n volgens cijfertjes ingekleurd plaatje leek. De rouge gloeide op mijn wangen als eczeem, mijn lippen vormden het pruimenmondje van een geisha. Mijn wenkbrauwen staken af als donkere vleugels ter bescherming van de glimmende strepen oogschaduw, paars, blauw en roze, die op een door een kind getekende regenboog leken. Ik huilde nooit, maar nu sprongen ongewild de tranen in mijn ogen, zodat er een aardverschuiving dreigde als ze buiten hun oevers zouden treden.

'Ze lijkt precies op Brigitte hoe-heet-ze-ook-weer, dat model.' Linda hield me bij mijn schouders, haar gezicht naast het mijne in de spiegel. Ik probeerde te glimlachen, ze hadden zo hun best gedaan.

Debby's bruine ogen werden zacht van trots . 'We moeten een foto naar Mary Kay sturen. Misschien krijgen we dan wel een prijs.'

Bij de gedachte aan een beloning snorde Marvel haastig haar polaroidcamera op uit de kast en pootte me voor de spiegel neer. Het was de enige foto die ze ooit van me heeft genomen. Je zag het onopgemaakte bed en de rotzooi op de commode. Trots op hun prestatie gingen ze terug naar hun glazen fris en knabbelmix en lieten mij voor de spiegel achter, de barbiepop van een kleuter, eerst vertroeteld, vervolgens vergeten in de zandbak. Ik knipperde mijn tranen weg en dwong mezelf in de spiegel te kijken.

Een dertigjarige gastvrouw bij Denny's keek me aan. Alles naar wens, lieverd? Ik voelde hoe dit beeld zich in mijn ziel etste, Deneuve en Dietrich wegbrandde alsof iemand vitriool in mijn gezicht had gegooid. De vrouw in de spiegel zou nooit een leven met drie verschillende minnaars hoeven te orkestreren. Ze zou nooit in Mexico op de daken dansen, eerste klas via de noordpool naar Londen vliegen. Haar toekomst bestond uit spataderen en een vrijgezellenflatje, een kattenbak en Lana Turner-films. Ze zou in haar eentje zitten te drinken achter op de vensterbank verdrogende tomatenplanten. Ze zou iedere dag dromen kopen. Hou van me, zei dat gezicht. Ik ben zo eenzaam, zo wanhopig. Ik geef u alles wat u wilt.

DE SCHOOLVAKANTIE BEGON eind juni onder een grauwe wolkenlaag met het gewicht van natte handdoeken. Alleen de blauwe bloemen in Olivia's tuin gaven de loodgrijze dagen een beetje kleur. Ik paste op de kinderen, deed boodschappen, herlas *Spion in het huis van liefde*. Ik wilde dolgraag naar Olivia toe, maar Marvel hield me aan het werk. Als ik ook maar even naar buiten liep, gaf ze me meteen vier andere klussen te doen. Soms zag ik Olivia kruiden knippen in haar tuin en dan wisselden we een blik, maar ze liet op geen enkele manier blijken dat ze me kende. Ze zou een uitstekende geheim agent zijn, dacht ik, en ik probeerde haar te imiteren, maar na een tijdje begon ik me af te vragen of ze gewoon goed toneelspeelde of dat ze me helemaal was vergeten.

Lieve Astrid,

Het gevangenisnummer van Witness *is uitgekomen, je moet het kopen, ze hebben mijn hele gedicht opgenomen. Ze hebben er zeven pa-*

gina's voor ingeruimd, geïllustreerd met foto's van Ellen Mary McConnell. De reacties waren geweldig. Ik had ze gevraagd er een korte mededeling bij af te drukken waarin ik nederig verklaarde dat geschenken van postzegels, boeken en geld zeer welkom waren.

Het heeft me al fantastische nieuwe vrienden bezorgd. De verrukkelijke Dan Wiley bijvoorbeeld, M1 43522, twaalf jaar San Quentin wegens berovingen met geweld, Dan the Man, zoals hij zich noemt, schrijft bijna elke dag, een reeks harde pornofantasieën waarin ik de ster ben. In de beste tot nu toe beschrijft hij hoe hij mij van achteren neemt op de motorkap van zijn Mustang '72 terwijl hij van de zonsondergang boven Malibu geniet. Klinkt dat niet romantisch? Had de Mustang dat jaar een ornament op de motorkap?

Een vrouw heeft me gewoon de Verzamelde gedichten *van Anne Sexton laten sturen. Halleluja. Eindelijk eens iets anders te lezen. De enige boeken zonder hijgende decolletés op de omslag die ze in de gevangenisbibliotheek hebben, zijn een grote-letter-uitgave van* Oorlog en vrede *en een stukgelezen Jack London. Grrr. Grrr.*

Natuurlijk moest die bewonderaarster wel meteen een stapel met de vreselijkste powezie ter beoordeling meesturen. Ze woont op een boerderij in Wisconsin, een soort commune van bejaarde hippies, waar ze haar eigen schapen spint. Hoe kan iemand die van Sexton houdt zulk uitzonderlijk belabberd werk leveren. Ik ben Vrrrouw, hoor mij brrrullen. Nou, brul dan liever gewoon, dat zou veel minder gênant zijn voor alle betrokkenen.

Maar goed, volgens haar ben ik een gevangene van het patriarchaat, een soort martelares op mijn manier zelfs. Nou, zolang haar solidariteit cadeaus met zich meebrengt, zeg ik: de macht aan het volk. Huey vrij! Ingrid Magnussen vrij!

Geen woord over mij. Hoe gaat het met je, Astrid? Ben je wel gelukkig daar? Ik mis je. Het leek jaren geleden dat ze bang was geweest me kwijt te raken. Ik was opnieuw naar de schaduwen verbannen. Mijn enige taak was weer om in haar triomfen te delen, met haar te giechelen over haar ongelukkige bewonderaars, als een soort zakspiegeltje en studiopubliek. Ik begreep dat ik precies was waar ze me wilde hebben, lekker ongelukkig bij Marvel Turlock, gevangen in turqoise, om te worden klaargestoomd als kunstenares, iemand die ze later misschien best zou willen kennen. Terwijl ik alleen maar wilde dat ze me nu zag, zoals ze me die dag in de gevangenis had gezien. Dat ze me nú zou willen kennen, zou willen weten wat ik dacht, hoe ik me voelde.

Ik schreef haar over Olivia, over een andere manier om in de wereld te staan. Ik sloot tekeningen in van Olivia, op de bank liggend terwijl ze iets toverachtigs uit de lucht plukte. Je bent niet de enige op de wereld die mooi is, moeder. Naast albast is er ook glanzend teakhout, naast zijde ook golvend mahonie. En een wereld vol voldoening waar jij alleen woede en verlangen vond. De wereld maakt ruimte voor Olivia, vlijt zich aan haar voeten, terwijl jij je er een weg doorheen hakt als door een bos vol doornstruiken.

IK MOEST DIE lange saaie zomermiddagen van Marvel met de kinderen naar het park, waar ze ons soms pas tegen etenstijd weer kwam ophalen. Ik moest snoep voor ze kopen, ze op de glijbaan helpen, hun zandbakruzies beslechten, hun schommel duwen. Meestal zat ik op de rand van de zandbak bij de moeders, die me, elk op haar eigen manier, negeerden: de latino-tienermoeders gewichtig, trots op hun wandelwagentjes, hun gezichten maskerachtig opgemaakt, als kabuki-acteurs, terwijl de oudere Angelsaksische moekes, met gezichten als pannenkoeken, zaten te roken en over autoproblemen, echtelijke problemen en problemen met hun zoontjes kletsten. Ik schetste ze terwijl ze zaten te praten, met hun hoofden naar elkaar toe gebogen, en ook elk afzonderlijk. Ze leken op treurende vrouwen die bij de voet van het kruis hurkten.

Op een van die middagen rook ik marihuana in de zwoele lucht en keek om me heen waar het vandaan kwam. Op het parkeerterrein zat een groepje jongens op een gele auto met wijdopen deuren, en doorbrak met hun muziek de saaiheid van de dag. Wat zou ik er niet voor overhebben om high te worden. Mild en vriendelijk te zijn, niet prikkelbaar en kwaad, op het punt om Justin met zijn schepje een mep op zijn kop te verkopen, als hij nog één keer kwam jengelen dat een kind hem met zand had gegooid of hem van het klimrek had geduwd. Hij was meedogenloos, net als zijn moeder. Ik probeerde mezelf voor te houden dat hij pas vier was, maar na een poosje leek dat geen excuus meer.

Ik haalde de brief van mijn moeder te voorschijn die die ochtend was gekomen, vouwde het blaadje schriftpapier open. Deze keer toonde ze tenminste belangstelling voor me.

Lieve Astrid,

Was oom Ernie nog niet erg genoeg? Nee, jij moest weer iemand van het weerzinwekkendste allooi uitzoeken om vriendschap mee te sluiten. Waag het niet je door haar te laten verleiden. Ernie wilde alleen maar je lijf. Als je ook maar het kleinste beetje gezond verstand bezit, VLUCHT *dan voor deze vrouw alsof ze een vleesetend virus is.*

Ja, het patriarchaat heeft deze verwerpelijke wereld geschapen, een wereld vol gevangenissen, Wall Streets en bijstandsmoeders, maar je hoeft daar toch niet aan mee te werken! Goeie god, die vrouw is een prostituee, dus wat verwacht je dat ze zal zeggen? 'Vecht voor je rechten'? Je zou denken dat een zwarte vrouw zich zou schamen de hielen van de meester te likken, te zeggen: het is nou eenmaal een blanke wereld, dus maak er maar het beste van. Als ze een collaborateur van de nazi's was geweest, hadden ze haar kaalgeschoren en met haar door de straten geparadeerd. Een dergelijke vrouw is een parasiet, ze zit op het onrecht en zuigt zich vol als een teek op een varken. Volgens de teek is de wereld uiteraard een varkenswereld.

Ik had gedacht dat mijn dochter veel te intelligent zou zijn om zich door zulke kletskoek voor de gek te laten houden. Haal De vrouw als eunuch *van Germaine Greer, lees iets van Ai. Zelfs in jouw rampzalig beperkte plaatselijke bibliotheek zal toch wel een exemplaar van* Leaves of Grass *voorhanden zijn.*

Moeder

Moeder die boeken voorschreef als medicijn. Een flinke dosis Whitman zou me er wel van afhelpen, als een soort wonderolie. Maar in elk geval dacht ze weer aan me. Ik bestond weer voor haar.

De geur van de marihuana in de broeierige lucht maakte me gek. Ik keek afgunstig naar de jongens bij de gele auto. Normaal gesproken zou ik hun soort mijden als de pest: slungelige pukkelige groepjes, met elkaar verbonden door onbeschofte opmerkingen en een houding van wie doet me wat. Een bevestiging dat zij heer en meester van de wereld waren. Maar Olivia zou niet bang voor ze zijn. Zij zou haar toverstaf zwaaien. Ze wist wat ze wilden en ze kon het hun geven of niet. Zou ik het lef hebben?

Ik draaide me naar de moeder van het kind dat met Justin speelde. 'Zou u heel even op hem willen letten? Ik ben zo terug.'

'Ik zit hier nog wel een tijdje,' zuchtte ze, terwijl ze haar sigaret uitdrukte in het zand.

Ik liep met Caitlin op mijn arm over het gras naar het groepje jongens bij de auto. Een mannenwereld. Ik zag mezelf zoals zij me zouden zien, zoals Ray me had gezien: een lang bleek meisje met lang wapperend haar, een verlegen glimlach op mijn dikke lippen, blote benen in een korte zomerbroek. Toen ik er bijna was, hees ik Caitlin wat hoger op mijn heup en ze keken allemaal naar me. Ik keek om naar Justins oppas, of ze misschien op me lette. Ze zat haar zoontje met zonnebrandolie in te smeren.

'Mag ik een hijs?' vroeg ik. 'Ik zit al de hele dag op die kinderen te passen, gek word ik ervan.'

Een jongen met een huid die eruitzag of ze er met een scherpe kam overheen waren gegaan, gaf me de joint. 'We zagen je al aankomen,' zei hij. 'Ik heet Brian, die daar is PJ, en hij Lange Al. En Mr. Natural.' De jongens bewogen even hun hoofd, knikten. Ze wachtten tot ik me zou voorstellen, maar dat deed ik niet. Ik kon het ze geven of niet. Dat beviel me wel.

De wiet was niet zo goed, niet zoals die van Ray, die je door zijn buideltje heen kon ruiken. Deze rook naar brandend stro en smaakte droog en bruin, maar ik vond hem hemels. Ik zoog de rook naar binnen en draaide mijn hoofd af van Caitlin, zodat ze niet stoned zou raken. Ze worstelde in mijn armen, maar ik kon haar niet neerzetten, ze zou meteen onder een auto lopen.

'Wil je wat kopen?' De jongen die PJ heette had zijn haar blond geverfd. Op zijn T-shirt stond met oranje psychedelische letters 'Stone Temple Pilots' gedrukt.

Ik had drie dollar in mijn zak om ijsjes voor de kinderen te kopen. 'Hoeveel?'

De anderen draaiden zich naar de dikkige jongen, Mr. Natural, die op de voorbank zat. 'Vijf per gram,' zei hij.

Ik zette Caitlin op mijn andere heup, de pijnlijke, en nam de joint van de stonede Temple Pilot over. Het was heerlijk om high te zijn. Ik had het gevoel dat het deksel van de loodgrijze lucht werd opgetild, en ik weer kon ademhalen, ik zag niet meer tegen de rest van de middag op. 'Ik heb drie dollar.'

De dikke stapte uit de auto en vroeg 'Waarom heb ik je nooit eerder gezien? Zit je op de Birmingham High?' Hij had roze wangen en golvend bruin haar. Hij leek hooguit twaalf.

Ik schudde mijn hoofd, me bewust van de blik waarmee hij me opnam, en voor het eerst vond ik het niet gênant. Hij had belangstelling. Het was mijn pasmunt, mijn ruilobject. Ik blies de rook uit en draaide mijn gezicht af van Caitlin, zodat mijn hals bloot kwam en zijn blik trok.

'Heb je verkering?' vroeg hij.

'Dinke,' zei Caitlin. Ze trok aan mijn topje, rukte het bandje van mijn schouder. 'Assi, dinke.'

Ik zette haar op mijn andere heup, liet haar dansen tot ze stil werd. 'Nee,' zei ik tegen de jongen, en hij wreef met zijn vingers over zijn lippen.

Hij leunde tegen het open portier van de auto, met zijn voet op de treeplank, en dacht na. 'Als je me afzuigt geef ik je een kwart zakje.'

De stonede Pilot lachte. 'Kop dicht, eikel,' riep de jongen tegen hem en hij draaide zich weer naar mij toe. Toen zei hij zachtjes: 'Een halfje? Dat is een hoop voor alleen pijpen.'

De andere jongens wachtten af wat er zou gebeuren.

Ik hees Caitlin hoog op mijn heup, keek om naar de speeltuin. Die was heel ver weg, de schommels zwaaiden tegen elkaar in, als een machine in een fabriek die zijn product uitspuwde op de glijbanen. Wilde ik dit? De dikke jongen beet op zijn onderlip, die gesprongen was, nooit gekust. Zijn lichtgebruinde gezicht werd vuurrood, maar hij deed verschrikkelijk zijn best om een harde bink te lijken. Hem afzuigen voor een half zakje? Als iemand me dit een tijd geleden had voorgesteld, zou ik het smerig hebben gevonden. Maar nu herinnerde ik me de ceder van Ray, die schokte en klopte, de zachte huid van de top, de zoutige smaak van het klaarkomen. Ik bekeek de dikke jongen en vroeg me af hoe het zou zijn.

Caitlin groef zich in mijn hals en probeerde zachtjes lachend het geluid van windjes na te doen met natte plofjes tegen mijn huid. Ik kende deze jongens niet. Ik zou ze nooit terugzien. De wiet gaf me moed, maakte me benieuwd hoe ver ik zou gaan, alsof ik iemand anders was, iemand op wie Olivia trots zou zijn. 'Dan moet iemand Caitlin even vasthouden. Ze mag niet op de grond, dan rent ze meteen weg.'

'Al heeft vier kleine broertjes.'

Ik gaf haar aan de rustige jongen met het kortgeknipte haar en het rommelige baardje, liep achter de dikke jongen aan naar de bosjes achter de toiletten. Hij ritste zijn broek open, duwde hem over zijn heupen naar beneden. Ik knielde op een kussen van dennennaalden, als een smekeling, als een zondares. Niet als minnares. Hij leunde tegen de ruwe gepleisterde muur van het gebouwtje terwijl ik bad met hem in mijn mond, zijn handen in mijn haar. *Net Miss America.*

Met Ray was het nooit zo geweest. Dat was genot op genot, monden, handen, fluwelige huid, de ene verrassing na de andere. Dit was het tegengestelde van seks. Ik voelde niets voor deze jongen, voor het bewegen van zijn lijf. Het leek meer op werk. Het sneed het hart eruit, maakte seks niet opwindender dan tandenpoetsen. Toen de jongen klaar was spuugde ik het bittere sperma uit, veegde mijn mond af met mijn hemd. Ik dacht dat hij weg zou lopen, maar hij stak zijn hand uit en trok me overeind. 'Ik heet Conrad,' zei hij, Hij was een vreemde smaak in mijn mond, een luchtje in mijn haar. Hij gaf me het halve zakje wiet. 'Als je ooit wat nodig hebt, ik ben altijd in de buurt.'

'Ik zal het onthouden,' zei ik toen we terugliepen naar de auto en ik Caitlin weer overnam. Mijn eerste klant, dacht ik, om te proberen hoe dat klonk.

DOOR HET KEUKENRAAM zag ik Olivia uit haar huis komen, kaneelkleurige huid en beige zij, het haar glad naar achteren gekamd. Ik stond partjes appel te schillen voor het tussendoortje van Justin en Caitlin. Ik keek hoe ze in de champagnekleurige Corvette stapte, achteruit de weg op draaide en ineens begreep ik het.

Voor haar was het een baan. Ze verdiende haar auto, haar koperen pannen, net zo goed als iemand die plakwerk deed voor tijdschriften of de post bezorgde. Die mannen waren geen minnaars, de rastaman, de BMW. Het waren klanten. Alleen was haar knielen verfijnder, haar dienstverlening discreter, de illusie sterker, en de betaling was heel wat meer dan een half zakje wiet.

IK ZEI TEGEN Marvel dat ik wilde gaan sporten als voorbereiding voor het leger. Op een bewolkte ochtend trok ik mijn gympen aan, bond mijn haar naar achteren, maakte een paar sprongetjes, raakte mijn tenen aan, rekte mijn beenspieren tegen het hek, gaf een hele vertoning voor haar ten beste. Het leger zou een goede werkkring zijn, vastigheid, sociale voorzieningen.

Daarna rende ik één keer het blok rond en klopte toen bij Olivia aan.

Ze had een witte spijkerbroek aan met een trui en lage schoenen. Ondanks dat zag ze er sexy uit en ik probeerde erachter te komen hoe dat kwam. De schoenen waren net iets anders dan gewone schoolschoenen, ze waren smaller en hadden een kwastje. De trui zat soepel om haar bovenlijf en de hals liet één schouder bloot. Ik had hem getekend, die schouder die glanzend, gepolijst, onder de zachte roodbruine wol uit gluurde. Haar haar was vastgestoken met een lange zilveren speld, die waarschijnlijk meer had gekost dan de wiet die ik net had verdiend.

'Ik moet met je praten,' zei ik.

Ze liet me binnen, wierp een blik over mijn schouder toen ze de deur dichtdeed. Op de stereo zong een man iets in het Frans, sexy, half sprekend. 'Ik ben blij dat je er bent,' zei ze. 'Ik wilde je graag beter leren kennen, maar ik heb het erg druk gehad. Een ogenblik, ik was net aan het opruimen.' Ze laadde glazen en borden op een lakblad, leegde een kristallen asbak met sigarenpeuken. Ik vroeg me af wie van de mannen sigaren rookte. De Mercedes was weer geweest. De ventilator draaide langzaam rond, roerde door de muffe sigarenlucht. Ze bracht het blad naar de keuken, schonk koffie in. 'Melk?'

De koffie was zo sterk dat de kleur niet veranderde toen ze er de melk in schonk. 'Je ziet er anders uit,' zei ze. We gingen aan haar eettafel zitten, vergulde stoeltjes met liervormige rugleuningen. Ze pakte onderzettertjes met Hollandse tulpen voor onze kopjes.

Ik haalde het zakje wiet uit mijn zak, legde het op tafel. 'Ik heb een dikke jongen gepijpt in het park. Dit heb ik ervoor gekregen.'

Ze hield het zakje in haar handpalm, met haar vingers losjes eromheen, en ik bedacht dat ze de penis van een man waarschijnlijk ook zo zou vasthouden. Ze draaide haar hand om, met de knokkels naar de tafel, en schudde haar hoofd. De twee verticale lijntjes doorsneden haar voorhoofd. 'Astrid. Zo bedoelde ik het niet.'

'Ik wilde proberen hoe het voelde.'

'En hoe voelde het?' vroeg ze zachtjes.

'Niet fijn,' zei ik.

Ze gaf me het zakje terug. 'Rol er maar een, dan roken we hem samen op.'

Ik rolde een joint op het elegante onderzettertje, een kleurige papegaaitulp. Ik deed het onhandig, maar ze bood niet aan me te helpen. Terwijl we zaten te roken, keek ik om me heen en vroeg me af voor hoeveel sperma dit niet stond, de ingelijste botanische prenten en de vergulde stoeltjes. De stevige houten luiken. Het moest een oceaan vol zijn. Als ik Olivia was, zou ik er nachtmerries van krijgen, een witte zee van sperma en de albino monsters die in zijn diepte huisden.

'Vind je seks prettig?' vroeg ik. 'Ik bedoel, geniet je ervan?'

'Je geniet van dingen die je goed doet,' zei ze. 'Net als een schaatser. Of een dichter.' Ze stond op, rekte zich uit, gaapte. Ik zag haar platte buik toen ze haar armen omhoogstrekte. 'Ik moet een boodschap doen. Heb je zin om mee te gaan?'

Ik wist het niet. Misschien had mijn moeder wel gelijk, misschien moest ik op de vlucht slaan. Ze zou mijn ziel kunnen stelen. Daar was ze al mee bezig. Maar ik had niemand anders, er was hier nergens anders iets moois te vinden. We spraken af elkaar om de hoek te treffen, zodat Marvel me niet in haar Corvette zou zien zitten.

Ze had het dak open, een witgestippelde sjaal om haar hoofd en om haar hals, van voor naar achter, à la Grace Kelly. Bestond er een elegantere vrouw dan Olivia Johnstone? Ik liet me op de stoel naast haar zakken tot ik bijna lag, maakte de gordel vast en hield mijn hoofd gebogen zodat niemand me zou herkennen toen we wegstoven.

Die bewolkte middag werd ik verliefd. Op de snelheid en de weg en het landschap dat voorbijflitste als een filmpanorama. Ik werd meestal wagenziek, maar de wiet tilde me eroverheen en de weg en de dennen pelden de depressie die ik sinds het park met me had meegedragen van me af, en het enige wat nog bestond waren de tenorstem van de motor, de wind in mijn gezicht, Olivia's ietsje komvormige profiel, de grote glazen van haar zonnebril, terwijl Coltranes 'Naima' zich als een verhaal ontrolde op de cd-speler. *Die slet van hiernaast heeft godbetert een Corvette.* Ik was Olivia verschrikkelijk dankbaar dat ze mij erin liet delen, die champagnekleurige parel die ze uit de diepten van de witte zee had opgedoken.

We reden door Ventura en door Coldwater Canyon, en de bochten in de weg waren als de stijgende en dalende tonen van Coltranes tenorsax. We dansten erop, werden er één mee, terwijl de weg omhoogklom langs poenige woonboerderijen in de Valley met hun witte geperforeerde siersteen, geometrische vormen van fantasieloze rijtjes geschoren zwarte cipressen, de kam over en toen Beverley Hills in.

Nu waren er boomvarens, borders met vlijtige liesjes en huizen met voordeuren van twee verdiepingen hoog, de gazons groen als biljarttafels, geen mens te zien, behalve de tuinmannen met hun bladblazers. We waren vrij als vogels. Geen kinderen, geen werk, geen pleegmoeders, alleen snelheid en schoonheid en de gloedvolle adem van Coltranes saxofoon. Niemand kon ons iets maken.

Ze liet een parkeerwachter van een hotel aan de Rodeo Drive de auto wegzetten, en we slenterden langs de dure winkels, bleven nu en dan staan om in een etalage te kijken. We gingen een winkel binnen die zo duur was dat ze er een portier hadden. Olivia liet haar oog vallen op een zwarte tas van krokodillenleer, die ze contant betaalde. Ze wilde me iets geven. Ze trok me een winkel binnen waar ze uitsluitend truien, sjaals en gebreide mutsen verkochten. Ze hield een trui tegen mijn wang. De zachtheid verraste me. Ik begreep dat ik nog niet genoeg over de mogelijkheden van de fysieke werkelijkheid had nagedacht.

'Kasjmier.' Ze lachte en haar iets vooruitstekende tanden glinsterden me toe. 'Vind je hem mooi?'

Ik zuchtte. Ik had het prijskaartje gezien.

'Goed zo. Maar niet die perzikkleur.' Ze gaf de trui terug aan een verkoopster van een jaar of achttien, die onbewogen glimlachte. De winkel rook naar geld, zacht als een droom.

'Zeegroen is mooi,' zei het meisje terwijl ze een kabeltrui met de kleur van de lente voor ons ophield.

'Te opvallend,' zei ik.

Olivia begreep wat ik bedoelde. Ze zocht er een uit van zachtblauwe wol en zonder kabels, en gaf me die om te passen. Hij gaf mijn ogen de kleur van bosbessen en haalde het roze van mijn wangen op. Maar in mijn la zou hij kunnen doorgaan voor iets uit de tweedehandswinkel van de Joodse Vrouwen. Hij kostte vijfhonderd dollar. Olivia vertrok geen spier toen ze de briefjes van vijftig en honderd neertelde. 'Wat echt is, is zijn geld altijd waard,' legde ze me uit. 'Kijk maar hoe hij gemaakt is.' Ze liet me de schouders zien, hoe die met een afzonderlijk schouderstuk aan elkaar waren gebreid in plaats van genaaid. 'Die blijf je je hele leven dragen.'

Wat echt was. Dat leerde ik terwijl we winkel in, winkel uit liepen. De zilveren armband van Georg Jensen. De keramiek vaas van

Roblin. Winkels als kerken waar de echtheid werd aanbeden. De zachte stemmen van de vrouwen als ze Steuben-glas, Hermès-sjaals in hun handen namen. Wie iets echts bezat, was zelf echt. Ik wreef met mijn wang langs mijn trui, die zo zacht was als een blauwe Perzische kat.

Ze trakteerde me op een lunch in een restaurant onder geel-met-wit gestreepte parasols, bestelde een maaltijd voor ons die alleen uit voorafjes bestond: oesters, Noorse zalm, carpaccio. Een salade van palmharten. Ze nipte van een glas gekoelde witte wijn, proefde nu eens van dit en dan weer van dat, legde haar vork tussen twee hapjes in telkens even neer, terwijl ze me uitlegde hoe elk gerecht werd klaargemaakt. Ik had nooit iemand zo elegant zien eten als Olivia. Alsof ze alle tijd van de wereld had.

'Zo zou het leven altijd moeten zijn.' Ze zuchtte. 'Vind je ook niet? Alsof je op je gemak een goed bereide maaltijd eet. Jammer genoeg bezitten de meeste mensen die gave niet.' Ze wees de in een wit jasje geklede hulpkelner op mijn lege waterglas. 'Zodra ze ergens aan zijn begonnen, willen ze dat het klaar is, zodat ze aan het volgende kunnen beginnen.' Hij haalde een karaf en schonk mijn glas weer vol.

'Ik had vroeger een vriend die me meenam naar de beste restaurants in de stad,' vervolgde Olivia. 'En als we klaar waren met eten, stond hij op en zei: "Goed, waar gaan we nu naar toe?" En dan gingen we naar een ander restaurant, waar hij nog een complete maaltijd verorberde, van de soep tot het dessert. Soms drie keer achter elkaar.'

Ze sneed een klein stukje zalm af, legde het op een plakje roggebrood, schepte er met een elegant gebaar een lepeltje dillesaus op en stak het in haar mond alsof dit het laatste hapje eten op aarde was. Ik probeerde haar na te doen, net zo langzaam te eten, proefde de rauwe roze vis, het grove zurige brood, zout en suiker langs de randjes, smaken en geuren als de kleuren op een palet, als de klanken van een muziekstuk.

'Een fantastische man, trouwens. Intelligent, steenrijk,' zei ze. Ze veegde haar lippen af en nam een teugje wijn. 'Maar hij leefde als een lintworm.' Ze staarde in haar strogele wijn alsof ze daar de oorzaak van zijn gulzigheid in zou kunnen vinden. Maar dat lukte niet en ze schudde haar hoofd. 'Hij was enorm dik, woog waarschijnlijk tegen de honderdveertig kilo. Een diep ongelukkig mens. Ik had met hem te doen. Arme meneer Fred.'

Ik wilde me er geen voorstelling van maken, hoe ze met die man van honderveertig kilo vrijde, hoe ze onder hem lag terwijl hij haastig in haar binnendrong, zodat hij het nog een keer kon doen. 'Waar kende je hem van?'

Ze wuifde met haar hand een bij weg die belangstelling toonde voor haar wijn. 'Ik werkte op de afdeling kredietverstrekking bij een van zijn banken.'

Ik moest lachen om het idee van Olivia als bankemployee. Van negen tot vijf achter een bureau, in gabardine en platte schoenen. Lunchen bij de Soup Exchange. 'Dat meen je niet.'

'Natuurlijk wel. Wat dacht je dan? Dat ik als zo'n hoertje in een jack van konijnenbont op de Van Nuys Boulevard tippelde? Ik heb bedrijfskunde gestudeerd. Ja zeker, ik wist alles van geld, alleen niet hoe ik eraan moest komen. Ik had een Honda Accord op afbetaling en een flatje in een zijstraat van de Chandler, heel gewoontjes.'

'En dankzij die dikke man heb je het licht gezien?'

Ze zuchtte. 'Arme meneer Fred. Hij is verleden jaar aan een hartaanval overleden. Zijn broer heeft alles geërfd.' Ze haalde haar schouders op. 'Maar wat verwacht je anders van een man die drie diners achter elkaar eet?'

IK ZAT BIJ Marvel aan tafel en keek hoe ze aten. Met hun ogen aan de televisie gekluisterd brachten ze als opwindpoppetjes hun vork naar hun mond, zonder te weten of ze een stoofschotel van tonijn of gegratineerde kattenbrokjes proefden. Ik was aan het leren koken, had tegen Marvel gezegd dat ik misschien wel chef-kok wilde worden, dat was een goede werkkring voor een vrouw. Ik was aangekomen. Mijn ribben lagen glad in het boterzachte vlees van mijn bovenlijf. Ik bewonderde mijn borsten in de spiegel – jammer dat Ray ze niet kon zien, ze niet in zijn verminkte hand kon houden. Ik genoot van de manier waarop ik me bewoog als ik over straat liep. Marvel dacht dat het mijn leeftijd was, mijn figuur begon gevulder te worden, zei ze. Maar daar kwam het niet door. Ik had me te snel ontwikkeld. Ik had er te gretig naar verlangd om een vrouw te worden.

13

DE VOLLE ZOMER viel als een hamerslag op ons neer. Om negen uur 's morgens begon je er al tegenop te zien hoe warm het die dag zou worden. Olivia nam me mee op ritjes met de Corvette. We reden de 101 af en via een van de cañons, Topanga, Kanan Dume, naar het strand, dan terug over de kustweg, de zon op onze huid, gezicht in de wind, en we negeerden wat mannen in andere auto's ons nariepen. Ik had me nog nooit zo mooi en zo onbevreesd gevoeld.

Soms maakte ze een kan rumpunch klaar en draaide Braziliaanse muziek op de stereo – Milton Nascimento, Gilberto Gil, Jobim. Astrud Gilberto had een interessant vlakke voordracht, alsof ze slaperig in een hangmat lag en voor een kind zong. We zaten op de gestreepte katoenen slaapbank in de woonkamer onder de langzaam draaiende ventilatoren, aten mango's met ham en bekeken Olivia's foto's uit Brazilië. Ze sprak de namen van de steden uit met Portugese slisklanken: Rio de Janeiro, Itaparica, Recife, Ouro Prêto, Salvador. Foto's van koloniale steden schilderden ijslolliekleuren, zwarte vrouwen in witte jurken die kaarsjes naar zee lieten drijven. Foto's van Olivia tijdens het carnaval, in een jurk van zilverfolie met splitten tot aan de oksels, verwarde, in donzige lokjes geknipte haren. Ze liep hand in hand met een blanke man. Hij was gebruind en had uitdrukkingsloze blauwe ogen.

'Het carnaval zou echt iets voor jou zijn,' zei ze. 'Drie dagen onafgebroken dansen.'

'Ik heb een hekel aan mensenmassa's,' zei ik, dronken van de rumpunch die ze had klaargemaakt, zoet en zwaar als een baksteen. 'Ik ben altijd bang dat ik onder de voet word gelopen.'

'Dat gebeurt wel eens, ja,' zei Olivia. Ze bewoog haar hoofd op de maat van de sambamuziek. 'Je moet zorgen dat je niet valt tijdens het carnaval.'

Na een poosje stond ze op en begon te dansen. Ik ging liggen en keek toe hoe ze in haar wikkelrok met die sjaal om haar hoofd het complexe ritme van de samba volgde. In mijn verbeelding zag ik haar alleen in zilverfolie en zweet gehuld tussen de pulserende menigte, dansend in de zuidelijke zon, in een geur van rum en mango's en Ma Griffe. De muziek bewoog in golven door haar lichaam, haar voeten maakten schuifelende ingehouden pasjes, haar onderarmen wuifden als palmtakken boven haar geheven ellebogen. Honderdduizenden mensen van alle mogelijke huidskleuren swingden onder de zon.

'Dans je mee?' zei ze.

'Kan ik niet,' antwoordde ik. 'Ik ben een wit meisje.'

'Zeg nooit dat je iets niet kunt.' Ze lachte en haar heupen cirkelden met vloeiende bewegingen, als een stroom over de rotsen. Ze pakte mijn hand en trok me van de bank.

Ik stond slungelig voor haar, probeerde haar bewegingen na te doen, maar zelfs in mijn aangeschoten toestand besefte ik hoe belachelijk ik was, niet één met de muziek, helemaal uit de maat. Haar lichaam bewoog in tien verschillende richtingen tegelijk, harmonieus, soepel als een lint. Ze lachte, maar bedekte haar lach met haar hand. 'Probeer de muziek te voelen, Astrid. Niet naar mij kijken. Doe je ogen dicht en probeer erin te kruipen.'

Ik sloot mijn ogen en voelde haar sturende handen op mijn heupen. Mijn ene heup bewoog zich onafhankelijk van de andere. Ze liet me los en ik probeerde de maat vast te houden, draaide mijn onderlichaam in grote kringen op het ingewikkelde ritme van de muziek. Ik stak mijn armen in de lucht en liet de beweging door mijn hele lichaam golven. Met mijn ogen dicht zag ik ons in gedachten op een strand in Brazilië, in een café onder palmbomen, waar we zwoel dansten met mannen die we nooit meer zouden zien.

'O, Astrid, je moet meegaan naar het carnaval,' zei Olivia. 'We zeggen gewoon tegen je bewaarster dat je met een schoolreisje meegaat, naar de Liberty Bell, en dan gaan we stiekem weg. Drie dagen achter elkaar zonder slapen, zonder eten, alleen maar swingen. Na het carnaval dans je nooit meer als een wit meisje, dat beloof ik je.'

Toen de muziek rustiger werd, legde ze haar armen om mijn middel en dansten we dicht tegen elkaar aan. Haar parfum rook nog fris, naar dennen, ondanks de hitte en het zweet. Ik was nu even lang als Olivia en met haar armen om me heen voelde ik me log, ik trapte op haar tenen.

'Ik ben de man,' zei ze. 'Je hoeft alleen maar te volgen.'

Ik voelde dat ze me leidde, haar vlakke hand in de holte van mijn rug, altijd droog, zelfs in de hitte.

'Je wordt zo snel volwassen,' fluisterde ze zachtjes terwijl we dansten als golven op het strand van Copacabana. 'Ik ben erg blij dat ik je nu heb leren kennen. Over een paar jaar zou alles heel anders zijn geweest.'

Ik verbeeldde me dat het een man was die met me danste, tegen me fluisterde. 'Hoezo anders?'

'Alles zou dan al beslist zijn geweest,' zei ze. 'Nu ben je zo open. Je kunt nog alle kanten uit.' Ze danste met me in trage cirkels, leerde mijn voeten de passen te maken, terwijl mijn heupen het symbool van het oneindige beschreven.

IN SEPTEMBER WAAIDEN de stormen op de uitgedroogde hellingen van Altadena, Malibu, San Fernando over oogsten van vuur dat zich voedde met de begroeiing en woonhuizen in het gebied. De geur van de rook bracht me telkens weer terug naar mijn moeder, naar een plat dak onder een onbetrouwbare maan. Wat was ze mooi geweest toen, en stapelgek. Dit was de tweede keer dat ik het jaargetij van de branden zonder haar meemaakte. Oleandertijd. Ik had ergens gelezen dat de joden nu hun nieuwjaar vierden en ik besloot dat mijn jaarwisseling voortaan ook in deze tijd zou vallen.

's Nachts dwaalden de coyotes af naar de stad, gedreven door de dorst. Ik zag ze over de witte middenstreep van de Van Nuys Boulevard lopen. De rook en de as vulden het dal als een grijs bad. As sijpelde mijn dromen binnen, ik was het asmeisje, kind van de Santa Ana, kind van de verschroeide aarde.

Op het hoogtepunt van de branden, bij een temperatuur van vijfenveertig graden in de schaduw, moest ik weer naar school. De wereld stond in brand en ik begon in de vierde klas op de Birmingham High. Jongens wierpen me kushandjes toe in de gangen, wapperden met geld. Ze hadden gehoord dat ik wel eens iets deed. Maar ik zag ze nauwelijks, ze waren niet meer dan schimmen in de rook. Conrad, de dikke jongen uit het park, zat bij mij op typen. Hij stopte me stiekem joints toe in de gang. Hij vroeg me niet meer hem te pijpen. Hij zag de vlammen in mijn haar, wist dat mijn lippen hem zouden verschroeien. Ik vond dat een prettig gevoel. Ik voelde me net als mijn moeder in de oleandertijd. *Minnaars die elkaar nu vermoorden, zullen de schuld aan de wind geven.*

Ik stuurde mijn moeder portretten van Olivia als ze okrasoep maakte, roerend in de enorme pan, de samba danste met haar roze handpalmen en voeten, autoreed met de Grace Kelly-sjaal om haar hoofd, haar huid prachtig aftekenend tegen het wit.

Lieve Astrid,

Ik kijk naar de branden aan de horizon en wenste dat ze hierheen kwamen en mij verteerden. Je blijkt werkelijk net zo achterlijk te zijn als je school vroeger beweerde. Moet je je weer aan de eerste de beste persoon hechten die je een klein beetje aandacht geeft? Ik trek mijn handen van je af. Je hoeft me er niet aan te herinneren dat ik al twee jaar niet meer in de wereld leef. Denk je heus dat ik zou vergeten hoe lang het is? Hoeveel dagen, uren, minuten ik naar de muren van deze cel heb zitten staren, heb zitten luisteren naar vrouwen met een vocabulaire van vijfentwintig woorden of nog minder? En jij stuurt me tekeningen van je ritjes naar Mulholland, je fantastische vriendin. Bespaar me je enthousiasme. Probeer je me gek te maken?

Dial M.

IN OKTOBER BEGONNEN de bladeren te kleuren en af te vallen, de pruim, de suikeresdoorns met hun gekerfde blad, de liquidambars. Ik kwam uit school en ik verheugde me al op wat ik Olivia zou vertellen over een leraar die had gevraagd of ik na school even wilde blijven omdat hij over 'mijn thuissituatie' wilde praten, zag voor me hoe ze zou lachen als ik de blik in zijn treurige hondenogen nadeed, wilde vragen tot welk soort mannen hij behoorde, maar ineens zag ik iets dat alle wind uit mijn zeilen zoog, ze klapperden en hingen slap neer, midden op de oceaan. Olivia's auto, verborgen onder zijn canvas hoes.

Ik had haar pas nog gezien en ze had er niets over gezegd dat ze wegging. Hoe kon ze nou zomaar weggaan? Misschien was het een noodgeval, dacht ik, maar ze had toch wel een briefje kunnen achterlaten, dat zou ik hebben gevonden. Ik wachtte twee dagen, drie, maar nog steeds hoopten de dorre bladeren zich op in Olivia's tuin, dwarrelden naar binnen en bedekten de hoes van haar auto als een Japans papieren kamerscherm.

Ik zat kwaad en stoned op mijn kamer in Marvels huis de gordijnen te schetsen. De strepen waren nu het enige dat me interesseerde, het enige dat nog ergens op sloeg. Ik schreef niet aan mijn moeder, ik kon de gedachte niet verdragen dat ze leedvermaak zou hebben over mijn verlies. Ze schreef mij wel en vertelde dat ze correspondeerde met een professor in de oude talen met drie titels voor zijn naam. Hij stuurde haar originele vertalingen van bepaalde obscene passages uit Ovidius en Aristophanes. Ze genoot van het contrast met de liefdesverklaringen van Dan 'the Man' Wylie, zei ze. Ze onderhield ook een levendige briefwisseling met een redacteur van een kleine uitgeverij in North Carolina, en met Hana Grün, een beroemde feministe uit Keulen die van haar benarde situatie had gehoord. Ze schreef me over haar nieuwe celgenote; de vorige had ze er eindelijk uit gewerkt, die was brabbelend over hekserij afgevoerd naar de afdeling Speciale Bewaking. Uiteraard stond er in de hele brief niets wat met mij te maken had, behalve iets over mijn tand.

Lieve Astrid,

Ik heb een loszittende tand, opgelopen bij een klein incident in Barneburg B. Ik kan het me niet veroorloven er hier een kwijt te raken – alleen al het idee van een gevangenistandarts is grotesk. Ik zie een magere man voor me, half verlamd door een beginnende parkinson, met couperosewangen van de drank, berucht om zijn medische fouten. Of een dikke vrouw, een echte varkensslager, die je behandelt zonder verdoving, en geniet van de pijnkreten van haar slachtoffers.

Astrid, zorg goed voor je gebit. Niemand zal je nu meer naar een goede tandarts sturen. Als er iets misgaat zullen ze je tanden gewoon laten wegrotten in je mond en dan moet je ze op je vierentwintigste allemaal laten trekken. Ik flos elke dag, zelfs hier, poets met zout, masseer mijn tandvlees. Probeer vitamine C te krijgen, als ze dat niet willen kopen, eet dan sinaasappels.

Tante Kiespijn

Zij kon in elk geval niet verdwijnen, dacht ik toen ik de brief weer in de envelop stopte. Maar ik kon ook niet naar haar toe. Olivia moest terugkomen, ik had haar nodig, ze moest me voeden.

ER WAS EEN kring om de maan, ravenoog in de mist. Het was 1 november. Ik vertelde niemand dat ik jarig was. Mijn verjaardag vieren zonder Olivia was erger dan vergeten te worden. Ik voelde me net dat schilderij van Icarus die in zee valt, je zag alleen nog zijn benen, en de boer en zijn paard.

Ik ging in de kou op de picknicktafel in de achtertuin liggen, streek met mijn wang langs mijn blauwe kasjmierschouder. Er zat al een klein gaatje aan de voorkant. Ik verkruimelde het laatste restje van mijn joint in een bierblikje op het koude erf en gooide het blikje over het achterhek, waarop de hond begon te blaffen. Ik wou dat de BMW-man er was, dit was zijn gebruikelijke tijd, dan zou Olivia 'Stolen Moments' van Oliver Nelson spelen. Ze zouden de open haard aansteken en langzaam dansen, zoals Olivia met mij had gedanst en hij zou tegen haar fluisteren zoals zij bij mij had gedaan. Ik kon nu dansen, maar ze had me zonder muziek achtergelaten.

Ik trok mijn trui dichter om me heen en keek omhoog naar de versluierde maan. Er klonk gelach uit het huis. Marvel en Ed, die naar Leno keken op hun slaapkamer. Ik had net haar haar rood geverfd voor de herfst, Autumn Flame. Ik lag onder de natte mistlakens te rillen op de picknicktafel. Mijn handen roken nog naar de haarverf en ik dacht aan de kleine Achilles. Maar dit was geen opzettelijke beproeving en de enige sterren waren de lichtjes van de vliegtuigen die vanuit het westen op Burbank aanvlogen.

Ik bedacht dat de zon op dit ogenblik net onderging in Hawaï en dat in Bombay nu de met kerrie gekruide hitte van het middaguur heerste. Daar zou ik willen zijn. Ik zou mijn haar zwart verven en een zonnebril opzetten en alles vergeten, Olivia, Marvel, mijn moeder, alles. Waarom had ze niet gezegd dat ze wegging? Dacht ze dat het me niet kon schelen, wist ze niet dat ik volkomen afhankelijk van haar was? Ik voelde de hoop tussen mijn vingers door glijden als vissensap.

Bracht ik soms ongeluk, was ik ruimteafval dat ze uit een capsule hadden gezet? Niemand die me zag, niemand die me opmerkte. Was ik maar weer bij Ray, die me hier beneden vast kon houden met zijn ogen, me weer op de aarde kon zetten. Het maakte me zeeziek zo te zweven, gewichtloos rond te tollen in het koude witte licht van de maanrots, de stille begrafenisstoet van de cipressen. Geen jacarandabloesem meer. Het was een landschap dat Van Gogh had kunnen schilderen.

Ik had genoeg van de maan, die zo onverschillig op me neerkeek, genoeg van het maanlandschap met de witte rotsen. Ik wilde meer dekking boven me. Ik glipte het hek uit, deed het poortje geruisloos achter me dicht. De sinaasappels hingen nog in de boom en verspreidden een harsachtige geur in de vochtige lucht, waardoor ik aan haar moest denken. En toen dacht ik aan mijn moeder en haar tanden, haar vitamine C. Mijn belachelijke leven. De bladeren die zich op de ongeveegde trottoirs hadden opgehoopt, knisperden onder mijn voeten en ik neuriede een zoet melancholiek wijsje van Jobim. Ik moest weer dauw van de zeilen likken. Ik had kunnen verwachten dat het zo zou aflopen, ik had zo langzamerhand beter moeten weten dan iets van het leven te verwachten, toe te geven aan het Stockholm-syndroom.

Er kwam een witte hond uit de nevel te voorschijn en ik riep hem, blij met een beetje gezelschap. Ook een zwerver. Maar hij begon tegen me te blaffen, zo fel dat zijn voorpoten van de grond kwamen. 'Niet blaffen, ik ben het maar.' Ik liep naar hem toe om hem te aaien, maar er kwam nog een hond aan, een bruine, en toen een derde, een husky met blauwe ogen.

De bruine liet zijn tanden zien. De grote husky blafte. Ik wist niet of ik door moest lopen of voorzichtig achteruit stappen.

'Ga naar huis,' zei ik. Ze versperden mij de weg. Ik schreeuwde, in de hoop dat ik daarmee af zou schrikken of dat iemand me zou horen, maar de huizen hadden de blinde gezichten van hun garages naar de weg gekeerd. 'Naar huis!' Ik begon achteruit te lopen, maar de kleinste rende naar me toe, sprong op me af, beet naar mijn been.

'Is daar iemand? Haal alsjeblieft je honden weg,' smeekte ik, maar het geluid van mijn stem stuiterde terug tegen de stijf gesloten huizen achter hun ijzeren tralies, bakstenen muren en beveiligde deuren. En toen de bruine hond grommend op me af sprong, wist ik weer wat ik een paar maanden lang had kunnen vergeten – dat het altijd zo zou gaan. De bruine hond beet door mijn broekspijp heen in mijn been.

Ik gilde om hulp. Dat scheen ze nog meer op te winden, de husky gooide me omver en beet in mijn armen, die ik beschermend voor mijn gezicht hield. Ik gilde, maar ik wist dat er niemand was. Het was een droom die ik al eens eerder had gehad, maar nu was het echt, en ik bad tot Jezus op de hopeloze manier van mensen die weten dat God niet bestaat.

Toen – kreten, in het Spaans. Schoenen stampten over de grond. Metaal kletterde tegen bot. De tanden lieten los, schel geblaf van pijn. Gegrom, gejank, nagels die over het asfalt krasten, galmende slagen van een schop. Het gezicht van een man keek me aan, pokdalig, donker van schrik. Ik verstond niet wat hij zei, maar hij hielp me overeind, sloeg zijn arm om mijn middel, bracht me naar zijn huis. Ze hadden een rij porseleinen eendjes op de vensterbank staan. Ze zaten naar een bokswedstrijd met Spaans commentaar te kijken. De haastig werkende handen van zijn vrouw, een schone handdoek die rood kleurde. Haar man draaide een telefoonnummer.

ED REED ME naar de eerstehulp, een washandje voor mijn gezicht en een handdoek op mijn schoot om het bloed op te zuigen. Hij gaf me een slokje uit de fles Jim Beam in het dashboardkastje. Als Ed zijn drank uitdeelde, moest het wel heel erg zijn. Hij weigerde verder mee te gaan dan de balie van de eerstehulp. Er waren grenzen. Ik was tenslotte niet zijn kind. Hij ging op de bank in de wachtkamer zitten en keek omhoog naar de in de muur vastgeschroefde tv, waar Leno net de volgende gast begroette. Hij had haast niets gemist.

Ik zat te rillen terwijl de vrouw een kaart invulde. Toen nam een verpleegster met rood haar me mee. Ik vertelde haar dat ik jarig was, dat ik vijftien was geworden, dat Ed niet mijn vader was. Ze kneep in mijn hand en legde me op een schoon smal bed. Toen gaf ze me een prik, iets prettigs om me te laten ontspannen, of misschien omdat ik jarig was. Ik vertelde haar niet wat een heerlijk gevoel het was. Als je dan door honden toegetakeld moest worden, waren er tenminste nog drugs. Ze trok me mijn kleren uit en toen ik de flarden kasjmier zag, moest ik huilen.

'Niet weggooien,' smeekte ik. 'Geef hem hier.'

Ik hield de stukjes van mijn luxeleven tegen de goede kant van mijn gezicht, terwijl zij de wonden schoonmaakte en me een heerlijke verdoving inspoot. Als ze me pijn deed, moest ik het zeggen, zei ze. De roodharige engel. Ik vond verpleegsters en ziekenhuizen geweldig. Kon ik maar rustig met een scherm om me heen blijven liggen en me door deze lieve vrouw laten verzorgen. Katherine Drew, stond er op het kaartje op haar borst.

'Je hebt geluk. Dokter Singh is hier vanavond,' zei Katherine Drew. 'Zijn vader was kleermaker. Hij levert vakwerk. Hij is de beste die er is.'

De dokter kwam binnen. Hij sprak met een zangerig accent dat klonk alsof hij grapjes maakte, als iemand uit een film die ik eens had gezien, met Peter Sellers. Maar in de bruine ogen van dokter Singh zag je de last van alle spoedgevallen die hij had behandeld, het bloed, het stukgereten vlees, de koorts en de schotwonden, het was een wonder dat hij ze open kon houden. Hij begon te hechten, eerst mijn gezicht. Ik vroeg me af of hij uit Bombay kwam, of hij wist dat het daar nu twaalf uur 's middags was. De naald was krom, de draad zwart, zuster Drew hield mijn hand vast. Ik viel bijna flauw en ze bracht me appelsap, zoet als hoestsiroop. Ze zei dat ik moest terugkomen als ze de honden niet konden vinden.

Zodra ik ook maar iets begon te voelen, vroeg ik nog een prik. Het had geen zin om dapper te doen. Er waren hier geen vikingen. Op het plafond van de behandelkamer zat een poster met vissen. Ik wilde de zee in duiken, tussen het koraal en de kelp drijven, mijn haar als zeewier, op de rug van een adelaarsrog rijden in zijn geruisloze vlucht. Kom mee, moeder. Ze hield van zwemmen, haar haren als een waaier, een notenbalk voor een zeemeerminnenlied. Ze zongen op de rotsen terwijl ze hun haren kamden. Moeder... Mijn tranen stroomden uit het niets, als een bron uit een rots. Het enige wat ik wou was haar koele hand op mijn voorhoofd. Wat was er ooit anders geweest. Waar jij was, was ik thuis.

Tweeëndertig hechtingen later kwam Ed binnen, met een grauw gezicht, zijn honkbalpetje in zijn hand. 'Mag ze nou weg? Ik moet morgenochtend weer werken.'

De roodharige zuster Drew hield mijn hand vast terwijl ze Ed Turlock uitlegde hoe ze mijn hechtingen moesten schoonhouden met waterstofperoxide, en dat hij me over twee dagen terug moest brengen voor een controle en een week later om de hechtingen eruit te halen. Hij knikte, maar hij luisterde niet en terwijl hij de papieren ondertekende legde hij uit dat ik maar een pleegkind was, een fondspatiënt.

We zeiden niets op de terugweg. Ik keek naar de voorbijflitsende neonrelames. Pic N Save, Psychic Adviser, AA. Hair Odysseys. Fish World. Als ik zijn dochter was geweest, was hij met me meegegaan. Maar ik wilde zijn dochter helemaal niet zijn. Ik was blij dat ik geen druppeltje bloed van hem in mijn aderen had. Ik hield de bebloede kasjmiertrui teder in mijn handen.

Toen we thuiskwamen, zat Marvel in haar vuile blauwe ochtendjas in de keuken te wachten, haar kapsel Autumn Flame-rood. 'Wat deed je daar verdomme dan ook?' Ze zwaaide met haar dikke handen door de lucht. Als ik niet in het verband had gezeten, had ze me geslagen. 'Midden in de nacht in je eentje over straat lopen. Dan vraag je er toch om?'

Ik liep langs haar heen, nam mijn eerste Vicodin in met een slok water uit de kraan. Ik liep zonder een woord te zeggen naar mijn kamer, deed de deur dicht en ging op bed liggen. Eigenlijk was ik ergens wel blij met de hechtingen, blij dat het te zien zou blijven, dat er littekens zouden zijn. Wat had het voor zin je alleen vanbinnen gekwetst te voelen? Ik dacht aan het meisje met de littekentatoeages in het groepstehuis in Creshaw. Ze had gelijk. Je moest het verdomme kunnen zien.

14

ER LIEPEN LITTEKENS over mijn kaak en mijn wang, mijn arm en mijn benen. Iedereen op de Birmingham High gaapte me aan, maar anders dan eerst, niet omdat ik een kindhoer was, maar omdat ik een monster was. Dit beviel me beter. Schoonheid was bedrieglijk. Ik droeg liever mijn pijn, mijn lelijkheid mee. Marvel wilde dat ik de striemen met pancake bedekte, maar dat weigerde ik. Ik was opengescheurd en dichtgenaaid, ik was een bovengronds mijngebied, en dat moesten ze maar kunnen zien ook. Ik hoopte dat ze er misselijk van werden. Ik hoopte dat ze ervan droomden.

Olivia was nog steeds weg, haar Corvette afgedekt en stil. Om acht uur 's morgens gingen automatisch de tuinsproeiers aan, precies zeven minuten, om zes uur 's avonds de lampen. De stapel tijdschriften op de stoep werd steeds groter. Ik liet ze liggen. Ik hoopte dat hij nat zou regenen, haar *Vogue* van zestien dollar.

Ik was zo meegaand. Ik hechtte me als een kleefslak aan de eerste de beste die me het kleinste beetje aandacht gaf. Ik nam me voor om niet naar haar toe te gaan als ze terug was, om haar te mijden, te leren alleen te zijn, dat was beter dan de teleurstelling wanneer je er met je neus op werd gedrukt. Eenzaamheid was de normale toestand van de mens, daar zou ik aan moeten wennen.

Ik dacht aan haar als ik met Conrad en zijn vrienden op de tribune van het sportveld zat te blowen. Jongens waren makkelijk, daar had ze gelijk in. Ik wist wat ze wilden, kon het ze geven of niet. Waar had ze mij voor nodig? Nergens voor. Ze kon zomaar een Georg Jensen-armband, een Roblin-vaas voor zichzelf kopen.

ROND DE KERST was het opnieuw warm; er hing een dikke laag smog in de Valley, als een zware hoofdpijn boven een moedeloos terrein, en de bergen waren onzichtbaar. Olivia was terug, maar ik had haar nog niet gezien, alleen wat zichtbaar was van de dagelijkse gang van zaken, postbodes en mannen die haar bezochten. Bij Marvel thuis bereidden we ons grootscheeps voor op de feestdagen. We zeulden de groene metalen boom uit de garage naar binnen, versierden alle ramen en deuren met op flessenragers lijkende slingers van gekleurde folie, zetten Frosty de plastic sneeuwman buiten op het asfalt, installeerden de elektrische kerstman-met-rendier op het dak.

Er kwam familie op bezoek aan wie ik niet werd voorgesteld. Ik ging rond met de borrelmix, de kaasbolletjes. Ze maakten groepsfoto's en niemand vroeg of ik er ook op wilde. Ik dronk eierpunch uit de punchkom van de volwassenen, die stijf stond van de whisky, en toen ik het niet langer uithield, ging ik naar buiten.

Ik ging in het donker in de speelhut zitten en rookte een Tiparillo uit een pakje dat iemand had laten liggen. Ik hoorde de kerstmuziek die Marvel de hele dag draaide, *Joey Bishop Christmas*, *Neil Diamond at Bethlehem*. Starr geloofde tenminste in Christus. We waren naar de kerk gegaan, waren naar het zachte stro in de kribbe, het kindje Jezus, de pasgeboren Koning gaan kijken.

Van alle belangrijke evenementen op de sentimentele feestdagenkalender van Amerika had mijn moeder de grootste hekel aan Kerstmis. Ik herinnerde me de keer dat ik uit school was gekomen met een zelfgemaakte kerstengel van papier, zijn vloeipapieren vleugels bestrooid met gouden glittertjes, en dat ze die meteen in de vuilnisbak had gemikt. Niet eens had gewacht tot ik naar bed was gegaan. Op kerstavond las ze altijd *De wederkomst* van Yeats voor: 'welk rauw beest... schuifelt naar Betlehem...' We dronken wijn en wierpen runenstenen. Ze wilde niet komen luisteren als ik met mijn klas op de basisschool 'O Come All You Faithful', 'God Rest Ye Merry' zong. Ze weigerde me erheen te rijden.

Maar nu ik Marvel als een schaduw van de ene winkel naar de andere had gevolgd, de kamerbreed ingeblikte kerstliedjes had gehoord, Marvels aan en uit knipperende kerstlichtjesoorbellen had mogen aanschouwen, begon ik mijn moeder gelijk te geven.

Ik zat in de donkere speelhut en fantaseerde dat ik bij haar was en dat we in Lapland waren, in een huisje van beschilderd hout, waar het negen maanden winter bleef en dat we vilten laarzen droegen, rendiermelk dronken en de zonnewende vierden. We hingen vorken en ijzeren pannen in de bomen om de boze geesten af te schrikken, dronken mede, aten paddestoelen die we in het najaar hadden geplukt, en kregen visioenen. De rendieren volgden ons als we wilden plassen, omdat ze snakten naar het zout uit ons lichaam.

Binnen had Eds broer, George, zich als kerstman verkleed, ladderzat. Ik hoorde zijn lach boven de andere stemmen uit. Ed zat naast hem op de bank, nog verder heen dan hij, maar die had een stille dronk. Justin had een racebaanspel gekregen dat Ed een week salaris had gekost, Caitlin had een plastic Barbie-autootje waar je in kon zitten. Al mijn cadeautjes kwamen uit de Koopjeshal. Een zaklantaarntje aan een sleutelhanger. Een truitje met een teddybeer erop. Ik had het truitje aan. Dat moest van Marvel. Ik rookte mijn Tiparillo en knipte de zaklantaarn aan en uit, net een tel voordat de neus van Rudolf het rendier van het kerststuk op Marvels dak oplichtte. We hielden een geheim gesprek met elkaar, Rudy en ik.

Ik overwoog dat het heel gemakkelijk was een eind aan je leven te maken als je dronken was. Ga in bad, val in slaap, verdrink. Er zou geen zeeschildpad voorbij komen zwemmen om je te redden, er zou geen verkenningsvliegtuigje komen om je te zoeken. Ik pakte het mes van mijn moeder en speelde 'ertussen en erop' op de vloer van de hut. Ik was dronken, ik sneed me telkens. Ik hield mijn hand omhoog en het gaf me voldoening om het bloed te zien, zoals het me ook voldoening gaf als ik de rode kerven op mijn gezicht zag en de mensen me aangaapten en hun blik afwendden. Ze hadden gedacht dat ik mooi zou zijn, maar dat viel tegen, nu zagen ze pas hoe lelijk en verminkt ik was.

Ik drukte het mes tegen mijn pols, trok het er zachtjes overheen, probeerde me voor te stellen hoe het zou voelen, maar ik wist dat dit niet de goede manier was. Je moest de ader van boven naar onder opensnijden. Je moest rekening houden met de onderliggende structuur.

Wat was de onderliggende structuur van wat er hier gebeurde, zou ik wel eens willen weten: Joey Bishop die 'Jingle Bell Rock' zong, dichters die op aan de muur geklonken britsen sliepen en mooie vrouwen die onder mannen lagen die drie diners achter elkaar verorberden. Waar kinderen huilend een giraf met een gebroken nek omklemden of anders in een plastic Barbie-autootje rondreden, waar mannen met ontbrekende vingers naar veertienjarige vriendinnetjes verlangden en vrouwen met het figuur van een pornoster om de Heilige Geest riepen.

Als ik één wens mocht doen, Jezus, dan zou ik wensen dat mijn moeder me kwam halen. Ik had er genoeg van om op zeildoek te zuigen. Ik had er genoeg van alleen te zijn, te lopen en te eten en zelf te moeten nadenken. Het was nu wel duidelijk dat ik niet zou overleven.

Door de luiken van Olivia's huis ontsnapten streepjes licht. Geen mannen vanavond. Die waren thuis bij hun keurige vrouw of vriendin. Wie wilde er een hoer met Kerstmis?

O god, ik had zoveel tijd in Marvels gezelschap doorgebracht dat ik door haar was besmet. Straks ging ik nog racistische moppen vertellen. Olivia was Olivia. Ze had wat mooie meubeltjes en klokken en een vloerkleed en een opgezette papegaai die Charlie heette, en ik had een paar boeken en een houten kistje, een kapotte kasjmiertrui, een poster met dierenkeutels. Niet zoveel anders. Als puntje bij paaltje kwam, hadden we geen van beiden veel.

Dus ging ik maar naar haar toe. Niemand zou er iets van merken vanavond. Haar tuin rook naar kruidnagel. Ik klopte, hoorde haar voetstappen. Ze deed open. Door haar geschrokken uitdrukking besefte ik dat ze me sinds november niet meer had gezien.

Ze trok me naar binnen en deed de deur op slot. Ze had een zilvergrijze satijnen nachtpon en peignoir aan. Ze had naar de muziek zitten luisteren die ik op die eerste avond had gehoord, de vrouw met de tranen in haar stem. Olivia ging op de bank zitten en trok aan mijn hand, maar ik stribbelde tegen. Ze kon zich er nauwelijks toe brengen naar me te kijken. Monster, noemden de jongens me. Frank N. Stein.

'Mijn god, wat is er met je gebeurd?'

Ik wilde iets geestigs zeggen, koel en sarcastisch. Ik wilde haar kwetsen. Ze had me in de steek gelaten, ze had me laten stikken. Ze had helemaal niet aan me gedacht. 'Waar was je?' vroeg ik.

'Engeland. Wat is er met je gezicht gebeurd?'

'Was het leuk in Engeland?' Ik pakte het doosje van de cd van tafel, een zwarte vrouw met een gezicht vol licht, een witte bloem achter haar oor. Ze zong iets droevigs over maanlicht dat door de dennen scheen. 'Billy Holiday' stond erop. Ik voelde Olivia's ogen op mijn gezicht, de littekens op mijn armen, waar mijn mouwen waren opgekropen. Ik was niet mooi meer. Iedereen kon nu zien wat ik was, een rauwe wond. Ze zou me niet meer om zich heen willen hebben.

'Astrid, kijk me aan.'

Ik legde het doosje neer. Ze had een nieuwe presse-papier, korrelig Frans blauw met een reliëf van witte figuurtjes. Hij lag zwaar en koel in mijn hand. Ik vroeg me af wat ze zou doen als ik hem losliet, hem in duizend stukken liet vallen op het stenen tafelblad. Ik was dronken, maar niet zó dronken. Ik legde hem neer. 'Eigenlijk is het een hondenwereld. Wist je dat? Ze doen met je wat ze willen. Op mijn verjaardag nog wel. Ik ben vijftien geworden.'

'Wat wil je nou, Astrid?' vroeg ze me zachtjes, mooi als altijd, nog steeds elegant, dat gladde, gave gezicht.

Ik wist niet wat ik wilde. Ik wilde dat ze haar armen om me heen sloeg, dat ze medelijden met me had. Ik wilde haar slaan. Ik wilde dat ze niet wist hoe ik haar nodig had, ik wilde dat ze beloofde dat ze nooit meer weg zou gaan.

'Ik vind het zo erg.'

'Niet echt,' zei ik. 'Wees maar eerlijk.'

'Astrid! Wat heb ik misdaan – dat ik de stad uit ben gegaan?' Ze hield haar roze handpalmen als een kom omhoog. Wat verwachtte ze? Dat ik ze zou vullen? Waarmee? Water? Bloed? Ze streek haar satijnen nachtpon glad. 'Dat is geen misdaad. Het spijt me dat ik er niet was, oké? Maar ik heb echt niks verkeerds gedaan.'

Ik ging op de bank zitten, legde mijn voeten op de salontafel tussen het antiek. Ik voelde me net een verwend kind en dat was heel prettig. Ze schoof over de bank naar me toe. Ik rook haar parfum, groen en bekend. 'Astrid. Kijk me aan. Het spijt me. Geloof me nou.'

'Ik geloof niet in illusies. Ik ben niet een van je klanten. Zeg, heb je nog wat te drinken? Ik heb zin om me bezatten,' zei ik.

'Ik wilde net een koffie met cognac nemen en jij mag ook een glaasje.'

Ik bleef naar Billy Holiday luisteren terwijl zij rinkelend en kletterend in de keuken bezig was. Ik bood niet aan haar te helpen. Even later kwam ze terug met glazen, een fles cognac en koffie op een blad. Zo volmaakt in alles wat ze deed, zelfs de manier waarop ze het blad neerzette, rug recht, haar knieën gebogen.

Ze kwam naast me zitten. 'Weet je wat,' zei ze, 'de volgende keer zal ik je een kaart sturen. Goed? Ik wou dat je hier was, liefs... Cognac.' Ze schonk cognac in de glazen.

Ik dronk het mijne in één teug leeg, zonder moeite te doen iets te proeven. Hij was waarschijnlijk vijfhonderd jaar oud, meegebracht op de *Niña*, de *Pinta* en de *Santa Maria*. Ze keek in haar glas, liet de cognac erin ronddraaien, rook eraan, nipte ervan.

'Ik ben niet zo'n aardig type,' zei Olivia. 'Ik ben niet zo iemand die mensen een verjaarskaart stuurt. Maar ik zal mijn best doen, Astrid. Meer kan ik niet doen.' Ze stak haar hand uit om mijn gezicht aan te raken, maar ze kon het niet opbrengen. De hand viel in plaats daarvan op mijn schouder. Ik negeerde hem.

'Toe nou, zeg,' zei Olivia. Ze trok haar hand terug en leunde in de kussens. 'Zit niet zo mokken. Je lijkt wel een man.'

Ik wendde mijn gezicht af en zag ons samen in de spiegel boven de open haard, de mooie kamer, Olivia in haar witglanzende nachtpon, als kwikzilver in het maanlicht. En daarnaast dat verdrietige blonde meisje, dat eruitzag alsof ze in de verkeerde film terecht was gekomen, haar gezicht vol rode littekens, haar truitje van nog geen dollar, haar ongeborstelde haar.

'Ik heb iets voor je meegebracht uit Engeland,' zei Olivia. 'Wil je het zien?'

Ik weigerde naar haar te kijken. Wat dacht ze nou, dat een cadeautje alles weer goed zou maken? Maar ik kon het niet laten haar na te kijken, de elegante, kalme stappen waarmee ze naar de achterkamer liep, met het zilverige satijn achter haar aan slepend als een hondje. Ik schonk nog wat cognac in mijn glas, liet het ronddraaien en keek hoe de vloeistof afzonderlijke stroompjes vormde die weer bij elkaar kwamen in de amberkleurige poel onder in de kelk. De drank rook naar vuur en vruchten en brandde in mijn keel. Ik voelde me precies zoals Billy Holiday klonk, alsof ik had gehuild tot ik niet meer kon en het nog niet genoeg was.

Ze kwam terug met een wit doosje, dat ze in mijn schoot liet vallen.

'Ik hoef niks,' zei ik. 'Ik wil alleen dat er iemand is die het een reet kan schelen dat ik besta.'

'Je wilt het dus niet hebben?' zei ze plagend en ze maakte een beweging om het weg te pakken.

Ik maakte het doosje open. 'Penhaligon' stond erop, en erin, in een nestje van vloeipapier, lag een antiek parfumflesje van zilver en glas, met een met kant beklede verstuiver, dat was gevuld met een lichtroze parfum. Ik zette het op tafel. 'Dank je,' zei ik.

'Doe nou niet zo flauw. Hier, ruik eens.' Ze pakte het flesje op en kneep in de kanten verstuiver, en besproeide me met een fijne nevel parfum.

De geur verraste me, heel anders dan Ma Griffe. Het rook naar bloemetjes uit lommerrijke Engelse bossen. Naar een meisje in een schort en een broek met kantjes langs de pijpen, dat een krans vlocht van madeliefjes, een sprookjesmeisje uit de tijd van koningin Victoria.

Toen Olivia lachte, deed de charme van haar iets vooruitstekende tanden me meer dan al haar volmaaktheid ooit had gedaan. 'Past het niet precies bij je?'

Ik pakte het haar af en spoot ermee boven mijn hoofd, zodat de nevel als een zachte regen op me neerviel. Was mijn zonden van me af. Maak me tot een meisje dat nooit de vuurstormen van september heeft gezien, op wie nooit iemand heeft geschoten, dat nooit een jongen heeft gepijpt achter de toiletten in een park. Een meisje uit een kinderrijmpje, in een blauwe jurk, met een lammetje in een mooie tuin. Het paste inderdaad bij me. Ik wist niet of ik moest lachen of huilen en schonk dus nog maar wat cognac in mijn glas.

'Zo is het wel genoeg,' zei ze, en ze haalde de fles weg.

De alcohol klopte in de striemen van mijn littekens. Ik begreep dat Olivia niet verplicht was van me te houden. Ze deed wat ze kon, bracht een stukje kindertijd in een flesje voor me mee, van de hofleverancier. 'Dank je wel, Olivia. Eerlijk waar,' zei ik.

'Dat klinkt beter,' antwoordde ze.

TOEN IK DE volgende ochtend wakker werd, lag ik ongemakkelijk opgekruld op Olivia's bank. Iemand had mijn schoenen uitgetrokken, het flesje roze parfum zat nog in mijn hand geklemd. Het was heet, of ik had koorts en een hoofdpijn die als een Afrikaanse trom tegen de zijkanten van mijn schedel beukte. Ik schoof mijn voeten in mijn schoenen, zonder de veters vast te maken, en ging op zoek naar Olivia.

Ze lag boven op haar sprei in haar met paisleymotieven geborduurde hemelbed, volledig buiten westen, haar peignoir nog aan, haar knieën rechthoekig gebogen, alsof ze rende in haar droom. Op de klok naast haar kussen was het elf uur. Ik rende de gang door, smeet de deur open.

Ik was halverwege Olivia's tuin toen Marvel uit het turquoise huis kwam, met Caitlins Barbie-auto in haar armen. Ze keek op. Haar mond viel open. De enige kleur op haar gezicht was van het Autumn Flame-rode haar.

Als ik niet zo'n kater had gehad, had ik waarschijnlijk wel iets kunnen bedenken. Maar we staarden elkaar aan en ik wist dat ze me had betrapt, tot aan mijn knieën in de rozemarijn en de alyssum, roerloos als een hert. Toen barstten het geschreeuw en de verwarring los. Ze rende het hek uit terwijl ik een paar aarzelende stappen naar

Olivia's huis deed. Ze greep me bij mijn haar en sleurde me achteruit, trok met een ruk haar hoofd weg toen ze mijn adem rook.

'Zitten zuipen met die hoer? Heb je soms ook met 'r geslapen?' Ze gaf me een klap in mijn gezicht, zonder op de littekens te letten, haar stem daverde door mijn pijnlijke schedel als een schot in een spelonk. Ze sleurde me mee naar het turquoise huis en mepte me op mijn hoofd, mijn armen, overal waar ze me kon raken. 'Wat deed je daar? Heb je daar geslapen? Nou? Geef antwoord!' Ze raakte me midden op mijn oor en het Penhaligon-parfum vloog uit mijn hand en viel stuk op de grond.

Ik rukte me los en liet me op mijn knieën vallen. Het flesje was gebroken in zijn zilveren kooitje, het parfum stroomde al over het asfalt. Ik legde mijn handen in het plasje. Mijn kindertijd, mijn Engelse tuin, dat kleine stukje van iets echts.

Marvel greep me bij mijn arm, rukte me overeind. 'Ondankbaar kreng!' schreeuwde ze.

Ik kneep mijn handen om haar arm heen en krijste in haar gezicht: 'Ik haat je. Ik kan je wel vermoorden, zo haat ik je!'

'Hoe durf je mij aan te vallen!' Ze was veel sterker dan ik had gedacht. Ze had zich in een oogwenk losgerukt en sloeg me zo hard in mijn gezicht dat ik sterretjes zag. Ze greep me onder mijn oksel en duwde me naar het huis terwijl ze me om de paar stappen een schop gaf. 'Ga naar binnen! Naar binnen jij!'

Ze deed de deur open en gaf me een harde zet. Ik tuimelde de resten van de kerstavond in, vuile glazen en schalen, cadeaupapier. De kinderen keken op van hun nieuwe speelgoed, Ed van zijn voetbalwedstrijd. Ik botste tegen de plank met snuisterijen en Marvels schaal met een afbeelding uit *Onder moeders vleugels* viel op de grond kapot.

Ze krijste en gaf me een mep tegen de zijkant van mijn hoofd. Ik zag weer sterretjes. 'Dat deed je expres!' Ze gooide me op de grond, ik was bang dat ze met mijn gezicht door het glas zou wrijven. Ze gaf me een schop in mijn ribben. 'Raap op!" De kinderen huilden.

'Assi...' Caitlin rende met open armen naar me toe. Marvel trok haar met een ruk weg. Ze duwde de kinderen de tuin in terwijl ik snikkend de scherven opraapte. Ik had het niet expres gedaan, maar het had gekund, als ik eraan had gedacht. Ze had mijn parfumflesje gebroken, iets echts, van de hofleverancier, bereid uit kilo's Engelse lentebloemen, niet een kopie van een kopie van een plaatje uit een kinderboek. Toen ze weer binnenkwam, gooide ze me de bezem toe. 'En nou de rest opruimen.' Ze draaide zich naar Ed. 'Mijn god, je gelooft nooit waar ik haar daarnet heb gevonden. Ze kwam bij die zwarte hoer vandaan, daar had ze geslapen. Dat is dus haar dank. Na alles wat we voor haar hebben gedaan, al die moeite!'

Ed zette het geluid harder.

Ik gooide de grote stukken weg, Jo, Amy, Beth, die andere, en hun moeder. Kapot. Tja. Zo gaat dat, mamaatje. Eén klein ongelukje en het is voorgoed voorbij. Jo zal het niet prettig hebben bij de pleeggezinnen, ze zullen met haar sollen, ze zullen op haar schieten, Amy zal wel geadopteerd worden, dat is een snoesje, maar je zult haar nooit terugzien. Beth legt het loodje en die andere zal zich in een park verkopen voor wiet. Vergeet je haardvuur maar, wees welkom in mijn leven.

Ik veegde de kleine scherven op een hoop en zorgde ervoor dat er geen schilfers bleven liggen. Caitlin liep altijd op blote voetjes.

'En als je klaar bent, kun je de boel hier gaan opruimen. Ik ga dat gore zwarte wijf vertellen wat ik van d'r denk.' Ik zag Marvel door het keukenraam onze tuin uit lopen naar die van Olivia, hoorde het metalen hek dichtslaan, maar niet klikken, en weer openzwaaien. Ze bonsde op Olivia's deur en krijste: 'Word wakker hoer, vuile rioolrat, stuk stront dat je bent. Je blijft met je poten van dat kind af, hoor je me, zwart teringwijf!'

De hele buurt was thuis op eerste kerstdag en kon het allemaal aanhoren, terwijl ze de geboorte van de nieuwe Koning vierden. Leuk hoor, Marvel. Ga je gang maar. Laat iedereen maar weten hoe je werkelijk bent. Mijn enige troost was dat Olivia haar niet kon horen, die lag nog te snurken aan de achterkant van haar huis.

Marvel rukte handenvol bloemen uit Olivia's tuin en smeet ze tegen de gesloten luiken, kwam toen terugstormen naar ons huis.

Ondanks de misselijkheid en de hoofdpijn bracht ik de rest van de dag door met folie en opplakstrikken in elkaar frommelen en weggooien, popcorn en piepschuimkorrels opzuigen, met vuilniszakken slepen en de ene bak vol vaat na de andere afwassen. Ik mocht niet gaan liggen van Marvel. 'Je hebt het er zelf naar gemaakt,' zei ze.

Later op de dag kwam de politie. Schutzstaffel. De kinderen wilden naar ze kijken, maar Marvel liep naar buiten en deed de deur achter zich dicht. We keken in de woonkamer door het raam terwijl Marvels mond ratelde en ze met een worstarm naar Olivia's huis gebaarde.

'Wat komen ze doen?' vroeg Justin. Het was drie uur 's middags en hij liep nog in zijn pyjama, zijn ogen glazig van de tv en de suiker en het nieuwe speelgoed.

'Iemand is zijn hond kwijt,' zei ik.

Marvel deed de deur open en riep me.

Ik wreef de saffier van mijn haat op en liep naar buiten. '*Jawohl*,' mompelde ik zachtjes.

Marvels ogen spoten vitriool, er vormden zich blaren op mijn huid onder haar blik. De oudste van de twee blanke agenten nam me apart. 'Ze zegt dat je de nacht bij de buurvrouw hebt doorgebracht. Voor de wet is dat weglopen.'

Ik verplaatste mijn gewicht van het ene been naar het andere, mijn hoofd bonsde mee met het ritme van mijn hart. Als ik voorzichtig inademde kon ik de Engelse bloemen nog ruiken. Binnen begon de voetbalverslaggever opgewonden te schreeuwen en de ogen van de agent gingen naar het huis. Toen herinnerde hij zich waarvoor hij hier was, en richtte hij ze weer op mij.

'Heeft die vrouw je sterkedrank gegeven?'

'Nee. Marvel en Ed hadden gisteravond een groot feest voor de kerst. Er zat een heleboel whisky door de eierpunch.' Zo glinstert mijn saffier, agent Moody. Kijk maar hoe hij glimt. Ik verberg niets. 'Moet u werken met Kerstmis?'

'Driedubbel overwerk,' zei hij. 'Ik moet een smak alimentatie betalen voor mijn kinderen. Maar wat deed je precies bij de buurvrouw?'

'Muziek draaien, praten.'

'En je bent daar blijven slapen?'

'Er was hier veel te veel lawaai om te slapen.'

Hij trok aan zijn dikke oorlel. 'Ga je vaak naar haar toe?'

Ik haalde mijn schouders op. 'Ze is aardig, maar ze heeft het druk. Ze is vaak op reis.'

'Heeft ze je ooit aan haar vrienden voorgesteld?'

Ik schudde mijn hoofd, liet mijn mond een eindje openhangen, alsof ik een beetje achterlijk was, alsof ik geen notie had van waar hij over praatte. Bedoelt u of ze wel eens een afspraakje voor me heeft gemaakt met een van haar klanten? Of ze me wel eens verkocht heeft aan de BMW-man, op een taartschaal, zoals in *Pretty Baby*? Het liefst had ik hem in zijn gezicht uitgelachen.

'Heeft ze het wel eens met je over het soort werk dat ze doet?' Hij vroeg het op een rustige toon en streek met zijn hand over zijn borstelige snorretje.

'Ik geloof dat ze feestjes verzorgt voor mensen.' Het kwam er zomaar uit.

'Allemaal leugens,' riep Marvel, die met de andere agent stond te praten, haar ogen tot spleetjes geknepen van walging.

Ik ging met mijn rug naar het turquoise huis staan, zodat Marvel mijn lippen niet kon lezen. 'Marvel heeft de pest aan haar omdat ze mooi is en geen kinderen heeft om voor te zorgen. Ze zit altijd op haar te schelden – *zwarte*, *hoer*. Ik schaam me rot, maar wat moet ik doen, ik ben maar een pleegkind. Ze doet het bij alle buren, vraag het ze zelf maar. *Bonenvreter* dit, *vuile jodin* dat, iedereen heeft een hekel aan d'r.' Waarschijnlijk zei hij zelf ook *zwarte* en *bonenvreter*, agent Moody met zijn rode oorlellen, maar niet als er iemand bij stond die het opschreef.

Ze stuurden me naar binnen, maar ik keek uit het keukenraam toen de Schutzstaffel Olivia's tuin in liep, op haar deur klopte. Vijf minuten later kwamen ze terug. 'Arresteren jullie haar niet?' hoorde ik Marvel krijsen.

De patrouillewagen reed langzaam weg van de stoeprand, zonder Olivia Johnstone.

DE REST VAN de kerstvakantie werd alles weer min of meer normaal, behalve dat Marvel me in de gaten hield als een winkeldief. Ik kon niet meer 'even weg' naar de winkel of de bieb, of om te joggen. Maar ze krijste niet meer zoveel tegen me, gaf weer alleen maar bevelen en behandelde me als een slaaf. Op oudejaarsavond liet ze me alleen om op te passen, maar ze belde vier keer op om te controleren of ik er wel was. Ik liet boodschappen achter op Olivia's antwoordapparaat, maar ze nam niet op.

15

OP DE EERSTE schooldag na de kerstvakantie kreeg ik in het derde uur een geel briefje dat ik op het kantoor moest komen. Het voerde me naar een zure, dikke maatschappelijk werker die met een van de conrectoren op me zat te wachten. De conrector zei dat ik mijn kastje moest leegruimen en mijn boeken afgeven bij de administratie. Ze keek me niet één keer aan. De nieuwe maatschappelijk werker zei dat ze mijn spullen al in de auto had.

Ik draaide mijn cijferslot open en haalde de boeken uit mijn kastje. Ik was perplex, en ergens ook niet. Echt iets voor Marvel om dit onder schooltijd te doen, zonder van tevoren iets te zeggen. Zo woonde ik daar en zo niet meer. Ik zou ze geen van allen terugzien, nooit de kans krijgen Olivia gedag te zeggen.

De maatschappelijk werker, mevrouw Cardoza, zat me de hele weg naar de stad, over de Ventura Freeway, uit te foeteren. 'Mevrouw Turlock heeft me alles verteld. Dat je drugs gebruikte en je misdroeg. En nog wel met kleine kinderen in huis! Je gaat nu ergens heen waar ze je manieren zullen leren.' Het was een lelijke jonge vrouw met een breed gezicht, een grove huid en een onverbiddelijke trek om haar kaken. Ik nam niet de moeite haar tegen te spreken. Ik wilde nooit meer tegen iemand praten.

Ik dacht aan de leugens die Marvel de kinderen zou vertellen over de reden waarom ik niet thuiskwam. Dat ik dood was, of weggelopen. Maar nee, zo was Marvel niet, iemand die Hallmark-kaarten mooi vond en stiekem haar haar verfde. Ze zou iets totaal anders verzinnen. Een plaatje dat je op een Franklin Mint-bordje kon afdrukken. Dat ik op de boerderij van mijn oma was gaan wonen, waar we pony's hadden en de hele dag ijsjes aten.

Met pijn in mijn hart besefte ik dat Olivia waarschijnlijk opgelucht zou zijn. Ze zou me een beetje missen, maar het was niet haar stijl lang om iemand te treuren. Te veel blauw aan de deur. Ze aanbad liever truitjes. Ik sloeg mijn armen om mijn middel en leunde tegen het portier. Als ik meer energie had gehad, had ik het opengeduwd en me uit de auto laten rollen, onder de zestien wielen van de vrachtwagen die naast ons reed.

MIJN NIEUWE ONDERDAK was in Hollywood, een groot houten Craftsman-huis met een diepe portiek onder een schuin afdak, veel te mooi voor een pleegadres. Ik vroeg me af wat erachter zat. Mevrouw Cardoza was opgewonden. Ze deed telkens haar handtas open en weer dicht. Een latinomeisje met een lange vlecht liet ons binnen en bekeek me tersluiks. Binnen was het donker, met dikke gordijnen voor de ramen. Het houtwerk glansde tot halverwege de muren en rook naar citroenolie.

Even later kwam de pleegmoeder binnen, chic en kaarsrecht, met een spectaculaire lichte streep in haar donkere haar. Ze gaf ons een hand en mevrouw Cardoza's ogen glommen toen ze Amelia's maatmantelpak en hoge hakken in zich opnam. '*¿Qué pasa con su cara?*' vroeg de pleegmoeder. Wat was er met mijn gezicht gebeurd. De maatschappelijk werker haalde haar schouders op.

Amelia nam ons mee naar de woonkamer. Hij was mooi, stoelen met houtsnijwerk en leeuwenpootjes, witte damast en gobelin. Ze schonk thee uit een zilveren servies en presenteerde roomboterkoekjes op een gebloemd schaaltje van dun porselein. Ik paste alle lessen toe die Olivia me had geleerd, bewees dat ik mijn kop en schotel kon vasthouden zonder het lepeltje te laten vallen. Ze spraken Spaans met elkaar terwijl ik naar de himalayaceder keek die het erkerraam omlijstte. Het was er stil, geen tv, ik hoorde het klokje op de schoorsteenmantel tikken.

'Het is mooi, ja? Geen kindertehuis,' zei Amelia Ramos met een glimlach. Ze zat op het puntje van haar stoel, haar benen bij de enkels gekruist. 'Dit is mijn huis en ik hoop dat je het prettig zult vinden ons leven te delen.'

Nu en dan liep er een meisje voorbij dat met een ondoorgrondelijke blik naar binnen keek door de open kamerdeur, terwijl Amelia de papieren ondertekende en met haar lichte Spaanse accent de huisregels uitlegde. Elk meisje moest één keer in de week koken en schoonmaken. Ik moest mijn eigen bed opmaken en om de dag douchen. De meisjes deden bij toerbeurt de was en andere klusjes. Ze was zelf binnenhuisarchitect, legde ze uit, dus de meisjes moesten voor zichzelf zorgen. Ik knikte elke keer dat ze even zweeg en vroeg me af waarom ze eigenlijk meisjes nam. Misschien was het huis te groot voor haar, voelde ze zich eenzaam.

AAN DE GLANZENDE eettafel praatten de andere meisjes Spaans met elkaar en lachten met gedempte stemmen, maar mij gaapten ze alleen maar aan. Ik was het Witte Meisje. Ik had het al eerder meegemaakt, er was niets aan te doen. Amelia stelde hen aan me voor. Kiki, Lina, Silvana. Het meisje met de lange vlecht was Micaela en het gespierde meisje met het harde gezicht en een litteken in de vorm van een maansikkel op haar voorhoofd, was Nidia Diaz. We aten gevulde paprika met een salade en maïsbrood.

'Lekker,' zei ik, in de hoop dat Nidia zou ophouden me zo kwaad aan te kijken.

'Ik zorg voor de recepten,' zei Amelia. 'Sommige meisjes kunnen niet eens een blik openmaken als ze hier komen.' Ze lachte naar Nidia.

Na het eten brachten we onze borden naar de keuken, waar Nidia met de afwas begon. Ze pakte mijn bord aan, keek me met samengeknepen ogen aan, maar zei niets.

'Kom even binnen, Astrid,' zei Amelia. Ze ging me voor naar de zitkamer, die vrouwelijker was ingericht dan de woonkamer, met kanten kleedjes op de tafeltjes en een ouderwetse sofa. Ze gebaarde dat ik op de leunstoel naast de hare moest gaan zitten. Ze sloeg een in leer gebonden album op de marmeren salontafel open. 'Hier heb ik in Argentinië gewoond. Ik had daar een prachtig huis.' Er waren foto's van een roze huis met een betegelde binnenplaats, waar mensen bij kaarslicht zaten te eten aan tafels die om een vierkant zwembad heen stonden. 'Ik gaf diners voor tweehonderd mensen,' zei ze.

In het donkere binnenste van het huis zag ik een zware trap, sombere schilderijen van heiligen. Op één foto zat Amelia met een parelketting om op een soort troon voor een portret van haarzelf. Ze droeg een lint schuin over haar baljurk en aan weerskanten van haar stoel stonden een man, ook met linten, en een mooi jongetje. 'Dit zijn mijn man, en mijn zoontje, Cesar.'

Ik vroeg me af wat er in Argentinië was gebeurd. Wat moest ze hier in Hollywood, als het daar zo fantastisch was? Waar waren haar man en haar zoontje? Ik stond op het punt het haar te vragen, toen ze het blad omsloeg en met een gelakte nagel naar een foto van twee meisjes in een lichtbruin uniform wees, die op hun knieën op het grasveld zaten. 'Mijn dienstmeisjes,' zei ze met een nostalgische glimlach. 'Ze zaten te luieren op hun dikke *culos*, en toen heb ik ze het gazon laten wieden.'

Ze keek vol bewondering naar de foto van de wiedende meisjes. Ik kreeg er kippenvel van. Dat je iemand je gazon liet wieden, oké, maar wie nam daar nou een foto van? Hoe minder ik wist, hoe beter, besloot ik.

IK HAD EEN grote kamer bij Amelia, twee bedden met bloemetjesspreien en een raam dat uitkeek op de himalayaceder. Mijn kamergenote, Silvana, was een al wat ouder meisje, haar wenkbrauwen geëpileerd tot dunne streepjes, haar mond langs de randjes met lippenpotlood aangezet, maar niet ingevuld. Ze lag op het bed dat het verst van de deur stond haar nagels te vijlen en keek toe terwijl ik mijn kleren in de ladekast legde, mijn spullen in de grote muurkast zette.

'In mijn vorige huis sliep ik in een washok op de veranda,' zei ik. 'Dit is tof.'

'Dat lijkt maar zo,' zei Silvana. 'En het helpt je niets om tegen dat wijf te gaan zitten slijmen. Kies maar liever onze kant.'

'Ze lijkt best aardig,' zei ik.

Silvana lachte. 'Wacht maar tot je hier een tijdje bent, *muchacha*.'

De volgende ochtend wachtte ik tot het mijn beurt was de grote wit betegelde badkamer te gebruiken, kleedde me toen aan en ging naar beneden. De meisjes stonden al klaar om naar school te gaan. 'Ben ik te laat voor het ontbijt?' vroeg ik.

Silvana gaf geen antwoord, deed alleen haar rugzak om, haar wenkbrauwen twee onverschillige boogjes. Er werd getoeterd en ze rende naar buiten, stapte in een lage paarse bestelwagen en reed weg.

'Wil je ontbijten?' vroeg Nidia, die in de gang haar honkbaljack stond aan te trekken. 'Het staat in de koelkast. We hebben het voor je bewaard.'

Lina en Kiki Torrez lachten.

Ik liep terug naar de keuken. De koelkast was met een hangslot afgesloten.

Toen ik weer in de gang kwam, stonden ze daar nog. 'Was het lekker?' vroeg Nidia. Ze keek me van onder haar maansikkellitteken aan met de glinsterende amberkleurige blik van een havik.

'Waar is de sleutel?' vroeg ik.

Kiki Torrez, een rank meisje met lang glanzend haar, lachte hardop. 'Bij onze lieve vrouwe van de sleutels. Je vriendin de barones.'

'Ze is nu naar haar werk,' zei Lina, een klein gebouwd latinomeisje met het brede gezicht van de maya's. 'Ze komt om zes uur thuis.'

'Adios, Blondie,' zei Nidia. Ze hield de deur open en iedereen ging naar buiten.

IK HAD NIET lang nodig om erachter te komen waarom de meisjes Amelia Wreda du Vel noemden. We leden de hele tijd honger in dat mooie houten huis. In het weekend, als Amelia thuis was, kregen we te eten, maar op weekdagen was er alleen avondeten. De koelkast zat op slot en de telefoon en de tv stonden op haar kamer. Je moest vragen of je mocht bellen. Haar zoon, Cesar, woonde boven de garage. Hij had aids en blowde de hele dag. Hij had medelijden met ons, wist dat we honger hadden, maar ja, hij hoefde geen huur te betalen, dus vond hij dat hij zich er niet mee kon bemoeien.

Ik zat met bonkende hoofdpijn in de les over gezondheidsleer van de vierde klas van de Hollywood High. Ik wist niet of het over geslachtsziekten of tbc ging. Woorden gonsden als vliegen die maar niet wilden neerstrijken, woorden wriemelden over de bladzijden van mijn boek als colonnes mieren. Het enige waar ik aan kon denken was de macaroni met kaas die ik die avond klaar zou maken en hoe ik zoveel mogelijk kaas naar binnen zou kunnen werken zonder betrapt te worden.

Toen ik de bechamelsaus voor de macaroni met kaas klaarmaakte, verstopte ik een pakje margarine achter een stapel borden. De meisjes hadden al meteen tegen me gezegd dat degene die keukendienst had, voor iedereen eten moest stelen, en dat ze mijn leven tot een hel konden maken als ik dat niet deed. Na de afwas nam ik het onder mijn T-shirt mee naar boven. Zodra we hoorden dat Amelia op haar kamer met een vriendin aan het bellen was, kwam iedereen naar onze kamer en aten we het hele pakje op. Ik sneed het met mijn mes in blokjes. We aten het langzaam op, likten eraan alsof het snoep was. Ik voelde de calorieën onverdund door mijn bloed stromen, werd er high van.

'Achttien en ik ben weg,' zei Nidia. 'Als ik dat teringwijf niet eerst vermoord.'

Maar Amelia mocht mij wel. Ik mocht naast haar zitten en haar bord leegeten als ze zelf geen trek meer had. Met een beetje geluk nam ze me na het eten mee naar de zitkamer om over woninginrichting te praten, liet me haar rollen stof en behangpatronen zien. Ze vertelde eindeloze anekdotes over aristocraten in Argentinië, en ik knikte terwijl ik thee en boterkoekjes naar binnen werkte. De meisjes waren kwaad over mijn collaboratie met de vijand, en ik kon het ze niet kwalijk nemen. Ze praatten niet tegen me op school en tijdens de lange hongerige uren die we op straat moesten doorbrengen tot ze om zes uur thuiskwam. Niemand had een sleutel – we zouden eens iets kunnen stelen, inbreken in haar kamer, de telefoon gebruiken.

WAT KAN IK vertellen over die periode van mijn leven? Honger regeerde elk ogenblik van de dag, honger en zijn stille tweeling, de voortdurende behoefte om te slapen. De lesuren gingen voorbij als een droom. Ik kon niet denken. De logica sloeg op de vlucht en mijn geheugen lekte weg als motorolie. Ik had aldoor maagpijn en ik werd niet meer ongesteld. Ik zweefde boven de trottoirs, ik was rook. De regentijd brak aan en ik voelde me ziek en ik kon nergens heen na school.

Ik zwierf door de straten van Hollywood. Overal zag je dakloze kinderen, ze zaten in elkaar gedoken in portieken, bedelden om wiet, kleingeld, een sigaret, een kus. Ik keek in hun gezichten en zag mezelf. Op Las Palmas liep een meisje met een half kaalgeschoren hoofd me achterna. Ze dacht dat ik Wendy heette. 'Je kunt niet zomaar weglopen, Wendy!' riep ze me na. Ik maakte mijn mes open in mijn zak en toen ze de achterkant van mijn jack vastgreep, draaide ik me om en hield het onder haar kin.

'Ik ben Wendy niet,' zei ik.

De tranen stroomden over haar gezicht. 'Wendy,' fluisterde ze.

Op een andere dag liep ik naar het westen in plaats van het oosten, toen zigzaggend door natte zijstraten naar het noorden, en ik dronk de harsachtige geur in van eucalyptus en pittosporum en van sinaasappels die aan de boom waren blijven hangen. Het water sopte in mijn schoenen en mijn gezicht gloeide van de koorts. Ik besefte vaag dat ik ergens moest gaan schuilen voor de regen, mijn voeten moest drogen, zorgen dat ik geen longontsteking kreeg, maar ik voelde een vreemde drang om in noordwestelijke richting te lopen. Ik plukte ergens een sinaasappel van een boom. Hij was zo zuur als azijn, maar ik had de vitamine C nodig.

Pas toen ik op Hollywood Boulevard was, drong het tot me door waarheen ik op weg was. Ik stond voor ons oude flatgebouw, groezelig wit, met natte vegen van de regen; de bananenbomen, de palmen en de glanzende oleanders dropen. Dit was de plaats waar ons vliegtuig was neergestort. Ik zag onze ramen, de ruiten die Barry had gebroken, Michaels ramen. Er brandde licht in zijn appartement.

Mijn hart sprong op, klopte even vol hoop terwijl ik de namen naast de bellen las, al voor me zag dat hij de deur opendeed, zijn verbazing, zijn adem die naar Johnny Walker rook, en de warmte van zijn appartement, het afbladderende plafond, de stapels *Variety*, een fantastische film op tv, hoe blij hij zou zijn me te zien. *Masaoka*, *Benoit/Rosnik*, *P. Henderson*. Maar geen McMillan. Geen Magnussen.

Mijn teleurstelling maakte me duidelijk wat ik eigenlijk had verwacht. Dat we daar nog zouden wonen. Dat ik naar binnen zou kunnen gaan en dat mijn moeder daar een gedicht zou zitten schrijven, dat ik me in haar sprei zou kunnen wikkelen, en dat dit allemaal maar een droom was, waar ik haar over kon vertellen. Ik was niet echt een min of meer dakloos meisje dat restjes van Amelia's bord at. In dat appartement had mijn moeder Barry Kolker nooit ontmoet en was de gevangenis iets waar ze wel eens in de krant over had gelezen. Ik zou haar naar viooltjes ruikende haar borstelen en weer gaan zwemmen in de zoele avonden. We zouden de sterren nieuwe namen geven.

Maar we woonden daar niet meer. Michael woonde daar niet meer. De deur was op slot en het zwembad groen van de algen, het water vol pukkeltjes van de regen.

IK STOND TEGEN de muur van het overblijflokaal van de Hollywood High geleund, koortsig, en probeerde niet naar de andere kinderen te kijken, die zaten te eten. Een meisje keek in haar lunchzakje, trok een vies gezicht en gooide het aanstootgevende maal weg. Ik was geschokt. Er zou natuurlijk iets te eten voor haar klaarstaan als ze thuiskwam. Ik had haar wel kunnen slaan. Toen herinnerde ik me *De kunst van het overleven*. Als je vliegtuig was neergestort, dronk je water uit de radiator, sloeg je met een knuppel je sledehonden dood. Ik kon het me niet veroorloven kieskeurig te zijn.

Ik liep naar de vuilnisbak en keek erin. Ik zag haar bruine papieren zak bovenop liggen. De vuilnisbak stonk, hij werd nooit schoongemaakt, maar ik kon dit opbrengen. Ik deed alsof ik er iets in had laten vallen en pakte het boterhammenzakje. Er zat een sandwich in, tonijn met zuur op wittebrood met boter. De korstjes waren eraf gesneden. Er zaten reepjes wortel bij en zelfs een blikje appelsap met extra vitamine C.

In vergelijking met sledehonden doodslaan was dit een makkie. Ik wende me aan om me heen te kijken als de bel ging, het ogenblik waarop iedereen zijn lunch weggooide en weer naar zijn klas holde. Ik kwam het vijfde uur altijd te laat. Maar mijn handen trilden niet meer.

Maar op een dag werd ik betrapt. Een meisje stootte haar vriendin aan en wees naar me. 'Moet je zien wat smerig,' zei ze. 'Dat kind eet uit de vuilnisbak.' En ze draaiden zich allemaal naar me toe om te kijken. Ik kon me voorstellen wat voor indruk ik op hen maakte met mijn gehavende gezicht, terwijl ik met mijn vingers weggegooide yoghurt naar binnen stond te werken. Het liefst was ik niet meer naar school gegaan, maar ik wist niet waar ik anders aan eten moest komen.

Ik ontdekte een bibliotheek waar ik veilig de middag kon doorbrengen, plaatjes kijken in kunstboeken, zitten tekenen. Lezen ging niet meer, de woorden wilden niet stilstaan. Ze dwarrelden over de bladzijden als rozen op behang. Ik tekende sambafiguren op gelinieerde blocnotevellen, tekende de gespierde heiligen van Michelangelo en de wijze madonna's van Leonardo da Vinci na. Ik maakte een tekening van mezelf, etend uit de vuilnisbak, schichtig, met twee handen, als een eekhoorn, en stuurde die aan mijn moeder. Ik kreeg een brief terug van haar celgenoot.

Liefe Astrid

Je ken mij niet. Ik ben je moeders celgenoot. Je briefen maken haar heel droefig. Schrijf wat leukers, dat je allemaal neges en tiene krijgt, de beste van de klas. Ze zit hier voor der hele leefe. Maak het niet nog zwaarder.

Met hartelijke groeten

Lydia Guzman

Het niet nog zwaarder maken, Lydia? Maar het was haar schuld dat ik daar zat. Ik was niet van plan haar iets te besparen.

Het antwoord van mijn moeder was praktischer. Ze zei dat ik elke dag de kinderbescherming moest bellen en net zo lang aan hun hoofd zeuren tot ze me ergens anders hadden geplaatst. Haar handschrift was groot en donker en nadrukkelijk. Ik voelde haar woede, ik warmde me eraan. Ik had haar nodig, haar kracht, haar vuur. 'Geef ze de kans niet je te vergeten,' zei ze.

Maar dit was geen kwestie van vergeten. Het was een kwestie van een dossier met mijn naam erop in een kast waarvan ze de deur op slot hadden gedaan. Ik was een lijk met een labeltje aan mijn teen.

OMDAT IK GEEN geld had, ging ik bedelen op het parkeerterrein van de drankwinkel en de supermarkt, vroeg mannen om kleingeld, zodat ik de sociale dienst kon bellen. Mannen hadden altijd met me te doen. Een paar keer had ik met ze mee kunnen gaan. Het waren aardige mannen die lekker roken, kantoormensen die misschien wel goed waren voor vijftig dollar. Maar daar wilde ik niet aan beginnen. Ik wist hoe het zou aflopen. Ik zou een berg eten kopen en dan zou ik alweer honger krijgen, maar dan was ik wel een hoer geworden. Als je ging denken dat het makkelijk was, had je niet over de prijs nagedacht.

AMELIA KWAM ERACHTER dat ik om een andere plaatsing had gevraagd. Ik zat in elkaar gedoken op de ongemakkelijke sofa met zijn houten leuningen in de zitkamer en zij ijsbeerde, ging tegen me tekeer, maakte snijdende bewegingen in de lucht met haar handen. 'Hoe durf je zulke schandelijke leugens over mijn huis te vertellen! Ik behandel je als een dochter en dit is mijn dank! Die leugens!' Ik zag haar oogwit om de zwarte irissen en het speeksel stond in de hoeken van haar smalle mond. 'Je vindt het dus niet prettig in mijn huis? Ik zal je naar Mac sturen. Kun je zien wat je dáár te eten krijgt. Je mag van geluk spreken dat ik je met de andere meisjes aan tafel laat zitten met dat monsterlijke gezicht van je. In Argentinië zou je niet eens door de voordeur mogen.' Mijn gezicht. Ik voelde de littekens kloppen op mijn wang.

'Wat weet jij van hooggeplaatste mensen? Een stuk vullis van de straat. Moeder in de gevangenis. Je stinkt zelfs naar vullis, weet je dat? Als je een kamer binnenkomt, houden de meisjes hun adem in. Je bent een smet op mijn huis. Je aanwezigheid is een belediging. Ik wil je niet meer zien.' Ze draaide zich om, wees naar de glimmende trap. 'Ga naar je kamer en blijf daar.'

Ik stond op, maar aarzelde. 'En het eten?'

Ze draaide zich op haar suède hak om en lachte. 'Morgen misschien.'

Ik lag op mijn bed in de mooie kamer waar het naar ceder rook, en mijn maag klauwde in mijn lijf als een kat in een zak. Overdag wilde ik alleen maar slapen, maar 's avonds kwamen de beelden van mijn dagen als een diavertoning terug. Stonk ik echt? Was ik vullis, een monster?

Ik hoorde Silvana binnenkomen, op haar bed gaan liggen. 'Je dacht zeker dat je heel wat bijzonders was, hè? Met je kouwe kak. Nou zie je het, je bent geen haar beter als wij. Ik zou maar niks zeggen als ik jou was, anders stuurt ze je nog naar Mac.' Ze gooide een pistoletje op mijn deken.

Ik at het in twee happen op. Het was zo lekker dat ik bijna moest huilen. 'Wat is Mac?' vroeg ik.

Ze zuchtte ongeduldig. 'Daar sturen ze je heen als je nergens anders naar toe kan. Je zou het er geen dag uithouden. Ze lusten je daar rauw, witje.'

'Dan krijgen ze tenminste een ontbijt,' zei ik.

Silvana grinnikte in het donker.

Er reed een auto voorbij buiten, de koplampen schilderden bewegende schaduwen op het plafond. 'Ben jij er wel eens geweest?' vroeg ik.

'Nidia,' zei ze. 'Zelfs zij zegt dat het erg is, en zij is een *loca*.' Dus hou je gedeisd en verdraag het, net als de anderen. Denk maar aan: "Achttien en ik ben weg".'

Maar ik was pas vijftien.

NU WAS KIKI Torrez het lievelingetje dat aan Amelia's rechterhand mocht zitten en als een hond de restjes van haar bord at. Het maakte me tegelijk jaloers en misselijk. Kiki mocht de bladzijden van Amelia's Argentijnse plakboeken omslaan en roomboterkoekjes eten, terwijl ik met de hand Amelia's vuile ondergoed in de wasbak waste, haar bad schoonschrobde, haar kleren en met kant afgezette linnengoed streek, en als ik het zou wagen uit woede iets stuk te maken: geen avondeten.

Ze speelde ons tegen elkaar uit. Ik had op een avond een blikje yams gestolen en ze dwong Kiki te vertellen wie het had gedaan. Ik werd steeds magerder, mijn ribben staken uit als het skelet van een roeiboot. Ik begon te begrijpen hoe een mens een ander kon vermoorden.

'Je moet meisjes in huis nemen,' hoorde ik haar een keer tegen haar vriendin Constanza zeggen, toen ik aan het zilverpoetsen was. 'Het betaalt goed. Je kunt je huis laten opknappen. Ik ga nu de badkamer doen.'

Met een tandenborstel poetste ik de ingewikkelde krullen in de steel van een vork. Ik had het gisteren al een keer gedaan, maar het stoorde haar dat er nog een beetje aanslag in de groefjes zat, dus moest ik het overdoen. Het liefst had ik hem in haar bast gestoken. Ik kon haar wel vermoorden.

Eindelijk, in de donkere dagen van maart, nadat ik wekenlang bijna iedere dag had gebeld, liet mevrouw Cardoza me vallen en kreeg ik een nieuwe maatschappelijk werker, een engel uit de hemel, die Joan Peeler heette. Ze was jong, droeg zwart en had lang, met henna gekleurd haar. Ze droeg aan elke hand vier zilveren ringen. Ze leek meer op een dichter dan op een werkbij van de sociale dienst. Toen het tijd was voor ons gesprek, vroeg ik haar of ze ergens een koffiehuis wist.

Ze wist er een aan Vermont. Langs een paar tafeltjes op het trottoir waar bibberende rokers probeerden droog te blijven, doken we de vochtige warmte van het interieur in. Ik werd overweldigd door herinneringen, de zwarte wanden en de geur van maaltijdsoep, de tafel vol brochures en foldertjes en gratis krantjes bij de kassa. Zelfs de belachelijk lelijke schilderijen vol dikke verfklodders leken bekend – groene vrouwen met hangende borsten en vampiertanden, mannen met barokke erecties. En ik herinnerde me de stem van mijn moeder, haar ergernis als het lawaai van het cappuccino-apparaat haar voordracht stoorde, haar stapel boeken op het tafeltje waar ik zat te tekenen en het geld in ontvangst nam als iemand er een kocht.

Ik wilde haar terug. Ik verlangde wanhopig naar haar lage, expressieve stem. Ik wilde dat ze iets grappigs of wreeds over de schilderijen zei of een verhaal vertelde over een van de andere dichters. Ik wilde haar strelende hand op mijn haar voelen, terwijl ze tegen me praatte.

Joan Peeler bestelde perzikthee. Ik nam sterke koffie met room en suiker en het grootste stuk gebak, een hartvormige scone met bosbessen. We gingen aan een tafeltje zitten waar we de straat konden zien, de zwarte paraplu's, en het zachte sissende geluid konden horen van door plassen rijdende auto's. Ze legde mijn dossier open op het kleverige tafelblad. Ik probeerde langzaam te eten, te genieten van het met boter besmeerde deeg, de hele bosbessen, maar ik had te veel honger. Voor ze opkeek had ik de helft al op.

'Mevrouw Cardoza adviseert je niet elders te plaatsen,' zei mijn nieuwe maatschappelijk werker. 'Ze zegt dat het een bijzonder goed adres is. Ze zegt dat je instelling niet deugt.'

Ik zag haar voor me terwijl ze het opschreef, mevrouw Cardoza, haar huid drabbig van de dikke laag make-up, als glazuur op een taart. Zij was niet één keer met me uitgegaan als ze me bezocht, had altijd alleen maar in het Spaans met Amelia zitten praten bij een schaal roomboterkoekjes en *yerbabuena*-thee gedronken uit gebloemde kopjes met bijpassende schoteltjes. Ze was diep onder de indruk van Amelia en het grote huis, het glanzende zilver. Al die verbouwingen. Ze had zich nooit afgevraagd waar het geld vandaan kwam. Je kon heel wat verbouwen van de vergoeding voor zes meisjes, en ook antiek kopen, vooral als je ze geen eten gaf.

Ik keek naar het kliederige, zware schilderij van een vrouw die met gespreide benen op een bed lag. Uit haar vagina kropen slangen. Joan Peeler draaide haar hoofd om te zien waar ik naar keek.

'Heeft ze verteld waarom ik daar weg wil?' Ik likte poedersuiker van mijn vingers.

'Ze zei dat je over het eten klaagde, en dat het gebruik van de telefoon door mevrouw Ramos wordt beperkt. Ze vond je intelligent maar verwend.'

Ik lachte hardop, trok mijn trui omhoog om haar mijn ribben te laten zien. De mannen aan de andere kant van het pad keken ook, een schrijver met een laptop, een student die aantekeningen zat te maken op een blocnote. Om te kijken of ik hem nog verder omhoog zou trekken. Niet dat het ertoe deed, er was niet veel meer te zien daarboven. 'We lijden honger,' zei ik terwijl ik mijn trui weer omlaagtrok.

Joan Peeler fronste terwijl ze haar thee door een rieten zeefje in een geschilferde kop schonk. 'Waarom klagen de andere meisjes niet?'

'Ze zijn bang dat ze ergens terechtkomen waar het nog erger is. Ze zegt dat ze ons naar Mac zal sturen als we klagen.'

Joan legde het zeefje neer. 'Als dat waar is en we kunnen het bewijzen, dan kunnen ze haar vergunning intrekken.'

Ik stelde me voor hoe dat in werkelijkheid zou gaan. Joan begon met haar onderzoek, werd overgeplaatst naar de San Gabriel Valley, en weg was mijn kans op een jonge maatschappelijk werker die zich nog kon opwinden over haar cliënten. 'Dat zou waarschijnlijk lang gaan duren. Ik wil nú weg.'

'Maar hoe moet het dan met de andere kinderen? Interesseert het je niet wat er met hen gebeurt?'

Joan Peelers ogen waren groot van de teleurstelling in mij, de oogleden omlijnd met donkere eyeliner.

Ik dacht aan de andere meisjes, de stille Micaela, Lina, de kleine Kiki Torrez. Ze leden allemaal net zoveel honger als ik. En de meisjes die na ons zouden komen, meisjes die nu het woord *pleegzorg* nog nooit hadden gehoord, hoe moest het met hen? Eigenlijk hoorde ik te willen dat Amelia's tehuis werd gesloten. Maar het kostte me moeite me de meisjes voor de geest te halen. Ik wist alleen maar dat ik honger leed en dat ik daar weg moest. Ik vond het verschrikkelijk dat ik mezelf wilde redden en hen niet. Dat was niet het beeld dat ik van mezelf wilde hebben. Maar in mijn hart wist ik dat zij hetzelfde zouden doen. Geen van hen zou zich zorgen maken over mij, als ze de kans hadden daar weg te komen. Ze zouden de deur met een voldane klap achter zich dichtsmijten. 'Ik word niet meer ongesteld,' zei ik. 'Ik eet uit de vuilnisbak. Vraag me niet om te wachten.' Eerwaarde Thomas had gezegd dat de zondaars in de hel onverschillig waren voor het leed van anderen, dat hoorde bij hun straf. Nu begreep ik dat pas.

Ze kocht nog een scone voor me en ik maakte een schets van haar op de achterkant van een van haar papieren, tekende het haar ietsje minder slierterig, liet de pukkel op haar kin weg, zette haar grijze ogen iets verder uit elkaar. Ik zette de datum eronder en gaf hem aan haar. Een jaar geleden zou ik in paniek zijn geraakt als iemand me harteloos had gevonden. Nu wilde ik alleen maar iedere dag eten.

JOAN PEELER ZEI dat ze nog nooit zo'n meisje als ik was tegengekomenen, ze wilde me laten testen. Ik zat een paar dagen met een dik zwart potlood vragenlijsten in te vullen. *Schaap staat tot paard als struisvogel tot wat*. Ik had dit allemaal al eens eerder gedaan, toen we pas terug waren uit Europa en ze dachten dat ik achterlijk was. Deze keer voelde ik geen aandrang om plaatjes op de computerkaarten te tekenen. Joan zei dat de uitslag opvallend was. Ik zou naar een speciale school moeten, die een uitdaging voor me was, ik was de vierde klas ver vooruit, ik hoorde op de universiteit thuis.

Ze kwam me nu wekelijks opzoeken, soms twee keer per week, en trakteerde me dan op een goed maal op kosten van de gemeenschap. Geroosterde kip, varkenskarbonaadjes. Reuzenhamburgers in restaurants waar alle obers acteurs waren. Ze brachten ons extra uienringen en schaaltjes met koolsla.

Onder het eten vertelde Joan Peeler over zichzelf. Ze was eigenlijk scenarioschrijver, het maatschappelijk werk deed ze alleen voor het geld. *Scenarioschrijver*. Ik hoorde de spottende stem van mijn moeder. Joan was een filmscenario aan het schrijven over haar ervaringen als maatschappelijk werker bij de kinderbescherming. 'Je houdt het niet voor mogelijk wat ik allemaal heb gezien. Het is niet te geloven.' Haar vriendje, Marsh, was ook scenarioschrijver. Hij werkte bij Kinko's Copies. Ze hadden een witte hond die Casper heette. Ze wilde mijn vertrouwen winnen, zodat ik haar dingen over mijn leven zou vertellen die ze kon opnemen in haar scenario. Research noemde ze dat. Ze was modern, ze werkte voor de kinderbescherming, dus ze kende het leven, ik kon haar alles vertellen.

Het was een spel. Ze wilde dat ik me helemaal uitkleedde, ik stroopte mijn lange mouw op tot aan de elleboog, liet haar een paar littekens van de hondenbeten zien. Ik had de pest aan haar en ik had haar nodig. Joan Peeler hoefde nooit pakjes margarine te eten. Ze hoefde nooit op het parkeerterrein van een drankwinkel om een kwartje te bedelen om te kunnen opbellen. Ik voelde me alsof ik haar stukjes van mezelf gaf in ruil voor hamburgers. Reepjes van mijn dij als aas aan de haak. Onder het praten tekende ik naakte carnavalsvierders met ingewikkelde maskers op.

16

JOAN PEELER VOND een nieuw adres voor me. De meisjes negeerden me straal toen Joan me hielp mijn spullen naar haar auto te dragen, een gebutste rode Karmann Ghia met stickers op de bumper: WEES LIEF VOOR JE MOEDER, ZOEK HET LICHT, VRIENDEN LATEN VRIENDEN NIET OP RECHTS STEMMEN. Silvana snoof en zei dat ik alleen anders werd behandeld omdat ik een blanke was. Misschien had ze gelijk. Waarschijnlijk zelfs. Het was helemaal niet eerlijk. Nee. Maar op die dag in maart, een van die prachtige maartse dagen waarop elke fotograaf in LA de deur uit ging om plaatjes te schieten van de stad onder een stralende blauwe hemel met besneeuwde bergtoppen in de verte en honderden kilometers zicht, kon de reden me niet schelen. Het enige wat me interesseerde was dat ik wegging.

Er lag sneeuw op Baldy en je kon elke afzonderlijke palm aan Wiltshire Boulevard, vijftien kilometer verderop, zien. Joan Peeler zette een bandje van de Talking Heads op voor onderweg.

'Het zijn aardige mensen, Astrid,' zei ze toen we over Melrose naar het westen reden, langs carrosseriebedrijven en Salvadoraanse eethuisjes. 'Ron en Claire Richards. Zij is actrice en hij doet iets voor de televisie.'

'Hebben ze kinderen?' vroeg ik. Ik hoopte van niet. Nooit meer babysitten en cadeautjes uit de Koopjeshal als het dochtertje van twee een Barbie-autootje kreeg waar je in kon zitten.

'Nee. Ze willen eigenlijk een kind adopteren.'

Dat was iets nieuws, een mogelijkheid waar ik nog nooit aan had gedacht. Adoptie. De woorden rammelden in mijn hoofd als steentjes in een doos havermout. Ik wist niet wat ik ervan moest denken. We reden langs Paramount Studio's, de grote poort met drie bogen, een kantoortje op het parkeerterrein, mensen op fietsen met dikke banden. Haar verlangende blik. 'Volgend jaar zit ik daar,' zei Joan. Ik wist af en toe niet wie er jonger was, zij of ik.

In mijn gedachten betastte ik het woord *adoptie* alsof het radioactief was, zag het gezicht van mijn moeder voor me, slap en blind en met ingevallen wangen van razernij.

Joan reed door een straat met alternatieve winkeltjes ten westen van La Brea, waar je tweedehands schoenen en speelgoed voor volwassenen kon kopen, en sloeg af naar het zuiden, een stille zijstraat in naar een oude wijk met gestuukte bungalows en grote platanen met krijtwitte stammen en op handen lijkende bladeren. We parkeerden voor een van die huizen en ik liep achter Joan aan naar de deur. Op een emaille bordje onder de bel stond met blokletters: *De Richards*. Joan belde aan.

De vrouw die opendeed, leek een beetje op Audrey Hepburn. Donker haar, lange hals, een stralende brede glimlach, een jaar of dertig. Ze had een blos op haar wangen toen ze ons binnenliet. 'Ik ben Claire. We wachtten al op jullie.' Ze had een ouderwets soort spraak, elk woord duidelijk gearticuleerd, *ten* in plaats van *te*, de *t* scherp en duidelijk.

Joan droeg mijn koffer. Ik had de boeken van mijn moeder, het kistje van oom Ray, en een tas met mijn Olivia-dingen.

'Geef maar, laat me je helpen,' zei de vrouw. Ze nam de tas over en zette hem op de salontafel. 'Leg alles maar gewoon ergens neer.'

Ik legde mijn spullen naast de tafel op de grond, keek de lage zitkamer rond: witte wanden met een vleugje roze en een geschuurde plankenvloer van roodachtig grenen. Ik vond het er meteen mooi. Boven de schoorsteenmantel hing een schilderij, een kwal op een donkerblauwe achtergrond vol dunne oplichtende lijntjes. Een kunstwerk, iets dat met de hand was geschilderd. Ik geloofde mijn ogen niet. Ze hadden hier een echt schilderij gekocht. En een wand vol boeken met versleten ruggen, cd's, platen, cassettes. De uit losse elementen bestaande hoekbank zag er comfortabel uit, een geweven patroon van blauw met rood en paars, een leeslamp in het midden. Ik hield mijn adem in. Dit kon niet kloppen, dit kon niet voor mij bestemd zijn. Ze zou zich bedenken.

'We moeten even een paar dingen bespreken,' zei Joan, die op de bank ging zitten en haar aktetas openmaakte. 'Astrid, wil je ons even alleen laten?'

'Doe maar of je thuis bent,' zei Claire Richards met een glimlach terwijl ze haar arm uitstrekte met een gebaar alsof ze iemand iets cadeau gaf. 'Je mag gerust overal rondkijken.'

Ze ging naast Joan zitten, die mijn dossier opensloeg, maar ze bleef naar me lachen, een beetje overdreven, alsof ze bang was dat zij of haar huis me niet zouden bevallen. Jammer dat ik niet meteen tegen haar kon zeggen dat ze zich geen zorgen hoefde te maken.

Ik liep de keuken in. Die was klein, met rode en witte tegels, een parelwitte tafel, chroomkleurige stoelen. Net zo'n keuken als in die tv-serie *Leave it to Beaver*, met een collectie peper-en-zoutvaatjes. Betty-Boops, porseleinen koeien en potjes met cactussen. Het was een keuken om chocola in te drinken, om in te gaan zitten dammen. Ik wilde hier zo graag blijven dat het me bang maakte.

Ik liep de kleine achtertuin in: kleurige brede bloembedden en potten op een houten vlondertje, een Chinese treuriep. Er stond een windmolentje in de vorm van een vliegende gans, en er groeiden rode poinsettia's in de zon tegen de witte muur van het huis. Kitsch, hoorde ik de stem van mijn moeder in mijn oor. Maar dat was niet zo, het was lief. Claire Richards was lief, met haar brede hou-alsjeblieft-van-me-glimlach. Haar slaapkamer, met openslaande tuindeuren naar het houten vlondertje, was ook lief. De sprei op het lage grenen tweepersoonsbed, de kleerkast, uitzetkist en het lappenkleed.

Toen ik weer in de gang kwam, zag ik ze zitten, hun hoofden dicht bij elkaar boven de salontafel terwijl ze mijn dossier bekeken. 'Ze heeft een verschrikkelijke tijd achter de rug,' zei Joan Peeler net tegen mijn nieuwe pleegmoeder. 'Bij één pleeggezin hebben ze op haar geschoten...'

Claire Richards schudde haar hoofd alsof ze niet kon geloven dat iemand zo verdorven kon zijn om op een kind te schieten.

De badkamer zou mijn lievelingsplek worden, dat zag ik meteen. Zeegroen en roze betegeld, originele keramiek uit de jaren twintig, en matglazen douchedeurtjes met een zwaan die tussen lisdodden zwom. De zwaan had iets bekends. Hadden we ooit ergens gewoond waar in glas gegraveerde zwanen waren? Potjes, zeepjes en kaarsen op de plank die tussen de zijkanten van het bad hing. Ik maakte wat potjes open, rook eraan, smeerde er wat van op mijn armen. Gelukkig waren de littekens aan het verdwijnen en zou Claire Richards de vuurrode striemen niet hoeven te zien, ze leek me een gevoelig type.

Ze zaten nog steeds over me te praten toen ik naar de slaapkamer aan de voorkant liep. 'Ze is heel intelligent, zoals ik al zei, maar ze heeft nogal een achterstand op school – telkens een ander adres, begrijp je...'

'Misschien wat bijlessen,' zei Claire Richards.

Mijn kamer. Een zacht grenen lits-jumeaux, voor als er eens iemand zou blijven slapen. Een ouderwetse, dunne lapjessprei, echt handwerk met een rand van ajour. Katoenen halve gordijntjes met nog meer ajour. Grenen bureau, boekenkast. Een ets van Dürer van een konijn, in een smalle grenen lijst. Het zag er bang uit, elk afzonderlijk haartje duidelijk zichtbaar. Wachtte op wat er zou gebeuren. Ik ging op het bed zitten. Ik kon me niet voorstellen dat ik deze kamer zou kunnen vullen, erin zou wonen, mijn stempel erop zou drukken.

Joan en ik namen onder tranen afscheid, compleet met omhelzingen.

'Nou,' zei Claire opgewekt, toen de maatschappelijk werker was vertrokken. Ik zat naast haar op de bank. Ze klemde haar handen om haar knieën, glimlachte. 'Daar ben je dan.' Haar tanden waren blauw-wit, als taptemelk, doorschijnend. Ik wist niet hoe ik haar op haar gemak moest stellen. Hoewel het haar huis was, was ze zenuwachtiger dan ik. 'Heb je je kamer gezien? Ik heb het eenvoudig gehouden, zodat je je spullen erin kwijt kunt. Er je eigen kamer van kunt maken.'

Ik wilde tegen haar zeggen dat ik niet zo was als ze verwachtte. Ik was anders, misschien wilde ze me wel helemaal niet. 'Die Dürer is mooi.'

Ze lachte even, een kort geluidje, sloeg haar handen tegen elkaar. 'O, we zullen het vast goed met elkaar kunnen vinden. Wat jammer dat Ron er niet bij kon zijn. Mijn man. Hij is aan het filmen in Nova Scotia deze week, hij komt volgende week woensdag pas terug. Maar ja, niets aan te doen. Heb je zin in een kopje thee? Cola? Ik heb cola gehaald, ik wist niet wat je lekker zou vinden. We hebben ook vruchtensap, of ik kan een milkshake voor je maken...'

'Thee is prima,' zei ik.

IK HEB NOOIT zoveel tijd samen met iemand doorgebracht als die eerste week met Claire Richards. Ik merkte wel dat ze geen kinderen gewend was. Ze nam me mee naar de stomerij, de bank, alsof ze me geen ogenblik alleen durfde te laten, alsof ik vijf was in plaats van vijftien.

Een week lang aten we uit bekertjes en potjes van Chalet Gourmet met buitenlandse namen op de etiketten. Punten zachte rijpe kaas, knapperige stokbroodjes, gerimpelde Griekse olijven. Donkerrode parmaham met honingmeloen, met rozenwater geparfumeerde blokjes baklava. Ze at niet veel, maar moedigde mij aan de rosbief, de grapefruit, zoet als een sinaasappel, op te eten. Na drie maanden bij Wreda had ik geen aanmoediging nodig.

Als we zo in de zitkamer zaten te picknicken, vertelde ik haar verhalen over mijn moeder, over de pleegadressen, maar dingen die te akelig, te erg waren, sloeg ik over. Ik wist hoe ik dit moest aanpakken. Ik vertelde haar over mijn moeder, maar alleen de leuke dingen. Ik was geen klager, ik was niet iemand die straks lelijke dingen over jou zou gaan zeggen, Claire Richards.

Ze liet me haar fotoalbums en plakboeken zien. Ik herkende haar niet op de foto's. Ze was verschrikkelijk verlegen, ik kon me haar nauwelijks voorstellen voor een publiek, maar ik zag in haar albums dat ze een totaal andere persoon werd als ze een rol speelde. Ze zong, ze danste, ze huilde op haar knieën met een sluier over haar hoofd. Ze lachte in een laag uitgesneden blouse en met een degen in haar hand.

'Dat is de *Driestuiversopera*,' zei ze. 'Die hebben we op Yale gedaan.'

Ze was Lady MacBeth, daarvoor de dochter in *Night, Mother*. Catherine in *Suddenly Last Summer*.

Ze trad tegenwoordig niet vaak meer op. Ze schoof haar hartvormige granaten hangertje langs de ketting, duwde het onder haar volle onderlip. 'Ik heb er zo genoeg van. Je bent uren bezig je op te tutten, je sleept je naar de auditie, waar ze dan twee minuten naar je kijken en besluiten dat je te uitheems bent. Te klassiek. Te weet ik veel wat.'

'Te uitheems?' Haar brede bleke voorhoofd, haar glanzende haar.

'Donker bedoelen ze daarmee.' Ze lachte. Haar ene voortand stond een beetje scheef, hij stak een klein stukje over de andere heen. 'Te klein slaat op borsten. Te klassiek betekent oud. Het is niet zo'n leuke sfeer, ben ik bang. Ik ga er nog wel heen, maar het heeft eigenlijk geen enkele zin.'

Ik veegde het laatste restje Boursin met mijn vinger uit het kuipje. 'Waarom ga je dan?'

'Wat! De showbusiness opgeven?' Ze lachte heel gemakkelijk als ze vrolijk was, maar als ze treurig was ook.

DE NIEUWE BEVERLEY Cinema was vlak bij haar om de hoek. Ze draaiden er *King of Hearts* en *Les enfants du paradis* en we kochten een enorme zak popcorn en lachten en huilden en lachten om elkaar omdat we huilden. Ik kwam er vroeger altijd met mijn moeder, maar voor een ander soort films. Zij hield niet van tearjerkers. Ze haalde graag D.H. Lawrence aan: 'Sentimentaliteit is het op jezelf afreageren van gevoelens die je niet echt hebt.' Zij ging het liefst naar bloedserieuze Europese films – Antonioni, Bertolucci, Bergman – films waarin iedereen doodging of wenste dat hij dood was. Claires films waren heerlijke dromen. Ik had er het liefst in willen kruipen, erin willen leven, een mooi gek meisje in een tutu. Gretig gingen we de volgende avond weer, om ze nog een keer te zien. Mijn hart leek net een ballon waar te veel lucht in werd gepompt en ik raakte in paniek. Straks kreeg ik nog caissonziekte, zoals diepzeeduikers wanneer ze te snel naar de oppervlakte komen.

'sNachts lag ik wakker in mijn bed met de witte ajourstrookjes en keek naar het konijn van Dürer. Het moest gewoon misgaan. Joan Peeler zou komen zeggen dat het allemaal een vergissing was geweest, dat ze zich hadden bedacht, dat ze een kindje van een jaar of drie wilden. Dat ze hadden besloten nog een paar jaar te wachten. Ik maakte me zorgen over Claires man. Ik wilde niet dat hij zou thuiskomen en haar van me afpakken. Ik wilde dat het altijd zou blijven zoals nu, wij tweetjes, pâté de foie gras en aardbeien eten in de zitkamer terwijl we naar Debussy-platen luisterden en over ons leven praatten. Ze wilde alles over me weten, hoe ik was, wie ik was. Tot mijn spijt viel er niet erg veel te vertellen. Ik had geen voorkeuren. Ik at alles, droeg alles, als iemand zei: ga daar zitten, dan deed ik dat, als iemand zei: ga daar slapen, dan deed ik dat. Ik was ontzettend inschikkelijk. Claire wilde bijvoorbeeld weten of ik liever kokosnoot- of groene appelzeep gebruikte. Dat wist ik niet. 'Nee, je moet kiezen,' zei ze.

Dus werd ik iemand die het liefst groene appelzeep en kamilleshampoo gebruikte. Ik sliep graag met het raam open. Ik at mijn vlees het liefst roze. Ik had een lievelingskleur: lazuurblauw, een lievelingsgetal: negen. Maar soms vermoedde ik dat Claire meer achter me zocht dan erin zat.

'Wat was de fijnste dag van je leven?' vroeg ze me op een middag toen we op de bank lagen, zij met haar hoofd op de ene armleuning, ik met het mijne op de andere. Judy Garland zong 'My Funny Valentine' op de stereo.

'Vandaag,' zei ik.

'Nee.' Ze lachte en gooide naar me met haar servet. 'Van vroeger.'

Ik probeerde het me te herinneren, maar het was zoeken naar begraven munten in het zand. Als ik dingen omkeerde, sneed ik me telkens aan roestige blikjes, kapotte bierflesjes die daar verstopt lagen, maar eindelijk vond ik een oude munt en veegde hem af. Ik kon de datum lezen, het land van herkomst.

'Het was toen we in Amsterdam woonden. Een hoog smal huis aan een gracht.' Er was een steile trap met een bocht erin en ik was altijd bang dat ik eraf zou vallen. Donkergroen grachtwater en rijsttafel. Waterratten zo groot als opossums. De zware geur van hasj in de koffieshops. Mijn moeder continu stoned.

'Ik weet nog dat het een zonnige dag was. We aten staande een broodje filet américain met ui in een café op een hoek, en mijn moeder zong dat cowboyliedje: "Whoopee ti yi yo, git along little dogies."' Het was mijn enige herinnering aan een dag in Amsterdam waarop de zon scheen.

Claire lachte, een geluid als klokjes, trok haar knieën op naar haar kin en sloeg haar armen eromheen, terwijl ze me aankeek met een blik die ik wel had willen bottelen en bewaren als een heel mooie wijn.

'We zaten in de zon over de gracht uit te kijken en ze zei: "Astrid, moet je opletten." Ze wuifde naar de mensen in een rondvaartboot die langs kwam varen. En alle passagiers wuifden terug. Ze dachten dat we Hollanders waren, snap je, en dat we ze welkom heetten in onze stad. Dat was mijn fijnste dag. De zon en de zilvermeeuwen en al die mensen die naar ons wuifden omdat ze dachten dat we daar woonden, dat we er thuishoorden.'

Claire zuchtte aan de andere kant van de bank, strekte haar benen, glimlachte sentimenteel. Ze zag niet wat ik toen was, een mager, eenzaam kind, verwarmd door de onterechte gedachte dat ik ergens bij hoorde. Zij zag alleen het kinderlijke plezier.

'Je bent echt overal geweest, hè?'

Ja, maar ik had er niet veel aan gehad.

OP DE DAG dat Ron terug zou komen uit Nova Scotia, gooide Claire alle kant-en-klaarverpakkingen weg, maakte de keuken schoon en draaide drie wassen. Het huis geurde naar eten en Emmylou Harris zong iets over bandieten in Mexico. Claire, in een rood-met-wit geruit schort, met lippenstift op en met rubberhandschoenen aan, was bezig het vlees van een kip te trekken, die nog heet was van de oven. 'Ik ga paella maken, hoe lijkt je dat?'

Het maakte me nerveus. Ik vond het prettig zoals het was, we hadden een soort dagelijkse routine ontwikkeld en nu werd die ingeruild voor de rol die ik nog niet kende, de rol die alles voor me zou kunnen veranderen. Ik had nu al een hekel aan haar man, en ik had hem nog niet eens ontmoet. Maar ik stofzuigde de zitkamer, hielp haar hun bed op te maken met schone lakens die bedrukt waren met vallende rozen, rode en witte. Rood en wit waren de kleuren van het huwelijk, legde Claire uit.

Ze zette de glazen deur open naar de tuin, die weelderig bloeide in de aprilzon. Haar handen streken langzaam de witte sprei glad. Ik wist dat ze ernaar verlangde met hem in dit bed te liggen, met hem te vrijen. Ik hoopte stilletjes dat hij zijn vliegtuig zou missen, bij een ongeluk betrokken zou raken op weg naar het vliegveld. Haar bevende verwachting maakte me bang. Ze deed me denken aan een bepaalde roos die ze in de tuin had staan, die Pristine heette. Hij was wit met een vleugje roze aan de buitenkant, en als je hem afplukte, viel hij meteen uit.

Ik snapte niet waarom hij juist nu terug moest komen. Ik had het hier net zo fijn. Ik had nog nooit zoveel belangstelling van iemand ondervonden. Ik had helemaal geen zin om dit te moeten delen met de een of andere man, een Ed op de bank. Zelfs iemand als oom Ray zou het heerlijke evenwicht verstoren.

Tegen zessen reed zijn auto de oprit in, een kleine zilverkleurige Alfa Romeo. Hij stapte uit, hing een schoudertas om, haalde een plunjezak en een aluminium diplomatenkoffertje uit de auto. Zijn grijze haar lichtte op in de zon. Ik bleef slungelig op de veranda staan toen zij hem tegemoet rende. Ze kusten elkaar en ik moest de andere kant op kijken. Wist ze niet hoe gemakkelijk alles verpest kon worden, was ze niet bang?

WE ATEN PAELLA, buiten op de patio onder een snoer lichtjes met de vorm van Spaanse pepers, en op de achtergrond zong Emmylou, de lieveling van de rodeo. De muggen zoemden. Claire stak citronelkaarsen aan, en Ron vertelde ons over het onderwerp dat hij in Halifax had moeten filmen, een verhaal over een café waar het spookte. Hij was medeproducer van een programma over ongewone en occulte gebeurtenissen. De geest zou in het herentoilet een klant bijna hebben gewurgd.

'We hadden drie uur nodig om die man daar weer naar binnen te krijgen. Zelfs met de filmploeg erbij weigerde hij bijna toch nog. Hij wist dat het spook zou proberen het karwei af te maken.'

'Wat had je dan gedaan?' vroeg Claire.

Ron legde zijn benen op de bank tegenover hem en vouwde zijn handen achter zijn hoofd. '"Verdwijn!" roepen.'

'Heel geestig.' Haar gezicht had de vorm van een volmaakt hartvormige bonbondoos, maar haar uitdrukking was een tikje wantrouwig.

'Met bleekwater gooien.'

Terwijl ze grapjes zaten te maken, probeerde ik te ontdekken wat Claire zo fantastisch aan hem vond. Hij was aantrekkelijk maar geen filmheld – gemiddelde lengte, goed figuur, klein gezicht, glad geschoren. Hij borstelde zijn staalgrijze haar zonder scheiding naar achteren. Hij droeg een bril met montuurloze glazen en zijn wangen waren nogal roze voor een man. Lichtbruine ogen, gladde handen met verzorgde nagels, gladde trouwring. Alles aan Ron was gladjes, kalm, ingehouden. Hij vertelde een verhaal, maar het interesseerde hem niet of wij het leuk vonden of niet, anders dan Barry, die altijd applaus wilde. Hij had niets overweldigends. Hij scheen niemand nodig te hebben.

Ze pakte zijn bord, schraapte de restjes op het hare, stak haar hand uit naar het mijne. 'Als je niet uitkijkt verdwijn je zelf nog eens een keer.' Ze zei het luchtig, maar het ogenblik was slecht gekozen.

'De La Brea Driehoek,' zei hij.

De telefoon ging en Ron liep door de openslaande deuren naar binnen op hem op te nemen. We keken naar hem terwijl hij op de witte sprei ging liggen en aan zijn teennagels pulkte onder het praten. Claire hield op de tafel af te ruimen en haar gezicht verloor zijn contouren, verslapte, werd vaag. Ze bleef bij de picknicktafel staan en schoof een beetje met de borden, met de restjes en het bestek, terwijl ze probeerde te horen wat hij zei.

Hij hing op en kwam terug, en haar schaduwen werden verdreven door de zon.

'Werk?' vroeg Claire, alsof het niets uitmaakte.

'Jeffrey wilde hierheen komen om over een script te praten. Ik heb nee gezegd.' Hij strekte zijn arm uit en pakte haar hand. Ze bloosde van genoegen, ik kon het niet aanzien.

Nu herinnerde hij zich dat ik daar nog zat. Ik speelde met korreltjes saffraanrijst van de paella op het tafelblad, legde ze in een oranje spiraal. 'Wij hebben nog wat in te halen.' Hij was zó glad. Ik kon me precies voorstellen hoe hij een of andere eenzame spiritiste met haar ouijabord voor de camera bekentenissen ontlokte over gesprekken met haar overleden echtgenoot, haar gerimpelde hand in zijn gladde vingers, de gladde gouden trouwring, de kalme stem waarmee hij vroeg: 'En toen?'

Ze vertelde hem wat wij zoal gedaan hadden, dat ze me had ingeschreven op de Fairfax High, dat we naar de film waren geweest en naar een jazzconcert in het museum. 'Astrid is heel artistiek,' zei ze. 'Laat hem maar eens zien wat je hebt gemaakt.'

Claire had een grote zwarte doos waterverf van Pelikan voor me gekocht en een blok dik tekenpapier. Ik had de tuin geschilderd. De neerhangende takken van de treuriep. De poinsettia's tegen de witte muur. Torens van riddersporen, blozende rozen. Kopieën van het konijn van Dürer, Claire die balletoefeningen deed in de zitkamer. Claire met een glas witte wijn. Claire met een handdoek als een tulband om haar hoofd gewikkeld. Ik wilde ze niet aan Ron laten zien. Ze onthulden te veel.

'Laat nou zien,' zei Claire. 'Ze zijn prachtig.'

Het ergerde me dat ik ze aan hem moest laten zien van haar. Ik dacht dat ze iets tussen ons beiden waren, van mij voor haar. Ik kende hem niet. Waarom wilde ze dat? Misschien om te bewijzen dat het een goede beslissing was geweest om mij in huis te nemen. Misschien om te bewijzen hoe goed ze voor me zorgde.

Ik ging naar binnen, haalde het grote blok, gaf het aan Ron en liep toen de donkere tuin in, schopte tegen de kopjes van verdwaalde Mexicaanse teunisbloemen die het gras op waren gekropen. Ik hoorde hem de bladzijden omslaan. Ik kon er niet naar kijken.

'Moet je zien!' Hij lachte. 'En deze. Ze is een natuurtalent. Ze zijn fantastisch,' riep hij in het donker naar me. Ik bleef tegen de kopjes van de teunisbloemen schoppen.

'Ze is verlegen,' zei Claire. 'Je hoeft niet verlegen te zijn, Astrid. Je hebt talent. Hoeveel mensen kunnen je dat nazeggen?'

De enige die ik kende zat achter de tralies.

Een krekel of een nachtvogel maakte piepende geluidjes, als een hamster in een tredmolentje. Claire zat onder de Spaanse-peperlichtjes op de patio te beschrijven hoe ze de paella had gemaakt alsof het een Keystone-film was, met een overdreven enthousiasme waar ik buikpijn van kreeg. Ik keek naar Ron, die met haar meelachte, zijn witte overhemd dat een oranje-roze glans kreeg van de lichtjes. Zijn armen achter zijn hoofd gevouwen, een lach op zijn knappe gezicht, zijn schone voet in zijn sandaal op de knie van zijn spijkerbroek. Waarom ga je niet weg, Ron? Er zijn genoeg heksenmeesters die op een interview wachten, wonderen met tortilla's die moeten worden onderzocht. Maar haar lach was stroperig als sap, de geur van de 's nachts bloeiende jasmijn zacht als een melkbad.

'Astrid, ben je daar nog?' riep Claire in de duisternis turend.

'Ik stond te denken,' zei ik terwijl ik een takje munt onder de tuinslang uit plukte en het in mijn hand fijnkneep. Eraan te denken dat ze vannacht samen in het grenen bed onder de lakens met de rozen zouden liggen en dat ik weer alleen zou zijn. Mannen komen bij een vrouw altijd op de eerste plaats. Dat was de reden waarom alles altijd misging.

NA MIJN WEEK alleen met Claire ging ik met tegenzin weer naar school om de vierde klas af te maken op de Fairfax High. Ik was allang blij dat ik niet terug hoefde naar Hollywood, waar ze me uit de vuilnisbak hadden zien eten. Dit was een heel nieuw begin. Op de Fairfax was ik weer heerlijk onzichtbaar. Claire zat elke dag op me te wachten met een boterham en een glas ijsthee, een glimlach, vragen, als ik uit school kwam. Eerst vond ik dat raar en onnodig. Er had nog nooit iemand op me gewacht als ik thuiskwam, iemand die zich verheugde op het geluid van de sleutel in de voordeur, zelfs niet toen ik klein was. Het gaf me het gevoel dat ze me ergens van zou gaan beschuldigen, maar dat was helemaal niet zo. Ze wilde weten hoe het was gegaan met mijn opstel over Edgar Allan Poe en mijn tekeningen van de boezems en kamers van het hart en van de bloedsomloop. Ze leefde met me mee toen ik een onvoldoende kreeg voor een algebraproefwerk.

Ze vroeg me naar de andere leerlingen, maar daar kon ik haar niet veel over vertellen. Ik was nu eenmaal geen gezelligheidsmens. Ik was beslist niet van plan lid te worden van de Spaanse club of van Studenten voor Veilig Verkeer. Ik keurde zelfs de hasjrokers geen blik waardig. Ik had Claire die op me wachtte. Meer had ik niet nodig.

'Heb je een prettige dag gehad op school?' vroeg ze terwijl ze een stoel bij het wit-met-rode tafeltje in de keuken trok.

Ondanks de duidelijk zichtbare aanwezigheid van metaaldetectoren bij iedere ingang was ze ervan overtuigd dat de Fairfax leek op de school waar zij vroeger op had gezeten in Connecticut. Ik zei niets tegen haar over de vechtpartijen op het schoolplein, berovingen in de bus. Tijdens de les over voedingsleer brandde een meisje met haar sigaret een gat in de achterkant van het shirt van een ander meisje, vlak voor mijn ogen, terwijl ze me aankeek met een blik van 'zeg er iets van als je durft'. In de gang, voor de deur van het lokaal waar we Spaans hadden, zag ik dat een jongen met een mes werd bedreigd. Op gym hadden de meisjes het over hun abortus. Claire hoefde dat allemaal niet te weten. Ik wilde dat de wereld mooi zou blijven voor haar. Ik wilde dat alles goed zou gaan. Ik had altijd een fijne dag gehad, wat er ook gebeurde.

OP ZATERDAG MAAIDE Ron het gras en sneuvelden de kopjes van de teunisbloemen; daarna ging hij scenario's zitten doornemen. We ontbeten met bagels en gerookte zalm en daarna ging Claire naar balletles. Ik ging met mijn verfdoos bij Ron aan tafel zitten. Ik begon aan hem te wennen. Hij deed niet vervelend aanhalig.

'Hoe vind je dat het met Claire gaat?' vroeg hij plotseling. Hij keek me over zijn brillenglazen aan, als een oude man.

'Goed,' zei ik.

Maar ik voelde vaag aan waar hij het over had. Claire liep 's nachts te ijsberen, ik hoorde haar blote voeten op de houten vloer. Ze praatte alsof ze onder de stilte verpletterd zou worden als ze die niet met een voortdurende stroom van geluid overeind hield. Ze huilde gauw. Toen ze met me naar het planetarium ging, begon ze te huilen tijdens de sterrenshow. De sterrenbeelden van april.

'Jullie hebben mijn nummer, dat weet je. Je kunt me altijd oppiepen.'

Ik ging door met poinsettia's schilderen, de manier waarop ze afstaken tegen de witte muur van het huis. Als een schot hagel.

CLAIRE SCHOOF HET mousselinen gordijn opzij en keek de straat in. Ze wachtte op Ron. Het was nog licht buiten, we gingen naar de zomer toe, een honingkleurige schemering om zes uur.

'Volgens mij heeft Ron een vriendin,' zei ze.

Ik was verbaasd. Niet om het idee – ik wist waarom ze ophield met praten als hij aan het bellen was, waarom ze hem voorzichtig uitvroeg om erachter te komen waar hij was geweest. Maar het feit dat ze het hardop zei, wees erop dat haar twijfels groeiden.

Ik dacht aan Ron. Zijn gladheid. Goed, hij kon zoveel vrouwen krijgen als hij wilde. Maar hij maakte zich te veel zorgen over Claire. Wat zou ze hem kunnen schelen, als hij vreemdging? En hij werkte hard, maakte lange dagen, kwam altijd moe thuis. Hij was niet zo jong meer. Volgens mij had hij er de energie niet voor.

'Hij is gewoon hard aan het werk,' zei ik.

Claire gluurde van achter het gordijn de straat in.

'Ja, dat zegt hij tenminste.'

'HEB JE MIJN sleutels ergens gezien?' vroeg Ron. 'Ik heb ze overal gezocht.'

'Neem de mijne maar,' zei Claire. 'Ik zal nieuwe laten maken.'

'Ja, maar ik kan het niet uitstaan als ik dingen kwijtraak. Ze moeten hier ergens liggen.'

Hij nam Claires sleutels aan, maar het zat hem dwars. Hij was een bijzonder ordelijk iemand.

Op een dag zag ik Claire een pen uit Rons binnenzak pakken en in de zak van haar spijkerbroek stoppen.

'Heb je mijn Cross-pen ergens gezien?' vroeg hij een paar dagen later.

'Nee,' zei ze.

Hij fronste naar mij. 'Heb jij hem gehad, Astrid? Zeg het maar eerlijk, ik word heus niet boos. Maar er verdwijnen aldoor dingen, ik word er gek van. Ik zeg niet dat je hem hebt gestolen, maar heb je hem soms geleend en vergeten terug te geven?'

Ik wist niet wat ik moest zeggen. Ik wilde Claire niet verklikken, maar ik wilde ook niet dat hij zou denken dat ik een dief was. Ik had er alles voor over om hier te kunnen blijven. 'Ik heb hem niet gehad, eerlijk niet. Dat zou ik nooit doen,' antwoordde ik.

'Goed,' zei hij met zijn hand door zijn zilvergrijze haar strijkend, 'Ik wordt zeker dement.'

'Misschien zijn het klopgeesten,' zei Claire.

Toen Claire een keer weg was naar een auditie, doorzocht ik systematisch het hele huis. Onder hun bed vond ik een rood-met-wit geschilderde en met stukjes gebroken spiegelglas versierde doos. Vanbinnen was hij ook rood en hij zat vol met dingen die Ron kwijt was – een zakmes, een horloge, zijn nietmachientje, een schaar, sleutels, nagelknipper. Er lag een polaroidfoto van hen in, allebei lachend, en twee met de voorkant op elkaar geplakte foto's die ik niet los kon krijgen. Aan het deksel van de doos hing een magneet en er zat een stalen plaat op de bodem geplakt. Ik voelde de magneet trekken toen ik het deksel weer dichtdeed.

17

EIND JUNI ZAT de vierde klas erop. Al met al had ik het nog ongelooflijk goed gedaan. Voor algebra net voldoende, pure clementie, omdat je in de verzwaarde leergang nooit een onvoldoende op je eindlijst kreeg. Maar dankzij Claire, die me iedere avond hielp, haalde ik voor Engels, geschiedenis, algemene kunstgeschiedenis, biologie, en zelfs voor Spaans allemaal negens. Ik zou me zelfs op football hebben gestort als zij dat van me gevraagd had. Om het te vieren nam Ron ons mee naar Musso and Frank, een restaurant aan Hollywood Boulevard. Het was me nooit eerder opgevallen. Vlak bij het laatste appartement waar ik met mijn moeder had gewoond.

We parkeerden achter het restaurant en liepen de trap met de blinkend koperen leuning af langs de ouderwetse keuken. Je kon er de koks bezig zien. Het rook er naar stoofschotel, of gehaktbrood, zoals de tijd zou moeten ruiken, degelijk en voedzaam. Achter elkaar liepen we langs de gehavende houten toog, waar mensen in de warmte van het open grillvuur biefstuk en karbonade zaten te eten en *Variety* lazen, en bediend werden door oude kelners in groen-met-rode jasjes. Het was een tijdsprong, terug in een gestold 1927. Ik vond het fijn, het gaf me een veilig gevoel.

We kregen een tafel in het vertrek erachter. Ron kende de mensen van het restaurant. Hij stelde ons voor: 'Claire, mijn vrouw...' en eventjes dacht ik dat hij mij als hun dochter ging voorstellen. Maar nee: '...en Astrid, een vriendin van ons.' Ik verjoeg de scherpte van mijn teleurstelling met de gedachte dat Marvel niet eens de moeite zou hebben genomen om me voor te stellen, en wat Amelia betrof, daar mochten we al blij zijn dat we te eten kregen.

Ik dronk mijn Shirley Temple en Claire wees me opgetogen fluisterend de filmsterren aan. Zo in het echt zat er bij hen weinig glamour bij. Ze waren kleiner dan je zou verwachten, en zaten in alledaagse plunje gewoon te eten. Tegenover ons zat Jason Robards, met een andere man en twee kinderen die zich verveelden; de mannen hadden het over zaken en de kinderen maakten broodballetjes waarmee ze elkaar bekogelden.

Claire en Ron namen samen een fles wijn en van Claire mocht ik kleine slokjes uit haar glas nemen. Ze kon niet van Ron afblijven, zat steeds aan zijn haar, zijn arm, zijn schouder. Ik was jaloers. Ik wilde haar helemaal voor mezelf. Ik besefte best dat dat niet normaal was, dat normale dochters niet jaloers zijn op hun vader. Die hadden het liefst dat beide ouders oplosten in het niets.

Ron haalde iets uit zijn zak en hield het verstopt in zijn gladde hand. 'Voor een taak die prima is volbracht,' zei hij.

Hij legde het op mijn bord. Het was een hartvormig doosje van rood fluweel. Ik maakte het open. Er zat een lavendelkleurige geslepen steen aan een gouden ketting in. 'Een meisje kan niet zonder sieraden,' zei hij.

Claire maakte hem vast om mijn hals. 'Amethist is een geweldige heler,' fluisterde ze ondertussen en ze gaf me een kus op mijn wang. 'Voortaan alleen nog goede tijden.' Ron boog zich naar me toe en ik liet me ook kussen door hem.

Ik voelde tranen komen. Die had ik niet verwacht.

Er werd opgediend en onder het eten keek ik naar ze, naar Claire met haar donkere, glanzende haar dat tegen haar wang viel, haar grote, zachte ogen. Naar het gladde mannengezicht van Ron. Ik deed net alsof ze mijn echte ouders waren. Het vlees en de wijn stegen me naar het hoofd, en ik stelde me voor dat ik het kind van Claire en Ron Richards was. Wie was ik, de echte Astrid Richards? Op school deed ik het prima, en uiteraard ging ik studeren. Ik luisterde hoe ze lachten om iets uit de tijd dat ze allebei op Yale zaten, al wist ik dat Ron toen met iemand anders was getrouwd en dat hij zijn vrouw voor Claire in de steek had gelaten. Ik stelde me voor dat ik op Yale zat: tot mijn knieën in knisperend herfstblad, een dikke cameljas aan. In donkere collegezalen met lambrizering zat ik naar dia's van Da Vinci te kijken. In mijn derde jaar ging ik studeren in Toscane. Op ouderdag kwamen Claire en Ron op bezoek, Claire met haar parels om. Ze liet me zien waar zij op de campus gewoond had.

Ik voelde aan de amethist om mijn hals. *Voortaan alleen nog goede tijden...*

RON WAS HET grootste deel van de zomer weg. Als hij thuiskwam waste ze zijn kleren en kookte ze veel te veel eten. Hij telefoneerde, werkte op zijn laptop, ging naar vergaderingen, keek de binnengekomen berichten na en vertrok weer.

Claire was altijd van haar stuk als hij kwam en dan zo snel weer wegging, maar ze liep tenminste 's nachts niet meer te ijsberen. Ze werkte bijna elke dag in haar tuin, met handschoenen aan en een enorme Chinese strohoed op. Ze verzorgde haar tomaten. Vier soorten had ze gezet: gele kerstomaten, rode kerstomaten, romatomaten voor de spaghettisaus en vleestomaten zo groot als een babyhoofdje. Op zaterdagochtend keken we trouw naar een tuinprogramma op de televisie. Ze stutte haar hoge riddersporen, en knipte rozenknoppen weg om grotere bloemen te krijgen. Elke dag trok ze onkruid, en als het donker werd sproeide ze, zodat de lucht zwanger raakte van de geur van natte, warme aarde. Haar punthoed bewoog zich als een drijvende Balinese tempel tussen de bedden.

Een enkele keer hielp ik, maar meestal ging ik onder de treuriep zitten tekenen. Ze zong liedjes die ze nog kende van toen ze zo oud was als ik: 'Are You Going to Scarborough Fair?' en 'John Barleycorn Must Die'. Haar stem was geschoold, soepel als leer, trefzeker als het staal van een messenwerper. Of ze nu praatte of zong, die stem van haar had altijd die bekoorlijke klank, en een accent dat ik eerst voor Engels hield, maar later herkende als het ouderwetse Amerikaans van een film uit de jaren dertig, iemand die 'gewéldig' kon zeggen zonder belachelijk te zijn. Te klassiek, kreeg ze op audities te horen. Dat betekende niet 'oud'. Het betekende: te mooi voor deze tijd, waarin alles wat langer dan een halfjaar meegaat als passé wordt beschouwd. Ik hoorde haar graag zingen, of vertellen over haar jeugd in een buitenwijk van Connecticut, die me paradijselijk leek.

Als ze op auditie of naar balletles was ging ik graag naar haar slaapkamer, waar ik mijn haar borstelde met haar zilveren borstel en de kleren in haar kast aanraakte, getailleerde katoenen jurken met de eenvoud van een vaas, zijde in aquatinten. Op haar toilettafel draaide ik het dopje van de L'Air du Temps van het matglazen flesje dat de vorm had van twee duiven die zich tegen elkaar aanvlijden, en depte het parfum op mijn pols en achter mijn oren. De lucht van de tijd. Ik bekeek mezelf in de spiegel boven de tafel. Mijn haar glansde met de kleur van matte, ongebleekte zij, en was achterovergeborsteld van een plek ergens naast het midden, waar je zag dat het een beetje krulde. Claire en de kapper hadden gezegd dat de pony weg moest. Ik had nooit geweten dat die me niet stond. Ik draaide mijn gezicht van links naar rechts. De littekens waren bijna niet meer te zien. Ik kon voor mooi doorgaan.

Om mijn hals glom de amethist. Vroeger zou ik die verstopt hebben in de teen van een sok, en die in een schoen in de kast hebben gepropt. Maar hier droegen we onze sieraden. We waren ze waard. 'Als een vrouw sieraden heeft, draagt ze die,' had Claire me voorgehouden. Ik had nu sieraden. Ik was een meisje met sieraden.

Voor de spiegel paste ik Claires dubbele parelcollier, liet de gladde, glanzende parels door mijn vingers glijden, voelde aan de koraalrode sluiting. De parels waren niet echt wit, ze hadden een warme oesterkleur, lichtbeige, met knoopjes in de draad ertussen, zodat je er maar één kwijtraakte als het snoer brak. Zat mijn leven maar zo in elkaar, vastgeknoopt, zodat niet alles prompt uit elkaar viel als er iets stukging.

'Dineren om acht uur? Gewéldig,' zei ik in de spiegel tegen mezelf, à la Katherine Hepburn, met mijn vingers in de parels gehaakt.

Claire had een foto van me op haar commode staan, naast een foto van haar en Ron, in een zilveren lijstje. Niemand had ooit een foto van mij ingelijst op een toilettafel gezet. Ik pakte de zoom van mijn

T-shirt, ademde op het glas en wreef het op. Ze had de foto een paar weken daarvoor genomen op het strand. Ik keek met toegeknepen ogen in de camera en lachte om iets wat ze zei; mijn haar was lichter dan het zand. De foto die ik van haar had genomen had ze niet ingelijst, die waarop ze van top tot teen in een badjas zat gewikkeld met haar Chinese hoed en een zonnebril op. Net de Onzichtbare Man. Ze trok dat ding alleen uit als ze het water inging en tot aan haar dijen de zee in waadde. Van zwemmen hield ze niet.

'Ik weet dat het belachelijk is,' zei ze, 'maar ik denk altijd dat ik dan de zee in word gezogen.'

Dat was niet het enige waar ze bang voor was.

Ze was bang voor spinnen en supermarkten en durfde niet met haar rug naar de deur te zitten. 'Slecht chi,' zei ze. Ze had een hekel aan de kleur paars, aan het getal vier en vooral aan de acht. Mensenmassa's en de nieuwsgierige buurvrouw mevrouw Kromach vond ze vreselijk. Ik dacht dat ík een bangerik was, maar Claire was nog een graadje erger. Ze maakte grapjes over haar angsten, maar het was het soort grapje dat je maakt als je weet dat mensen iets belachelijk vinden, en je net doet alsof je dat zelf ook vindt terwijl je eigenlijk doodserieus bent. 'Acteurs zijn altijd bijgelovig,' zei ze.

Ze rekende uit welk numerologiegetal ik had. Ik was een vijftig, en dat was weer hetzelfde als een tweeëndertig. Ik bezat het charisma om de wereld aan mijn voeten te krijgen. Zij was een zesendertig, hetzelfde als een zevenentwintig, de Scepter. Een getal van macht en moed. Voor haar huwelijk was ze een tweeëntwintig geweest. Heel ongunstig. 'Zo zie je maar dat Ron mijn leven heeft gered.' Haar lachje klonk onzeker.

Ik kon me niet voorstellen dat ik ooit het vermogen zou hebben of willen hebben om de wereld aan mijn voeten te krijgen, maar als dat haar nou gelukkig maakte, vond ik dat het weinig kwaad kon. Ik hielp haar bij alles wat ze deed om 'gunstig chi' te bevorderen. Op een dag kochten we vierkante spiegeltjes, waarmee ik daadwerkelijk op het dak ben geklommen om ze op de rode dakpannen te zetten die naar het huis van mevrouw Kromach gekeerd lagen. 'Zodat het slechte chi van die ouwe tang naar haar terugkaatst.'

Boven het tuinpad naar haar voordeur had ze een rozenpergola, en mensen die daar niet onderdoor gingen vertrouwde ze niet. Alleen liefde en het goede kunnen onder een rozenboog door, zei ze. Als er iemand achterom kwam, vond ze dat niet prettig. Ik mocht van haar geen zwart dragen. De eerste keer dat ik zwart aanhad, zei ze: 'Zwart hoort bij Saturnus, en die is kinderen niet goedgezind.'

Ik deed haar parels af en legde ze terug in het doosje onder de sjaaltjes in haar linker bovenla. De meeste sieraden bewaarde ze in een papieren zak in de vriezer, waar inbrekers volgens haar nooit zouden zoeken. Maar parels konden niet tegen invriezen, die moesten warm blijven.

In de twee rechterladen had ze haar zijden dingen, in lichte, zachte tinten: champagne, zachtroze, bleekblauw, onderjurken en nachtjaponnen, en setjes ondergoed in dezelfde kleur. Alles gevouwen en met geurzakjes ertussen. Daaronder, T-shirts op keurige stapeltjes, één wit en één gekleurd: grijsgroen, lila, taupe. Links, shorts en truitjes. Dassen onderin. Haar winterkleren lagen opgevouwen in dichtgeritste zakken boven in de kast.

Die behoefte aan orde en rituelen was een van de dingen die me aan Claire het meest bevielen – haar tijdsindeling en haar regels. Zij wist het juiste moment om winterkleding op te bergen. Dat vond ik heerlijk. Haar gevoel voor orde, elegant en eigenzinnig, vrouwengeheimpjes, lingeriezakjes en bij elkaar passende onderkleding. Mijn ondergoed van Starr, vol gaten, gooide ze weg, en ze kocht alles nieuw voor me in een warenhuis, waar ze met de al wat oudere verkoopster overlegde over de maat van de beha's. Ik wilde kant en satijn, zwart en smaragdgroen, maar Claire hield zachtaardig voet bij stuk. Ik deed net alsof ze mijn moeder was en zeurde nog even door voor ik me gewonnen gaf.

CLAIRE LIET NIEUWE foto's maken, echte castingfoto's. We gingen naar Hollywood om ze op te halen in een zaak aan Cahuenga. Op foto's zag ze er anders uit: geconcentreerd, levendig. In het echt was ze mager, dromerig, een en al scheve hoek, als een mademoiselle van

Picasso. De fotograaf, een slaperig kijkende Armeniër, vond dat ik ook foto's moest laten maken. 'Ze kan best model worden,' zei hij tegen Claire. 'Ik heb ze wel eens lelijker gezien.'

Mijn hand ging onwillekeurig naar de littekens op mijn wang. Hij zag toch wel hoe lelijk ik was?

Claire glimlachte en streelde mijn haar. 'Zou je dat willen?'

'Nee,' zei ik zo zachtjes dat de fotograaf het niet kon horen.

'We houden het in gedachten,' zei Claire.

Op de terugweg naar de auto, in de hitte van een middag vaal als een duivenwiek, kwamen we voorbij een oude hippie met grijs haar en een grote legerplunjezak om zijn borst gegespt, die de mensen om geld vroeg. De voorbijgangers duwden met hun schouder het kartonnen bekertje dat hij ophield weg en staken de straat over. Hij was niet bedreigend genoeg voor dit soort werk. Ik zag mezelf weer bedelen op het parkeerterrein van de slijterij, maar dat was toch anders. Ik was niet aan de drugs of aan de drank. Ik was pas vijftien. Hij had het aan zichzelf te wijten.

'Toe,' zei hij. 'Help een mens uit de problemen.'

Ik stond op het punt om over te steken, om aan die vogelverschrikker van een vent te ontsnappen, maar Claire keek hem aan. Die was niet in staat om mensen te negeren.

'Kunt u iets missen, mevrouw? Ik ben overal blij mee.'

Het licht sprong op groen, maar Claire zag het niet. Ze wroette in haar tasje op zoek naar kleingeld. Ze wist niets van zwervers, wist niet dat die na het kleinste gebaar van vriendelijkheid aan je blijven klitten. Claire zag alleen dat hij mager was en mank liep; hij was zeker een keer aangereden door een auto toen hij op straat bedelde en het licht al op groen sprong. Mijn moeder zou aangeboden hebben hem voor een rijdende bus te duwen, maar Claire was iemand met meegevoel. Ze geloofde in een gemeenschappelijke ziel.

De hippie stak het geld in zijn zak. 'U bent een goed mens, mevrouw. De meeste mensen zien iemand die het moeilijk heeft niet staan.' Hij keek me beschuldigend aan. 'Het maakt me niet uit of iemand me iets geeft, maar ik wil wel dat ze me zien staan, begrijpt u wel?'

'Jawel,' zei Claire, met haar stem van koel water en zachte handen.

'Ik heb mijn hele leven vast werk gehad, maar ik ben door mijn rug gegaan, ziet u. Op het werk heb ik nooit gedronken. Geen druppel.'

'Dat geloof ik graag.' Het licht sprong weer op rood. Ik had Claire wel kunnen meesleuren tussen de auto's. Overal waar we kwamen vertelden de mensen haar hun treurige verhalen. Ze zagen gewoon dat ze te beleefd was om door te lopen. Hij kwam dichterbij. Ze was waarschijnlijk het eerste normale mens dat in dagen naar hem geluisterd had.

'Werkloosheid kan niet eeuwig duren,' zei hij. Ik róók die man. Hij had zichzelf bepist, of iemand anders had hem die eer bewezen. 'Het kan niemand een reet schelen.'

'Sommigen wel,' zei Claire. De late middagzon gaf haar donkere haar rode randjes.

'U bent een goed mens,' zei hij. 'Maar goeie mensen raken uit de mode. Machines, dat willen ze nu.' Hij ademde recht in haar gezicht, maar ze was te aardig om haar hoofd af te wenden. Ze wilde hem niet beledigen. Dat leken ze bij haar altijd te weten. 'Ik bedoel, hoeveel mensen hebben ze nou nodig om hamburgers te bakken?'

'Niet genoeg. Of misschien wel te veel.' Ze lachte, een beetje onzeker, en veegde het haar weg dat in haar gezicht waaide.

Het licht sprong op groen, maar we kwamen geen meter verder. Gestrand in de stroom op de hoek van Sunset en Cahuenga. De mensen liepen om ons heen alsof we een gat in de stoep waren.

Hij kwam nog dichterbij, sloeg een vertrouwelijk zachte toon aan. 'Zie je mij als man?' Hij stak zijn tong door het gat van een ontbrekende tand.

Ze bloosde, haalde gegeneerd haar schouders op. Hoe kwam hij erbij. Ik had hem met plezier de stoep af geduwd.

'Vroeger waren de vrouwen gek op me. Toen ik nog werkte.'

Ik kon de spanning op haar gezicht lezen, ze wilde weg, maar wilde hem ook niet kwetsen. Ze frummelde aan de zak met glansfoto's van acht bij tien waar ze net tweehonderd dollar voor had neergeteld. Er passeerde een zwarte Corvette met rapmuziek in zijn kielzog.

'Je bent een leuke vrouw, maar je zou voor mij nooit uit de kleren gaan, toch?'

Ze boog haar foto's dubbel, haar gevoelige gezicht trilde van tegenstrijdigheid. 'Ik heb geen...' stamelde ze.

'Niet dat ik 't je kwalijk neem. Maar je zou het nooit doen.' O wat keek hij triest.

Ik pakte haar bij de arm. 'We moeten gaan, Claire.'

Maar ze ging helemaal op in de zwerver, die zijn spelletje met haar speelde. Hij had haar mentaal klem.

'Ik mis de vrouwen,' zei hij. 'Hoe ze ruiken. Dat mis ik. Zoals jij, wat je dan ook op hebt.'

Het was haar L'Air du Temps, misplaatst als een bloem op een slagveld. Het verbaasde me dat hij door zijn eigen walm heen haar geur nog opnam.

Maar ik begreep wat hij bedoelde. Ik was ook gek op hoe ze rook. Ik zat graag op haar bed terwijl ze mijn haar kamde en vlocht. Ik bleef daar met alle plezier zitten, zo lang ze maar wilde, om de lucht van haar nabijheid in te ademen.

'Dank je,' fluisterde ze. Zo was Claire, bang om iemand te kwetsen, zelfs zo'n zielige ouwe schooier.

'Mag ik aan je haar ruiken?' vroeg hij.

Ze verbleekte. Ze kende geen grenzen. Hij kon doen wat hij wilde, ze zou hem niet kunnen tegenhouden.

Hij stak zijn handen in de lucht, de nagels als hoorn, en zei: 'Wees maar niet bang. Kijk maar hoeveel mensen hier lopen. Ik zal je niks doen.'

Ze slikte, knikte, en deed haar ogen dicht toen de man dichtbij kwam, behoedzaam een streng van haar haar optilde op zijn vingertoppen alsof het een bloem was, en de geur opsnoof. Ze waste het met rozemarijn- en kruidnagelshampoo. Die lach op zijn gezicht.

'Dank je wel,' fluisterde hij, en liep weg zonder om te kijken, terwijl zij daar bleef staan, op de hoek van Cahuenga en Sunset, haar ogen dicht, de tas met foto's van een heel ander mens in haar handen geklemd.

CLAIRE NAM ME mee naar een Kandinsky-tentoonstelling in het museum. Ik hield niet zo van abstracte kunst. Mijn moeder en haar vrienden konden in extase raken over een doek met enkel zwarte en witte strepen, of een groot rood vierkant. Ik hield van kunst die ergens over ging, de kaartspelers van Cézanne, de schoenen van Van Gogh. Van die piepkleine Mongoolse miniaturen vond ik mooi, en Japanse penseeltekeningen van kraaien en kattenstaarten en kraanvogels.

Maar als Claire naar Kandinsky wilde, gingen we naar Kandinsky.

In het museum fleurde ik op, het vertrouwde plaza, de fonteinen, het getemperde licht, de gedempte stemmen. Het gevoel dat Starr kreeg in de kerk, kreeg ik in het museum voor schone kunsten: een gevoel van veiligheid, verhevenheid. Kandinsky was niet zo verschrikkelijk abstract, ik kon er nog steeds de Russische steden in zien met hun betulbande torens, ruiters met speren, drie aan drie, kanonnen, en dames met lange gewaden en hoge kapsels. Heldere kleuren, zoals in een prentenboek.

In de zaal ernaast begonnen de voorstellingen te vervagen.

Claire wees op het doek een grote hoek aan, die met de punt naar rechts wees en die uitwaaierde naar links. 'Voel je die beweging?' De zijkant van haar handen volgde de lijnen. 'Net een pijl.'

De suppoost hield haar opgewonden handen in de gaten, te dicht bij het schilderij naar zijn zin. 'Mevrouw?'

Ze bloosde en verontschuldigde zich, als een modelscholier die zich één keer in haar leven heeft verslapen. Ze trok me achteruit, zodat we op een bank kwamen te zitten, waar ze veilig gebaren kon maken. Ik deed mijn best om het te voelen zoals Claire. Dingen die er niet waren, die er misschíen niet waren.

'Kijk dan,' zei ze zachtjes, met een blik op de suppoost. 'Het geel komt op je af, het blauw wijkt terug. Het geel expandeert, het blauw trekt zich samen.'

Het rood, het geel, die bron van donkergroen – expansie, contractie, stille poelen met bloedende randen, een hoek als een vuist. Met hun armen om elkaars schouders slenterden een jongen en een meisje langs de schilderijen alsof ze etalages bekeken.

'En zie je dat hij de rand bij de lijst wegtrekt, zodat die rand asymmetrisch wordt?' Ze wees op het krullende citroengele lint aan de linkerkant.

Ik had mensen in musea wel eerder dat soort dingen horen zeggen, en altijd gedacht dat ze alleen maar indruk wilden maken op hun vrienden. Maar dit was Claire, en ik wist dat zij oprecht wilde dat ik het begreep. Ik bleef aandachtig kijken naar het schilderij, naar de hoek, naar het lint. Er gebeurde bij Kandinsky zoveel dat het leek alsof de lijsten het werk haast niet binnen konden houden.

In een andere zaal bleef Claire staan voor een stelletje potloodschetsen. Lijnen op papier, hoeken en cirkels, net een knibbel- en een vlooienspel. Of wat je opkrabbelt als je aan de telefoon zit.

'Zie je die hoek hier?' Ze wees op een scherpe hoek, in potlood, en daarna naar het enorme werk waar al die schetsen en olieverfstudies voorbereidingen op waren. 'Zie je?' De hoek domineerde het doek.

Ze vestigde mijn aandacht op verschillende onderdelen van de potloodschetsen, cirkels, bogen, en ik vond ze terug op het voltooide werk, stralend rood en in elkaar overlopende tinten diepblauw. Hij had van tevoren alle elementen al klaar. In elke schets zag je een onderdeel van het totaal, net een reeks codes die je allemaal moest samenvoegen om de safe te openen. Als ik die kon verzamelen en tegen het licht kon houden, zou ik de vorm van het voltooide werk zien. Ik bleef met grote ogen staan kijken, zo verbijsterd was ik door dat inzicht.

Arm in arm liepen we door de expositie, en wezen elkaar op andere details die terugkeerden, de geabstraheerde ruiters, de torens, de verschillende soorten hoeken, de kleur die veranderde als een vorm een andere vorm kruiste. Maar vooral het gevoel van ordening, van een visie die door de tijd heen werd vastgehouden, maakte dat ik me gewonnen gaf.

Ik ging op een bank zitten, haalde mijn schetsboek te voorschijn en probeerde de basisvormen te tekenen. Scherpe hoeken, bogen, als de beweging van een klok. Het was niet te doen. Kleur had ik nodig, inkt, een penseel. Ik wist niet wat ik nodig had.

'Stel je eens voor wat een werk het is geweest om dit allemaal bij elkaar te krijgen,' zei Claire. 'De jaren die het gekost heeft om mensen zover te krijgen dat ze hun kunstwerken in bruikleen gaven.'

Ik stelde me de geest van Kandinsky voor, die over de hele wereld was uitgewaaierd en dan weer bij elkaar werd gebracht. Iedereen had maar een stukje van de puzzel. Alleen in een tentoonstelling als deze kon je het complete beeld zien, de stukjes bij elkaar leggen, ze tegen het licht houden, zien hoe alles in elkaar paste. Het gaf me hoop: als ik maar alle stukken tegelijk in handen had, zou ook mijn leven misschien ooit zin krijgen.

De rest van de zomer gingen we elke week twee keer terug. Van Claire kreeg ik vetkrijt, zodat ik in kleur kon werken zonder de suppoosten zenuwachtig te maken. We zaten de hele dag in één zaal naar één enkel werk te kijken. Zo had ik het nog nooit gedaan. Er was een werk uit 1913 dat de Eerste Wereldoorlog voorspelde. 'Hij was buitengewoon gevoelig. Hij wist gewoon dat die oorlog eraan kwam,' zei Claire. Het duister, de kanonnen, wild, een sfeer zo gewelddadig en somber dat hij het abstracte wel móest uitvinden.

De terugkeer naar Rusland. De geestdrift van de avant-garde, maar tegelijkertijd het sombere vermoeden dat die ondanks de uitbundige bloei ten einde liep. Daarna het Bauhaus in de jaren twintig. Rechte lijnen, geometrische vormen. In zulke tijden liet je je niet gaan. Dan zocht je naar een onderliggende structuur. Ik begreep hem volkomen. En ten slotte de verhuizing naar Parijs. Roze en blauw, lavendel. Opnieuw organische vormen, voor het eerst in jaren. Wat moet Parijs een opluchting zijn geweest: de kleur, de mogelijkheid weer zacht te zijn.

Ik vroeg me af hoe ik onze tijd zou tekenen. Glimmend blik en gewond vlees, spijkerbroekenblauw en zigzaghondentanden, spiegelscherven, vlammen, oranje manen en granaatrode harten.

DAT NAJAAR GAF ik me weer op voor de verzwaarde leergang. Claire overtuigde me ervan dat ik het moest proberen. Natúúrlijk koos je voor de verzwaarde variant. Natúúrlijk droeg je je sieraden. Natúúrlijk gaf je je op voor de schildercursus in het museum. Natúúrlijk.

In het lege atelier in het souterrain van het museum wachtten we op de docent, Tricia Day. Mijn handen vormden zweetplekken op de map die Claire voor me had gekocht. Ze wilde dat ik me inschreef voor een schildercursus voor volwassenen. Je had ook cursussen voor jongeren: fotografie, textiele kunst, video. Maar geen schilderen. 'We gaan wel met de docent praten,' had ze gezegd.

Er kwam een vrouw binnen. Klein, van middelbare leeftijd, met kort grijs haar. Ze had een kaki broek aan en een bril op met een zwart hoornen montuur. Ze bekeek ons vermoeid: een gretige moeder en haar verwende dochtertje dat zo nodig een uitzondering moest zijn. Ik vond het al gênant dat ik daar zat, maar Claire was verrassend zakelijk. Tricia Day bekeek de map kordaat, haar blik bewoog in scherpe lijnen over het papier. De dingen naar het leven, Claire die op de bank ligt, poinsettia's, en de Kandinksky's van LA. 'Waar heb je je opleiding gedaan?'

Ik schudde mijn hoofd. 'Nergens.'

Ze sloeg de map dicht en gaf hem terug aan Claire. 'Goed. We proberen het.'

Elke dinsdagavond bracht Claire me naar het museum, reed naar huis, en kwam me dan drie uur later weer ophalen. Haar bereidheid dingen voor me te doen bezorgde me een schuldgevoel, alsof ik misbruik van haar maakte. Ik hóórde mijn moeder zeggen: 'Doe niet zo raar. Ze wíl dat je haar gebruikt.' Maar zo wilde ik niet zijn. Ik wilde zijn als Claire. Want alleen Claire zorgde er toch voor dat ik naar schilderles kon, en alleen Claire offerde toch een dinsdagavond voor me op?

In de schilderles leerde ik een spieraam in elkaar zetten, een doek spannen en prepareren. Mevrouw Day liet ons experimenteren met kleur, met penseelvoering. De streek van de kwast was het gevolg van het gebaar van je arm. Een bewijs van je bestaan, je aard, je persoonlijke toets, druk, de kracht die jij je beweging meegeeft. We schilderden stillevens. Bloemen, boeken. Sommige dames op de cursus schilderden enkel piepkleine bloemetjes. Mevrouw Day zei dat ze groter moesten, maar daar geneerden ze zich te veel voor. Ik schilderde bloemen op pizzaformaat, aardbeien vergroot tot een reeks groene driehoeken tegen een rode achtergrond, de patronen van de zaadjes. De lof van mevrouw Day was karig, haar kritiek ongezouten. Elke les was er wel iemand in tranen. Mijn moeder zou haar hebben gemogen. Ik mocht haar ook.

Ik schiftte zorgvuldig wat ik aan mijn moeder schreef. Hoi, hoe gaat het, hoe gaat het met je gedichten. Ik schreef over schoolcijfers, tuinieren, schilderles, de geur van de Santa Ana en het verschroeide landschap, de blauwtinten van november, de korter wordende dagen. *Neges en tiene, de beste van de klas*. Ik stuurde haar kleine tekeningen, aquarellen niet groter dan een ansichtkaart, want veel ruimte had ze niet. Ze vond de Kandinsky-periode en mijn nieuwe werk prachtig. Ik stuurde haar een serie potloodtekeningen op overtrekpapier. Het was een zelfportret, maar in laagjes, een lijntje hier, een lijntje daar, eentje per velletje, laat haar het maar uitzoeken – ze moest ze op elkaar leggen om het geheel te krijgen. Ik gaf het haar niet meer op een presenteerblaadje. Ze moest er moeite voor doen.

MIJN MOEDER SCHREEF dat er in de *Kenyon Review* en in het poëzienummer van *Zyzzyva* gedichten van haar stonden. Ik vroeg aan Claire of we die tijdschriften konden kopen, en ze nam me mee naar de Book Soup aan de Strip, en kocht ze allebei voor mij. Er was een lang gedicht over hardlopen in de gevangenis, wat een groot deel van haar dag uitmaakte. Als ze niet schreef, rende ze over de sintelbaan, vijfenzeventig, honderdvijftig kilometer per week. Om de vier maanden waren haar schoenen versleten, en de ene keer gaven ze haar nieuwe, de andere keer niet. Ik kreeg een idee.

Ik maakte tien kopieën van het gedicht en gebruikte die als ondergrond voor tekeningen. Ik ging in de rood-met-witte keuken aan tafel zitten en tekende met vetkrijt over haar woorden heen, het gevoel van hardlopen, van het zinloos in een kringetje ronddraaien. Zoals haar gedachten.

De regen was begonnen, het ruiste achter de beslagen keukenruiten. Claire kwam met een kop pepermuntthee naast me zitten. 'Vertel eens iets over haar.'

Iets weerhield me ervan om Claire veel over mijn moeder te vertellen. Ze was nieuwsgierig, net als de anderen, mijn mentoren op school, Ray, Joan Peeler, de redacteuren van kleine literaire tijdschriften. Dichters achter tralies, wat een paradox. Ik wist niet wat ik zeggen moest. Ze had een man vermoord. Ze was mijn moeder. Ik wist niet of ik op haar leek of niet. Eigenlijk wilde ik niet over haar praten. Ik wilde dat Claire bij mijn moeder vandaan bleef, ze moesten op verschillende bladzijden blijven, en alleen ik mocht ze dan samen tegen het licht houden.

Claire herlas het hardloopgedicht. 'Deze regel vind ik prachtig: *de laatste ruk, twintig jaar. Klok zonder wijzers*. Je kunt het je niet voorstellen, leven in de gevangenis. *Drie jaar voorbij, het platgelopen pad rond*. Wat moet ze dapper zijn. Hoe houdt ze het vol?'

'Ze is nooit waar ze is,' zei ik. 'Ze zit alleen in haar hoofd.'

'Dat moet fantastisch zijn.' Claire streelde de zijkant van haar mok als de wang van een kind. 'Kon ik dat maar.'

Ik was blij dat ze het niet kon. Claire werd geraakt door dingen. Misschien wel te veel, maar ze werd tenminste geraakt. Zij kon de dingen in haar gedachten niet zo verdraaien dat de uitkomst haar beviel. Ik bekeek mijn moeders gedicht in *Kenyon*. Zei het niet genoeg dat zij altijd de heldin was, de vogelvrije, de eenling tegen de rest? Nooit de schurk.

'Dat is het verschil tussen echte kunstenaars en andere mensen,' zuchtte Claire. 'Zij kunnen de wereld herscheppen.'

'Jij bent ook een kunstenaar,' zei ik.

'Actrice,' zei ze. 'En dat niet eens.'

Ik had inmiddels een paar films van Claire gezien. Ze was transparant, hartverscheurend. Ik zou nooit zo kwetsbaar durven zijn. Ik had de afgelopen drie jaar geprobeerd een soort huid te kweken, zodat ik niet telkens als ik tegen iets aanliep meteen droop van het bloed. Zij was naakt, ze gaf zich dagelijks bloot. In een van de films speelde ze de vrouw van een professor, bevend, met parels om. In een andere speelde ze een achttiende-eeuwse vrouw, een aan de kant gezette minnares in een klooster. 'Je bent een fantastische actrice,' zei ik.

Claire haalde haar schouders op, en begon het andere gedicht te lezen, over een ruzie in de gevangenis. 'Die felheid van je moeder vind ik mooi. Die kracht. Die bewonder ik enorm.'

Ik doopte een sumipenseeltje in een inktpot, en in een paar streken schilderde ik bogen en lijnen, een zwarte vlek. Haar felheid. Claire, wat wist jij nou van felheid? Of van mijn moeders kracht? In ieder geval was ze niet sterk genoeg om te verhinderen dat ze de achtergrond was van mijn werk. De achtergrond, niet meer. Haar woorden niet meer dan mijn doek.

OP EEN FUTLOOS warme, heiige dag, kwam Claire me bij de rozenpergola tegemoet toen ik uit school kwam. 'Ik heb een rol!' riep ze nog voor ik er onderdoor gelopen was.

Ze gooide haar hoofd achterover, gaf haar hals bloot aan de zwakke winterzon, en haar lach spoot als een geiser omhoog. Ze omhelsde me, kuste me. Ze probeerde Ron te bellen in Rusland, in de Oeral, waar hij een onderzoeksconferentie over telekinese filmde. Ze kreeg hem niet te pakken. Zelfs dat haalde de tinteling niet uit de lucht. Ze maakte een fles Taittinger-champagne open die ze koel had liggen voor bijzondere gelegenheden. De wijn stroomde bruisend over de glazen en de tafel, schuimde op de vloer. We dronken op het nieuwe werk.

De rol was niet groot, maar wel lastig. Ze speelde een elegante, maar dronken echtgenote op een etentje, in een lange jurk, met diamanten. Veel eten en drinken, ze moest goed onthouden wanneer ze wat moest doen, zodat alles klopte. 'Altijd iemands eenzame vrouw,' zuchtte ze. 'Ben ik soms een stereotype?'

Ze had de rol gekregen omdat de regisseur een vriend was van Ron, en omdat de actrice die eigenlijk de eenzame echtgenote had moeten spelen op het laatste moment haar sleutelbeen had gebroken en ze iemand nodig hadden met ongeveer dezelfde lengte en kleur haar en ogen om die strapless jurk te kunnen dragen.

'Maar ik zeg tenminste iets tegen de hoofdrolspeler,' legde ze uit. 'Ze kunnen de scène niet schrappen.'

Het was een rolletje van vijf zinnen, een vrouw die twee scènes later dood wordt aangetroffen. Ik hielp haar met repeteren, speelde de hoofdrol. Het moeilijkste was volgens haar dat ze in die scène onder het praten ook moest eten en drinken. Bij de tweede poging zat het er al prima in, maar ze wilde het per se nog een paar keer overdoen. Ze vond het heel belangrijk dat ze precies wist bij welk woord ze pauzeerde en wijn dronk, wanneer ze haar vork optilde, met welke hand, en hoe hoog. 'Eetscènes zijn echt het moeilijkst,' verklaarde ze. 'Alles moet kloppen.' We repeteerden de rol een week lang. Wat nam ze die vijf zinnetjes serieus. Ik had nooit geweten dat acteurs zo perfectionistisch waren. Ik had altijd gedacht dat ze die dingen gewoon even deden.

OP DE DAG van de opname moest ze om zes uur 's ochtends al bij de make-up zijn. Ze had gezegd dat ik niet hoefde op te staan, maar dat deed ik toch. Ik ging bij haar zitten terwijl zij haar fruitbrouwseltje klaarmaakte, met extra eiwitpoeder, spirulina, biergist, vitamine E en C. Ze zag spierwit en zei weinig. Ze concentreerde zich. Deed een ademhalingsoefening die Ademende Apen heette, waarbij ze zowel op de in- als de uitademing Chinese lettergrepen zong. De tonen op de uitademing klonken laag en vol, maar die op de inademing klonken raar hoog en jankerig. Chi gong heette dat, ze zei dat ze er kalm van bleef.

Ik omhelsde haar snel toen ze wegging. Ze had me geleerd dat ik nooit succes mocht wensen. Toi, toi, toi, dat zei je tegen acteurs. 'Toi toi toi!' riep ik haar achterna, en ik kromp ineen toen ik haar zag struikelen over een sproeikop.

Na school haastte ik me naar huis, nieuwsgierig hoe de opname was verlopen, en vooral nieuwsgierig naar Harold McCann – de Engelse filmster die Guy speelde – maar ze was er nog niet. Ik maakte al mijn huiswerk, werkte zelfs vooruit voor Engels en geschiedenis. Om zes uur was het donker, maar geen telefoontje. Taal noch teken. Ik hoopte dat ze geen ongeluk had gehad, ze was die ochtend zo zenuwachtig geweest. Ach, ze was natuurlijk na afloop iets gaan drinken met de andere acteurs, of gaan eten of zo. Maar het was niets voor haar om niet te bellen. Ze belde al als het boodschappen doen iets uitliep.

Ik maakte eten, gehaktbrood, maïsbrood, salade, en dacht nog steeds dat ze wel thuis zou zijn als het klaar was. Om tien voor half negen hoorde ik haar auto op de oprijlaan. Ik ging naar de deur. 'Het eten is klaar,' zei ik.

Haar oogmake-up in kringen om haar ogen. Ze rende langs me heen, naar de wc. Ik hoorde haar overgeven.

'Claire?'

Ze kwam naar buiten, ging op de bank liggen, legde haar arm over haar ogen. Ik trok haar schoenen uit. 'Kan ik iets voor je halen? Aspirine? Seven-up?'

Ze begon te huilen, met diepe, rauwe halen, en draaide haar hoofd van me weg.

Ik haalde Tylenol en een glas spuitwater voor haar, en keek toe terwijl ze kleine slokjes nam. 'Azijn. Op een washandje.' Ze liet zich terugvallen in de kussens. 'Witte azijn. Uitwringen.' Haar stem hees als schuurpapier. 'En het licht uitdoen.'

Ik deed de lampen uit, drenkte een washandje in de azijn, wrong het uit, en bracht het naar haar toe. Ik durfde niet te vragen wat er gebeurd was.

'Zeventien takes,' zei ze terwijl ze het washandje op haar voorhoofd en ogen legde. 'Weet je hoe lang dat duurt? Al die mensen die op je wachten? Ik speel nooit meer, nooit.'

Ik hield haar hand vast, ging op de vloer zitten naast haar liggende gestalte in de donkere kamer vol azijndampen. Ik wist niet wat ik zeggen moest. Het was net alsof je iemand van wie je hield op een landmijn zag trappen, allerlei brokken vlogen door de lucht. Je weet niet wat je met die stukken aanmoet.

'Zet Leonard Cohen op,' fluisterde ze. 'Zijn eerste elpee, met "The Sisters of Mercy".'

Ik vond de plaat, die met Cohens kop met de haakneus op de hoes, een heilige die oprijst uit de vlammen, en zette hem op. Ik ging bij haar zitten, drukte haar hand stevig tegen mijn wang. Zijn treurige, eentonige stem neuzelde klaaglijk voort over de Sisters of Mercy, dat hij hoopte dat jij ze ook tegenkwam.

Na een tijdje hield ze op met huilen; ik geloof dat ze in slaap was gevallen.

Nog nooit had ik zoveel om iemand gegeven dat ik de pijn van die ander kon voelen. Ik werd er misselijk van, dat ze Claire zoiets konden aandoen, en dat ik er niet bij was geweest om tegen haar te zeggen: kappen, dit hoef je niet te doen. 'Ik hou van je, Claire,' zei ik zachtjes.

OP EEN AVOND ging ik naar schilderles, maar mevrouw Day kwam niet opdagen. Een van de oudere dames bracht me in haar auto naar huis. Ik deed de deur open, waar een kerstkrans aan hing met suikerpeertjes en porseleinen duifjes, en verwachtte Claire aan te treffen in de huiskamer met een van haar tijdschriften en muziek op, maar ze was er niet.

Ik vond haar op mijn bed, waar ze in kleermakerszit de spullen van mijn moeder zat te lezen. Brieven uit de gevangenis, poëzietijdschriften, persoonlijke papieren, alles lag uitgespreid om haar heen. Ze oogde bleek, volkomen verdiept, en zat op de nagel van haar ringvinger te bijten. Ik wist me geen raad. Woedend was ik, en bang. Ze had die dingen niet mogen lezen. Het was belangrijk voor mij dat ik die twee gescheiden hield. Ik wilde niet dat zij iets met mijn moeder te maken had, tenzij ik het in de hand kon houden. En nu had ze die doos opengemaakt. Als Pandora. Al het kwade eruit gelaten. Wat vonden ze Ingrid Magnussen allemaal toch fascinerend. Ik voelde hoe ik weer werd teruggeduwd, weer in haar schaduw kwam te staan. Die spullen waren van mij. Nee, niet eens van mij. Ik had haar vertrouwd.

'Wat doe je daar?'

Ze schrok zo dat het schrift dat ze aan het lezen was door de lucht vloog. Haar mond ging open, om het uit te leggen, toen weer dicht. Weer open. Er kwam geen geluid uit. Als ze van streek was, kon ze geen woord uitbrengen. Met trillende handen probeerde ze het aanstootgevende materiaal bijeen te rapen, maar het was allemaal zo verschillend van vorm dat het door haar onhandig gegrabbel weer weggleed. Verslagen liet ze alles vallen, deed haar ogen dicht, en sloeg haar handen voor haar gezicht. Ze deed me denken aan Caitlin, die dacht dat we haar niet konden zien als zij ons niet zag. 'Je moet me niet haten,' zei ze.

'Waarom, Claire? Als je het gevraagd had, had ik ze je laten lezen.'

Ik begon de schriften bij elkaar te rapen, rijstpapier gebonden met koord, gemarmerde schriften uit Italië, schoolschriften uit Amsterdam, met gladde kaft, in leer gebonden, dichtgebonden met veters. Mijn moeders dagboeken – mijn afwezigheid genoteerd in de kantlijn. Niets van dit alles ging over mij. Ook de brieven niet. Alleen over haar.

'Ik voelde me zo down. Jij was er niet. Zij leek zo sterk.'

Ze was dus op zoek naar iemand met een voorbeeldfunctie! Bijna barstte ik in lachen uit. Dat Claire mijn moeder bewonderde, daar had ik haar wel om kunnen slaan. Word toch wakker, wilde ik schreeuwen. Ingrid Magnussen kan jou terloops, op weg naar de wc, de grond in boren.

En nu had ze de brieven gelezen. Nu wist ze dat ik met mijn moeder niet over haar had willen praten. Ik bedacht hoe dat haar gekwetst moest hebben. Had ik ze maar weggegooid, niet als een vloek met me meegesjouwd. Ingrid Magnussen. Hoe moest ik dat nu uitleggen? Ik wilde niet dat mijn moeder iets over jou wist, Claire. Jij bent het enige goede dat me ooit is overkomen. Ik wilde geen risico lopen. Mijn moeder zou je niet kunnen uitstaan. Ze wil me niet gelukkig zien, Claire. Ze vond het prachtig dat ik Marvel haatte. Dat bracht haar dichter bij me. Een kunstenaar hoeft zich niet gelukkig te voelen, zei ze. Als ik gelukkig zou zijn, had ik haar niet nodig, bedoelde ze. Zou ik haar misschien vergeten. En gelijk had ze. Die kans zat erin.

Ze gaf me in die brieven op mijn kop. *Wat kan mij een 9,5 voor een spellingtoets schelen? Je bloementuin. Wat ben jij toch saai, ik herken je niet eens. Wie zijn die mensen bij wie je nu woont? Wat denk jij echt?* Maar ik vertelde haar nooit iets.

'Wil je echt weten hoe mijn moeder is?' Ik pakte een grijs schrift met een lint, sloeg het open en gaf het aan Claire. 'Alsjeblieft. Lees maar.'

Ze liet haar handen zakken; haar ogen waren rood en dik, haar neus liep. Ze hikte en pakte het aan. Ik hoefde niet over haar schouder mee te kijken. Ik wist wat er stond.

Een gemene roddel verspreiden.

De geliefde hond van een bejaarde uit de tuin laten ontsnappen.

Tegen een ernstig depressief persoon over zelfmoord beginnen.

'Wat is dit?' vroeg ze.

Tegen een kind zeggen dat het niet bepaald aantrekkelijk of slim is.

Gootsteenontstopper in opgevouwen cellofaantjes doen en die op straat leggen.

Handenvol waardeloze buitenlandse muntjes in het bakje van een bedelaar doen en je uitgebreid laten bedanken. 'God zegene u, mevrouw.'

'Maar het is toch niet echt,' zei Claire. 'Die dingen doet ze niet werkelijk.'

Ik haalde alleen mijn schouders op. Hoe zou Claire iemand als mijn moeder kunnen begrijpen? Die zat uren dit soort opsommingen te schrijven en lachte zich tranen.

Claire keek me hunkerend, smekend aan. Ik kon toch niet boos op haar blijven? Mijn moeder had geen idee wat mijn lievelingseten was, waar ik zou willen wonen als ik elke plek op aarde kon kiezen. Claire was degene die mij ontdekt had. Zij wist dat ik in Big Sur wilde wonen, in een hut met een houtkachel en een bron, dat ik dol was op groene appelzeep, dat *Boris Godoenov* mijn lievelingsopera was, dat ik bang was van melk. Ze hielp me de papieren weer in de doos te leggen, die dicht te doen, en onder het bed te schuiven.

18

RON EN CLAIRE maakten weer ruzie op hun kamer. Ik kon ze horen terwijl ik op bed lag, het konijn in elkaar gedoken aan mijn muur, oren trillend gespitst. Claire wilde dat Ron ontslag nam en iets zocht waarbij hij niet te maken kreeg met verminkt vee of hekserij in de pueblo's.

'Wat wil je dan dat ik ga doen, afwassen?' Ron verhief anders zelden zijn stem. Maar hij was moe, net terug uit Rusland, en had geen ruzie verwacht. Doorgaans was het een lekkere maaltijd, kusjes en schone lakens. 'Ik zorg voor brood op de plank. Het is gewoon een baan, Claire. Jezus, soms snap ik niet wat jou bezielt.'

Maar dat was gelogen. Ron was handelaar in angst. Daar was kennelijk veel vraag naar. Overal waren de mensen bang. Vlak buiten je gezichtsveld loerden dreigende gestalten, in de auto achter je, bij de betaalautomaat, of misschien wachtten ze je met een pistool op in de hal. In de tandpasta van de supermarkt zat gif. Ebola, hepatitis c. Echtgenoten gingen naar de slijter en kwamen nooit meer terug. Kinderen werden dood en zonder handen teruggevonden in een sloot. Het beeld zat niet langer in een passend kader, het overzicht was verdwenen. De mensen wilden monsters en geesten en stemmen van gene zijde. Iets buitenissigs, opzettelijks, niet zo zinloos en banaal als een jongen die werd doodgeschoten om zijn leren jack.

En Ron voorzag in die behoefte. Een kader voor de angst. Liever buitenaardse wezens dan doelloos geweld van een gestoorde. Het was een loopbaan doordrenkt van cynisme, druipend van hypocrisie.

Ze antwoordde met een vervormde stem, als buigend bladmetaal.

Maar hem verstond ik woord voor woord. 'En jij denkt dat ik na een werkdag van veertien uur, met jetlag en al, op een lepelbuigersbijeenkomst in Jakoetsk nog zin heb om te feesten? Kom op meiden, ik ben er klaar voor! Misschien moet jij eens aan het werk, dan weet je weer hoe het is om 's avonds uitgeteld te zijn.'

Ik voelde hoe zijn woorden haar striemden als een zweep. Ik probeerde te verstaan wat ze zei, maar haar stem stierf weg tot een gemompel. Claire kon zich niet verdedigen, ze verschrompelde als een blad onder een glas.

'Astrid hoeft niet zo nodig door jou worden opgewacht met melk en koekjes, Claire! Ze is een jonge vrouw. Volgens mij zou ze maar wat graag een paar uurtjes alleen zijn. Misschien geef je haar dan ook eens de kans om zelf vrienden te maken.'

Maar ik had haar wel nodig, Ron. Niemand had me ooit opgewacht als ik thuiskwam uit school – laat staan met melk. Maar dat wist hij niet eens. Ze vond mij belangrijk. Snapte hij dan niet wat dat voor mij betekende, en voor haar? Als het hem echt kon schelen, zou hij nooit zulke dingen tegen haar zeggen. Hoe durfde hij te doen alsof hij van haar hield. Ik zette mijn deur op een kier om te proberen of ik haar kon verstaan, maar ze moet hebben gefluisterd.

'Natuurlijk bellen ze niet meer. Gloria zegt dat ze het eindeloos heeft geprobeerd en dat jij nooit opneemt. Natuurlijk hebben ze het opgegeven.'

Het enige wat ik nu hoorde was dat ze huilde. Ze huilde als een kind: snikken, hikken en een loopneus. En de sussende klank van zijn stem.

Ik zag hem voor me, zoals hij haar in zijn armen nam, haar wiegde tegen zijn borst, haar haren streelde – en zij liet hem begaan, dat was nog het ergste. Dan zouden ze vrijen, en zou zij in slaap vallen met de gedachte dat hij zo lief was, dan moest hij toch wel van haar houden. Het zou allemaal weer goed zijn. Zo pakte hij dat aan. Haar eerst pijn doen, en het dan goedmaken. Ik haatte hem. Hij kwam thuis, maakte haar van streek, en dan ging hij gewoon weer weg.

BIJ DE POST zat een brief van mijn moeder. Ik was hem al aan het openmaken toen ik zag dat hij niet voor mij was. Hij was aan Claire gericht. Waarom schreef mijn moeder aan Claire? Ik had haar nooit iets over Claire verteld. Moest ik die brief aan haar geven? Ik besloot dat ik het risico niet kon lopen. Mijn moeder was tot alles in staat. Misschien bedreigde ze haar wel, vertelde ze leugens, of maakte ze haar bang. Ik kon altijd nog zeggen dat ik hem per ongeluk had opengemaakt.

Beste Claire,

Ja, ik zou het fantastisch vinden als je op bezoek kwam. Het is zo lang geleden dat ik Astrid heb gezien, misschien herken ik haar niet meer – en een ontmoeting met een trouwe lezer is altijd een feest. Ik zal je op mijn bezoekerslijst zetten – je bent toch nooit voor een misdrijf veroordeeld?

Grapje.

Je vriendin Ingrid

De gedachte dat ze elkaar schreven maakte me misselijk van angst. *Je vriendin Ingrid*. Ze moest geschreven hebben nadat ik haar rond de kerst lezend in mijn kamer had betrapt. Ik voelde me verraden, hulpeloos, onzeker. Ik had haar er wel over willen aanspreken, maar dan had ik moeten bekennen dat ik haar post had opengemaakt. Daarom verscheurde ik de brief en verbrandde ik hem in mijn prullenmand. Hopelijk zou ze alleen maar teleurgesteld zijn dat mijn moeder niet had teruggeschreven en liet ze het verder zitten.

HET WAS FEBRUARI, een grauwe morgen, zo bewolkt dat we vanuit onze tuin niet eens de Hollywood Hills konden zien. We gingen bij mijn moeder op bezoek. Claire had het geregeld. Ze trok een kort rokje aan, een coltrui en kousen, allemaal kastanjebruin, en keek fronsend in de spiegel. 'Misschien is een spijkerbroek beter.'

'Geen spijkerstof,' zei ik.

Het idee van deze ontmoeting was bijna onverdraaglijk. Ik kon alleen maar verliezen. Mijn moeder kon haar pijn doen. Of haar voor zich innemen. Ik had niet kunnen zeggen wat erger was. Claire was van mij, ze was iemand die van me hield. Waarom moest mijn moeder zich daar tussen wringen? Maar zo was mijn moeder nu eenmaal, ze moest altijd het middelpunt zijn, alles moest om haar draaien.

Sinds Starr had ik haar niet meer gezien. Marvel had het niet goed gevonden dat de mensen van het busje me meenamen, hoe minder ik haar zag, hoe beter, vond ze. Ik keek in de spiegel en vroeg me af wat mijn moeder nu van me zou vinden. De littekens op mijn gezicht waren nog maar het begin. Sindsdien had ik nog heel wat meegemaakt. Ik wist vast niet hoe ik me moest gedragen bij haar, ik was nu te groot om me in haar zwijgen te verstoppen. En dan had ik nog de zorgen om Claire.

Ik legde mijn hand tegen mijn voorhoofd en zei tegen Claire: 'Ik geloof dat ik ziek word.'

Ze streek met beide handen haar rokje glad en zei: 'Plankenkoorts. Ik heb het zelf ook een beetje.'

Ook ik was onzeker over mijn kleren, een lange rok met Doc Martens eronder, dikke sokken, en een gehaakte trui met een kanten kraagje van Fred Segal, waar heel trendy jong Hollywood zijn kleren kocht. Mijn moeder zou het vreselijk vinden. Maar ik had niets anders om aan te trekken, al mijn kleren waren nu zo.

Een uur lang reden we naar het oosten. Claire bleef zenuwachtig kletsen. Ze kon niet tegen zwijgen. Ik keek naar buiten, zoog op een pepermuntje tegen de wagenziekte, en dook weg in mijn dikke Ierse trui. Geleidelijk aan verdwenen de buitenwijken, kwamen er houthandels en landerijen voor in de plaats, de lucht van mest, en lange, nevelige vergezichten, omlijst door windsingels van eucalyptus. De jeugdgevangenis, de mannengevangenis. Het was ruim twee jaar geleden dat ik voor het laatst hier geweest was, een heel ander meisje, met roze schoenen aan. Ik herkende zelfs het winkeltje. *Coke, 12 pack, $2.49.* 'Hier afslaan.'

We reden weer over dezelfde asfaltweg naar de vrouwengevangenis, de schoorsteen en de watertoren, en de wachttoren die de rand van het gevangenisterrein markeerde. We parkeerden op het terrein voor bezoekers.

Claire haalde diep adem. 'Dit valt nog best mee.'

De kraaien in de ficusbomen krasten agressief. Het was ijskoud. Ik trok de mouwen van mijn trui over mijn handen. We passeerden de wachttoren. Claire had een boek voor mijn moeder meegenomen, *Tender Is the Night*. Van Fitzgerald, Claires favoriet, maar ze mocht het niet meenemen van de bewakers. De metaaldetector ging af door mijn hoge schoenen. Ik moest ze uitdoen zodat de bewakers ze konden controleren. Het gerinkel van sleutels, de klap van het hek, walkietalkies, dat waren de geluiden van een bezoek aan mijn moeder.

We gingen aan een picknicktafel onder het blauwe afdak zitten. Ik keek naar het hek waar mijn moeder doorheen zou komen, maar Claire keek de verkeerde kant op, naar de afdeling waar de nieuwe gevangenen rondliepen of veegden – een corvee waar ze zich vòor opgaven, zo verveelden ze zich. De meesten waren jong, een stuk of twee boven de vijfentwintig. Hun doods ogende gezichten wensten ons weinig goeds.

Claire rilde. Ze deed haar best om dapper te zijn. 'Waarom gapen ze ons zo aan?'

Ik deed mijn hand open, bekeek aandachtig de lijnen, mijn lot. Het leven zou zwaar worden. 'Niet naar ze kijken.'

Het was koud, maar terwijl we op mijn moeder wachtten zat ik te zweten. Misschien werden ze wel vriendinnen. Misschien speelde mijn moeder wel geen spelletje, of in ieder geval een niet al te gemeen spelletje. Claire kon haar op de hoogte houden, en te zijner tijd bij de rechter getuigen van haar goede gedrag.

Ik kreeg mijn moeder in de gaten toen de bewaker het hek voor haar opendeed. Haar haar was weer aangegroeid en hing als een lichte sjaal over de voorkant van haar blauwe jurk, over haar ene borst. Ze aarzelde, was net zo zenuwachtig als ik. Zo mooi. Ze had me altijd met haar schoonheid verrast. Zelfs als ze maar een avondje weg was geweest, stokte mijn adem als ik haar weer zag. Ze was magerder dan de laatste keer dat ik haar had gezien, al het overtollige vet was opgebrand. Haar ogen waren nog helderder geworden, ik voelde ze helemaal vanaf het hek. Kaarsrecht was ze, gebruind en gespierd. Ze leek nu minder op een Lorelei, meer een moordenaar uit *Blade Runner*. Ze liep lachend op me af, maar ik voelde de onzekerheid in haar handen, die stijf op mijn schouders lagen. We keken elkaar in de ogen, en tot mijn verbazing bleken we even lang. Haar ogen keken bij me naar binnen, op zoek naar iets herkenbaars. Ze maakten me plotseling verlegen en ik schaamde me over mijn modieuze kleren, en zelfs over Claire. Ik schaamde me over de gedachte dat ik aan haar zou kunnen ontsnappen, schaamde me zelfs dat ik dat wou. Zo kende ze me weer. Ze omhelsde me, en stak Claire haar hand toe.

Ze drukte die van Claire en zei: 'Welkom in het walhalla.'

Ik probeerde me voor te stellen hoe mijn moeder zich op dat ogenblik moest voelen; ze ontmoette de vrouw bij wie ik woonde, een vrouw die ik zo aardig vond dat ik niets over haar had geschreven. Nu kon mijn moeder zien hoe mooi ze was, hoe gevoelig, de kindermond, het hartvormige gezicht, haar fijngevormde hals, haren zo van de kapper.

Claire lachte opgelucht, nu mijn moeder de eerste stap had gezet. Van gif had ze weinig verstand.

Mijn moeder ging naast me zitten, legde haar hand over de mijne, maar hij was niet meer zo groot als vroeger. Onze handen kregen steeds meer dezelfde vorm. Ze zag het ook, en hield haar handpalm tegen die van mij. Ze zag er ouder uit dan de laatste keer dat ik haar had gezien, er waren lijntjes in haar gebruinde gezicht gegrift, rond haar ogen en haar dunne lippen. Of misschien leek het maar zo, in vergelijking met Claire. Ze was schraal, intens, scherp, staal naast de was van Claire. Ik bad de God in wie ik niet geloofde dat dit gauw voorbij mocht zijn.

'Het is heel anders dan ik gedacht had,' zei Claire.

'Het bestaat niet echt,' zei mijn moeder met een elegant handgebaar. 'Het is een illusie.'

'Dat zei je in je gedicht ook.' Een nieuw gedicht, in de *Iowa Re-*

view. Over een vrouw die in een vogel verandert, de pijn van de nieuwe veren die doorbreken. 'Het was magnifiek.'

Ik huiverde bij dat ouderwets nadrukkelijke toneelaccent. Ik kon al horen hoe mijn moeder haar spottend nabauwde tegen haar zusters uit het cellenblok. Maar ik kon Claire nu niet meer beschermen. Daar was het te laat voor. Ik zag dat de eeuwige zweem van spot in de mondhoeken van mijn moeder nu een onuitwisbaar lijntje was, de tatoeage van een gewoonte.

Mijn moeder sloeg haar benen over elkaar, gebruind en gespierd als eiken houtsnijwerk, bloot onder haar blauwe jurk, met witte gympen. 'Ik heb van mijn dochter gehoord dat je actrice bent.' Ze droeg geen trui in de grauwe ochtendkilte. De mist maakte haar mooi, ik kon de zee bij haar ruiken, al zaten we hier meer dan honderd kilometer van de kust.

Claire draaide aan haar trouwring, die los om haar dunne vinger zat. 'Eerlijk gezegd stelt mijn carrière niets voor. Ik heb mijn laatste rol zo verprutst dat ik waarschijnlijk nooit meer iets krijg.'

Waarom moest ze toch altijd de waarheid zeggen? Had ik haar maar laten weten dat er mensen zijn tegen wie je altijd moet liegen.

Mijn moeder tastte intuïtief naar de barst in Claires levensverhaal, als een bergbeklimmer in de mist die in de rotswand houvast voor zijn vingers zoekt. 'Zenuwen?' vroeg ze liefjes.

Claire boog zich dichter naar mijn moeder toe, een en al gretige vertrouwelijkheid. 'Een nachtmerrie was het.' En ze begon de vreselijke dag te beschrijven.

Boven ons kolkten en klonterden de wolken als diarree, en ik werd misselijk. Claire was voor zoveel dingen bang, ze ging maar tot haar dijen de zee in omdat ze bang was om meegesleurd te worden. Waarom kon ze dan nu de onderstroom niet voelen? De glimlach van mijn moeder, die er zo vriendelijk uitzag. Hier zit een draaikolk, Claire. De kustwacht heeft sterkere zwemmers dan jij moeten redden.

'Acteurs worden schandalig behandeld,' zei mijn moeder.

'Ik heb er genoeg van.' Claire liet haar hartvormige granaten hangertje langs de ketting glijden en duwde het onder haar onderlip.

''t Is afgelopen. Al die audities afsjouwen, waar ze één blik op je werpen en dan tot de conclusie komen dat je te uitheems bent voor sinaasappelsap, te klassiek voor een televisiemoeder.'

Het profiel van mijn moeder scherp tegen de schapenvachtlucht. Je had een kaarsrechte lijn kunnen trekken langs de rand van haar neus. 'Hoe oud ben je, krap dertig?'

'Volgende maand word ik vijfendertig.' De waarheid, niets dan de waarheid. Ze zou nog in haar eigen strafzaak getuigen. Ze kon de neiging te gaan liggen en haar borst te ontbloten voor de lans niet weerstaan. 'Daarom kunnen Astrid en ik ook zo goed met elkaar opschieten. Schorpioenen en Vissen begrijpen elkaar.' Ze knipoogde naar me over de tafel.

Het zinde mijn moeder helemaal niet dat we elkaar begrepen, Claire en ik. Dat merkte ik aan de manier waarop ze aan mijn haar trok. De kraaien krasten en klapwiekten, met donkere, glimmende vleugels. Maar ze lachte Claire toe. 'Astrid en ik hebben elkaar nooit begrepen. Waterman en Schorpioen. Ze is zo gesloten, heb je dat niet gemerkt? Ik wist nooit wat ze dacht.'

'Ik dacht niks,' zei ik.

'Ze wordt steeds opener,' zei Claire monter. 'We kletsen aan één stuk door. Ik heb haar horoscoop laten trekken. Die is heel evenwichtig. Haar naam brengt ook geluk.' Dat gemak waarmee Claire bij het blok knielde, haar nek uitstrekte, en maar doorratelde.

'Tot nu toe is daar weinig van gebleken,' zei mijn moeder bijna spinnend van plezier. 'Maar misschien dat het tij nu keert.' Rook Claire de oleanders dan niet, die pruttelden op het vuur, de licht bittere scherpte van het gif?

'We zijn gewoon idolaat van haar,' zei Claire, en heel even zag ik haar door de ogen van mijn moeder. Theatraal, naïef, belachelijk. Nee, wilde ik zeggen, hou op, je moet haar niet op grond hiervan beoordelen. Ze komt bij audities niet uit de verf. Je ként haar helemaal niet. En Claire klepte maar door, had niet in de gaten wat er speelde. 'Ze doet het fantastisch, staat dit jaar op de cum laude-lijst. We proberen het beroemde cijfergemiddelde hoog te houden.' Ze maakte een gebaar met haar vuist, een halve cirkel, een soort optimistisch padvindstersgebaar van wij-gaan-ervoor. *Het beroemde cijfergemiddelde*. Ik ging zowat door de grond, maar wílde dat gevoel niet. Zou mijn moeder ooit uren achtereen met mij gewerkt hebben om dat beroemde cijfergemiddelde op te krikken? Ik had Claire wel in een deken willen wikkelen, zoals je doet met iemand die in brand staat, haar door het gras willen rollen om haar te redden.

Mijn moeder boog zich naar Claire over, haar blauwe ogen schoten blauw vuur. 'Waarom zet je geen piramide op haar bureau. Schijnt goed te zijn voor je geheugen,' zei ze met een uitgestreken gezicht.

'Aan mijn geheugen mankeert niks,' zei ik.

Maar Claire viel er meteen voor. Mijn moeder had al een zwakke plek gevonden, en ik wist zeker dat er binnen de kortste keren meer zouden volgen. En Claire besefte geen tel dat mijn moeder aan haar ketting rukte. Wat een onschuld. 'Een piramide. Daar had ik nog niet aan gedacht. Maar ik doe wel aan fengshui. Je weet wel, hoe je je meubels neerzet en zo.' Claire straalde, dacht in mijn moeder een verwante ziel te hebben gevonden, iemand die de meubels herschikt omwille van de positieve energie en tegen haar planten praat.

Ik wilde van onderwerp veranderen voor ze over mevrouw Kromach en de spiegeltjes op het dak begon. Had ze maar een spiegel op haar eigen voorhoofd geplakt. 'We wonen vlak bij de grote fotolaboratoria aan La Brea,' gooide ik ertussen. 'Bij Willoughby.'

Mijn moeder ging verder alsof ik niets gezegd had. 'En je man zit zelfs in die business. Het paranormale, bedoel ik.' Die ironische kommaatjes in haar mondhoeken. 'Jij krijgt alle primeurs.' Ze strekte haar armen boven haar hoofd en ik kon me de kleine knapgeluidjes langs haar ruggengraat voorstellen. 'Vertel hem maar dat zijn programma hier heel populair is.'

Ze legde haar arm op mijn schouder. Ik schudde hem onopvallend af. Ik mocht dan haar publiek tegen wil en dank zijn, samenzweren wilde ik niet.

Claire had het niet eens in de gaten. Ze giechelde, en liet haar granaten hart zwiepen aan het kettinkje. Ze deed me denken aan die tarotkaart waarop een jongen opkijkt naar de zon terwijl hij op het punt staat het ravijn in te lopen. 'In werkelijkheid is het voor hem één grote grap. Hij gelooft niet in het bovennatuurlijke.'

'Dat lijkt me nogal gevaarlijk bij zijn soort werk.' Mijn moeder tikte op het oranje plastic van de picknicktafel. Ik zag gewoon hoe haar gedachten op volle toeren draaiden, op de zaken vooruitsprongen. Kon ik maar een spaak in het wiel steken om die machine stop te zetten.

Claire boog zich naar haar toe, haar donkere ogen glansden. 'Dat heb ik ook al tegen hem gezegd. Afgelopen najaar hadden ze een geest die bijna iemand heeft vermoord.' Ze zweeg abrupt, onzeker, dacht dat ze iets stoms had gezegd door tegen mijn moeder over moord te beginnen. Ik kon haar huid lezen als een krant.

'Maak je je dan geen zorgen om hem?'

Claire was dankbaar dat mijn moeder haar flater hoffelijk negeerde. Ze begreep niet dat mijn moeder al beet had waar ze op uit was. 'Ach, Ingrid, je moest eens weten. Ik vind niet dat mensen lichtvaardig moeten omgaan met dingen waar ze niet in geloven. Geesten zijn echt, of je nu in ze gelooft of niet.'

Ja, geesten, daar wisten mijn moeder en ik alles van. Die nemen wraak. Maar in plaats van dat toe te geven kwam mijn moeder met een Shakespeare-citaat. *In hemel en aarde is er meer, Horatio, dan door uw schoolse wijsheid wordt gedroomd.*

Claire klapte verrukt in haar handen, blij dat iemand anders eens de grote dichter citeerde. De vrienden van Ron herkenden haar citaten nooit.

Mijn moeder zwiepte haar lange haar naar achteren, en sloeg haar arm weer om me heen. 'Net alsof je niet in elektriciteit gelooft omdat je die ook niet kan zien.' Haar helblauwe moordenaarsogen lachten Claire toe. Ik wist wat ze dacht. *Zie je dan niet wat een stom mens dit is, Astrid? Hoe kun je haar nu boven mij verkiezen?*

'Precies,' zei Claire.

'Ik geloof ook niet in elektriciteit,' zei ik. 'Of in Hamlet. Hij is maar een bedenksel. Ontsproten aan de fantasie van een schrijver.'

Mijn moeder negeerde me. 'Moet hij veel reizen, je man? Hoe

heet hij ook weer? Ron?' Ze wond een pluk van mijn haar om haar pink, legde me aan de teugel.

'Hij is er nooit,' gaf Claire toe. 'Hij was niet eens thuis met de kerst.' Ze speelde weer met dat granaten hartje, liet het op en neer glijden langs de ketting.

'Dat moet wel eenzaam voor je zijn,' zei mijn moeder. Op treurige toon. Wat een medeleven. Het liefst was ik opgestaan en weggerend, maar ik zou Claire nooit alleen laten met haar.

'Vroeger wel,' zei Claire. 'Maar nu heb ik Astrid.'

'Een fantastische meid.' Mijn moeder streelde de zijkant van mijn gezicht met haar vinger, die ruw was van het werken, schaafde expres mijn huid. Een verrader was ik. Ik had verraad gepleegd aan mijn meester. Ze begreep waarom ik Claire op de achtergrond had gehouden. Omdat ik van haar hield, en zij van mij. Omdat ik nu het gezin had dat ik al die tijd al had moeten hebben, het gezin dat mijn moeder nooit belangrijk had gevonden en me nooit had kunnen geven. 'Astrid, vind je het goed dat we even onder vier ogen praten? Grotemensenzaken.'

Ik keek van haar naar mijn pleegmoeder. Claire glimlachte. 'Ga maar. Eventjes maar.' Alsof ik een klein kind was dat aangemoedigd moest worden om in de zandbak te stappen. Zij wist niet hoe lang eventjes kon zijn, wat er allemaal kon gebeuren.

Met tegenzin stond ik op, liep naar het hek dat het dichtst bij de weg stond, en liet mijn vingertoppen over de bast van een boom glijden. Boven mijn hoofd staarde een kraai met zijn zielloze blik op me neer en kraste met een bijna menselijk geluid, alsof hij me iets vertellen wilde. 'Rot op,' zei ik. Ik begon al net zo erg te worden als Claire, ik luisterde al naar vogels.

Ik keek toe hoe ze zich over de tafel heen naar elkaar toe bogen. Mijn moeder gebruind en vlasblond in het blauw, Claire bleek en donker in het bruin. Het was krankzinnig, Claire hier met mijn moeder, aan een oranje picknicktafel in Frontera. Als in een droom waarin ik bij de schoolkantine naakt in de rij stond. Ik was gewoon vergeten me aan te kleden. Dit is een droom, zei ik tegen mezelf, en straks word ik wakker.

Claire drukte haar hand tegen haar voorhoofd, alsof ze voelde of ze koorts had. Mijn moeder nam Claires andere smalle hand tussen haar grote handen. Mijn moeder was onophoudelijk aan het woord, zachtjes, redelijk, ik had haar zo wel eens een kat zien hypnotiseren. Claire was van streek. Wat zat ze haar te vertellen? Welk spelletje mijn moeder ook speelde, ze kreeg geen minuut langer meer. Wij vertrokken en zij bleef. Ze kon dit niet voor me verknallen, wat ze ook zei.

Ze keken allebei op toen ik bij ze terugkwam. Mijn moeder keek me woedend aan, verhulde dat toen met een lach, en gaf Claire een klopje op haar hand. 'Onthou nou maar wat ik gezegd heb.'

Claire zei niets. Ze was nu ernstig. Geen gegiechel meer, geen plezier meer omdat ze iemand had gevonden die ook Shakespeare citeerde. Ze stond op, haar bleke nagels steunend op het tafelblad. 'Ik zie je wel bij de auto,' zei ze.

Mijn moeder en ik keken haar na, haar lange benen in het ingetogen bruin, de matheid van haar bewegingen. Mijn moeder had al het elan gesmoord, alle leven, alle charme. Ze had haar uitgelepeld, zoals de Chinezen vroeger het schedeldak van een levende aap lichtten en met een lepel de hersens eruit aten.

'Wat heb je tegen haar gezegd?'

Mijn moeder liet zich terugzakken op de bank en vouwde haar armen achter haar hoofd. Geeuwde genietend, als een kat. 'Ik heb begrepen dat ze problemen heeft met haar man.' Ze glimlachte, sensueel, wreef over de blonde haartjes op haar onderarmen. 'Daar zit jij toch niet achter? Ik weet dat je op oudere mannen valt.'

'Nee.' Ze kon met mij niet spelen zoals ze met Claire had gespeeld. 'Hou je erbuiten.'

Ik had nog nooit zo'n toon tegen haar durven aanslaan. Als ze hier niet in Frontera vast had gezeten, had ik nooit die moed opgebracht. Maar ik ging weg en zij bleef, en in dat feit school een kracht die ik nooit had gevonden als ze op vrije voeten was geweest.

Ik zag dat ze ervan schrok dat ik tegen haar inging. Ze was kwaad dat ik het gevoel had dat dat kon, maar ze beheerste zich. Ik zag haar van tactiek veranderen. Ze wierp me een traag spottend lachje toe. 'Je mammie wil alleen maar helpen, liefje,' zei ze, en likte haar woorden als een kat die room oplikt. 'Ik moet toch doen wat ik kan voor mijn nieuwe vriendin?'

We keken allebei naar Claire, die buiten langs het hek van harmonicagaas in de richting van de Saab liep, diep in gedachten. Ze botste tegen de bumper van een stationcar. 'Laat haar met rust.'

'Ach, het is een verzetje,' zei mijn moeder, die genoeg kreeg van het doen alsof. Ze maakte mij altijd liever deelgenoot. 'Koud kunstje, maar het blijft een verzetje. Alsof je jonge katjes verdrinkt. En in mijn huidige omstandigheden moet ik elk verzetje aangrijpen. Maar ik zou wel eens willen weten hoe jij het uithoudt bij ons heilige boontje Clara. Je weet toch dat er een hele orde van die heilige clarissen bestaat? Ik stel me zo voor dat het vreselijk saai is. Het beroemde cijfergemiddelde hooghouden en zo. Dieptreurig.'

Ik wendde me van haar af en zei: 'Ze is oprecht aardig. Maar daar kun jij natuurlijk niet bij.'

Mijn moeder snoof. 'Godbewaarme, de áárdig-ziekte. Jij lijkt me nu toch wel te oud voor sprookjes.'

Ik bleef met mijn rug naar haar toe staan. 'Ga het niet voor me verpesten.'

'Wie, ik?' Mijn moeder lachte me uit. 'Wat kan ik nu doen? Ik ben maar een zielige gedetineerde. Een vogeltje met een kapotte vleugel.'

Ik draaide me om. 'Je hebt geen idee hoe het geweest is.' Ik boog me naar haar toe, één knie op de bank naast haar. 'Als je van me houdt, moet je me helpen.'

Ze glimlachte vals en traag. 'Jou helpen, schat? Ik zie jou nog liever in de ergste pleeggezinnenhel dan bij zo'n mens.' Ze stak haar hand uit om een haarlok uit mijn gezicht te strijken, maar ik deinsde met een ruk achteruit. Ze greep mijn pols beet en dwong me om haar aan te kijken. Ze was nu bloedserieus. Onder die spelletjes school een ijzeren wil. Ik was te bang voor verzet. 'Wat heeft zo'n mens jou te leren?' vroeg ze. 'Artistiek verantwoord lamenteren? Zevenentwintig namen voor tranen?' Een bewaker maakte aanstalten om onze kant op te komen, en prompt liet ze mijn pols vallen.

Ze stond op en kuste me op mijn wang, omhelsde me kort. We

waren even lang maar ik voelde hoe sterk ze was, als die kabels waar bruggen aan hangen. Ze siste in mijn oor: 'Ik kan alleen maar zeggen, hou je koffers gepakt.'

CLAIRE STAARDE NAAR de weg. Er gleed een traan uit haar overvloeiende ogen. *Zevenentwintig namen voor tranen*. Maar nee, dat kwam niet uit míjn brein. Ik weigerde gehersenspoeld te worden. Dit was Claire. Ik legde mijn hand op haar schouder toen ze de snelweg door de velden op draaide. Ze glimlachte en streelde hem met haar koude, kleine handje. 'Ik heb het er best goed afgebracht bij je moeder, vind je niet?'

'Ja zeker,' zei ik, en keek uit het raam zodat ik niet recht in haar gezicht hoefde te liegen. 'Ze vond je echt aardig.'

Er rolde een traan over haar wang, en ik veegde hem met mijn handrug weg. 'Wat heeft ze tegen je gezegd?'

Claire schudde haar hoofd en zuchtte. Ze zette de ruitenwissers aan, hoewel het alleen maar mistig was, en zette ze weer uit toen ze begonnen te piepen op het droge glas. 'Ze zei dat ik gelijk had over Ron. Dat hij vreemdging. Dat wist ik eigenlijk al. Ze heeft het alleen bevestigd.'

'Hoe kan zij dat nou weten,' zei ik kwaad. 'Kom op zeg, Claire, ze kent je nog maar net.'

'Alles wijst erop.' Ze snifte, veegde haar neus af aan haar hand. 'Ik wilde het alleen niet zien.' Maar toen lachte ze. 'Maak je geen zorgen. We komen er wel uit.'

IK ZAT AAN mijn bureau onder de belachelijke piramide en tekende mezelf terwijl ik in een handspiegel keek. Het was een pentekening, en ik keek niet omlaag, probeerde de pen niet van het papier te halen. Eén lijn. De kaak wat vierkant, de dikke lippen strak, de ronde ogen verwijtend. Brede Deense neus, blonde kop haar. Ik bleef mezelf tekenen tot ik zelfs met mijn ogen dicht een goed gelijkend portret kon maken, tot ik het vanbuiten had geleerd: het patroon van de beweging in mijn hand, in mijn arm, de loop van mijn gezicht, tot ik het gezicht zelf op de muur kon zien. Ik ben jou niet, moeder. Ik ben jou niet.

Claire moest eigenlijk op auditie. Ze had tegen Ron gezegd dat ze erheen ging, maar had zich door mij ziek laten melden. Ze lag in bad met haar lavendelolie en een brok amethist, probeerde haar getergde zenuwen te sussen. Ron zou die vrijdag eigenlijk thuisgekomen zijn, maar er was iets tussen gekomen. De keren dat hij thuiskwam waren voor haar een houvast waaraan ze zich van het ene vierkantje op de kalender naar het volgende kon zwaaien. Als hij gezegd had dat hij zou komen en het ging niet door, greep ze bij haar zwaai in het niets, zodat ze viel.

Ik onderschepte een brief uit de gevangenis van mijn moeder aan Claire. Mijn moeder gaf haar advies over een liefdesdrankje dat ze door zijn eten moest doen, maar alle ingrediënten van haar recept leken me giftig. Ik maakte een tekening over haar brief heen, een reeks slangachtige kronkelingen doorboord door een spitse punt, stopte die in een nieuwe envelop en stuurde hem aan haar terug.

In de woonkamer draaide Claire haar plaat van Leonard Cohen. Suzanne die haar meenam naar een bank aan het water.

Ik tekende mijn gezicht, telkens opnieuw.

19

HET WERD APRIL en de woestijn had al als vloeipapier de lente uit de lucht gezogen. De Hollywood Hills tekenden zich onnatuurlijk helder tegen de lucht af, alsof we ze door een verrekijker zagen. De nieuwe bladeren hingen slap in een hitte die zo hevig was dat wij ons zwetend en moedeloos in huis terugtrokken met de jaloezieën dicht.

Claire haalde haar sieraden uit de vriezer en gooide ze op haar bed, een verrukkelijk koude zeeroversschat. IJzige kralenkettingen van groene jade met een sluiting van siersteentjes, een hanger van amber met een fossiel varentje erin. Ik drukte het, heerlijk koud, tegen mijn wang. Ik hing een antieke armband van kristal langs de scheiding in mijn haar, liet hem mijn voorhoofd likken als een koele tong.

'Die is van mijn oudtante Priscilla geweest,' zei Claire. 'Ze heeft hem gedragen op haar debutantenbal in het Waldorf-Astoria, vlak voor de Eerste Wereldoorlog.' Ze lag op haar rug, in haar ondergoed, met haar dat donker was van het zweet en een armband van rooktopaas over haar voorhoofd, gekruist door een rijkbewerkt gouden kettinkje waarvan het uiteinde op haar neuspunt rustte. Ze was extreem mager en had scherpe heupbeenderen en uitstekende ribben als een houten Christusbeeldje. Ik zag het schoonheidsvlekje boven de rand van haar broekje. 'Ze was verpleegster in een veldhospitaal bij Ieper. Een heel dapper mens.'

Elke armband, elke kraal had zijn eigen verhaal. Ik plukte een onyxring uit de stapel tussen ons op het bed, rechthoekig, het zwarte gladde oppervlak doorboord door een piepklein diamantje. Ik deed hem om, maar hij was zo klein dat hij boven de knokkel van mijn pink bleef steken. 'Van wie is deze geweest?' Ik hield hem op zodat ze hem kon zien zonder haar hoofd op te tillen.

'Van mijn overgrootmoeder Matilde. Een onvervalste Parisienne.'

De eigenaresse was misschien al honderd jaar dood, maar bezorgde me toch nog het gevoel dat ik vergeleken bij haar groot en lomp was. Gitzwart haar, stelde ik me voor, krulletjes, en een scherpe tong. Haar zwarte ogen zouden mijn kleinste onhandigheidje hebben opgemerkt. Ze zou me maar niets hebben gevonden met die slungelige armen en benen, ik was vast te groot geweest voor haar stoeltjes en porseleinen kopjes met gouden randjes – eland tussen antilopen. Ik gaf hem aan Claire, bij wie hij moeiteloos omgleed.

De granaten choker, ijzig om mijn hals, was een huwelijkscadeau van haar overgrootvader, de fabrieksdirecteur uit Manchester, voor zijn vrouw Beatrice. De gouden jaguar met de ogen van smaragd die ik op mijn knie hield, was in de jaren twintig uit Brazilië meegebracht door Geraldine Woods, een tante van haar vader, die nog bij Isadora Duncan had gedanst. Ik droeg het familiealbum van Claire. Grootmoeders van moederskant, oudtantes van vaderskant, vrouwen met smaragdgroene tafzijde, fluweel en granaten. Tijd, plaats en karakter in steen en zilverfiligrijn gevat.

Daarnaast was mijn verleden mistig, een verhaal dat mijn moeder ooit verteld en later weer ontkend had. Voor mij geen onyx, geen aquamarijn als aandenken aan het leven van mijn voorouders. Ik had alleen hun ogen, hun handen, de vorm van een neus, heimwee naar sneeuw en houtsnijwerk.

Claire liet een gouden halsketting schakeltje voor schakeltje op haar ene gesloten oog neer, en op het andere kralen van jade. Ze sprak behoedzaam, zodat er niets af gleed.

'Vroeger werden mensen zo begraven. Mond vol juwelen en op elk oog een gouden munt. Tol voor de veerman.' Ze liet haar snoer van koraal in haar navelkuiltje druppelen, en haar dubbele parelcollier tussen haar borsten. Even later pakte ze de parels op, deed haar mond open en liet de parels erin vallen, waarna ze haar lippen over de glanzende eitjes sloot. Ze had de parels als bruidsgeschenk van haar moeder gekregen, ook al was die tegen haar huwelijk met een jood gekant geweest. Claire verwachtte dat die mededeling me zou schokken, maar ik had het huis gedeeld met Marvel Turlock, met Amelia Ramos. Van vooroordelen keek ik niet meer op. Het enige wat ik me afvroeg was waarom ze haar dan parels had gegeven.

Claire lag roerloos en deed alsof ze dood was. Een met juwelen bezet lijk in ondergoed van roze kant, overdekt met een fijn laagje zweetdruppels. Ik had mijn twijfels over dit nieuwe spelletje. Door de openslaande deuren, in de brede kier onder de jaloezieën, zag ik de tuin, die dit voorjaar niet was verzorgd. Claire deed niets meer aan de tuin – geen snoeien en wieden onder haar Chinese punthoed. Ze had de bloemen niet gestut, en nu bloeiden ze rommelig door elkaar, hingen de overgebleven gladiolen scheef en namen de teunisbloemen het ongemaaide gazon in bezit.

Ron was weer weg, voor de tweede keer al deze maand, ditmaal naar Andalusië, waar hij een documentaire over zigeuners maakte. Hij kamde de wereld af op zoek naar het bizarre en spekte zijn voorraad *frequent flier miles*. Als hij zo graag iets griezeligs en buitenissigs zag, hoefde hij alleen zijn eigen slaapkamer maar in te lopen, waar zijn vrouw in haar broekje en beha van roze kant, bedekt met jade en parels, voor lijk speelde. Onder het bed lokte de voodoo-doos met de magneet, nagelknipper, pennen en de aan elkaar geplakte polaroidkiekjes hem op magische wijze naar huis.

Plotseling stikte ze bijna in de parels. Kokhalzend kwam ze overeind. De juwelen vielen van haar lijf. Ze trok het parelsnoer uit haar mond, ving het op in haar hand. Ze zag zo bleek dat haar mond er onnatuurlijk rood bij afstak, en had donkere kringen onder haar ogen. Ze zat kromgebogen over het hoopje glanzende eitjes, nat van het spuug, op de rand van het bed, haar rug naar me toe, haar ruggengraat als een snoer van jade.

Ze tastte achter zich naar mijn hand; haar nagels waren vuil, haar vingertopjes klein en gevoelig als die van een kind, haar ringen grotesk bovenmaats, als prijzen uit een kauwgomballenautomaat. Ik nam haar hand in de mijne. Ze bracht mijn hand naar haar gezicht, duwde de rug tegen haar natte wang. Ze gloeide. Ik vlijde mijn gezicht op haar schouder, haar rug was als vuur. Ik probeerde haar gerust te stellen. 'Ron komt gauw weer thuis.'

Ze knikte, haar hoofd zwaar op haar slanke hals, net een van die treurtulpen van haar, de knobbels van haar ruggengraat als de ratel van een diamantratelslang. 'Het is nu al zo warm. Wat moet ik doen als het zomer wordt?'

Ze was een en al zenuwen en huid, geen substantie, geen gewicht. Ze was als een vlieger, haar huid strakgespannen in de droge, felle wind.

'Laten we naar het strand gaan,' stelde ik voor.

Ze schudde haar hoofd, met snelle rukjes, alsof er een vlieg op haar geland was. 'Nee, dat is het niet.'

Ik zat op een van de sieraden, het boorde zich in mijn achterwerk. Ik maakte mijn hand los en trok het onder me vandaan. Het was een aquamarijn, met het formaat van een amandel in de dop. Aquamarijn vond je bij smaragd, vertelde Claire. Maar smaragd was bros en brak altijd in kleinere stukjes; aquamarijnen waren sterker en vormden moeiteloos grote kristallen, waardoor ze minder kostbaar waren. Een smaragd die heel bleef, die was pas echt wat waard.

Ik gaf haar de lichtblauwe steen met de kleur van mijn moeders ogen. Ze deed hem om haar wijsvinger, waar hij net een deurknop aan een touwtje leek. Ze tuurde erin. 'Deze is van mijn moeder geweest. Mijn vader heeft hem voor haar gekocht om hun cruise rond de wereld te vieren.' Ze deed hem af. 'Voor haar was hij ook te groot.'

Bij de buren floot de papegaai van mevrouw Kromach onophoudelijk dezelfde drie tonen, in een stijgende toonladder met intervallen van drieënhalve noot. De auto van de ijscoman die door de straat reed speelde 'Pop Goes the Weasel'. Claire ging zo achteroverliggen dat ze me kon zien, met een hand onder haar hoofd. Ze was heel mooi, zelfs nu nog, haar donkere haar los om haar schouders, vochtig aan de haargrens, haar donkere wenkbrauwen glanzende boogjes, haar kleine borsten bollend onder roze kant.

'Als jij zelfmoord zou plegen, hoe zou je dat dan doen?' vroeg ze.

Ik ging op mijn buik liggen en snuffelde tussen de sieraden. Ik paste een gouden armband. Ik kreeg hem niet over mijn hand. Ik dacht aan mijn zelfmoorden, hoe ik mijn dood als gitten door mijn vingers had laten glijden. 'Dat zou ik nooit doen.'

Ze drapeerde een indiaanse zilveren halsketting over haar platte buik, strengetjes van haardunne buisjes waardoor het metaal vloeibaar leek, als kwik. 'Maar stel nou dat je het wél wilde.'

'Het is tegen mijn geloof.' Er biggelde zweet tussen mijn borsten omlaag, het vormde een poeltje in mijn navel.

'Welk geloof?'

'Ik geloof in overleven.'

Dat vond ze flauw. Ik speelde vals. Het was tegen de regels. 'Stel nu maar gewoon dat je het wel wilde. Stel nou dat je stokoud was en aan een afschuwelijke ongeneeslijke kankersoort leed.'

'Dan zorgde ik voor een grote voorraad Demerol en zou ik het gewoon uitzingen.' Ik ging echt niet met Claire over zelfmoord in discussie. Dat stond op mijn moeders lijstje van mensonvriendelijke daden. Ik ging haar echt niet de effectiefste manier vertellen, die van de jongen met botkanker: een luchtbel in je ader spuiten en die als een parel door je bloed laten drijven. Haar tante Priscilla had die beproefde methode vast wel eens toegepast aan het front, als de morfine op was. Verder had je nog de flinke portie cyaankali achter op de tong, zoals ze bij katten deden. Dat werkte bliksemsnel. Bij zelfmoord had je niets aan een langzaam werkend middel. Er kon iemand binnenkomen, iemand kon je gaan redden.

Claire klemde haar hand om haar knie, en schommelde een beetje heen en weer op haar rug. 'Weet je hoe ik het zou doen?'

Ze trok me beetje bij beetje mee, maar ik wilde die kant niet op. 'Ga je mee naar het strand? Het is zo warm, we worden er gek van.'

Ze hoorde me niet eens. Haar ogen stonden dromerig, als bij iemand die verliefd is. 'Ik zou mezelf vergassen. Ja, dat is de goeie manier. Ze zeggen dat het voelt alsof je in slaap valt.'

Ze deed me denken aan een vrouw die in de sneeuw was gaan liggen. Alleen maar eventjes liggen, ze was zo moe. Ze had al zo lang gelopen, ze wilde alleen maar eventjes rusten, en het was lang niet zo koud als ze gedacht had. Ze had zo'n slaap. Die overgave, die zocht ze. Niet langer vechten tegen de sneeuwstorm en de haar omringende nacht, gaan liggen in dat witte, gaan slapen. Ik begreep het. Vroeger droomde ik vaak dat ik bij een koraalwand aan het sportduiken was. De euforie nam toe naarmate er meer stikstof in mijn bloed kwam, en de enige richting was omlaag, de duisternis en de vergetelheid in.

Ik moest haar wekken. In haar gezicht slaan, haar laten rondlopen, zwarte koffie laten drinken. Ik vertelde haar over de Japanse matroos die vier dagen had rondgedobberd voor hij zelfmoord pleegde. 'Twintig minuten later vonden ze hem. Hij was nog warm.'

We hoorden het gezoem van een grasmaaier verderop aan de straat. De zoete geur van jasmijn nam het laatste restje lucht weg. Ze zuchtte, zodat haar ribben zich uitzetten en zich scherp als de messen van de maaier aftekenden. 'Maar hoe lang kan iemand blijven ronddobberen terwijl hij naar de lege einder tuurt? Hoe lang kun je stuurloos blijven voor je het welletjes vindt?'

Wat moest ik daar nu voor antwoord op geven? Zo verging het mij al jaren. Zij was mijn reddingsvlot, mijn zeeschildpad. Ik ging liggen, met mijn hoofd op haar schouder. Ze rook naar zweet en L'Air du Temps, maar nu stoffig blauw, alsof haar treurnis het parfum had verkleurd.

'Er kan nog van alles gebeuren,' zei ik.

Ze kuste me op mijn mond. Haar mond smaakte naar ijskoffie en kardamom, en ik werd overweldigd door die smaak, door haar hete huid en de geur van ongewassen haar. Ik was verward, maar niet onwillig. Ze had alles met me mogen doen.

Ze liet zich met haar arm over haar ogen terugvallen op het kussen. Ik kwam op een elleboog half overeind. Ik wist niet wat ik zeggen moest.

'Ik voel me zo onwezenlijk,' zei ze.

Ze draaide zich om, met haar rug naar me toe; haar granaten hartjeshanger zat tegen haar schouderblad gekleefd. Haar ongewassen haar was zwaar als een tros zwarte druiven, en middel en heup welfden zich als een bleke gitaar. Ze pakte het parelsnoer op en liet het in een spiraal op de sprei zakken, maar toen ze zich bewoog gleed het naar haar toe en werd het patroon verstoord. Ze pakte het weer op, probeerde het opnieuw, als een meisje dat bloemblaadjes van madeliefjes plukt tot ze het gewenste antwoord krijgt.

'Had ik maar een kind,' zei ze.

Ik voelde een rukje aan een zelden beroerde snaar. Ik besefte terdege dat ik het beter-dan-niks-kind was, de plaatsvervanger voor wat ze echt wilde. Als ze een baby kreeg, had ze mij niet nodig. Maar daar kon geen sprake van zijn. Ze was zo mager, ze hongerde zichzelf uit. Ik had haar wel eens betrapt op overgeven na het eten.

'Ik ben een keer zwanger geweest. Op Yale. Het kwam niet bij me op dat dat de enige baby was die ik ooit zou krijgen.'

Het gejank van de grasmaaier vulde de stilte. Ik had graag iets bemoedigends gezegd, maar kon niets bedenken. Ik plukte het hartje van haar rug. Haar magere lijf was in tegenspraak met wat ze zei dat ze wilde. Ze was zoveel afgevallen dat ze nu mijn kleren aan kon. Dat deed ze ook, als ik op school zat. Soms als ik thuiskwam waren bepaalde kleren warm en roken ze naar L'Air du Temps. Ik stelde me haar voor in mijn kleren, dingen die ze het leukst vond, een geruite rok, een strak truitje. In de spiegel was ze dan in gedachten zestien en zat ze op de middelbare school. Ze kon mij, de onhandige tiener, perfect imiteren. Kruiste haar benen precies zoals ik, in elkaar gestrengeld, voet achter kuit. Haalde eerst haar schouders op voor ze wat zei – zo ondergroef ik van tevoren al wat ik ging zeggen. Mijn onzekere lachje, dat in één ogenblik verscheen en verdween. Ze paste mij aan, net als mijn kleren. Niet dat het om mij ging, ze wilde zestien zijn.

Ik keek onder de jaloezieën door naar de tuin, naar de lange schaduwen van de cipres en de palm op het weefsel van het gazon. Wat wilde ze dan als ze weer zestien kon zijn? Dat ze niet de fouten beging die ze nu had begaan? Betere keuzes maakte? Misschien hoefde ze helemaal niet te kiezen, kon ze gewoon zestien blijven. Maar ze paste de kleren van de verkeerde aan. Ik was niet iemand die zij zou willen zijn. Ze was te breekbaar om mij te zijn, het zou haar verpletteren, als de druk van een diepe duik langs een koraalwand.

Maar meestal lag ze hier, zoals nu, aan Ron te denken: wanneer kwam hij thuis, had hij een ander? Tobbend over het lot, over kwade invloeden, terwijl ze de talismans droeg uit haar familieverleden, van vrouwen die iets van hun leven hadden gemaakt, die iets van zichzelf hadden gemaakt, of zich tenminste iedere dag aankleedden, vrouwen die nooit een zestienjarige pleegdochter hadden gekust omdat ze zich onwezenlijk voelden, hun tuin nooit door onkruid hadden laten overwoekeren omdat het te warm was om te wieden.

Het liefst had ik tegen haar gezegd dat ze die wanhoop van haar niet zo moest koesteren. Wanhoop was geen gast, niet iemand voor wie je zijn lievelingsmuziek opzet of een makkelijke stoel aansleept. Wanhoop was de vijand. Het maakte me bang dat Claire haar verlangens zo openlijk toonde. Als je iets vreselijk graag wilde, werd het je geheid afgenomen, zo leerde de ervaring mij. Ik hoefde geen spiegeltjes op het dak te hangen om dat te beseffen.

HET WAS EEN hele opluchting toen Ron thuiskwam. Ze stond op, ging douchen, schoonmaken. Ze kookte, veel te veel, deed rode lippenstift op. Leonard Cohen moest plaatsmaken voor de big band van Teddy Wilson en ze zong mee met 'Basin Street Blues'. Ron vrijde met haar, 's nachts, en soms ook 's middags. Niet dat ze zo luidruchtig waren, maar ik hoorde ze achter de dichte deur zachtjes lachen.

Op een ochtend vroeg, toen Claire nog lag te slapen, hoorde ik hem in de huiskamer aan de telefoon. Hij had een vrouw aan de lijn, dat voelde ik meteen toen ik binnenkwam, zoals hij daar in zijn gestreepte pyjamabroek stond te lachen onder het praten, en het telefoonsnoer om zijn gladde vingers wond. Hij lachte om iets wat ze zei. 'Bot. Wat maakt het uit. Kabeljauw.'

Toen hij mij in de deuropening zag, schrok hij. Het bloed trok weg uit zijn roze wangen, kwam er donkerder weer in terug. Hij streek zijn hand door zijn haar, zodat de lichtere plukjes terugveerden onder zijn aanraking. Hij bleef nog even doorpraten, afspraak zus, boeking zo, vluchtnummers, hotels, en maakte aantekeningen op een papiertje in zijn openliggende koffertje. Ik bleef waar ik was. Hij hing op.

Hij kwam overeind en hees zijn pyjamabroek op. 'We gaan naar Reykjavík. Hete bronnen met bewezen geneeskracht.'

'Je moet Claire meenemen,' zei ik.

Hij gooide het papiertje in zijn koffertje, deed dat dicht en op slot. 'Ik moet er de hele tijd werken. Je weet hoe Claire is. Ze zou in het motel blijven zitten en zich opfokken tot een toestand van ziekelijke fantasie. Je reinste nachtmerrie.'

Met tegenzin moest ik hem gelijk geven. Of hij nu zo uithuizig was om slippertjes te maken, of om zich niet met Claire te hoeven bezighouden, of misschien zelfs – kleine kans – omdat hij echt was wat hij voorgaf, een vermoeide echtgenoot die moet zorgen voor brood op de plank, het bleef een feit dat het een ramp zou worden om Claire mee te nemen als hij toch geen tijd voor haar had. Zij was niet iemand die in haar eentje op pad ging om rond te kijken. Ze zou zich in het hotel gaan zitten afvragen wat hij uitspookte, welke vrouw het was. Pure zelfkwelling.

Maar zo makkelijk kwam hij er bij mij niet van af. Hij was en bleef haar man. Hij was verantwoordelijk. De manier waarop hij, in het huis van Claire nota bene, zo met die vrouw aan de telefoon bezig was, stond me helemaal niet aan. Ik kon me hem heel goed voorstellen met een vrouw in een schemerig restaurantje, waar hij haar met diezelfde gladde stem verleidde.

Ik bleef tegen de deurpost geleund staan voor het geval hij terug zou willen naar bed alsof er niets aan de hand was. Ik wilde hem duidelijk maken dat ze hem nodig had. Zijn taak lag hier. 'Ze heeft me verteld hoe ze zelfmoord zou plegen als ze dat wou.'

Dat trof doel, bracht die gladjanus een beetje aan het wankelen – iemand die over een kapotte stoeptegel struikelt, een acteur die zijn tekst kwijt is. Hij streek zijn haar achterover om tijd te winnen. 'Wat zei ze dan?'

'Dat ze zich zou vergassen.'

Hij ging zitten, deed zijn ogen dicht, legde zijn handen eroverheen, zodat de gladde vingertoppen elkaar boven zijn neus raakten. Plotseling voelde ik ook medelijden met hem. Ik had alleen zijn aandacht willen trekken, hem willen laten inzien dat hij er niet zomaar weer vandoor kon vliegen alsof er niets met haar aan de hand was. Hij kon haar niet helemaal aan mij overlaten.

'Denk je dat ze dat ook echt meent?' vroeg hij met angst in zijn lichtbruine ogen.

Dat vroeg híj aan míj? Hij was degene die alles zo goed wist. Hij was de man met de vaste greep op de realiteit, die ons zei wanneer we moesten opstaan en wanneer we naar bed moesten, naar welke zender we moesten kijken, wat we moesten denken van de kernproeven en de herziening van de sociale zorg. Hij was degene die de wereld als een grote basketbal veilig in zijn gladde handen hield. Ik keek hem hulpeloos aan, ontzet dat hij niet wist of Claire al dan niet zelfmoord zou plegen. Hij was haar man. Wie was ik nou helemaal, zomaar een meisje dat ze in huis hadden genomen.

Het beeld van Claire drong zich aan me op zoals ze op bed had gelegen, gekleed in haar juwelen, parels opwellend uit haar mond. Wat ze had opgegeven om bij Ron te zijn. Hoe ze 's nachts huilde, haar armen stevig om zichzelf heen geklemd, bijna dubbelgevouwen, als iemand met buikkramp. Maar nee, ze zat me nog altijd op te wachten als ik uit school kwam en zou niet willen dat ik haar dood aantrof. 'Ze mist je.'

'De zomerstop staat voor de deur,' zei Ron. 'Dan gaan we ergens heen. Er helemaal tussenuit, met z'n drieën. Kamperen in het Yellowstone Park of zo. Hoe lijkt je dat?'

Wij met z'n drieën, paardrijden, rondtrekken, om een kampvuur zitten, de sterren uit ons hoofd leren. Geen telefoon, fax of laptop. Geen feestjes, vergaderingen, vrienden die langskwamen met een scenario. Ron helemaal voor zichzelf. Wat zou ze zich daar op verheugen. Een kampeervakantie met Ron zou ze zich niet laten ontgaan. 'Dat zou ze prachtig vinden,' zei ik ten slotte. Al moest ik het eerst nog zien. Ron beloofde altijd van alles.

'Ik weet best dat het voor jou niet gemakkelijk is geweest.' Hij legde zijn hand op mijn schouder. Glad. Er zat warmte in die hand, die door mijn hele schouder trok. Heel even vroeg ik me af hoe het zou zijn om met hem te vrijen. Zijn blote borst zo dichtbij dat ik hem zou kunnen strelen, de grijze haartjes, de tepels zo groot als een kwartdollar. Hij rook lekker, naar Monsieur Givenchy. Zijn stem, niet te zwaar, een beetje gruizig, sussend. Maar toen bedacht ik dat hij degene was die alle problemen veroorzaakte, die niet genoeg van Claire kon houden. Hij bedroog haar, ik voelde het aan zijn lijf. Hij had de hele wereld, Claire had alleen hem. Maar ik kon er niets aan doen dat ik het fijn vond, zijn hand op mijn schouder, de manier waarop hij keek. Ik probeerde niet te reageren op die mannelijke aanwezigheid, op die stevige verschijning in zijn blauwe pyjamabroek. *Ze is een jonge vrouw*, had hij Claire voorgehouden. Dat hoorde alleen maar bij de rol die hij speelde, de man met begrip. Zo deed hij natuurlijk tegen alle eenzame lepelbuigers. Ik deed een pas opzij, zodat zijn arm neerviel. 'Ga nou maar,' zei ik.

20

RON HIELD WOORD en huurde in juni een houten huisje in Oregon. Geen telefoon, geen stroom, en zelfs zijn computer had hij thuisgelaten. In de bossen van het Cascadegebergte visten we met een groene rubberen waadbroek aan tot aan ons middel. Hij liet me de molen voor het vliegvissen zien, hoe je moest uitwerpen, als een subtiele betovering, de glinsterende regenboogforellen als geheimen die je zo uit het water kon plukken. Claire verdiepte zich in vogelgidsen en flora's, geobsedeerd door de namen, alsof de naam de verschijning tot leven wekte. Als ze er eentje herkende, was ze zo trots alsof ze die veldleeuwerik of het venushaar zelf had geschapen. Of we zaten op het grote weiland, ieder met de rug tegen de eigen boom, terwijl Ron op zijn mondharmonica cowboyliedjes speelde, 'Red River Valley' en 'Yellow Rose of Texas'.

Ik moest aan mijn moeder denken, die in Amsterdam 'Whoopee ti yi yo, git along little dogies' zong. Me uitlegde dat een 'dogie' een kalfje was dat zijn moeder kwijt was. *It's your misfortune and none of my own*. Ron kwam uit New York en ik vroeg me af waar hij die liedjes vandaan had. Van de tv zeker. Ik zag wel dat hij naar me keek als ik aan de rivieroever zat te schetsen, maar deed niets om hem aan te moedigen. Ik kon heel goed zonder Ron, maar niet zonder Claire.

Als het regende, liep hij met Claire over een tapijt van dennennaalden langs de bospaden, waar de varens naar drop roken.

’s Avonds speelden we monopoly en scrabble, eenentwintigen, woorden raden. Claire en Ron speelden scènes uit *A Streetcar Named Desire* en *Picnic*. Ik kon zien hoe het geweest moest zijn toen ze elkaar pas kenden. Hoe hij haar bewonderde. Dát moest ze zich herinneren, dat hij degene was die haar had begeerd.

Ik had nooit eerder zo lang met Ron opgetrokken. Het begon me te ergeren dat hij altijd de gang van zaken bepaalde. Als hij opstond, maakte hij Claire en mij ook wakker. Maar als wij eerder wakker waren, slopen we als muizen rond omdat Ron nog sliep. *Een mannenwereld*. Ik had er moeite mee dat Ron altijd degene was die uitmaakte wat we die dag gingen doen, of het een goeie dag was om te vissen of te wandelen of voor een tochtje naar de kust. Ron besliste of we boodschappen moesten gaan halen of dat we het nog wel een dagje konden uitzingen, of we regenjassen of truien mee moesten nemen of dat we brandhout moesten kopen. Ik had nooit een vader gehad en nu hoefde ik er geen.

Maar Claire zag er weer gezond uit. Ze gaf niet meer over. Ze kreeg een frisse kleur. Ze kookte liters soep in een grote gietijzeren pan, terwijl Ron boven een kampvuur vis roosterde. ’s Ochtends aten we pannenkoeken, of ei met spek. Ron lachte terwijl hij op het knapperige spek beet. ‘Gif, gif. En zulke kleine porties’ – het was de clou van een privé-grapje van ze. Dikke boterhammen in onze rugzak voor het middageten, met ham en salami, hele tomaten, rookkaas.

Claire klaagde dat ze niet meer in haar spijkerbroek kon, maar Ron omarmde haar dijen en probeerde erin te bijten. ‘Ik zie je graag dik. Kolossaal. Als een Rubensvrouw.’

‘Liegbeest.’ Lachend mepte ze naar hem.

Ik liet mijn vissnoer bungelen in de McKenzie, waar de zon tussen de bomen op het water blikkerde, en vissengedaanten dieper wegdoken op de plekken waar de bomen schaduwen over het stromende water wierpen. Stroomopwaarts gooide Ron zijn hengel uit en haalde weer in, maar mij kon het eigenlijk niet schelen of ik iets ving. Claire liep langs de oever in zichzelf te zingen met haar soepele, moeiteloze sopraan, *Oh Shenandoah, I long to hear you*... Ze plukte bloemen, die ze droogde tussen lagen karton als we weer in de hut waren. Ik voelde me er thuis, de stilte, de groentinten onder de vibrerende hemelkoepel waar de lange vingers van de jeffreypijnbomen en douglassparren hun bogen vormden, het soort lucht waar je draken en engelen in verwachtte. Een lucht als een raam op een renaissanceportret van een kardinaal. De muziek van stromend water en de harsgeur van de naaldbomen.

Ik wierp uit en haalde in, mijn rug warm in de zon, en staarde in mijn schaduw op het water, die een donker venster in de spiegelingen vormde. Ik kon er doorheen kijken tot aan de bodem met de stenen en de vissen, de gedaanten die zich naar de vlieg bewogen.

Plotseling suisde de spoel en schoot de lijn ervandoor. Ik raakte in paniek. 'Ik heb beet!' schreeuwde ik naar Ron. 'Wat moet ik doen?'

'Laten gaan tot hij is uitgeraasd,' riep Ron me stroomafwaarts toe.

De spoel draaide nog maar vertraagde ten slotte.

'Nu moet je hem inhalen.'

Ik haalde hem in, voelde het gewicht van de vis, die sterker was dan ik dacht, of misschien was het de stroom die hem meevoerde. Ik zette me schrap en trok, keek hoe de lange buigzame hengel zich spande tot een boog, als een zweep. Toen verslapte het snoer. 'Ik ben hem kwijt!'

'Inhalen!' riep Ron, die behoedzaam, stap voor stap, stroomafwaarts kwam waden. Hij hield het net klaar. 'Hij komt langs deze kant terug.'

Ik draaide als een razende en waarachtig, het snoer zwenkte, hij zwom terug de rivier op. Ik hield mijn adem in, had nooit gedacht dat ik het zo spannend zou vinden om mijn vissnoer in een rivier te laten zakken, waar dan een levende vis naar de vlieg hapte. Met iets levends terugkomen terwijl ik er met lege handen naar toe was gegaan.

'Laat hem zich maar moe maken,' zei Ron.

Ik liet het snoer afwinden. De vis vluchtte stroomopwaarts. Ik gilde van het lachen toen ik in een gat stapte en mijn waadbroek volliep met ijskoud water. Ron trok me op, hield me in evenwicht. 'Zal ik hem voor je binnenhalen?' Hij greep al naar mijn hengel.

Ik rukte hem uit zijn hand. 'Nee.' Die vis was van mij. Niemand ging me die vis afnemen. Ik had het gevoel dat ik hem had gevangen met mijn eigen vlees, met een snoer van mijn kleren. Ik moest en zou hem hebben.

Claire kwam kijken. Ze ging op de kant zitten en trok haar knieën op tot haar kin. 'Voorzichtig,' zei ze.

De vis deed nog drie pogingen tot Ron hem moe genoeg vond om binnen te halen. 'Haal hem nu maar, haal hem nu maar binnen.'

Mijn arm deed pijn van het draaien, maar mijn hart sprong op toen hij uit het water oprees, glanzend vloeibaar zilver, zestig centimeter lang. Hij spartelde nog wild.

'Vasthouden, zorg dat je hem nu niet meer kwijtraakt,' zei Ron, die met zijn net aankwam.

Maar ik zou die vis niet kwijtraken, al sleurde hij me mee tot aan Coos Bay. Er was al genoeg tussen mijn vingers door geglipt.

Ron ving hem in het net en samen liepen we naar de kant. Met de spartelende reuzenvis in het net klauterde Ron tegen de oever op.

'Hij is zo lévend,' zei Claire. 'Gooi hem terug, Astrid.'

'Dat meen je toch niet? Haar eerste vis?' Hij gaf me een hamer en zei: 'Geef hem een mep. Op z'n kop.'

De vis spartelde door het gras, probeerde in het water terug te springen.

'Vlug, anders zijn we hem kwijt.'

'Niet doen, Astrid.' Claire keek me aan met haar gevoeligste bloemetjesblik.

Ik pakte de hamer aan en ramde de vis op zijn kop. Claire draaide zich om. Ik wist wat ze dacht, dat ik partij had gekozen voor Ron, voor de wrede buitenwereld. Maar ik moest en zou die vis hebben. Ik haalde het haakje eruit en hield hem omhoog, en zo nam Ron een foto van me. Claire wilde de rest van de middag niet met me praten, maar ik voelde me een echt kind, en weigerde me daar schuldig over te voelen.

IK VOND HET vreselijk dat we terug moesten naar LA. Nu moest Claire Ron delen met telefoontjes en faxberichten en veel te veel mensen. Ons huis zat vol projecten, aanbiedingen, scenario's in wording, roddels uit het vak, recensies in *Variety*. De vrienden van Ron konden geen normaal gesprek met me voeren. De vrouwen negeerden me en de mannen hadden te veel belangstelling, kwamen te dichtbij staan, stonden tegen de deurpost geleund en zeiden tegen me dat ik mooi was, wilde ik actrice worden?

Ik bleef in de buurt van Claire, maar ik werd er zenuwachtig van als ik zag hoe ze zich voor die lui, die onverschillige vreemden, uitsloofde: witte wijn voor ze koelde, pesto maakte, voor de zoveelste keer naar de Chalet Gourmet. Ron zei dat dat allemaal niet hoefde, ze konden gewoon pizza bestellen of El Pollo Loco laten komen, maar Claire zei dat ze het niet over haar hart verkreeg haar gasten uit kartonnen dozen te laten eten. Ze snapte het niet. Ze beschouwden zichzelf niet als haar gasten. Voor hen was ze gewoon een echtgenote, een werkloze actrice, een sloofje. Er waren die zomer veel mooie vrouwen bij, in zonnejurken, bikinitopjes en sarongs, en ik wist dat ze probeerde uit te vissen wie van hen Rons Circe was.

Ten slotte nam ze haar toevlucht tot Prozac, maar daar kreeg ze te veel energie van. Ze kon niet meer stilzitten, en begon te drinken om dat effect tegen te gaan. Dat beviel Ron niet, want dan zei ze dingen die ze zelf grappig vond maar waar verder niemand om moest lachen. Ze was net een vrouw in een film waarvan de geluidsband niet synchroon liep: te snel of te langzaam. Ze bedierf de clou.

IN SEPTEMBER, IN wind en asregen, begon ik op de Fairfax aan de zesde klas en ging Ron weer aan de slag. Nu werkte Claire in het echtgenootloze huis als een paard. Ze schrobde de vloeren, zeemde de ruiten, verzette het meubilair. Op een dag gaf ze al haar kleren weg aan het Leger des Heils. Zonder kalmerende middelen bleef ze de hele nacht op, sorteerde krantenknipsels, stofte boeken af. Ze had vaak hoofdpijn en dacht dat de telefoon werd afgeluisterd. Ze hield bij hoog en bij laag vol dat ze een klikje hoorde voordat ze ophing. Ik moest ook luisteren van haar.

‘Heb je het gehoord?’ vroeg ze, met een koortsachtige gloed in haar donkere ogen.

‘Het zou kunnen,’ zei ik, want ik wilde haar niet alleen laten in haar nacht. ‘Ik weet het niet zeker.’

IN OKTOBER MAAKTE de hitte plaats voor de blauwe middagnevel van de echte herfst; de handvormige bladeren van de esdoorn tekenden zich oranje af tegen de stoffige witte stammen, en over de bergen lag een rossig-gouden blos. Toen ik op een keer uit school kwam trof ik Claire aan in haar kamer, waar ze in haar ronde toiletspiegel naar zichzelf zat te staren, haar zilveren borstel vergeten in haar hand. ‘Mijn gezicht is scheef, heb je dat wel eens gezien? Mijn neus staat niet in het midden.’ Ze draaide haar hoofd opzij, keurde het profiel, blies haar wangen bol, duwde haar zogenaamd scheve neus naar rechts en drukte de punt omlaag. ‘Vreselijk, puntneuzen. Je moeder heeft een Garbo-neus, heb je dat wel eens gezien? Als ik die van mij liet fatsoeneren, zou ik er zo een willen.’

Het ging helemaal niet om die neus. Claire was haar eigen gezicht in de spiegel gewoon beu, het was een symbool voor haar falen. Er ontbrak iets, maar niet wat zij dacht. Ze tobde over haar wijkende haargrens, dat ze er straks uit zou zien als Edgar Allan Poe. Onder haar angstige blik leken de onvolmaakte puntjes van haar oren groter, haar kleine lippen nog kleiner.

‘Kleine tanden brengen ongeluk,’ zei ze, en ze liet ze me in de spiegel zien. ‘Een kort leven.’ Haar tanden waren net gerstekorreltjes, glanzende pareltjes. Maar haar ogen waren steeds dieper in hun kassen gezonken. Ik kon de oogleden bijna niet meer zien, en haar scherpe botten vormden weer bruggen in haar gezicht – een bronzen kop van Rodin, genadeloos in zijn ontleding.

In de loop van december fleurde Claire op. Ze was gek op de feestdagen. Ze las tijdschriften met illustraties van Kerstmis in Engeland, in Parijs, in Taos, New Mexico. Ze wilde van alles. ‘Laten we er een volmaakte Kerstmis van maken,’ zei ze.

We maakten een krans met eucalyptusbladeren en granaatappeltjes die we in gesmolten was doopten. Ze kocht dozen kerstkaarten van zacht, met de hand gemaakt papier, versierd met kant en gouden sterren. Op de klassieke zender klonk *Het zwanenmeer*. We regen slingers van chilipepertjes, bestaken mandarijntjes met kruidnagelen, bonden er strikken om van cognackleurig fluweel. Voor mij kocht ze bij Jessica McClintock in Beverly Hills een roodfluwelen jurk met een kraag en manchetten van witte kant. Perfect, zei ze.

Dat 'perfect' joeg me angst aan. Volmaaktheid was altijd te veel gevraagd.

RON ZOU THUISBLIJVEN tot en met nieuwjaar. Ze wachtte tot hij er was, zodat we met z'n allen als een echt gezinnetje de boom konden gaan kopen. In de auto gaf ze aan wat ze precies zocht. Symmetrisch, met van die zachte naalden, en minstens twee meter hoog. De bomenman deed zijn best, maar gaf het op toen hij tientallen bomen uit hun net had gehaald.

'Dit gaat me boven m'n pet,' zei Ron, die haar uitzichtloze zoekactie gadesloeg. 'Jezus is opgegroeid in Bethlehem. Hartje woestijn. Dan moet je toch een olijf of dadelpalm kopen. Desnoods zo'n stomme Jeruzalem-artisjok.'

Ik liep rond in de hoek van de met verf bespoten bomen; sommige stonden stijf van een witte chemische sneeuwbui, andere waren goud, roze, of rood gespoten, en één zelfs zwart. Die zwarte, van zo'n meter hoog, zag eruit alsof hij verbrand was. Ik vroeg me af wie er nou een zwarte boom zou willen, maar besefte dat er vast wel iemand voor zou zijn. De gekte van mensen kende geen grenzen. De een kon hem kopen bij wijze van grap, om hem als een soort verlate Halloween met plastic schedeltjes en miniguillotines te versieren. Of als politieke daad: zó denk ik over Kerstmis. Weer iemand anders kocht hem misschien om het genoegen zijn kindertjes in tranen te zien.

De bomen roken naar Oregon. Waren we nu maar daar, in de hut met de houtkachel, en buiten een zacht regentje. Ik liep naar Claire, die stond te tobben bij een boom die het bíjna was, op een soort hiaat in de takken aan de ene kant na. Ze wees ernaar met nerveuze handen. Ik stelde haar gerust, ze kon die kant naar de muur draaien, niemand zou het zien.

'Daar gaat het niet om,' zei ze. 'Als er ergens iets aan mankeert, kun je het niet zomaar naar de muur draaien.'

Ik begreep wat ze bedoelde, maar haalde haar toch over die boom te nemen.

Thuis instrueerde Claire Ron hoe hij de lampjes in de boom moest hangen. Eigenlijk had ze kaarsjes gewild, maar dat ging Ron echt te ver. We omwonden hem met slingers van pepertjes en popcorn, terwijl Ron naar een belangrijke voetbalwedstrijd keek op de tv. Mexico-Argentinië. Hij wilde hem niet uitzetten zodat Claire naar kerstliederen kon luisteren. *Een mannenwereld*. Hij kon zichzelf nauwelijks lang genoeg van het scherm wegrukken om de piek met de gouden engel op de boom te zetten.

Claire deed de lampen in de kamer uit en we zaten in het donker naar de boom te kijken terwijl Mexico Zuid-Amerika platwalste.

OP DE OCHTEND voor Kerstmis werd Ron opgebeld over een verschijning van Maria in Bayou St. Louis. Hij moest ernaar toe om te filmen. Ze kregen vreselijke ruzie en Claire sloot zich op in hun kamer. Ik was zilver aan het poetsen in de keuken, een werkje waar ik heel goed in was geworden. We zouden gaan eten met linnen en kristal op tafel, ik in mijn nieuwe kerstjurk van Jessica McClintock. Claire had de gans al gevuld, en bij Chalet Gourmet een echt Engelse trifle gehaald. We hadden kerstnachtkaartjes voor de *Messiah* in de Hollywood Bowl.

We zijn niet gegaan. Ik at een boterham met ham en keek naar *It's a Wonderful Life*. Claire kwam haar kamer uit en kiepte de gans in de vuilnisbak. Ze dronk het ene glaasje sherry na het andere, keek met mij mee naar de tv in de geruite badjas die Ron haar als vroeg kerstcadeautje had gegeven, en barstte af en toe in huilen uit. Ik dronk ook een paar glaasjes van het zoete spul, voor de gezelligheid – het was niet erger dan hoestsiroop. Ten slotte nam ze een paar slaaptabletten en raakte ze op de bank buiten westen. Ze ronkte als een grasmaaier in hoog gras.

Op eerste kerstdag bleef ze slapen tot twaalf uur en werd met vreselijke hoofdpijn wakker. Over Ron repten we niet, en ze raakte de cadeautjes die hij voor haar had achtergelaten niet aan. Ik kreeg een echte visserstrui, een nieuwe doos acrylverf, een groot boek met Japanse houtsneden en een zijden pyjama à la Myrna Loy in een *Thin Man*-film.

Vergeleken met wat Ron voor haar gekocht had was mijn cadeau maar klein. 'Hier, maak nou iets open.'

'Ik wil niets,' zei ze vanonder haar washandje met azijn.

'Ik heb het speciaal voor je gemaakt.'

Ze duwde het washandje weg en ondanks de pijn in haar slapen haalde ze de raffiatouwtjes eraf en maakte ze de verpakking van zelfgemaakt gemarmerd papier open. In het pakje zat een portret van haar in een rond houten lijstje. Ze barstte in tranen uit, holde toen naar de badkamer en begon over te geven. Ik hoorde haar kokhalzen. Ik pakte het portret, het was een houtskooltekening, en volgde met mijn wijsvinger haar hoge, ronde voorhoofd, de glooiing van de fijne botten, de scherpe kin, de gewelfde wenkbrauwen.

'Claire?' zei ik door de badkamerdeur.

Ik hoorde water lopen en morrelde aan de deur. Hij zat niet op slot. Ze zat in haar roodgeruite badjas op de rand van het bad, bleek als de winter, en staarde met haar hand voor haar mond naar de ramen. Ze knipperde de tranen weg en weigerde me aan te kijken. Het leek wel alsof ze van binnenuit bezweek; ze hield één arm om haar middel geklemd alsof ze wilde verhinderen dat ze in tweeën brak.

Ik wist nooit wat ik doen moest als ze zo was. Ik staarde naar de zalmroze vloertegels, telde de glimmende vierkantjes. Vierentwintig van bad naar verwarming. Dertig van deur naar wastafel. Het siermotief had de kleur van kersrode hoestpastilles en was doorschoten met amandelbruin spijkerschrift. De zwaan in de matglazen douchedeur boog zijn kop.

'Eigenlijk moet ik niet drinken.' Ze spoelde haar mond bij de wastafel met handenvol water. 'Het wordt er alleen maar erger van.' Ze veegde haar handen en haar gezicht droog met een handdoek, pakte mijn hand. 'Nu heb ik jouw kerst bedorven.'

Ik zorgde dat ze op de bank ging liggen, deed mijn nieuwe verfdoos open, smeerde kleuren op een palet, verfde een dik vel papier half zwart, half rood, en maakte vlammen als die achter op de hoes van Leonard Cohen. De vrouw op de radio zong 'Ave Maria'. 'Wat betekent *Ave*?'

'Vogel,' zei ze.

De vrouwenstem was een vogel die vloog in een hete wind, hij vloog zich aan flarden. Ik schilderde hem in het vuur, zwart.

TOEN RON THUISKWAM uit New Orleans, kwam Claire niet van de bank. Ze maakte niet schoon, deed geen boodschappen, kookte niet, legde geen schone lakens op bed, deed geen lippenstift op en probeerde niets goed te maken. Ze lag in haar rode badjas op de bank, de sherryfles onder handbereik, was al de hele dag aan het drinken, at geroosterd brood met kaneel en liet de korstjes liggen, luisterde naar opera. Daar hunkerde ze nu naar. Hysterische liefde en onherroepelijk verraad. Het liep er altijd op uit dat de vrouw zich doorstak, gif dronk, of stierf aan een slangenbeet.

'Kleed je dan in godsnaam tenminste aan,' zei Ron. 'Astrid hoeft dit toch niet te zien.'

Ik vond het niet prettig dat hij mij als excuus gebruikte. Hij kon toch ook zeggen: ik maak me zorgen om je, ik hou van je, ik wil dat je hulp zoekt?

'Astrid, vind je me gênant?' vroeg Claire. Nuchter had ze me nooit zo voor het blok gezet.

'Nee,' zei ik. Wat ik wel gênant vond, was dat ze me zo doorgaven van de een naar de ander, als de sla bij het eten.

'Ze zegt dat ze me niet gênant vindt.'

Ron zei: 'Maar ik wel.'

Claire knikte, hing dronken tegen de armleuning van de bank naast de knipperende kerstverlichting. Ze stak een mager belerend vingertje op. 'Aha, eindelijk spijkers met koppen. Zeg eens, Ron, vond je me niet altijd al gênant? Of is dat een recente ontwikkeling?' Als ze dronk had ze een eigenaardige manier van articuleren, met een naar binnen getrokken onderlip, net Sandy Dennis in *Who's Afraid of Virginia Woolf?*

De sopraan op de cd barstte los in haar grote aria voor ze zich van kant maakte, *Madama Butterfly*, of *Aida*, ik weet niet meer welke. Claire deed haar ogen dicht, probeerde zich te verliezen in de zang. Ron zette de muziek uit.

'Claire, ik moest echt weg. Het is tenslotte mijn werk,' legde Ron uit terwijl hij zich met uitgestrekte handen, alsof hij aan het zingen was, over haar heen boog. 'Het spijt me dat het net Kerstmis was, maar het was nu eenmaal een kerstverhaal. Ik kon moeilijk tot februari wachten.'

'Het is je werk,' zei ze met die uitdrukkingsloze stem waar ik zo'n hekel aan had.

Hij priemde met die gladde, schone vinger. 'Hou op.'

Beet ze er maar in, brak ze hem maar, maar in plaats daarvan keek ze omlaag, dronk haar sherryglas leeg, zette dat voorzichtig op tafel en rolde zich op onder de mohairdeken. Ze had het tegenwoordig altijd koud. 'Is zij met je meegeweest? Die blonde del, hoe heet ze ook weer, Cindy of Kimmie.'

'Nou dat weer.' Hij wendde zich af, begon dingen op te ruimen, vuile papieren zakdoekjes, lege glazen, theedoek, kom. Ik hielp hem niet. Ik ging bij Claire op de bank zitten en wou maar dat hij ons met rust liet. 'Jezus, wat heb ik genoeg van die paranoia van jou. Ik zou eens echt vreemd moeten gaan, alleen om jou een reden te geven. Dan had ik tenminste ook nog wat lol naast die ellende.'

Claire keek hem aan met ogen die dik en roodomrand waren van het huilen. 'Maar haar vind je niet gênant. Je vindt het niet gênant om met haar overal heen te gaan.'

Hij bukte zich om haar lege glas te pakken. 'Bla-bla-bla.'

Voor ik doorhad wat er gebeurde, sprong ze overeind en gaf ze hem een pets in zijn gezicht. Goed zo, dat had ze al maanden geleden moeten doen. Maar in plaats van dat ze dat tegen hem zei, zakte ze terug op de bank, met haar handen slap op haar knieën en begon ze hikkend te huilen. Die ene klap had haar al haar kracht gekost. Ik voelde zowel medelijden als afkeer.

'Wil je ons even alleen laten?' vroeg Ron.

Ik keek naar Claire om te zien of zij niet wilde dat ik bleef, als getuige. Maar ze snikte alleen maar, met onbedekt gezicht.

'Toe nou maar,' zei hij met meer nadruk.

Ik ging naar mijn kamer terug, deed de deur dicht, en opende hem op een kier toen ze weer begonnen te praten.

'Je hebt het beloofd,' zei hij. 'Als we een kind hadden.'

'Ik kan er niets aan doen,' zei ze.

'Ik had dit niet verwacht,' zei hij. 'Dan moet ze echt weg.'

Ik probeerde uit alle macht haar antwoord op te vangen, hoorde niets. Waarom zei ze niets? Kon ik haar maar zien, maar hij stond over haar heen gebogen en zijn rug blokkeerde mijn zicht op haar. Ik probeerde me haar gezicht voor te stellen. Ze was dronken, haar huid was vlekkerig en rubberachtig. Wat stond er in haar ogen te lezen? Haat? Een smeekbede? Verwarring? Nu zou ze me toch wel gaan verdedigen – maar haar antwoord bleef uit.

'Het is geen succes,' ging hij verder.

Wat me trof was niet in de eerste plaats dat hij doodleuk kon zeggen dat ik moest worden teruggestuurd, alsof ik een hond uit het asiel was die de tuin en de vloerkleden had geruïneerd. Nee, het was de redelijke toon waarop hij het zei, zorgzaam maar afstandelijk, als een arts. Het is toch niet meer dan redelijk, zei zijn stem. Het is immers geen succes.

'Misschien ben jij degene die geen succes is,' zei ze terwijl ze naar de sherryfles greep. Hij sloeg hem uit haar hand. Hij vloog door de lucht en ik hoorde hem met een klap op de grenen vloer terechtkomen en doorrollen.

'Ik kan die aanstellerij van jou niet uitstaan,' zei hij. 'Wie speel je nu weer, de gekwetste matriarch? Mijn god, zíj zorgt voor jóu. Dát was niet de bedoeling.'

Dat loog hij. Dat was precies de bedoeling. Hij had mij genomen om voor haar te zorgen, op haar te passen, haar gezelschap te houden als hij weg was. Waarom zei ze dat nu niet? Ze kon gewoon niet tegen hem op.

'Je kunt haar niet wegdoen,' was alles wat ze zei. 'Waar zou ze dan heen moeten?'

Verkeerde vraag, Claire.

'Die komt wel ergens terecht,' zei Ron. 'Maar het gaat om jou. Jij bent ingestort. Alweer. Je had beterschap beloofd, maar ja. En nu moet ik zeker alles in de steek laten om jou weer op de been te helpen? Nou, ik waarschuw je, als ik jou weer overeind moet krijgen, zul jij er ook iets voor moeten opgeven.' Nog steeds die redelijke stem. Hij schoof alle schuld op haar.

'Jij pakt alles van me af,' snikte ze. 'Ik houd niets meer over.'

Hij keerde haar de rug toe, en nu zag ik zijn gezicht, de afkeer. 'God, wat acteer jij toch slecht,' zei hij. 'Dat was ik bijna vergeten.'

Toen hij uit mijn gezichtsveld stapte, zag ik haar, handen op haar oren, knieën onder haar kin, en ze schommelde heen en weer terwijl ze zei: 'Moet jij dan echt alles van me afpakken? Moet jij het allemaal hebben?'

'Misschien heb je tijd nodig,' zei hij. 'Denk er maar eens over na.'

Ik hoorde zijn voetstappen en deed de deur dicht voor hij me op mijn gegluur kon betrappen. Ik hoorde hem de gang door lopen.

Ik keek door een kiertje naar buiten; ze lag weer op de bank. Ze trok de mohairdeken over haar hoofd. Ik hoorde haar kreunen.

Ik deed de deur dicht en ging op mijn bed zitten, machteloos. Dit had ik al eens meegemaakt, met mijn moeder. Waarom deden ze dat toch? Ik zorgde nu al bijna twee jaar voor Claire. Ik was degene aan wie ze alles vertelde. Ik was degene die zich zorgen maakte, meeging in haar rituelen, haar angsten suste, terwijl hij elders met zijn klopgeesten en Mariaverschijningen in de weer was. Hij kon me nu toch niet wegsturen? Ik deed de deur open en was vastbesloten met hem te praten, tegen hem te zeggen dat het niet kon, toen hij met zijn schoudertas om en zijn koffertje in zijn hand uit de slaapkamer kwam. Zijn ogen kruisten de mijne, maar ze gleden dicht als deuren van staal toen hij me voorbijliep de woonkamer in.

Ik had niet gedacht dat Claire nog bleker kon worden, maar toen ze Ron met die tassen zag werd ze krijtwit. Ze krabbelde overeind, de deken viel op de vloer. Haar badjas zat helemaal verdraaid en ik kon haar ondergoed zien. 'Niet weggaan.' Ze greep hem bij zijn corduroy jasje. 'Je mag niet bij me weggaan. Ik hou van je.'

Hij haalde diep adem en even dacht ik dat hij zich zou bedenken, maar toen zakten zijn wenkbrauwen naar beneden, en wendde hij zich af en bevrijdde zich uit haar greep. 'Zorg dat je eruit komt.'

'Ron, toe nou.' Ze probeerde hem weer vast te pakken maar was te dronken, miste en viel op haar knieën. 'Toe nou, Ron.'

Ik liep terug naar mijn kamer en ging voorover op bed liggen. Ik kon het niet aanzien hoe ze achter hem aan kroop, zijn benen greep, smeekte, achter hem aan de deur uit wankelde in haar rode kerstbadjas die helemaal openviel. Ik kon haar nu buiten horen huilen en beloven dat ze haar best zou doen, alles wat hij maar wilde. De knal van zijn portier, het starten van de motor, de aanzwellende, steeds hogere giertoon van de achteruitrijdende Alfa terwijl zij bleef smeken. Ik zag voor me hoe mevrouw Kromach achter haar korenbloemblauwe gordijnen stond te gluren en meneer Levi vanonder zijn chassidische hoedenrand stomverbaasd toekeek.

Claire kwam weer naar binnen en riep me. Ik trok het kussen over mijn hoofd. *Slappeling*, dacht ik, *verraadster*. Ze stond voor mijn deur, maar ik gaf geen antwoord. Ze zou mij opgeven ter wille van hem, ze zou alles doen als hij maar bleef. Net als mijn moeder toen met Barry. 'Toe, Astrid,' smeekte ze voor de dichte deur, maar ik weigerde haar gehoor te geven. *Zo ver zou het met mij nooit komen*.

Ten slotte ging ze naar haar kamer en deed de deur dicht; ik verafschuwde haar omdat ze achter hem aan was gekropen en verafschuwde mezelf om mijn afkeer, en omdat ik precies begreep hoe Ron zich voelde. Ik lag daar op mijn bed en verafschuwde ons alledrie, en luisterde hoe ze huilde – ze had de hele week al niets anders gedaan. *Zevenentwintig namen voor tranen*.

Ik hoorde Leonard Cohen inzetten, die vroeg of ze haar meester had horen zingen. De eindeloze cirkelgang van een verpletterende vraag. Ik wilde mezelf wel luchtdicht verpakken zo lang ik nog iets van mezelf had dat ik nog niet aan Claire had gegeven. Ik moest me terugtrekken, of ik zou uiteen worden gereten, als een sjaal die in een autoportier beklemd raakt.

Wat verachtte ik die zwakte van haar. Precies zoals mijn moeder had voorspeld. Ze stootte me af. Ik zou best voor haar hebben willen vechten, maar Claire kon niet eens voor zichzelf opkomen. Ons allebei redden kon ik niet. Op mijn bureau stond de foto van mij met de regenboogforel van die zomer. Ron had hem laten inlijsten. Wat zag ik er gelukkig uit. Ik had moeten weten dat het zo niet blijven kon. Niets is blijvend. Dat wist ik nu toch zo langzamerhand wel? *Hou je koffers gepakt*, had mijn moeder gezegd. En ik hoefde niet eens meer een jaar, dan lokte de universiteit.

Maar toen herinnerde ik me weer dat Claire me had meegenomen naar Cal Arts om te kijken of ik daar misschien op de kunstacademie wilde, me zelfs had aangemeld. Dat ze me had aangespoord op school de verzwaarde variant te kiezen, me had geholpen met het huiswerk en me elke dinsdagavond naar het museum had gebracht. Als ik al een toekomst had, was dat alleen omdat zij me die gegeven had. Maar toen zag ik haar weer kruipen, smeken, en welde mijn afkeer opnieuw op. Astrid, help me. Astrid, raap de brokken bij elkaar. Dat kon ik toch niet? Ik rekende veel te veel op haar. Dat moest ik nu onder ogen gaan zien.

Ik las een tijdje in een boek over Kandinsky, probeerde een paar van zijn ideeën over vorm en spanning uit. Dat de spanning in een lijn toenam naarmate die dichter bij de rand kwam. Ik probeerde niet te luisteren naar de plaat van Leonard Cohen, die maar in cirkels rondging. Ze moest nu wel in slaap gevallen zijn. Ach, slaap zou haar goed doen.

Ik bleef tekenen tot het donker werd, deed toen het licht aan en liet de piramide draaien die boven mijn bureau hing, die belachelijke piramide die mijn moeder Claire had aangesmeerd. Toen ik het boek over Kandinsky dichtdeed, viel mijn oog op de opdracht. *Voor Astrid, veel liefs van Claire.*

Het schoot door me heen als een stroomstoot en verdreef mijn kinderachtige wrok. Al het goede dat ik had, had ik aan Claire te danken. Als ik mezelf ook maar eventjes kon zien als iemand die de moeite waard was, kwam dat door Claire. Als ik over mijn toekomst na kon denken, kwam dat doordat zij geloofde dat ik die had. Claire had me de wereld teruggegeven. En wat deed ik nu zij mij nodig had? Ramen en deuren dicht, voorraden inslaan, het prikkeldraad te voorschijn halen.

Ik stond op en liep naar haar kamer. 'Claire?' Ik riep door de dichte deur. Ik probeerde of ik erin kon, maar ze had hem op slot gedaan. Dat deed ze anders nooit, alleen als ze vrijden. Ik klopte aan. 'Claire, is alles goed met je?'

Ik hoorde haar iets zeggen, maar kon het niet verstaan.

'Claire, doe eens open.' Ik rammelde aan de klink.

Toen verstond ik wat ze zei. 'Het spijt me. Het spijt me zo. Het spijt me zo verschrikkelijk.'

'Claire, doe nou open, toe. Ik wil met je praten.'

'Ga weg, Astrid.' Haar stem klonk bijna onherkenbaar dronken. Dat verbaasde me. Ik had gedacht dat ze nu wel aan het ontnuchteren zou zijn, of laveloos. 'Laat me je een goeie raad geven. Blijf bij kneuzen uit de buurt.' Ik hoorde haar snikken, droog, bijna een soort kokhalzen, of lachen, het werd een soort gebrom door de deur.

Bijna had ik gezegd: jij bent geen kneus, dit is maar tijdelijk. Maar dat kon ik niet. Want ze wist het drommels goed. Er zat iets vreselijk fout bij haar, helemaal vanbinnen. Ze was net een grote diamant met in het midden een dode plek. Ik had leven moeten brengen in die dode plek, maar dat was geen succes geworden. Ze zou Ron opbellen, waar die ook inmiddels zat, en zeggen: je hebt gelijk, stuur haar maar terug, ik kan niet zonder jou.

'Je mag me niet terugsturen,' zei ik door de dichte deur.

'Je moeder had gelijk,' zei ze met dubbele tong. Ik hoorde spullen op de grond kapotvallen. 'Ik ben stom. Ik kan mezelf niet eens uitstaan.' Mijn moeder. Die had alles nog erger gemaakt. Ik had alle brieven die ik vinden kon teruggestuurd, maar er waren er zeker nog meer geweest.

Ik ging op de vloer zitten. Ik voelde me als het slachtoffer van een ongeluk dat zijn uitpuilende ingewanden bijeen moest zien te houden. Ik voelde een allesoverheersende neiging om naar mijn kamer terug te gaan, op bed te gaan liggen, onder de schone lakens, en te gaan slapen. Maar ik verzette me, probeerde iets te bedenken wat ik door de deur tegen haar kon zeggen. 'Ze weet niet wie jij bent.'

Ik hoorde haar bed kraken, ze was opgestaan, kwam naar de deur gewankeld. 'Hij komt niet terug, Astrid.' Ze stond vlakbij aan de andere kant. Haar stem zakte bij haar volgende woorden van stahoogte naar zithoogte. 'Hij gaat van me scheiden.'

Deed hij dat maar. Dan had ze misschien een kans, samen met mij, kalm aan, geen Ron meer die naar huis kwam, handelaar in angst, venter van hoop, die haar met Kerstmis in de steek liet en thuiskwam net op het moment dat ze eraan gewend raakte dat hij er niet was. Veel beter zonder. Niet meer doen alsof, niet meer op je tenen lopen, afluisteren als hij aan de telefoon zat. 'Claire, er zijn ergere dingen, hoor.'

Ze lachte wazig. 'Zeventien is ze. Vertel eens, kindje, wat is erger?'

De houtnerf van de deur was een doolhof die ik volgde met mijn nagel. Bijna had ik gezegd: dat je moeder in de gevangenis zit, en dat de enige van wie je houdt en die je vertrouwt gek wordt. Of: nog nooit van je leven zo gelukkig geweest zijn als hier en dan beginnen ze over terugsturen.

Aan de andere kant had ik niet graag Claire willen zijn. Liever was ik mezelf, of zelfs mijn moeder, levenslang achter de tralies, vervuld van haar eigen machteloze felheid, alles beter dan Claire, die tobde over inbrekers en verkrachters en kleine tanden die ongeluk brengen en mijn ogen staan scheef en niet die vis doodmaken en houdt mijn man nog van me, heeft hij ooit van me gehouden of dacht hij gewoon dat ik iemand anders was, en ik kan niet langer doen alsof.

Ik wilde haar dicht tegen me aan houden, maar iets in mij duwde haar weg. Dit is Claire, en die houdt van je, hield ik mezelf voor, maar ik kon het op dat moment niet voelen. Ze kon niet eens voor zichzelf zorgen, en ik voelde mezelf wegdrijven. Ik voelde dat ze mijn hand zocht, ze wilde me bereiken. Ik dacht niet dat ik haar nog kon redden. De lijn die ik volgde, liep dood in een knoest. 'Mijn moeder zou zeggen dat je zelfrespect kwijtraken het ergste is.'

Ik hoorde dat ze weer begon te huilen. Scherpe, pijnlijke hikken die ik voelde in mijn eigen keel. Ze bonkte met haar vuist tegen de deur, of misschien met haar hoofd. Ik kon er niet tegen, ik moest mijn toevlucht zoeken in leugens.

'Claire, je weet best dat hij terugkomt. Hij houdt van je, wees maar niet bang.'

Mij kon het niet schelen of hij terugkwam of niet. Hij wilde mij wegsturen, en daarom hoopte ik dat hij zijn klassieke Alfa, zo passend bij zijn grijze haar, in puin zou rijden.

'Als ik wist wat zelfrespect was,' hoorde ik haar zeggen, 'zou ik misschien ook weten of ik het kwijt was.'

Ik had zo'n slaap. Ik kon mijn ogen niet openhouden. Ik liet mijn hoofd tegen de deur rusten. Achter me in de woonkamer knipperden nog de lampjes in de kerstboom, lagen er dennennaalden op de ongeopende cadeautjes.

'Wil je iets eten?'

Ze hoefde niets.

'Ik ga even iets eten, hoor. Ik ben zo terug.'

Ik maakte een dubbele boterham met ham. De vloer lag bezaaid met dennennaalden. Ze kraakten waar je liep. De sherryfles was weg, die had ze zeker meegenomen. Ze zou de kater van haar leven krijgen. Ze had mijn portret op de salontafel laten liggen. Ik nam het mee naar mijn kamer, zette het schuin neer op mijn bureau. Ik keek in haar diepe blik en hoorde haar vragen. Wat heb je liever, een croissant of een brioche? Als je elke plek op aarde kon kiezen, waar zou je dan heen willen? Ik liet mijn vinger over haar hoge, ronde voorhoofd gaan, het voorhoofd van een gotische madonna. Ik liep terug naar haar deur en klopte aan.

'Claire, laat me binnen.'

Ik hoorde de beddenveren kraken toen ze zich omdraaide, de moeite die het kostte om op te staan, de drie passen naar de deur te strompelen. Ze morrelde aan het slot. Ik deed de deur open en ze viel terug op het bed, nog steeds met die rode badjas aan. Ze klauwde zich een weg onder de deken als een blind graafdier. Goddank huilde ze niet meer, ze kon ieder ogenblik van de wereld raken. Ik zette Leonard Cohen af.

'Ik heb het zo koud,' mompelde ze. 'Kom bij me liggen.'

Ik ging bij haar liggen, aangekleed en wel. Ze legde haar koude voeten op de mijne, haar hoofd op mijn schouder. De lakens roken naar sherry, ongewassen haar en L'Air du Temps.

'Beloof je dat je bij me blijft? Niet weggaan.'

Ik hield haar koude handen vast, en liet mijn hoofd tegen het hare rusten toen ze in slaap viel. Ik keek naar haar bij het licht van het bedlampje, dat nu altijd aan was. Haar mond hing open, ze snurkte zwaar. Alles komt goed, hield ik mezelf voor. Ron zou thuiskomen, of niet, en we zouden gewoon samen verdergaan. Hij zou me niet echt wegsturen. Hij wilde alleen niet zien hoe beschadigd ze was. Zolang ze dat maar niet liet zien, meer vroeg hij niet. Een goeie voorstelling.

21

CLAIRE SLIEP NOG toen ik wakker werd. Ik stond voorzichtig op om haar niet te storen en ging naar de keuken. Ik nam een kom cornflakes. Buiten was het heel helder, rustig, een zuiver, glanzend licht. Ik was blij dat Ron weg was. Anders had je steeds telefoontjes gehad, het gejank van de koffiemolen, en dan was Claire misschien al op geweest, om met haar glimlach in de aanslag het ontbijt klaar te maken. Ik besloot nog een tijdje in mijn zijden pyjama te blijven lopen. Ik pakte mijn nieuwe verf en schilderde de lichtval op de kale houten vloer, de gele baan van zonlicht en de manier waarop die tegen de gordijnen opklom. Ik genoot daar altijd van. Ik dacht terug aan net zulke dagen toen ik klein was en in een plek zonlicht speelde terwijl mijn moeder uitsliep. Een wasmand over mijn hoofd, vierkantjes licht. Ik wist nog precies hoe de zon er toen uitzag en aanvoelde op de rug van mijn hand.

Na een tijdje ging ik bij Claire kijken. Ze lag nog te slapen. De kamer was donkergrijs, de openslaande deuren op het westen met de jaloezieën ervoor lieten geen ochtendlicht door. Het rook er muf. Eén hand lag over de bovenkant van het kussen. Haar mond stond open, maar ze snurkte niet meer.

'Claire?' Ik bracht mijn gezicht vlak bij het hare. Ze rook naar sherry en nog iets wrangs. Ze verroerde zich niet. Ik legde mijn hand op haar schouder, schudde haar zachtjes heen en weer. 'Claire?' Ze deed niets. De haartjes van mijn nek en armen gingen overeind staan. Ik hoorde haar niet ademen. 'Claire?' Weer schudde ik haar, maar haar hoofd viel slap terug, net als dat van Owens giraf. 'Wakker worden, Claire.' Ik tilde haar op aan haar schouders en liet haar weer vallen. 'Claire!' schreeuwde ik, in de hoop dat ze haar ogen open zou doen, dat ze haar hand tegen haar hoofd zou leggen en zou zeggen dat ik niet zo moest schreeuwen omdat ze daar hoofdpijn van kreeg. Dit kon niet. Ze hield me voor de gek, ze deed alsof. 'Claire!' gilde ik tegen haar slapende gezicht. Ik pompte met mijn handen op haar borstkas, luisterde of ik haar adem hoorde. Niets.

Ik zocht het nachtkastje af, de vloer. Aan de andere kant van het bed vond ik op de grond de pillen en de lege sherryfles. Díe had ik natuurlijk horen vallen toen we met elkaar praatten door de deur heen. Het potje met pillen was open, de pillen lagen ernaast, roze waren ze. Butalan, stond er op het etiket. Tegen slapeloosheid. Niet innemen samen met alcohol. Beïnvloedt de rijvaardigheid.

De geluiden die ik maakte hadden niets meer van gillen. Ik wilde God iets in zijn akelige zelfvoldane smoel smijten. Ik gooide met de doos Kleenex. Het koperen belletje. Smeet de schemerlamp van het nachtkastje. Trok de kist met de magneetsluiting vanonder het bed en smeet die door de kamer. De sleutels en de pennen en de nagelknipper van Ron vielen eruit, en de polaroids. Waarom? Ik rukte de jaloezieën van de openslaande deuren, en de kamer stroomde vol licht. Ik pakte een schoen vanonder het voeteneind en sloeg met de hoge hak de ruiten in, haalde mijn hand open, maar voelde dat niet. Ik pakte haar haarborstel met het zilverbeslag en wierp die overhands als een honkbal in de ronde spiegel. Ik pakte de telefoon en beukte met de hoorn tegen het hoofdeinde tot hij in stukken uiteenviel en het zachte grenenhout vol putten zat.

Ik was uitgeput en kon niets meer vinden om mee te gooien. Ik ging weer op het bed zitten en pakte haar hand. Wat was die koud. Ik legde hem tegen mijn natte, gloeiende wang, probeerde hem warm te krijgen, streek haar donkere haar uit haar gezicht.

Had ik het maar geweten, Claire. Mijn mooie, gestoorde Claire. Ik legde mijn hoofd op haar borst, waar geen hartenklop was. Mijn gezicht naast het hare op de bloemetjessloop, haar adem inademend die geen adem meer was. Wat was ze bleek. Koud. Ik pakte haar koude handen met de kloofjes en de te wijde trouwring. Draaide ze om, kuste de koude handpalmen, mijn warme lippen op de lijnen. Wat tobde ze toch altijd over die lijnen. Eén liep van de zijkant van haar hand dwars door haar levenslijn. Dodelijk ongeluk, betekende dat volgens haar. Ik wreef de lijn met mijn duim, die glad was van de tranen.

Dodelijk ongeluk. Die gedachte was bijna ondraaglijk, maar het was niet uitgesloten. Misschien was het geen opzet geweest. Claire zou het toch nooit op deze manier gewild hebben? Ze had niet eens haar haar gewassen. Ze zou voorbereidingen hebben getroffen, alles zou volmaakt in orde zijn geweest. Ze zou een briefje hebben achtergelaten, waarin ze alles twee of vijf keer uitlegde. Misschien had ze alleen maar willen slapen.

Ik lachte, bitter als nachtschade. Misschien was het alleen maar een ongeluk. Wat was géén ongeluk. Wíe was geen ongeluk.

Ik pakte het vierkante witte potje, dat nog steeds halfvol pillen zat. Butabarbitol sodium, 100 mg. Het brandde bijna in mijn handen. Het ergste gebeurde altijd. Waarom vergat ik dat toch steeds? Ik zag nu dat dit niet gewoon een potje was, het was een deur. Je wurmde je door de ronde hals en kwam heel ergens anders uit. Je kon ontsnappen. De grote reis aanvaarden.

Ik keek diep in het potje met roze pillen. Ik wist hoe het moest. Je nam ze langzaam in. Niet als in de film, waar ze ze met handenvol naar binnen slaan. Dan kotste je ze alleen maar weer uit. Nee, je moest er een innemen, een paar minuten wachten, en dan de volgende slikken. Slokje sherry erbij. Eén voor één. Na een paar uur raakte je buiten westen en was het bekeken.

Het was stil in huis. Ik hoorde de wekker op het nachtkastje tikken. Er reed een auto voorbij. Door de kapotte ruiten stroomde frisse lucht naar binnen. Ze lag in de heldere ochtend in haar rode badjas met haar mond open op het gebloemde kussen. Ik wreef met mijn wang langs de wol van haar badjas, de badjas die ze van Ron had gekregen en die ze al dagenlang aanhad. God, wat haatte ik dat ding, die vrolijke rode ruiten. Hij was altijd al te fel geweest. Ron had haar nooit echt gekend.

Ik deed het deksel op het potje pillen en gooide ze op bed. Eerst moest die badjas weg. Dat was het minste wat ik doen kon. Ik trok de lakens weg. De badjas zat helemaal verdraaid, met van achteren een dikke prop. Ik maakte de ceintuur los en trok haar eruit; wat was ze mager, zo licht, je zag al haar ribben afzonderlijk. Ik legde haar weer neer, behoedzaam, o zo behoedzaam, ik kon bijna niet naar haar kijken. Net Jezus, in haar zachtroze ondergoed. In haar kast vond ik een zachte, mauve angoratrui. Die paste beter bij Claire, de zachte kleur, de pluizige wol. Ik stopte mijn gezicht erin, zachtheid, dat zocht ik, en ik liet hem mijn tranen opzuigen. Ik zette haar rechtop. Dat was niet makkelijk, want ik moest haar tegen me aan laten leunen en de lucht van haar parfum en haren werd me bijna te veel. Ik kreeg nauwelijks adem, maar toch wist ik de trui over haar hoofd te krijgen, haar armen erin te wurmen, de zachtheid over haar knokige schouderbladen te trekken. Ik omhelsde haar, stopte mijn gezicht in haar hals.

Ik schikte haar op het kussen als een sprookjesprinses in een glazen kist, een kus en ze zou wakker worden. Maar het werkte niet. Ik duwde haar mond dicht, trok de dekens en lakens glad, zocht tussen de puinhopen naar haar zilveren borstel en borstelde haar haar. Het gaf me troost, ik had het ook voor haar gedaan toen ze nog leefde. Ze had niet eens afscheid genomen. Toen mijn moeder wegging, had die ook niet omgekeken.

Ik wist dat ik Ron moest bellen. Maar ik wilde haar niet met hem delen. Ik wilde haar nog even helemaal voor mezelf houden. Als Ron kwam zou ik Claire voorgoed kwijtraken. Hij kende haar niet, dus laat 'm maar wachten, de rotzak.

Wat maar door mijn hoofd bleef malen was dat ik naast haar had gelegen toen ze stierf. Was ik maar wakker geworden. Had ik me maar voorgesteld wat er zou kunnen gebeuren. Mijn moeder zei altijd dat het me aan fantasie ontbrak. Claire had me geroepen en ik was niet naar haar toe gegaan. Had zelfs mijn deur niet open willen doen. Ik had tegen haar gezegd dat je zelfrespect kwijtraken het ergste was wat je je kon laten gebeuren. Hoe had ik dat ooit kunnen doen? Alsof dat wáár was, jezus, in de verste verte niet.

Buiten, in de tuin, stond het gras ongemaaid maar heldergroen in de stralende winterzon. De iep treurde als een wilg. De bollen hadden hun tijd gehad, maar de rozen bloeiden uitzinnig, de rode gloed van Mr. Lincoln als een hallucinatie, de lichte blos van Pristine. Op de grond eronder lagen bergjes rode en witte bloemblaadjes. Hier binnen in de kamer was de lucht zwaar van de L'Air du Temps uit het flesje dat ik kapot had gegooid. Ik raapte de dop op, de matglazen vogeltjes. Nu waren ze meer iets om op een zerk te zetten.

In een la vond ik het boek met gedroogde bloemen dat ze had samengesteld uit wat we die zomer op onze wandelingen langs de McKenzie vergaard hadden. Wat was ze toen gelukkig geweest, met die Chinese hoed op, vastgebonden onder haar kin, en een tas vol ontdekkingen. En daar had je ze, met de namen erbij in haar ronde, vrouwelijke handschrift, gedroogd op bladen die bijeengebonden waren met een taupekleurig lint van ripszij: *Venusschoentje*, *Kornoelje*, *Egelantier*, *Rododendron* met hun lange meeldraden.

Wat wil jij, Astrid? Wat vind jij? Nooit zou iemand me dat meer vragen. Ik streelde haar haren, haar donkere wenkbrauwen, haar oogleden, de fijngevormde beenderen van haar kaken, oogkassen, slapen en voorhoofd, de scherpte van haar kin als een omgekeerde waterdruppel. Was ik maar meteen naar haar toe gegaan. Had ik haar maar niet laten wachten. Ik had haar nooit alleen moeten laten met onze afkeer van haar. Dat was het enige waar ze niet tegen kon, alleen gelaten worden.

Om tien uur kwam de post. Om elf uur begon de buurvrouw, mevrouw Kromach, op haar elektrische orgel te spelen, begeleid door haar krijsende papegaai. Ik kon haar repertoire wel dromen. 'Zip-a-Dee-Doo-Dah'. 'There's No Business Like Show Business'. 'Chattanooga Choo Choo'. Ook was ze dol op liedjes over de afzonderlijke staten: 'Gary, Indiana'. 'Iowa Stubborn'. 'California, Here I Come'. 'Everything's Up to Date in Kansas City'. En elke keer maakte ze dezelfde fouten. 'Dat doet ze om ons gek te maken,' zei Claire altijd. 'Ze kan ze best goed spelen.' Dat hoefde ze nu nooit meer aan te horen.

Rond het middaguur begon er een bladblazer te ronken. Om één uur ging de joods-orthodoxe kleuterschool uit. Ik hoorde de hoge stemmetjes op straat, de opgewekte kibbeltoon van de chassidische buurvrouwen in hun taal met al die keelklanken. Wat was je toch altijd bang voor ze, Claire, voor die eenvoudige vrouwen met hun lange rokken en eindeloze slierten kroost, arrogante jongens en stevige, lompe meiden, sterk genoeg om een auto op te tillen maar toch in verlegen groepjes met strikken in hun haar. Je dacht altijd dat ze jou wilden beheksen. Je vroeg me om mijn hand blauw te verven en er in de witkalk boven de deurbel een afdruk van te maken als afweer tegen het boze oog.

Mijn knie raakte de hare, deinsde terug. Haar been was stijf. Ze was nu ver weg, ze vond haar weg door de zeven stoffelijke wikkelingen omhoog naar God. Ik liet mijn vingers over de mooie puntneus glijden, over het gladde voorhoofd, de lichte deuk bij de slaap, waar geen bloed klopte. Ze had nooit volmaakter, nooit zelfverzekerder geleken. Ze hoefde nu bij niemand meer in de smaak te vallen.

Tussen kwart voor twee en kwart over vier werd er vijf keer opgebeld. Ze kwam niet opdagen voor haar afspraak bij kapper Emile. Twee keer werd er opgehangen. De vrienden van Ron spraken af om iets te gaan drinken bij Cava. MCI had een aanbieding waarmee de familie Richards de telefoonkosten kon drukken. Telkens als de telefoon ging, verwachtte ik op de een of andere manier dat ze wakker zou schrikken om op te nemen. Dat had ze nooit gekund, de telefoon laten rinkelen. Zelfs als ze wist dat het niet voor haar was. Misschien was het wel werk, al ging ze allang niet meer naar audities. Misschien was het wel een vriend of vriendin, al had ze die niet. Ze kon verstrikt raken in eindeloze, omstandige gesprekken met verwarmingsmonteurs, makelaars en verzekeringsbedrijven.

Ik snapte niet dat ze weg kon zijn. Wat zou er gebeuren met de manier waarop zij een jampot openmaakte, als de slagwerker van een orkest die op een triangel slaat: één enkel trefzeker gebaar? De rosse gloed die haar haren 's zomers kregen. Haar tante in het legerhospitaal bij Ieper. Nu was ik degene die dat allemaal had, als een arm vol vlinders. Wie wist er verder nog dat ze spiegeltjes op haar dak hing, dat haar lievelingsfilms *Dokter Zjivago* en *Breakfast at Tiffany's* waren, dat haar lievelingskleur indigoblauw was? Haar geluksgetal was twee. Kokos en marsepein zou ze nooit eten.

Ik dacht terug aan de dag dat ze me had meegenomen naar de kunstacademie. Voor de studenten voelde ik angstig ontzag, ze leken zo arrogant voor mensen met raar haar, en hun werk was lelijk. De opleiding kostte tienduizend dollar per jaar. 'Zit maar niet in over dat geld,' zei Claire. 'Dit is dé opleiding, tenzij je naar het oosten wil.' We hadden afgelopen november het aanmeldingsformulier ingestuurd. Dat kon ik nu allemaal wel vergeten.

Ik ging in kleermakerszit naast haar op bed zitten en telde de pillen in het potje. Tegen slapeloosheid. Er waren er nog genoeg. Meer dan genoeg, en de enige persoon die ooit om mij zou denken was er niet meer. Mijn moeder? Die wilde me alleen voor zichzelf hebben. Als ze Claire uit de weg kon ruimen, zou ze mij terugkrijgen, dacht ze, en kon ze me nog verder uitvlakken. Ik voelde de donkere cirkel, de hals van het potje, aan me trekken. Het was een konijnenhol, ik kon erin springen en het met me meetrekken. *Je wist nooit wanneer de redding nabij was*. Dat wist ik best. Die wás nabij geweest en ik had me afgewend, ik had die hulp laten stikken. Ik had mijn redder uit de reddingsboot geduwd. Was in paniek geraakt. Wanhoop was nu mijn loon.

Ik zat daar met het potje in mijn hand te kijken naar de lucht met zijn winterblos, zwak roze dat door blauwe nevel scheen, door de hoekig gesnoeide takken en treurtwijgen van de iep heen. Wat ging de zon al vroeg onder. Ze hield van dit tijdstip van de dag, vond het fijn om heerlijk melancholiek onder de iep te zitten en op te kijken in de takken, die zich donker aftekenden tegen de lucht.

Uiteindelijk heb ik de pillen niet ingenomen. Ik vond het een te pompeus gebaar, vals. Ik verdiende het niet, ik mocht niet vergeten dat ik haar in de steek had gelaten. Vergetelheid veegde de lei schoon. Het was te gemakkelijk. Ik was nu de hoeder van de vlinders. En daarom piepte ik Ron op, met de 999 erbij die aangaf dat het dringend was. Ik ging weer zitten en wachtte af.

RON KWAM NAAST me op bed zitten, zijn schouders ingezakt als de rug van een oud paard, en zijn gezicht in zijn handen, alsof hij niets meer kon aanzien. 'Jij zou toch op haar passen,' zei hij.

'Maar jíj bent weggegaan.'

Hij snakte naar adem, barstte toen uit in lange, bevende snikken. Ik had nooit gedacht dat ik nog eens medelijden met Ron zou hebben, maar dat had ik. Ik legde mijn hand op zijn schouder, en hij klampte de zijne eroverheen. Ik bedacht dat ik hem makkelijk zou kunnen troosten. Ik zou zijn haar kunnen strelen en zeggen: *Het is jouw schuld niet. Ze zat met dingen waar we toch niets aan konden doen.* Dat zou Claire hebben gedaan. Ik had hem best zo ver kunnen krijgen dat hij van me hield. Dan zou hij me misschien houden.

Hij hield mijn hand vast en bleef strak naar haar zijden pantoffels naast het bed kijken. 'Hier was ik al jaren bang voor.'

Hij drukte mijn hand tegen zijn wang. Ik voelde zijn tranen over mijn handrug lopen, tussen mijn vingers sijpelen. Claire zou medelijden met hem hebben gehad als ze niet dood was geweest. 'Ik hield zoveel van haar,' zei hij. 'Ik ben geen heilige geweest, maar ik heb echt van haar gehouden. Daar heb jij geen idee van.'

Hij keek naar me op met zijn roodomrande ogen, wachtte op mijn tekst. *Dat weet ik, Ron.* Zou Claire hebben gezegd. Ik voelde ook de druk van Olivia. Hij zou voor me kunnen zorgen. *Een mannenwereld.*

Maar ik kon me er niet toe brengen. Claire was dood. Wat maakte het uit of hij al of niet van haar hield?

Ik trok mijn hand los en stond op, begon dingen op te rapen die ik op de grond had gesmeten. Daar had je zijn Cross-pen. Ik gooide hem in zijn schoot. 'Claire had hem al die tijd,' zei ik. 'Jij kende haar helemaal niet.'

Hij boog zijn hoofd, raakte haar donkere haar aan, dat ik had geborsteld, streek langs haar mauve angoramouw. 'Jij mag evengoed blijven,' zei hij. 'Wees maar niet bang.'

Dát was wat ik wilde horen – had ik altijd gedacht. Maar nu hij het echt gezegd had, wist ik dat ik me prettiger zou voelen op Sunset Boulevard bij de andere weglopers, slapen op een gore pisdeken op de trap van de kerk van de daklozen, eten uit de afvalbakken van Two Guys from Italy. Zonder Claire kón ik hier niet blijven. Nooit zou ik de tekst kunnen zeggen die hij wilde, mijn liefste lachje kunnen opzetten, kunnen wachten tot ik zijn auto op de oprijlaan hoorde. Mijn gezicht in de toiletspiegel was hoekig en scherp. Hij zocht toenadering, maar mijn gezicht was buiten bereik.

Ik wendde me af, keek in het donker, keek naar ons spiegelbeeld in de kapotte ruiten: ik in mijn zijden pyjama, Ron op het bed, Claire op het kussen, omspoeld door het licht van de schemerlamp, eindelijk eens volmaakt onverschillig.

'Waarom kon je niet gewoon meer van haar houden?' vroeg ik.

Zijn hand zakte. Hij schudde zijn hoofd. Niemand wist waarom. Niemand wist ooit waarom.

HET PAKKEN DUURDE langer dan toen ik bij Amelia wegging. Al die nieuwe kleren die ik van Claire had gekregen, de boeken, het konijntje van Dürer. Ik nam alles mee. Ik had maar één koffer, en daarom pakte ik de rest in plastic tassen. Ik had er zeven nodig. Ik ging naar de keuken, deed een greep in de sieradenzak en pakte de ring met de aquamarijn, die altijd te groot voor haar was geweest, net als voor haar moeder. Maar mij paste hij precies.

Het was bijna middernacht toen er iemand van maatschappelijk werk kwam in een busje, een blanke vrouw van middelbare leeftijd met een spijkerbroek en pareloorbellen. Joan Peeler was het jaar daarvoor bij de kinderbescherming weggegaan om bij de Fox-studio's te gaan werken. Ron hielp mijn spullen in het busje zetten. 'Het spijt me,' zei hij toen ik instapte. Hij zocht naar zijn portemonnee, stopte me geld toe. Twee biljetten van honderd dollar. Mijn moeder had ze in zijn gezicht gesmeten, maar ik nam ze aan.

Ik keek naar het huis, zag het steeds kleiner worden in de achterruit van het busje toen we vertrokken in de maanloze nacht, het eind van een mogelijke toekomst. Een kleine bungalow in Hollywood, achter de grote witte stammen van de platanen. Het kon me niet schelen wat er verder met me zou gebeuren.

22

HET KINDERTEHUIS MACLAREN betekende in zekere zin een opluchting. Het ergste was nu inderdaad gebeurd. Het wachten was voorbij.

Ik lag in mijn smalle bed, laag bij de grond. Behalve de twee stelletjes schone kleren in de triplex laden onder de matras waren al mijn spullen in bewaring genomen. Mijn vel brandde. Ik was ontluisd en stonk nog steeds naar teerzeep. Iedereen sliep, behalve de meisjes op zaal, de meisjes die toezicht nodig hadden, die met zelfmoordneigingen of epilepsie en de onhandelbaren. Eindelijk was het rustig.

Nu kostte het me weinig moeite me mijn moeder op haar brits in Frontera voor de geest te halen. Eigenlijk was er nu niet zoveel verschil tussen ons. Dezelfde gipsblokwanden, linoleumvloeren, dennen die zich aftekenden tegen de buitenverlichting, en de slapende gestalten van mijn kamergenoten onder hun dunne thermische dekens. Het was er te warm, maar ik deed het raam niet open. Claire was dood. Wat maakte het uit dat het te warm was.

Met de binnenkant van mijn hand streelde ik over de borsteltjes van mijn kortgeknipte haar. Ik was blij dat ik het had afgeknipt. Ik was twee keer aangevallen door een groep meiden, een keer op het grote veld, en een keer op de terugweg uit de sportzaal, omdat het vriendje van iemand anders me er leuk uit vond zien. Ik hoefde niet mooi te zijn. Ik voelde aan de beurse plekken op mijn wang die uitbloeiden van paars naar groen en keek naar de schaduwen van de dennen achter het gordijn, die dansten in de wind als Balinese wajangpoppen achter een scherm, op het ritme van gamelanmuziek.

De ochtend daarvoor was ik opgebeld door Ron. Hij ging haar as terugbrengen naar Connecticut, en bood aan mijn reis te betalen als ik meeging. Ik wilde er niet bij zijn als Claire bij haar familie werd terugbezorgd, ook weer mensen die haar niet kenden. Ik kon tijdens die grafrede toch niet als een vreemde terzijde gaan staan? *Ze heeft me op mijn mond gekust*, had ik ze dan willen zeggen.

'Jij hebt haar helemaal niet gekend,' had ik tegen Ron gezegd. Ze wilde geen crematie, ze wilde begraven worden met parels in haar mond en op elk oog een edelsteen. Ron had nooit geweten wat zíj wilde, hij dacht altijd dat hij het beter wist. *Jij zou toch op haar passen.* Hij wist dat ze zelfmoordneigingen had toen hij mij in huis nam. Daarvoor was ik ingehuurd. Ik was de zelfmoordbescherming. Dus toch niet die baby.

De dennenschimmen bewogen over mijn deken, over de muur achter me. Zo waren de mensen ook. We konden elkaar niet eens zien, alleen de bewegende schaduwen, voortgedreven door een onzichtbare wind. Wat maakte het uit of ik hier was of ergens anders. Ik had haar niet in leven kunnen houden.

Op de zaal kreunde een meisje. Een van mijn kamergenoten draaide zich om en mompelde iets in haar deken. Al die nare dromen. Hier hoorde ik precies thuis. Eindelijk voelde ik me eens niet misplaatst. Zelfs bij mijn moeder had ik altijd in gespannen verwachting geleefd, bang dat er iets zou gebeuren, iets ergs, dat ze niet thuis zou komen. Ron had me Claire nooit moeten toevertrouwen. Ze had een klein kind moeten nemen, iemand voor wie ze in leven had moeten blijven. Ze had moeten weten dat ik ongeluk bracht, nooit had ze mogen denken dat ik iemand was op wie je kon rekenen. Ik leek meer op mijn moeder dan ik ooit voor mogelijk had gehouden. En zelfs die gedachte joeg me geen angst meer aan.

DE DAG DAARNA kwam ik in het tekenlokaal een jongen tegen die Paul Trout heette. Hij had sluik haar en een lelijke huid, en zijn handen leken een eigen leven te leiden. Net als ik kon hij nooit ergens zitten zonder iets te tekenen. Toen ik op weg naar het gootsteentje langs hem liep, gluurde ik over zijn schouder. Zijn tekeningen met zwarte pen en viltstift leken op strips. Vrouwen in zwart leer met grote borsten en hoge hakken die met wapens zwaaiden zo groot als een brandslang. Mannen met een mes en bollend kruis. Buitenissige graffiti-achtige mandala's met yin-yangtekens en draken, en auto's met vleugels uit de jaren vijftig.

Hij keek voortdurend naar me. Onder het schilderen voelde ik zijn ogen. Maar ik had er geen last van, van die intense, starende blik van Paul Trout. Het was niet als bij de oudere jongens in de andere klas; hun blikken leken op een aanval, broeierig, grijperig en uitgesproken vijandig. Dit was de blik van een kunstenaar, die met aandacht voor detail en zonder vooroordeel de waarheid registreerde. Het was een blik die zich niet afwendde als ik terugkeek, maar die verbaasd was dat hij werd beantwoord.

Toen hij op weg naar de prullenmand achter me langs liep, bleef hij staan kijken wat ik schilderde. Ik probeerde het niet te verbergen. Hij mocht het best zien. Het was Claire op het bed met haar mauve trui aan, de donkere gestalte van Ron in de deuropening. Het tafereel baadde in het rode licht van de ambulance. Veel diagonalen. Het schilderen viel niet mee, want de kwasten waren van plastic en de plakkaatverf droogde snel en brokkelig op. Ik mengde mijn kleuren op de achterkant van een taartblik.

'Dat is echt goed,' zei hij.

Dat hoefde hij me niet te vertellen. Ik tekende en schilderde al mijn hele leven, nog voor ik kon praten, en ook daarna, toen ik wel kon praten, maar het liever niet deed.

'Niemand kan hier schilderen,' zei hij. 'Ik heb de pest aan het oerwoud.'

Hij had het over de gangen. Op Mac waren alle gangen met muurtekeningen van oerwouden bedekt: olifanten, palmen, kilometers groen, Afrikaanse dorpjes met rieten puntdaken. De stijl was naïef, Rousseau zonder de dreiging of het mysterie, maar het was niet door de kinderen zelf gedaan. Wij mochten de gangen niet beschilderen. Nee, ze hadden er de een of andere kinderboekillustrator voor ingehuurd, een behangontwerper. Ze dachten waarschijnlijk dat ons werk te hard zou zijn, te verontrustend. Ze beseften niet dat de meeste kinderen precies hetzelfde zouden hebben gedaan als die muurkunstenaar. Vredige rijken waarin nooit iets ergs gebeurde. Zwevende adelaars, speelse leeuwen en Afrikaanse schonen die water droegen, geslachtsloze bloemen.

'Ik ben hier voor de vierde keer,' zei Paul Trout.

Daarom had ik hem tot nu toe alleen in het tekenlokaal gezien. Als je expres terugkwam, wegliep van de plek die je was toegewezen, raakte je je privileges kwijt, de avonden met jongens en meisjes samen. Maar ik snapte wel waarom ze terugkwamen. Zo erg was het hier op Mac niet. Afgezien van het geweld en de andere kinderen begreep ik best dat iemand het haast kon beschouwen als een paradijs. Maar je kunt nooit zoveel gestoorde mensen op één plek zetten zonder dat het er op een gevangenisblok of psychiatrische inrichting gaat lijken. Ze mochten de gangen beschilderen wat ze wilden, de nachtmerrie bleef bestaan. Hoe groen het gras, hoe vrolijk de muurschilderingen of hoe mooi de kunst op de vier meter hoge buitenmuur ook was, hoe vriendelijk de begeleidingsteams en de maatschappelijk werkers ook waren, hoeveel barbecues met beroemde personen ze ook organiseerden, hoeveel zwembaden ze ook aanlegden, het was en bleef het laatste toevluchtsoord voor kinderen die op alle mogelijke manieren waren beschadigd, zodat het een wonder was dat we nog steeds aan tafel konden gaan zitten eten, konden lachen om de tv, in slaap konden vallen.

Paul Trout was niet de enige die steeds terugkwam. Er waren er nog veel meer. Hier was het veiliger, je had hier regels en maaltijden op een vast tijdstip, professionele zorg. Mac was een stevige bodem, dieper kon je niet zinken. Ik had het idee dat ex-gedetineerden die steeds weer in de gevangenis belandden ook zoiets voelden.

'Je hebt je haar afgeknipt,' zei hij. 'Waarom eigenlijk? Het was mooi.'

'Het trok de aandacht,' zei ik.

'Ik dacht dat meisjes dat juist wilden.'

Ik glimlachte, proefde de bittere nasmaak in mijn mond. Die jongen mocht dan een hoop over wreedheid en verwaarlozing weten, van schoonheid wist hij niets. Hoe zou hij ook? Hij was aan die huid van hem gewend, dat mensen zich van hem afkeerden, geen aandacht hadden voor het vuur in zijn heldere bruine ogen. Ik wist dat hij dacht dat schoonheid en aandacht hetzelfde gevoel zouden geven als liefde.

'Soms doet het meer pijn dan dat het helpt,' zei ik.

Hij liep terug naar zijn tekening. 'Mooi blijf je trouwens toch. Daar kan je weinig aan doen.'

Ik schilderde het donkere haar van Claire, eerst een laag blauw, dan bruin, de lichte plekjes erin, met het rossige schijnsel. 'Het betekent niets. Alleen voor anderen.'

'Je zegt dat alsof het niets voorstelt.'

'Is ook zo.' Wat was schoonheid als je niet van plan was er gebruik van te maken, als een hamer, of een sleutel? Alleen iets wat anderen konden gebruiken en bewonderen, of benijden, of verachten. Om hun dromen aan op te hangen, als een schilderijhaak op een lege muur. En hoeveel meisjes zeiden er niet: gebruik me, droom van me.

'Jij bent nooit lelijk geweest.' De jongen keek naar zijn hand, die de lege plekken in een sciencefictiontafereel opvulde. 'Vrouwen behandelen je alsof je besmettelijk bent. En als ze het in een onbewaakt ogenblik goed vinden dat je ze aanraakt, komt dat je duur te staan.' Zijn mond ging dicht, toen weer open, alsof hij nog iets wilde zeggen, maar ging weer dicht zonder dat er een woord uit kwam. Hij had al te veel gezegd. Zijn mondhoeken zakten. 'Iemand als jij zou zich door mij nooit laten aanraken, of wel soms?'

Hoe kwam hij er toch bij dat hij zo lelijk was? Iedereen kon pech hebben met zijn huid. 'Ik laat me door niemand aanraken,' zei ik ten slotte.

Ik schilderde het potje met Butabarbitol op het lappenkleed naast het bed, de piepkleine pilletjes die eruit rolden. Felroze op het donkere kleed.

'Waarom niet?'

Waarom niet? Omdat ik mannen beu was. Mannen die in de deuropening lummelden, te dicht bij je kwamen staan en naar bier of vijftien jaar oude whisky stonken. Mannen die niet meegingen naar de eerstehulp, mannen die er op kerstavond vandoor gingen. Mannen die de gevangenishekken dichtsmeten, die je verleidden om van ze te houden en zich dan bedachten. Wouden van jongens, sprietig struikgewas vol ogen die je volgden, je borsten grepen, met geld wapperden, ogen die je al neersmeten, pakten wat ze als hun eigendom beschouwden.

Omdat ik nog steeds een vrouw in een rode badjas over straat zag kruipen. Een vrouw op een dak in de wind, stom en vreemd. Vrouwen met pillen, met messen, vrouwen die hun haar verfden. Vrouwen die deurknoppen met gif bestreken, uit liefde, die veel te veel eten kookten, van vlakbij een kinderkamer beschoten. Het was een toneelstuk, ik wist hoe het afliep, en er was geen rol waarvoor ik auditie zou willen doen. Het was geen spelletje, niet zomaar wat afleiding. Het was Russische roulette met drie kogels.

Ik schilderde een spiegel op de muur tegenover de toilettafel van Claire, waar geen spiegel was, en in dat roodgetinte duister, mijn eigen starende spiegelbeeld, met lange, lichte haren, in de donkerrode kerstjurk die ik nooit had kunnen dragen. De Astrid die met haar was doodgegaan. Ik schilderde een donkerrood lint om mijn hals. Het leek net een kerf.

'Ben je lesbisch?' vroeg Paul Trout.

Ik haalde mijn schouders op. Misschien zou dat beter zijn. Ik dacht terug aan het gevoel dat ik had toen Olivia met me danste, en toen Claire me op mijn mond kuste. Ik wist het niet. Mensen willen gewoon dat er van ze wordt gehouden. Dat was er mis met woorden; ze waren weliswaar heel duidelijk, heel specifiek – *stoel, oog, steen* – maar als het over gevoelens ging, waren ze weer te star, alleen maar *dit* en niet *dat*, ze konden nooit alle betekenissen omvatten. Doordat ze iets bepaalds aangaven viel er altijd iets anders buiten de boot. Ik dacht aan de vriendjes van mijn moeder, Jeremy en Jesus en Mark, jongens met slanke tailles, heldere ogen en een stem als glad satijn over je blote borst. Ik bedacht hoe mooi Claire was, dansend in haar eigen woonkamer, jeté, pas de bourrée, hoe ik van haar hield. Ik keek naar hem op: 'Is dat belangrijk?'

'Is er dan niets wat jij belangrijk vindt?'

'Overleven,' zei ik, maar zelfs dat klonk nu onecht. 'Denk ik.'

'Dat is niet veel.'

Ik schilderde een vlinder in de kamer van Claire. Page. En nog een. Koolwitje. 'Verder ben ik nog niet gekomen.'

TOEN HIJ ZIJN privileges terug had, gingen we vaak samen wandelen over het grote veld. De meiden noemden hem mijn vriendje, maar dat was weer zo'n woord dat de lading niet dekte. Paul Trout was de enige die ik daar had leren kennen met wie ik kon praten. Hij wilde contact met me blijven houden buiten het tehuis, vroeg om een adres, een telefoonnummer, iets waar hij me kon bereiken, maar ik wist niet waar ik heen zou gaan, en kon er niet op rekenen dat mijn moeder iets door zou sturen. Bovendien had ik besloten dat ze mijn nieuwe adres niet kreeg. Ik wilde niets meer met haar te maken hebben. Hij gaf me de naam van een stripwinkel in Hollywood en zei dat hij daar altijd navraag zou doen, waar hij ook was. 'Zet op de brieven maar gewoon *Bewaren voor Paul Trout*.'

Ik vond het jammer toen hij een plaats kreeg toegewezen in een groepswoning in Pomona. Hij was de eerste jongen met wie ik met echt plezier was omgegaan sinds de tijd met Davey, de eerste die enigszins kon vatten wat ik had meegemaakt. En net nu we elkaar beter leerden kennen, verdween hij weer. Daar moest ik dan maar aan wennen. Iedereen ging uiteindelijk bij je weg. Als aandenken kreeg ik een tekening van hem. Ik stond erop als superheldin, in een strak wit T-shirt en een rafelige korte broek; mijn lijf was kennelijk onderwerp van uitgebreide observatie en beschouwing geweest. Ik had net een verdorven motorschurk overwonnen, de hak van mijn Doc Martens stond stevig op zijn bebloede blote borst geplant en in mijn hand hield ik een rokende revolver. Ik had hem door het hart geschoten. *Ik laat me door niemand aanraken*, luidde de tekst boven mijn hoofd.

EEN PAAR DAGEN na het vertrek van Paul zat ik voor het huis van de jongere jongens aan een oranje picknicktafel op mijn gesprek te wachten. Ik haalde mijn hand door mijn kortgeknipte haar en liet de winterzon mijn hoofdhuid warmen. De gezinnen mochten eigenlijk niet komen keuren; wat nu volgde was een zogenaamd kennismakingsgesprek, maar iedereen wist dat het in feite een auditie was. Ik maakte me niet druk. Ik wílde die plaats niet. Ik bleef liever tot mijn achttiende daar. Paul had gelijk, het kon veel erger dan Mac. Ik wilde nooit meer bij iemand betrokken raken. Maar niemand mocht op Mac blijven.

Aan een tafel onder de grote dennen was nog een ander gesprek aan de gang, met een stel broertjes. Die waren altijd het schrijnends. Het schattige kleintje op schoot bij de vrouw, de oudere broer, niet meer zo schattig, een puber met dons op zijn bovenlip, iets terzijde met zijn handen in zijn zakken. Ze wilden alleen het kleintje. De grote broer probeerde ze ervan te overtuigen dat hij veel verantwoordelijkheidsgevoel bezat, voor het kleintje kon helpen zorgen, de vuilnis buiten zetten, het gras maaien. Ik kon het bijna niet aanzien.

De dinsdag daarvoor had ik mijn eerste gesprek gehad. Bill en Ann Greenway uit Downey. Ze hadden al jaren pleegkinderen in huis. Er was er net eentje teruggegaan naar haar natuurlijke ouders. Die was drie jaar bij ze geweest. Bill veegde met de rug van zijn hand zijn mond af toen hij dat vertelde en Ann vocht tegen haar tranen. Ik was een en al aandacht voor mijn schoenen, witte Keds met blauwe strepen opzij en enorme vetergaten. Eén punt in mijn voordeel was in ieder geval dat ik niet op korte termijn naar mijn moeder terugging.

Ik zei niet veel. Ik wilde niet eens naar ze kijken. Dan zou ik ze misschien aardig gaan vinden. Ik vond ze al aardig. Hun vriendelijkheid maakte kleine zuiggeluidjes tegen me, als water in bad. Wat zou het makkelijk zijn om me door hen te laten meenemen. Ik zag hun huis al voor me, vrolijk en gezellig, in een straat met rijtjeshuizen, bescheiden, maar wel leuk, met een bovenverdieping misschien. Foto's van kinderen op de tafels, oude schommel in de achtertuin. De zonnige middelbare school en zelfs hun kerk klonk aantrekkelijk, niemand was daar al te fanatiek, geen getob over hel en verdoemenis. Ik durfde te wedden dat ze de dominee met z'n voornaam aanspraken.

Ik had met ze mee kunnen gaan, met Ann en Bill Greenway uit Downey. Maar bij hen zou ik misschien van alles vergeten. Vlogen alle vlinders er misschien vandoor. Gedroogde bloemen en Bach in de ochtend, donker haar op het kussen, parels. *Aida* en Leonard Cohen, mevrouw Kromach en picknicks in de huiskamer, paté en kaviaar. In Downey zou het er niet toe doen dat ik veel van Kandinsky wist en van Ieper en de Franse namen van de balletpassen kende. Misschien vergat ik zwarte draad door huid, een .38 kogel die zich in bot boort, de geur van nieuwe huizen en hoe mijn moeder eruitzag toen ze haar handboeien omdeden, de wonderlijke tederheid waarmee de potige agent zijn hand boven haar hoofd had gehouden zodat ze dat niet zou stoten toen ze in de patrouillewagen stapte. Bij Ann en Bill Greenway in Downey zou dat alles vervagen. Amsterdam en het hotel van Eduardo, thee in het Beverly Wilshire en Claire die bevend bleef staan toen de zwerver aan haar haren rook. Nooit zou ik meer naar dakloze kinderen in portieken op Sunset kijken en mijn eigen gezicht naar me zien terugstaren.

'Je vindt het vast fijn bij ons, Astrid,' zei Ann, met haar schone witte hand op mijn arm.

Ze rook naar Jergens-handlotion, een braaf, zoetig luchtje, heel anders dan L'Air du Temps of Ma Griffe of mijn moeders geheimzinnige viooltjes, een geur die je om chemische redenen telkens maar heel even kon ruiken. *Wat vind je lekkerder, dragon of tijm?* Dat was allemaal een droom, je kon het niet vasthouden, je kon niet bouwen op matglazen duifjes en Debussy.

Ik keek naar Bill en Ann, hun goudeerlijke gezichten, degelijke schoenen, geen lastige vragen. Bills grijzende blonde stekeltjeshaar, zijn bril met zilverkleurig montuur, Anns confectiekapsel. Dit was haalbaar, betrouwbaar en pretentieloos, onverwoestbaar als een schoonloopmat. Ik had die kans moeten grijpen. Maar voor ik het wist had ik haar hand van me afgeschud.

Niet dat ik ze niet geloofde. Ik geloofde alles wat ze zeiden, ze waren een redding, een invulling van mijn fundamenteelste gemis. Maar ik dacht terug aan een ochtend, jaren geleden, in een hok van een kerk in Tujunga, tl-buizen, gehavende klapstoelen. Starr als een slang betoverd door de eerwaarde Thomas, die uitleg gaf over verdoemenis. De verdoemden konden gered worden, zei hij, wanneer ze maar wilden. Maar ze weigerden hun zonden op te geven. Ze leden er vreselijk onder, maar wilden ze toch niet kwijt, ook niet in ruil voor redding, voor volmaakte, goddelijke liefde.

Toen had ik dat niet begrepen. Als zondaars zo ongelukkig waren, zouden ze dat lijden toch liever niet hebben? Maar nu begreep ik het. Wie was ik zonder mijn wonden? Mijn littekens waren mijn gezicht, mijn verleden was mijn leven. Ik snapte best waar al dat niet-willen-vergeten toe leidde, al die herinneringen aan hunkering naar schoonheid, ongelooflijke wreedheid en alomtegenwoordig verlies. Maar ik wist dat ik nooit naar Bill toe zou gaan met een persoonlijk probleem, zoals een jongen die me een beetje te aardig vond, of een docent die me onterecht op mijn kop had gegeven. Ik had al meer van de wereld gezien – schoonheid en ellende en pure verrassing – dan zij konden hopen of vrezen ooit mee te maken.

Maar ik wist nog iets. Namelijk dat mensen die ontkenden wie ze waren of wat ze hadden meegemaakt, een groot risico liepen. Dat waren blinde slaapwandelaars op het slappe koord, die met vingers in de leegte klauwden. En daarom heb ik ze laten gaan, daarom ben ik opgestaan en weggelopen, terwijl ik wist dat ik iets opgaf wat ik nooit meer terug zou krijgen. Niet Ann en Bill Greenway zelf, maar de illusie die ik had gekoesterd dat ik gered kon worden, kon beginnen met een schone lei.

En daarom zat ik hier weer aan die tafeltjes te wachten op mijn volgende gesprek. Ik kreeg haar in het oog, een magere brunette met een zonnebril; ze sneed een stuk af over het natte gazon, haar hoge hakken zakten weg in het pas besproeide gras, maar het kon haar niet schelen dat ze hele pollen ontwortelde. Haar zilveren oorbellen blikkerden in de januarizon als lokaas aan een hengel. Haar trui zakte over haar ene schouder, zodat je een zwart behabandje zag. Ze verloor een schoen, de aarde zoog hem gewoon van haar voet. Ze hinkte terug en wurmde haar blote voet er nijdig weer in. Ik wist het al: met háár ging ik mee.

23

ZE HEETTE RENA Grushenka. Nog geen week later nam ze me mee naar huis in haar witgespoten Econoline-busje met op de achterruit de Grateful Dead-sticker, de rode en de blauwe helft van de schedel in het midden gespleten als een barstende hoofdpijn. Het was koud, het regende, en de lucht was een grauwe domper. Ik vond het prachtig hoe ze van het parkeerterrein wegschoot. Terwijl ik de muur en het prikkeldraad van Mac zag verdwijnen, probeerde ik niet te veel te denken aan wat er voor me lag. We zwierven door een doolhof van buitenwijken, op zoek naar de snelweg, en ik concentreerde me op de route die we namen, prentte me die in – het witte huis met de duiventil, de groene luiken, de brievenbus, een in oosterse motieven opengewerkte muur van beton met natte vegen van de regen. Hoogspanningskabels strekten zich tussen stalen masten als reuzen die tot aan de einder springtouwen omhooghielden.

Rena stak een zwarte sigaret op en bood me er een aan. 'Russische Sobranie. Beste van wereld.'

Ik nam hem aan, stak hem op met haar wegwerpaansteker, en bekeek mijn nieuwe moeder aandachtig. Haar koolzwarte haar, zonder enige glans, was een gat in de houtskoolmiddag. Borsten hoog opgedrukt in een meedogenloos decolleté, omlijst door een zwart gehaakt truitje met de bovenste vier knoopjes open. Haar grote ronde oorbellen hingen als vangnetten van dromen tot op haar schouders, maar welke dromen erin huisden... Toen ze de snelweg had gevonden, schoof ze een bandje in het cassettedeck, een oudje van Elton John. 'Like a candle in the wind,' zong ze met een diepe, hese stem gekruid met Russische zachte medeklinkers, haar handen op het grote stuur groezelig en vol ringen, de nagels geschilferd rood.

Ineens stroomde de cabine van het busje vol met vlinders – pages, monarchvlinders, schoenlappers, koolwitjes – het gefladder van mijn te talrijke emoties, te talrijke herinneringen. Ik snapte niet hoe Rena door het warrelende rag van hun vleugels de weg nog kon zien.

Het duurde nu geen jaar meer, hield ik mezelf voor. Op mijn achttiende zou ik vrij zijn. Ik zou eindexamen doen, werk zoeken, mijn leven zou van mij zijn. Dit was gewoon een plek waar ik gratis inwoning had tot ik kon beslissen wat de volgende stap zou worden. Studeren kon ik wel vergeten, dat was niet voor me weggelegd, dus waarom valse hoop koesteren. Ik ging mezelf echt niet nog eens laten ontgoochelen. *Ik laat me door niemand aanraken*. Punt uit.

Ik concentreerde me op de vorm van de wolkenkrabbers in het centrum die uit de nevel oprezen, hun toppen versluierd, een half herinnerde droom. Op de 5 reden we noordwaarts, langs spoorlijnen, het County Hospital, de opslagterreinen rond de brouwerij waar de kunstenaars woonden in hun pakhuisateliers – we waren er wel op feesten geweest, mijn moeder en ik, in een vorig leven, zo ver terug in de tijd dat het wel de herinnering van iemand anders leek, of een liedje dat ik ergens in een droom had opgevangen.

Rena nam de afslag bij Stadium Way, en nu stonden er geen huizen meer, alleen warrig snelweggroen en beton. Een tijdje bleven we parallel aan de 5 rijden, tot we er onderdoor gingen, een wijkje in dat net een eiland onder zeeniveau leek, met de snelweg als een muur links van ons. Rechts zag ik door de natte vegen op de voorruit de ene straat na de andere voorbijkomen, elk met het bordje 'Doodlopende weg'. Ik zag krappe voortuintjes, wasgoed nat aan de lijn en over de hekken van Spaans aandoende huizen en piepkleine houten Craftsman-bungalows, stuk voor stuk met tralies voor de ramen. Ik zag macraméplantenhangers aan veranda's bungelen, kinderspeelgoed op kaalgetrapte gazonnetjes, en gigantische oleanders. 'Frogtown' volgens de graffiti.

We stopten voor een somber cacaobruin Spaans bungalowtje met zware stuc, donkere ramen, en een plukkerig grasveld dat omheind was met harmonicagaas. Aan de ene kant hadden de buren een boot op de oprijlaan staan die groter was dan hun huis. Aan de andere kant had je een loodgietersbedrijf. Precies de passende omgeving voor iemand die het enige goede in haar leven de rug had toegekeerd.

'Oost west, thuis best,' zei Rena Grushenka. Ik wist niet of ze het spottend bedoelde.

Ze hielp me niet mijn spullen naar binnen te dragen. Ik pakte de belangrijkste draagtassen – tekenspullen, het konijn van Dürer met het geld van Ron verstopt in de lijst – en liep over het gebarsten pad achter haar aan naar de wrakkige veranda. Toen Rena de deur opendeed, flitste er een witte kat naar binnen. 'Sasja, stout beest,' zei ze. 'Wezen naaien.'

Het duurde even voor ik in het kleine huis aan het donker gewend was. Mijn eerste indruk was die van meubels, opeengepakt als bij een uitdrager. Te veel lampen, en allemaal uit. Een dik meisje met donker haar lag op een sofa met groen gedessineerd fluweel naar de tv te kijken. Toen de witte kat bij haar op schoot sprong, duwde ze hem weg. Ze keek naar me op, was niet onder de indruk en keek verder naar de televisie.

'Yvonne,' zei Rena. 'Ze heeft nog spullen. Help jij.'

'Doe het zelf,' zei Yvonne.

'Hé, wat zeg ik? Lui varken.'

'*Chingao*, moet jij nodig zeggen.' Maar ze duwde zich overeind op de te zachte bank, en ik zag dat ze zwanger was. Haar donkere ogen onder het schamele afdakje van haar tot halvemaantjes geëpileerde wenkbrauwen keken me aan. 'Goeie neus voor de verkeerde plek,' zei ze.

Rena snoof. 'Wat is volgens jou dan goeie plek? Zeg het, dan gaan we allemaal.'

Het meisje stak haar middelvinger naar haar op, pakte een sweatshirt van de ouderwetse kapstok en trok lui de capuchon over haar hoofd. 'Kom op dan.'

We liepen weer de regen in, een motregentje nu; zij pakte twee tassen en ik pakte er ook nog twee. 'Ik heet Astrid,' zei ik.

'Nou, en?'

We brachten de spullen naar een kamer aan het eind van de gang, tegenover de keuken. Twee bedden, allebei onopgemaakt. Yvonne smeet mijn zakken op het ene bed. 'Deze is van jou. Van mijn spullen blijf je af of ik vermoord je.' Ze draaide zich om en liet me alleen.

Het was er een rotzooi zonder weerga. Kleren op de bedden, op het bureau, opgestapeld tegen de muren, puilend uit de open kast. Ik had nog nooit zoveel kleren gezien. En bladen over haarverzorging en aan flarden gescheurde fotoromannetjes. Boven haar bed had Yvonne uit tijdschriften gescheurde foto's gehangen: jongens en meisjes hand in hand, paardrijdend zonder zadel op het strand. Op de toilettafel hield een Chinees kartonnen paard versierd met rode zijdefranje en goudfolie de wacht bij een knalgeel transistortje, een luxe make-updoos met twintig kleuren oogschaduw en een foto van een jonge tv-ster in een lijstje van twee dollar.

Ik pakte de spullen van mijn bed – natte handdoek, tuinbroek, roze sweatshirt, vuil bord – en probeerde te beslissen wat minder aanstoot zou geven: op de vloer leggen of op het andere bed. Ik koos voor de vloer. Maar in de ladekast had ze twee laden vrijgehouden en in de kast hingen een stuk of zes lege kleerhangers.

Ik sorteerde mijn kleren op nette stapeltjes in de laden, hing de beste dingen in de kast en maakte het bed op. Voor de rest was geen plek. *Van mijn spullen blijf je af of ik vermoord je*, had ze gezegd. Precies wat ik zelf ooit had gezegd. Ik dacht terug aan mijn kamer bij Claire, en dat ik me had afgevraagd hoe ik die ooit vol moest krijgen toen ik hem voor het eerst zag. Ze had me te veel gegeven, ik kon het niet allemaal kwijt. Eigen schuld. Ik stopte alles ordelijk in de plastic tassen en schoof die onder de ijzeren ombouw van het ouderwetse ledikant – al mijn kunstvoorwerpen. Alle mensen die ik was geweest. Het leek er wel een kerkhof. Ik hing de spotprent die Paul Trout van me gemaakt had boven mijn bed. *Ik laat me door niemand aanraken*. Ik vroeg me af waar hij nu was, of ik ooit nog iets van hem zou horen. Of iemand ooit van hem zou houden, hem zou laten zien wat schoonheid betekende.

Toen ik klaar was met uitpakken, liep ik door de smalle gang naar de keuken, waar Rena zat met nog een meisje, dat haar haar, donker bij de wortels, magenta had geverfd. Ze hadden allebei een open flesje Heineken en deelden een smerige glazen asbak. Het aanrecht lag bezaaid met afwas en resten van afhaalmaaltijden. 'Astrid. Hier nog een: Niki.' Rena draaide zich naar het meisje met de magentakleurige haren.

Zij taxeerde me aandachtiger dan het meisje dat zwanger was. Bruine ogen wogen me tot op de laatste gram, beklopten me, controleerden de zoom van mijn kleren. 'Wie heeft je geslagen?'

Ik haalde mijn schouders op. 'Een stel meiden op Mac. Het trekt wel weer weg.'

Niki leunde achterover in de stoel die niet bij de rest van de eethoek paste, magere armen achter haar hoofd. 'De *sisters* houden niet van witte meiden die aan hun mannen komen.' Ze boog haar hoofd achterover om van haar bier te drinken, maar bleef me aankijken. 'Hebben ze ook je haar geknipt?'

'Jezus, is dit *Hawaii Five-O*?' zei Rena. 'Laat haar.' Ze stond op en viste nog een biertje uit de gedeukte koelkast, die volgeplakt zat met popstickers. Een blik op de inhoud beloofde niet veel goeds. Bier, afhaalspullen, blikjesvlees. Rena hield een biertje omhoog. 'Wil je?'

Ik nam het aan. Ik was hier nu eenmaal. We dronken bier, we rookten zwarte sigaretten. Ik vroeg me af wat we verder nog deden in Ripple Street.

Rena was in de kasten naar iets op zoek, trok de gehavende beige deurtjes open en smeet ze weer dicht. Er stonden alleen wat stoffige oude pannen, en een ratjetoe van glazen en borden. 'Jij chips gegeten die ik koop?'

'Yvonne,' zei Niki, die nog een slok bier nam.

'Eet voor twee,' zei Rena.

Niki en Rena gingen ergens heen in het busje. Yvonne lag op haar zij te slapen op de bank en zoog op haar duim. De witte kat vlijde zich tegen haar rug. Op tafel lag een lege zak Dorito's. De tv stond nog aan, op een lokale nieuwszender. Helikopter neergestort op de 10. Huilende mensen, verslaggevers die hen ondervroegen in de berm van de snelweg. Verwarring en bloed.

Ik liep de veranda op. Het regende niet meer, de aarde rook vochtig en groen. Er liepen twee meisjes van mijn leeftijd langs met hun kinderen, de ene op een driewieler, de andere in een roze kinderwagen. Ze staarden me aan, hun geëpileerde wenkbrauwen maakten hun gezichten uitdrukkingsloos. Met zwaar motorgeronk stoof er een korenbloemblauwe Amerikaanse slee uit de jaren zestig voorbij, een trots bezit, een en al glimmend chroom en witte bekleding, en we keken hem na tot het eind van de steil oplopende Ripple Street.

In het westen brak de zon door de wolken en over de heuvels in de verte spoelde een gouden licht. Hier beneden was de straat al donker; de duisternis viel hier vroeg in omdat de heuvel achter de snelweg het licht wegnam, maar aan de hoge kant van de straat en op de heuvels had je zonlicht, dat blonk op de koepels van de sterrenwacht, die als een kathedraal op de rand van de berg torende.

Ik liep naar het licht toe, langs bedrijfjes en kleine huizen met raambiljetten waar ze kinderopvang aanboden, vier-onder-een-kapwoningen van twee verdiepingen met houten trappen en bananenbomen en maïs in de tuin, de Dolly Madison-bakkerij. Een elektronicawinkel. Een zaak waar ze filmrekwisieten verkochten, Cadillac Jack, een grote huifkar op een omheind terrein, en op de hoek, waar Fletcher Drive de rivier kruiste, de Mazda-garage van Salazar.

Op de brug had je een weidser uitzicht, over de rivier, verwarmd door het laatste daglicht dat als een geschenk tussen beurse, grauwe wolken door kwam stromen. De rivier liep onder de weg door, richting Long Beach. Ik liet mijn armen op de klamme betonnen reling rusten en keek naar het noorden, naar de heuvels en het park. Het water stroomde tussen grote kaden van beton, die bij het water overdekt waren met het slib van tientallen jaren, keien en bomen. Ondanks die enorme glooiende beschoeiing keerde hij langzaam terug tot zijn oerstaat, een geheime rivier. Tussen de stenen viste een lange, dunne, witte vogel, die als op een Japanse houtsnede op één poot stond. Vijftig gezichten op de rivier van Los Angeles.

Er werd getoeterd en een man riep door zijn portierraam: 'Hé stuk, mag ik even?' Maar het gaf niet, ze mochten trouwens toch niet stoppen op de brug. Ik vroeg me af of Claire hier was, of ze me kon zien. Wat had ik haar graag een blik op die kraanvogel en de rivierbedding gegund. Het was prachtig en ik verdiende dit niet, maar ik kon me er niet van weerhouden mijn gezicht op te heffen naar het laatste gouden licht.

DE DAG DAAROP wekte Rena ons voor het licht was. Ik droomde net dat ik verdronk, een schipbreuk op de Atlantische Oceaan, dus het was maar goed dat ik wakker werd. De kamer was nog donker en ijskoud. 'Arbeiders aller landen, sta op,' zei Rena, die met de rook van haar zwarte sigaret onze dromen verdreef. 'Niets te verliezen dan alleen uw Visakaart, Happy Meal en Kotex met vleugeltjes.' Ze deed het licht aan.

In het andere bed kreunde Yvonne; ze pakte een schoen en gooide hem krachteloos naar Rena. 'Klotedonderdag.'

We kleedden ons aan met onze rug naar elkaar toe. De zware borsten en weelderige dijen van Yvonne verrasten me met hun schoonheid. Ik zag Matisse in haar contouren, ik zag Renoir. Ze was even oud als ik, maar bij haar vergeleken had ik een kinderlijf.

'Ik ga die *puta* aangeven bij de vreemdelingenpolitie. Wordt ze het land uit geschopt, terug naar Rusland.' Ze klauwde door de stapels kleren, trok er een coltrui uit, snoof eraan, gooide hem terug. Ik stommelde de gang door om mijn gezicht te wassen en mijn tanden te poetsen. Toen ik naar buiten kwam, was ze al in de keuken, waar ze een gedeukte thermoskan volgoot met koffie en handenvol zoute crackers in een zak propte.

In het kille duister ontsnapten er wolken witte damp uit de uitlaat van het Ford-bestelbusje, spookachtig met zijn witgesausde zijkanten waar de grijze lak doorheen schemerde. In de grote chauffeursstoel zat Rena Grushenka een zwarte Sobranie met gouden filter te roken en koffie te drinken uit een plastic bekertje van Winchell. Er stond een bandje van de Rolling Stones op. Haar hooggehakte laarzen tikten op het dashboard de maat.

Yvonne en ik klommen achterin en deden de portieren dicht. Het was er donker en het rook naar schimmelende tapijttegels. We kropen tegen elkaar aan op de losse autobank tegen de achterwand. Niki ging voorin zitten en Rena rukte de drietrapsversnelling in de juiste positie. 'Barst als je knarst.' Niki stak een Marlboro aan, hoestte slijm op en spoog uit het raampje.

'Ik ben gestopt met roken voor de baby, maar wat heeft het verdomme voor zin,' zei Yvonne.

Rena knarste hem in zijn één, en we schoten met een ruk de stilte van Ripple Street in. De oranje straatlantaarns verlichtten de rustige buurt, waar de nachtploeg van de Dolly Madison-bakkerij de lucht had geparfumeerd met karamel en vanille. Toen we uit het rivierdal opklommen hoorde ik de vrachtwagens naar de laadplatforms rijden. Een vrachtauto toeterde doordringend, en Rena duwde haar warrige zwarte kapsel in vorm. Zelfs om vijf uur 's ochtends zaten de knoopjes van haar blouse al los, en werd haar decolleté onverbiddelijk opgestuwd door een push-up-beha. Ze zong mee met de muziek met haar mooie alt, *some girls give you diamonds, some girls Cadillacs*. Haar Jagger-imitatie mocht er wezen.

Op Fletcher Street sloegen we linksaf, langs de Mazda-garage en de Star Strip, en ons busje rammelde in het vochtige duister als een stel blikjes. We gingen onder de 5 door en staken Riverside Drive over, waar het naar hamburgers van Rick's rook. Ze sloeg links af bij de Astro-koffiebar, waar het parkeerterrein halfvol politieauto's stond. Ze spoog in het voorbijgaan driemaal uit het raampje.

Toen begonnen we te klimmen, een wijk in met nauwe straatjes waar de huizen op de steile hellingen muur aan muur opeengepakt stonden, gepleisterde rijtjeshuizen en onbestemde blokbouw, met af en toe een uitschieter in oud-Spaanse stijl. Trappen aan de stijgende, carports aan de dalende kant. Ik ging op mijn knieën tussen de voorstoelen zitten voor het uitzicht. Ik kon het hele rivierdal van hieruit zien – koplampen op de 5 en de 2, de slapende heuvels van Glassell Park en Elysian Heights bespikkeld met lichtjes. Braakliggende percelen vol varenachtige venkel, die in het bedauwde donker naar drop geurde. De geur vermengde zich met de schimmel van het busje, met sigaretten en de stank van restjes drank. Rena gooide haar peuk uit het raampje.

Yvonne knipte het binnenlampje aan en bladerde een *Seventeen* door die bobbelig was van het vocht. Het blonde meisje op het omslag bleef dapper lachen, al was ze duidelijk geschokt door de omstandigheden waarin ze zich bevond. Ik snapte nooit waar ze al die blije, pukkelloze pubers vandaan haalden. Yvonne bleef steken bij een foto van een jongen en een meisje die op een dik ongezadeld paard over het strand reden. 'Heb jij weleens paardgereden?'

'Nee, maar ik ben wel een keer naar de renbaan geweest.' Medea's Trots, vijf tegen één. Zijn hand op haar middel. 'En jij?'

'Ik heb wel eens op een pony gereden in Griffith Park,' zei Yvonne.

'Daar,' wees Rena.

Bij een grauw huis met structuurpleister stonden zwarte plastic zakken naast de vuilnis. Rena stopte; Niki sprong naar buiten en sneed met een zakmes de sluiting van een van de zakken door. 'Kleren.' Zij en Yvonne gaven de zakken door aan mij in het busje. Ze waren zwaarder dan ik dacht, er zaten zeker spullen onderin. Yvonne tilde ze met gemak, ze was sterk als een man. Niki zwaaide ze bedreven omhoog.

'Ik ben zo moe,' zei Yvonne toen we verder reden. 'Ik heb de pest aan mijn leven.' Ze schonk het koffiekopje vol, slurpte het leeg, schonk het weer vol en gaf het aan mij. Het was oploskoffie, heet en te sterk.

Aan het stuur trok Rena aan haar sigaret, die ze vasthield als een potlood. 'Ik zei toch laat wegmaken. Waar baby voor nodig? Stommeling.'

Rena Grushenka. Rockmuziek en Amerikaans *slang*, allebei twintig jaar oud, goedkope Stoli-wodka van de drankenhal. Ze speurde met haar zwarte kraaienogen de stoepranden met hun keurige rijtjes vuilnis- en recyclebakken af. Ze kon in het donker zien met die ogen van haar. Die ochtend droeg ze een halsketting van zilveren *milagros*: armen, handen en benen. Die moest je eigenlijk bij wijze van smeekbede op de fluwelen rokken van Maria spelden, maar voor Rena waren het niet meer dan verpande lichaamsdelen.

'Hé, rapenvreters,' riep ze uit het raampje toen we ons langs een dubbelgeparkeerde oude Cadillac wurmden van een Mexicaans stel dat andermans recyclebak aan het legen was. Hun kofferbak en achterbank lagen stampvol zakken met blikjes en flessen. '*Dobro oetro, koelaks.*' Ze lachte met wijd opengesperde mond, waarin gouden vullingen blonken.

Ze staarden ons uitdrukkingsloos aan toen wij langsrammelden.

Rena zong met haar vette accent mee met Mick, tikte met de onderkant van haar ring op het blauwe stuur en trok als een kip haar nek in en uit. Ze had een lage stem, muzikaal.

In de andere grote stoel zat Niki te geeuwen en zich uit te rekken. 'Iemand moet me naar mijn werk rijden om mijn pick-up op te halen. Werner heeft me gisteravond mee naar huis genomen.' Ze grijnsde haar schevetandenlachje.

Rena nam een slokje uit haar plastic bekertje. 'De knakworst.'

'Vier keer,' zei Niki. 'Ik kan bijna niet meer lopen.' Werner, die een Duitse promotor van rockmuziek scheen te zijn, kwam vaak in de Bavarian Gardens, waar Niki drie avonden in de week werkte, al was ze nog geen eenentwintig. Ze had een vals identiteitsbewijs van een van Rena's vrienden.

'Neem knakworst mee. Wil hem zien.'

'Vergeet 't maar,' zei Niki. 'Eén blik op jullie takkewijven en hij zit al in het vliegtuig naar Frankfort.'

'Je bent gewoon bang dat hij dan ziet dat jij een man bent,' zei Yvonne.

Zo praatten ze maar door, onophoudelijk als golven. Ik steunde met mijn onderarmen tegen de verroeste blauwe versnellingsbak. Voor me lag een collage van troep, als de onderlaag van een bos: lege zwarte Sobranie-pakjes, Spaanstalige folders, een haarborsteltje vol zwarte haren, een sleutelring met een blauw portemonneetje van rubber, zo een dat zijn mond opendoet als je in de zijkanten knijpt. Ik speelde ermee, liet het meezingen met het bandje.

De zonsopgang schilderde bleke vegen aan de oostelijke horizon, grijswitte wolken als gedoezeld krijt, een gesponsde lucht. Geleidelijk aan verdwenen de door mensenhand gemaakte elementen uit het landschap – de spoorwegemplacementen, de snelweg, de huizen en de landwegen – tot het enige wat restte de blauwe bergen waren, afgetekend tegen het licht van de dageraad, rood over de kam. Het was een filmset voor een western. Ik zag bijna de takken van de reuzencactus, wegvluchtende coyotes en jonge vosjes. De Great Basin, de Valley of Smoke. Ik keek ademloos toe. Ik wou dat het altijd zo kon blijven, geen mensen, geen stad, alleen opkomende zon en blauwe bergen.

Maar de zon steeg boven de bergkam uit, gaf de 2 en de 5 terug, het vroege ochtendverkeer op weg naar de stad, vrachtrijders naar Bakersfield, denkend aan pannenkoeken, en wij in het busje op vuilophaaldag.

We gingen verder op onze speurtocht langs het afval van de stad, en redden een wijnrek en een stel kapotte rotanstoelen. We adopteerden een aluminium looprek, een doos muffe boeken, en een recyclebak vol lege bierflesjes, die de schimmelgeur achterin nog versterkte. Ik stak een boek over boeddhisme in mijn zak, en een dat *My Ántonia* heette.

De kronkelstraten, de uitbundige bougainvillea op de hellingen en de hoge trappen vond ik mooi. We reden langs het huis waar Anaïs Nin had gewoond, maar ik had niemand om erop te wijzen. Mijn moeder had altijd graag langs de huizen in LA gereden waar beroemde schrijvers hadden gewoond – Henry Miller, Thomas Mann, Isherwood, Huxley. Ik herinnerde me dit uitzicht op het meer nog, en de Chinese brievenbus. We hadden al haar boeken. De titels spraken me aan – *Ladders to Fire*, *House of Incest* – en ook haar gezicht op het omslag, de valse wimpers, haar sprookjeshaar met de vlechten en tressen. Er was een foto van haar met haar hoofd in een vogelkooi. Maar wie was er nu nog over die dat interesseerde?

We stopten om donuts te kopen en verstoorden een bijeenkomst van parkeerterreinduiven, die opstegen in een groot wemelend rad van donkere en lichte grijstinten, en de verflenste ochtendzon op hun wieken namen – de frisheid was al uit de lucht geweken. Yvonne bleef in het busje in haar tijdschrift zitten lezen. Het meisje achter de kassa bij Winchell wreef de slaap uit haar ogen toen Rena, Niki en ik binnenkwamen. Rena boog zich in haar kersrode broek over de vitrine en gaf de daklozen en de psychiatrische patiënten van het opvangcentrum uit de buurt een welbewuste borsten- en billenshow, wreed etalerend wat zij niet konden krijgen, en ik moest denken aan Claire en de zwerver die aan haar haar rook. We bestelden onze donuts, met jam, met banketbakkersroom en met poedersuiker. Rena liet het meisje haar koffiebekertje bijvullen.

Buiten zat een man voor de deur gehurkt met in zijn armen een blad vol lieveheersbeestjes in bolletjes van plastic.

'Lieveheersbeestjes,' riep hij zangerig. 'Lieveheeeers-beestjes.'

Het was een kleine, pezige man van onbestemde leeftijd, met een verweerde kop, een met grijs doorschoten zwarte baard en lange paardenstaart. In tegenstelling tot de meeste andere zwervers leek hij niet gek of dronken.

Rena en Niki negeerden hem, maar ik bleef staan om te kijken naar de rode vlekjes die door het bolletje kropen. Een beetje beleefdheid kon geen kwaad. Trouwens, ik had nog nooit iemand gezien die er zijn beroep van maakte om lieveheersbeestjes te verkopen.

'Eet de bladluizen in je tuin op,' zei hij.

'We hebben geen tuin,' zei ik.

Hij lachte. Zijn tanden waren grauw naar niet rot. 'Neem er dan toch maar een. Ze brengen geluk.'

Ik gaf hem een dollar en hij overhandigde me de lieveheersbeestjes in hun bolletje van plastic, zo een waar in de kauwgomballenautomaat ringen en trolletjes in zitten.

In het busje wijdden we ons uitgebreid aan ons gebakken deeg en onze cafeïne. Er vielen suikerschilfertjes op onze kleren. Het ergste in Ripple Street was het eten. Elke avond iets van de afhaal. Bij Rena kookte niemand. Ze had niet eens een kookboek. Haar gedeukte pannen uit de recycle zaten dik onder het stof. Vier vrouwen in huis en niet één kon of wilde er iets klaarmaken. We belden gewoon Tiny Thai. Voor mensen die stopten als ze lege bierflesjes zagen, smeten we met geld.

Terwijl we naar de andere kant van het meer reden, draaide ik mijn plastic bolletje langzaam rond en keek ik hoe de lieveheersbeestjes renden om rechtop te blijven. Ze waren er beter aan toe dan je zou denken. Vanochtend gevangen. Ik zag in gedachten de geduldige blauwe ogen van de lieverheersbeestjesverkoper de bedauwde venkel afzoeken naar rode stipjes.

Gooi hem terug, had Claire gezegd. *Hij is zo lévend.*

Maar ze brachten geluk volgens de man.

Tussen de grote stoelen door zag ik Silver Lake, dat in zijn nest van heuvels de wolkenloze lucht weerspiegelde. Het deed me denken aan een plaats in Zwitserland waar ik een keer met mijn moeder was geweest. Een berg die recht in het meer zakte, met het stadje op de helling. Je had er camelia's en palmen en hoge smalle luiken, en toen we aan de lunch zaten was het gaan sneeuwen. Sneeuw op de roze camelia's.

We zaten inmiddels aan de goede kant van het meer. We keken verlangend naar de grote huizen, Spaanse stijl, Cape Cod-stijl, New Orleans-stijl, in de ochtend met het zoete bak-aroma van de grote johannesbroodbomen. Probeerden ons voor te stellen hoe het zijn zou om zo écht te zijn. 'Die wil ik.' Yvonne wees op een tudorachtig huis met een oprijlaan van klinkers. Niki gaf de voorkeur aan een modern huis met veel glas waarin je aan het plafond de jaren-vijftiglampen en de Calder-mobile kon zien hangen. 'Ik hoef geen troep in mijn huis,' zei ze. 'Ik wil het kaal. Chroom en zwart leer.'

Terwijl we de bochtige weg omhoog volgden, kwamen we langs een huis waar iemand piano studeerde voor hij naar zijn werk ging. Het was een Spaans aandoend huis, met witte muren en dakpannen en een altijdgroene eik in het kleine voortuintje achter het smeedijzeren hek. Wat oogde het veilig, iets wat schoonheid kon herbergen als een vijver vol glanzende forellen.

Rena zag dat ik het met mijn ogen volgde. 'Denk jij dat zij geen problemen hebben?' vroeg ze. 'Iedereen heeft problemen. Jij hebt mij, zij hebben verzekering, hypotheek en aambeienzalf.' Ze lachte het spleetje tussen haar voortanden bloot. 'Wij zijn de vrije vogels. Zij willen ons zijn.'

We hielden stil voor een huis boven op de heuvel, waar spullen op de stoep stonden. Ik sprong uit het busje, pakte het veiligheidshekje, de kinderstoel met de blauwe bekleding vol morsplekken, de box en de babybouncer. De ogen van Yvonne werden donker toen ze zag wat ik haar overhandigde. Haar blozende wangen trokken beige weg, haar mond werd een streep. Ze greep de kinderstoel en smeet hem met meer kracht dan nodig was achterin.

Ze rolde zich op in de autostoel toen we weer verderreden, pakte haar *Seventeen* en bladerde die met trillende handen door. Ze sloeg hem dicht en bleef naar het meisje op het omslag kijken, een meisje dat nooit zwanger was geweest, nooit een maatschappelijk werker of een gaatje in haar tanden had gehad. Yvonne streelde de bobbelige kaft. Ik begreep dat ze wilde weten wat dat meisje wist, wilde voelen wat zij voelde die zo mooi, gewenst en zelfverzekerd was. Als iemand die een heiligenbeeldje aanraakt.

'Denk je dat blond haar me goed zou staan?' Yvonne hield het omslag op naast haar gezicht.

Ik draaide de lieveheersbeestjes, liet ze rennen, en zei: 'Mij heeft het nooit veel opgeleverd.'

Ik zag het gezicht van Claire aan de oever van de McKenzie, dat me smeekte om de vis zijn vrijheid te geven. Dat was het minste wat ik doen kon. Ik moest trouwens toch voor mijn eigen geluk zorgen. Ik boog me achter Niki langs uit het raampje en deed het bolletje open in de wind.

HET WAS KWART voor acht toen we bij de Marshall High School stopten. Mijn achtste school in vijf jaar. Het hoofdgebouw had een gevel van sierbaksteen, maar was aan alle kanten omgeven door noodgebouwen. Yvonne boog haar hoofd diep over het tijdschrift, ze zou zich schamen als ze gezien werd. Ze had afgelopen winter haar opleiding afgebroken.

'Hé,' riep Rena me na toen ik uitstapte. Ze boog zich voor Niki langs en stak me een paar opgevouwen bankbiljetten toe. 'Met geld kom je verder.'

Ik pakte het aan en dacht aan Amelia toen ik het in mijn zak stopte. 'Bedankt.'

Niki keek spottend naar de leerlingen die op de muur hun sigaretten oprookten voor de lessen begonnen. 'Kloteschool. Waarom kap je er niet mee? Rena kan het niet schelen.'

Ik haalde mijn schouders op. 'Ik moet nog maar één semester,' zei ik. Maar in werkelijkheid was ik bang om weer iets uit mijn leven te zien verdwijnen.

24

IK ZAT OM één uur 's nachts rechtop in bed, met watjes in mijn oren, terwijl Rena en de kameraden beneden in de woonkamer een feestje bouwden. Op dat moment brulden ze mee met een oude plaat van The Who, die zo hard stond dat ik het door de vloer heen voelde. Daarom vond Rena het best hier tussen de aannemers, bakkerijen en gieterijtjes. Je kon er zoveel lawaai maken als je wilde. Ik kwam erachter dat alles in Ripple Street om rockmuziek draaide. Niki zong bij drie verschillende bandjes, en Rena's eigen soundtrack bestond uit alle toprock uit de jaren zeventig die ze voor het eerst in Magnitogorsk op bandjes van de zwarte markt had gehoord. Ik probeerde me de klanken te herinneren van Debussy, de gamelan, Miles Davis, maar de bas van The Who dreunde alles mijn hoofd uit.

Voor mij was dit soort rock enkel nog meer anonieme seks in een mannenwereld, tegen een betonnen muurtje achter de toiletten. Geef mij liever een toondicht van Satie als het licht op een hooiberg van Monet, of de Braziliaanse Astrud als een lijnenspel van Matisse. Laat mij maar met Matisse in een Zuid-Frans vertrek liggen, met de jaloezieën half dicht en het zachte gefladder van zwaarbevederde witte duiven, hun vriendelijk gekoer. Nog eventjes, Henri, dan komt Picasso met zijn zware laarzen. Laten we nog van deze middag genieten.

Ik miste schoonheid. De nacht in Tujunga met te veel sterren, de hals van Claire als ze zich over me heen boog om mijn huiswerk te bekijken. Mijn moeder die onder water zwom in het zwembad in Hollywood, de melodie van haar woorden. Dat was allemaal verdwenen. Dít was mijn leven, zoals het nu was. *Eenzaamheid is de normale toestand van de mens, daar moet je maar aan wennen.*

Het bed van Yvonne aan de andere kant van de kamer was leeg, ze was om elf uur met iemand vertrokken naar een feestje aan de overkant van de rivier. Ik zat rechtop in bed te tekenen bij het licht van de lamp, volgde een indigo lijn van vetkrijt op violet papier met heel zacht, licht zilver. Het was een boot, een donkere kano, op de kust van een maanloze zee. De boot was leeg, geen peddels, geen zeil. Het deed me denken aan de zonloze zeeën van 'Kubla Khan' en ook aan de vikingen van mijn moeder, die hun doden in een boot lieten wegdrijven.

Ik blies op mijn handen, wreef ze tegen elkaar. De verwarming deed het niet; Rena had hem nog steeds niet gemaakt. We droegen gewoon altijd truien. 'Koud?' zei ze dan. 'In Californië? Jij maakt grap.' Zíj voelden het niet, ze bralden mee de elpees en dronken Hunter's Brandy, een vuurwater van Russische makelij dat naar wodka met spijkers smaakte.

Ik keek rond in de benauwde, propvolle kamer, die wel een opslagruimte van het Leger des Heils leek. Ik stelde me voor wat mijn moeder zou zeggen als ze kon zien wie ik nu was, ik, haar hartstochtelijk artistieke dochtertje. Het zoveelste tweedehands artikel in de uitdragerij van Rena. Je vindt die lamp met die groene bubbeltjesvoet mooi? Zeg maar hoeveel je ervoor over hebt. En dat olieverfschilderij van de boerin met de dikke wangen en de oranje hoofddoek? Voor jou tien dollar. Een boeket van kralenbloemen? Vraag maar aan Rena, dan krijg je het voor zevenenhalve dollar mee. We hadden een wollig oosters tapijt en een massief eiken tafel, maar een tikje uit het lood, met vijf verschillende stoelen erbij, vandaag met korting. We hadden een enorme Hawaïaanse houten slakom met lepel en vork en de complete *Encyclopaedia Britannica* van 1962. We hadden drie mottige witte katten, overal kattenhaar en kattenstank. Plus een ouderwetse geluidsinstallatie in een kastje van perenhout en een stapel elpees uit de jaren zeventig die hoger was dan de plateauzolen van Bowie.

En onze kleren dan, moeder, hoe vind je onze kleren? Polyester truitjes en strakke lichtpaarse heupbroeken, gele bloesjes met opzichtige ritsen. De kleren zwierven van kast tot kast tot we ze beu waren, waarna we ze verkochten en iets anders aanschaften. Je zou me niet meer herkennen. Mijn haar laat ik groeien, en ik heb een Jackie-O-zonnebril gevonden die ik niet meer afzet.

Mijn kleren zijn weg, de rijke weesmeisjeskleren van Fred Segal en Barney's New York. Ik heb ze van Rena moeten verkopen. Daar zou jij het vast mee eens geweest zijn. Op een zaterdag stonden we op het parkeerterrein van Natalia's Nails onze spullen uit te laden. Toen ik koffiemokken stond te schikken, zag ik Rena mijn kleren uit een zwarte plastic vuilniszak trekken. Mijn lazuurblauwe tweedcolbertje, mijn halterjurk van Betsey Johnson, mijn Myrna Loy-pyjama. Ze hing ze op kleerhangers aan het rek op wieltjes.

Ik rukte ze van het rek en stond te trillen op mijn benen. Ze had in mijn laden gesnuffeld, in mijn kast. 'Die zijn van mij.'

Rena negeerde me, schudde een lange rok uit, zachtroze-met-grijs, en klemde die aan een hanger. 'Waarom jij nodig? Mooiste kleren van Marshall High School? Misschien Tiny Thai, Trader Joe? Misschien belt *Melrose Place* en word jij ster?' Ze bukte zich, trok een lading van mijn Fred Segal-T-shirts uit de zak en stopte die in mijn armen. 'Hier.' Ze legde er een rol kleefband en een viltstift op. 'Jij noemt prijs en houdt geld, *ladno*?' Ze trok nog meer kleren van mij uit plastic vuilniszakken en hing ze op. Een grijsbruine pantalon met een hoge taille en een getailleerd colbertje met schoudervullingen en een antracietkleurige kraag van fluweel. Wit overhemd met ruches. Mijn Jessica McClintock-jurk met de witte ajourkraag.

'Die niet,' zei ik. 'Toe nou, zeg.'

Rena keek me met toegeknepen ogen aan en blies geërgerd een lok van haar dofzwarte haar uit haar gezicht. 'Jij krijgt goed betaald. Waarom wil jij houden, theedrinken met kleine tsarevitsj Alexej? Is in 1918 doodgeschoten.' Ze pakte de jurk uit de zak, schudde hem uit en hing hem op. 'Echt waar.'

Daar stond ik met mijn armen vol zijdezachte T-shirts. Egyptische katoen. Mijn keel in de greep van een zure tang, uitgeknepen als een citroen. Mij mijn kleren laten verkopen! Die heks.

Maar onwillekeurig dacht ik: ja, waar bewaarde ik ze eigenlijk voor? Wanneer zou ik ooit nog een Jessica McClintock-jurk van tweehonderd dollar kunnen dragen? Het was een gebraden-gans-met-kastanjevullingjurk, Puccini in het Music Center, porselein met gouden randjes. Ik keek naar Rena in haar rode glimblouse, open tot en met het derde knoopje, hoge hakken en spijkerbroek. Niki, die de keukenspullen uitstalde, magentakleurig haar en zwarte polyester. Yvonne, rond als een watermeloen in haar lila babydolljurk met wervelpatroon uit de jaren zestig, die treurig het babymeubilair arrangeerde, en in de kinderstoel een versleten teddybeer zette.

Waarom kon niemand toch ooit iets houden? Jij geloofde niet in sentiment, moeder, het enige wat jij bewaarde waren je eigen woorden, een foto van mijn grootmoeder en een van je adoptiekoe op de landbouwschool. Alleen Claire kon herinneringen hanteren. Maar die had weer moeite met het heden.

'Ik heb hem van iemand gekregen,' zei ik ten slotte tegen Rena.

'Nou en?' Rena keek op van haar kleerhangers. 'Fijn toch. Gekregen. En nu verkopen, geld uit halen.'

Ik stond daar maar, wrokkig, mijn armen nog steeds vol T-shirts.

'Jij wil auto?' vroeg Rena. 'Kunstschool? Denk jij dat ik niet weet? Hoe wil jij dan betalen? En nu die jurk. Mooie jurk. Gekregen. Maar geld is...' Ze zweeg, probeerde de juiste woorden te vinden voor wat geld was. '*Geld!* Jij wil herinneren? Herinner dan.'

En dus deed ik het. Ik plakte een prijs op mijn dieprode fluwelen droom. Een hoge, in de hoop dat hij niet verkocht werd. Ik vroeg voor alle kleren veel. Maar ze werden gekocht. Toen de zon warm werd, maakten de gehaaide koopjesjagers plaats voor de stellen, slenterend, arm in arm, oude mensen aan de wandel, jongelui. De T-shirts, de broek, de colbertjes, alles kochten ze. Maar het werd middag en de rode jurk hing er nog. Elke keer vroegen ze aan Rena of hij echt honderd dollar was.

'Zíj zegt het,' antwoordde Rena met haar diepe stem, alsof ze machteloos stond.

'Het is een Jessica McClintock,' verdedigde ik me. 'Nog nooit gedragen.' Mijn eigen schuld dat ik gedacht had dat ik een toekomst had, dat de droom gewoon zou voortduren.

Ik wist nog precies hoe ik erin had uitgezien toen ik hem paste in de winkel in Beverly Hills. Onschuldig, als de dochter van iemand, de echte dochter van iemand. Een meisje voor wie werd gezorgd. Het middagmaal van een meisje in zo'n jurk bestond niet uit bier en sigaretten, een meisje in zo'n jurk gaf zich niet aan de vader op een stapel tapijt in een onafgebouwd huis. Zo'n jurk wist niet aan de kost te komen als dat nodig bleek, hoefde zich geen zorgen te maken over zijn gebit, of over zijn moeder, of die wel thuis zou komen. Toen ik hem aan Claire liet zien, liet ze me ronddraaien als een ballerina op een muziekdoosje, haar handen voor haar mond geslagen, terwijl de trots van haar af droop. Zij dacht echt dat ik dat meisje was. En even heb ik dat zelf ook gedacht.

De hele dag hielp ik ze passen, liet ik de satijnen voering over hun zweterige schouders glijden, ritste hem dicht zover als het ging. Na vijf keer vond ik het niet meer zo heel erg. Om een uur of drie kwam er een groepje meisjes, en een van hen bleef maar naar de rode jurk kijken, hield hem voor zich op. 'Mag ik deze passen?'

Ik haalde het plastic eraf, liet de jurk over haar armen glijden, over de lichte donshaartjes, trok hem over haar lijf, deed de rits op de rug dicht terwijl zij haar donkere paardenstaart omhooghield. Hij stond haar geweldig. Beter dan hij mij ooit gestaan had. Ik had het meisje nooit eerder gezien. Ze zat niet op Marshall. Ze ging waarschijnlijk naar de Immaculate Heart of de Franse school. Een meisje voor wie werd gezorgd, de dochter van iemand. Ik hield hem voor haar apart terwijl zij in de supermarkt haar moeder ging bellen. Een kwartier later kwam er een aantrekkelijke, niet meer zo jonge vrouw opdagen in een roomkleurige Mercedes, zwartlinnen pantalon, suède mocassins met grote gespen. Ik hielp het meisje weer in de jurk, en de vrouw gaf me de honderd dollar, één knispervers biljet. Ze gingen naar de bruiloft van een nichtje in New York. De jurk was net wat ze hebben moesten. Ik zag aan de uitdrukking van de moeder dat ze precies wist wat hij waard was.

We gingen door tot vijf uur, begonnen toen af te breken en alles weer in het busje en de pick-up van Niki te laden. Al mijn spullen waren verkocht. Ik ging op de bumper van het busje mijn geld zitten tellen. Ik had meer dan vierhonderd dollar verdiend.

'Zie je, niet zo slecht,' zei Rena, die een doos met borden op haar heup steunde. 'Hoeveel heb jij?'

Ik mompelde het, beschaamd, maar ook een beetje trots. Het was het eerste geld dat ik ooit had verdiend.

'Goed. Geef mij honderd.' Ze stak haar hand uit.

'Waarom?'

Ze knipte met haar vingers, stak haar hand weer uit.

'Ik kijk wel uit.' Ik verstopte het geld achter mijn rug.

Haar zwarte ogen spetterden van drift. 'Wat, denk jij dat jij alleen verkoopt, op hoek van straat? Jij betaalt mij, ik betaal Natalia, Natalia betaalt huisbaas, wat dacht jij dan? Iedereen betaalt iemand.'

'Je zei dat ik het mocht houden.'

'Na geld voor mij.'

'Jezus nog an toe.' Niki was goedkope kleren aan het sorteren op een deken op de grond en keek op. 'Vooruit, geef haar dat geld. Je moet wel.'

Ik schudde van nee.

Rena zette de doos op haar andere heup en toen ze sprak klonk haar stem scherp. 'Luister, *devoesjka*. Ik betaal, jij betaalt. Zaken zijn zaken. Wanneer was laatste keer dat jij driehonderd dollar in je hand had? Dus – doe ik jou kwaad?'

Hoe kon ik het uitleggen? Het gaat om wat ik voel, wilde ik zeggen, maar wat had dat voor zin? Voor haar was het alleen maar geld, handelswaar. Ze had iets van me gestolen en had me ook nog gedwongen het voor haar te verkopen. Ik vroeg me onwillekeurig af wat jij gedaan had, moeder. Tevergeefs. Ik kon me jou niet eens voorstellen in die situatie – overgeleverd aan de genade van Rena Grushenka, je kleren verpatsend, huilend om een jurk op het parkeerterrein van Natalia's Nails. Omdat ik niets anders kon bedenken, stak ik haar de honderd dollar toe, het bedrag van de rode jurk, en ze griste het uit mijn hand, fel als de knauw van een hond.

Maar toen ik op bed zat te luisteren naar de herrie, het gelach en nu en dan een bons vanuit de woonkamer, besefte ik dat zelfs jij nu iemand moest betalen, voor je hasj en je inkt en het goede soort tampons, je tandenflos en je vitamine C. Maar jij zou een dwingende reden weten te verzinnen, een theorie, een filosofie. Je zou er iets nobels, iets heroïsch van maken. Er een gedicht over schrijven: 'De rode jurk'. Ik kon dat niet, met geen mogelijkheid.

In de woonkamer zette iemand een oude plaat van Led Zeppelin op. Ik hoorde ze meezingen met hun vette accent, hoorde de gitaar van Jimmy Page gieren. Het was vier uur 's nachts en ik rook smeltende kaarsenwas die in grote plassen op de tafels en vensterbanken droop. Ik hoefde het boek over kaarsenmagie van Claire er niet op na te slaan om te weten wat dat kon betekenen: *huis in brand*. Daarom sliep ik ook met mijn kleren aan, zorgde ik altijd voor schoenen naast mijn bed, geld in mijn portemonnee en de belangrijkste spullen in een tas bij het raam.

Je zou toch denken dat ze zouden proberen om wat te slapen – de dag daarop gingen we naar de vlooienmarkt van de Fairfax High School, om onze van flessendoppen gemaakte etnische beeldjes te verkopen, onze serveerbladen met botanische gruwelen erop geschilderd, de gloednieuwe babykleertjes en alle schimmelende *Reader's Digests*. Maar ik wist eigenlijk nu al dat ze tot maandag geen oog dicht zouden doen. Ik hoopte dat ik geen bekenden zou tegenkomen.

Ik sloeg het blad om, begon aan de volgende kano. Zilver op zwart. De deur ging open. Misja, een vriend van Rena, kwam binnengestommeld, hij speelde luchtgitaar samen met Jimmy, zijn dikke rode lippen als die van een bovenmaatse baby. Hij kwijlde zowat. 'Ik kom jou opzoeken, *maja ljoebov. Krasivaja devoesjka*.'

'Ga weg, Misja.'

Hij wankelde naar mijn bed toe, kwam naast me zitten. '*Don't be cruel*,' zong hij, à la Elvis, en bukte zich om in mijn hals te kwijlen.

‘Laat me met rust.’ Ik probeerde hem weg te duwen, maar hij was te groot en te week, ik kon niets stevigs vinden om me tegen af te zetten.

‘Niet bang zijn,’ zei hij. ‘Ik doe niks.’ Hij kwam naast me op bed liggen, wijd uitgelopen als een vlek. De alcoholwalm was zo dik dat ik aan die slangen moest denken die met hun adem hun prooi verdoven. ‘Ik ben alleen maar eenzaam.’

Ik riep om hulp, maar door de muziek kon niemand me horen. Misja was zwaar, hij liet zijn hoofd op mijn schouder rusten en lebberde aan mijn hals. Zijn blauwe jankogen vlakbij, een zware arm om me heen.

Ik stompte hem, maar dat hielp niet, hij was te ver heen, mijn vuist veerde terug van zijn vet, hij voelde niets. ‘Misja, ga van me af.’

‘Jij bent so mooie meisje,’ zei hij en probeerde me te kussen. Hij stonk naar wodka en naar iets vettigs, iemand had zeker een bak kip meegebracht.

Mijn mes lag onder handbereik, onder mijn kussen. Ik had geen zin om Misja te steken, ik kende die man. Ik had hem bottleneckgitaar horen spelen. Hij had een hond die Tsjernobyl heette en wilde naar Chicago, bluesgitarist worden, alleen hield hij niet van kou. Rena had zijn haar geknipt, met die beetje scheve pony. Het was best een goeie vent, alleen kuste hij me nu op mijn dichte mond, en wroette hij met een hand onder de deken, al was ik helemaal aangekleed. Zijn grabbelende hand vond slechts honderd procent polyester.

‘Wees beetje lief voor me,’ smeekte hij in mijn oor. ‘Wees lief, *devoesjka*, want wij gaan allemaal dood.’

Ten slotte wist ik een knie omhoog te wurmen en toen hij ging verliggen gaf ik hem een mep met mijn tekenplank en liet me uit bed glijden.

In de woonkamer was bijna iedereen vertrokken. Natalia danste solo bij de stereo, een fles Stoli van de drankenhal aan de hals in haar ene hand geklemd. Georgi lag laveloos in de zwarte leunstoel, met zijn hoofd tegen de pluizende armleuning en een witte kat opgerold op schoot. Er lag een rotanstoel omver, en een grote asbak ondersteboven op de vloer. Op de gehavende salontafel glom een plasje onbestemd vocht.

Rena lag op de groenfluwelen sofa met haar vriendje Sergej, die haar vingerde. Ze had haar schoenen nog aan, en haar rok. Zijn hemd stond open, hij had een ketting om waar een medaillon aan bungelde. Ik vond het heel vervelend om ze te storen, maar Misja was háár vriend. Zij was verantwoordelijk.

'Rena,' zei ik. 'Misja probeert bij me in bed te kruipen.'

Vier dronken ogen staarden naar me op, twee zwarte en twee blauwe. Het duurde even voor ze zich scherpgesteld hadden. Sergej fluisterde iets tegen haar in het Russisch en ze schoot in de lach. 'Misja doet niks. Sla hem met iets op zijn kop,' zei Rena.

Sergej bleef naar mij kijken terwijl hij haar achterwerk kneedde, in haar nek beet. Hij leek net een witte tijger die een prooi verslindt.

Toen ik op mijn kamer terugkwam, was Misja buiten westen. Hij had een bloedende snee op zijn hoofd waar ik hem had geraakt. Hij snurkte en hield mijn kussen vast alsof ik het was. Die zou voorlopig niet wakker worden. Ik ging in het lege bed van Yvonne liggen. De muziek hield om vijf uur op, en ik kreeg nog twee uurtjes onrustige slaap, waarin ik droomde van beesten die in de vuilnis wroetten. Ik werd wakker van een man die in de badkamer aan de overkant van de gang stond te plassen met de deur open, een stroom die wel vijf minuten leek te duren. Hij trok niet door. Toen begon de muziek weer, opnieuw The Who. *Who are you?* zongen ze. Ik probeerde het me te herinneren, maar wist het eigenlijk niet.

25

OP EEN SOMBERE zaterdag zaten we in de keuken leren zakjes voor kristallen te naaien. Het was Rena's nieuwste project om geld in het laatje te krijgen. Niki draaide demootjes van de verschillende bands die Werner had geboekt, maar ze klonken allemaal hetzelfde, de razernij van broodmagere blanke kinderen bij uitzinnige gitaren. Ze was op zoek naar een nieuwe band. 'Deze is best goed, hè? Shit!' Ze had met een naald in haar vinger geprikt, stopte die in haar zwartgestifte mond. 'Wat een kloteklus, dat naaien. Denkt ze soms dat we een stelletje kabouters zijn of zo?'

We rookten hasj in een glas onder het werk. Ik wachtte tot het borrelglaasje met de op z'n kop staande Johnny Walker erop, dat Niki uit de Bavarian Gardens had meegepikt, vol rook stond. Ik bracht mijn mond naar het randje, hield het glaasje een beetje schuin en zoog de dikke hasjwalm in mijn longen. Yvonne rookte niet mee, ze zei dat het slecht was voor de baby.

'Wat maakt dat nou uit?' vroeg Niki, die een brokje hasj op de speld prikte voor haarzelf. 'Je gaat het kind toch niet houden.'

Haar mondhoeken gingen omlaag. 'Als jij er zo over denkt, wil ik je niet meer mee hebben naar de zwangerschapscursus,' zei Yvonne. 'Dan gaat Astrid mee.'

Ik begon te hoesten. Ik probeerde Butterfly McQueen na te doen in de geboortescène uit *Gejaagd door de wind. I don't know nothin' 'bout birthin' no babies*, maar mijn stem kwam niet hoog genoeg. Ik moest aan Michael denken, die was altijd veel beter geweest als Butterfly. Ik miste hem.

'Jij denkt tenminste positief,' zei Yvonne.

Een bevalling. Ik huiverde. 'Ik ben nog niet eens achttien.'

'Geeft niet, ze schenken er geen drank,' zei Niki, die een zakje dat af was op de stapel gooide. Ze pakte een ander, dat al was geknipt maar nog vastgenaaid moest worden.

Stoned en wel sneed ik met een x-actomesje een patroon van opstijgende rook uit in een lapje leer. Ik was er goed in, nog beter dan mijn moeder vroeger. Ik sneed met gemak een kraai of een kat. Een kat deed ik in drie halen. Ik maakte een baby met een krul op zijn voorhoofd en wierp hem Yvonne toe.

Achter ons knalde de deur open en liet een koude windvlaag door. Rena kwam binnen met een rol donkergroene suède onder haar arm geklemd. 'Georgi verkoop hele ding, ruil voor lamp,' zei ze met een trotse grijns. 'Goed, hè?' Toen kreeg ze in de gaten dat ik patroontjes in het leer zat te kerven. 'Ben jij gek?' Ze griste het hertsleer bij me weg, en gaf me met de muis van haar hand een stomp op mijn achterhoofd. 'Stomme stonede trut. Kost zeker niks?' Toen zag ze wat ik gemaakt had, en fronste met vooruitgestoken onderlip haar wenkbrauwen. Ze hield het stukje leer tegen het licht. 'Niet gek.' Ze gooide het terug naar mij. 'Dat verkoopt. Doe alle zakjes. Wij verdienen geld mee.'

Ik knikte. Alles wat er bij mij binnenkwam, ging op aan tekenspullen, eten en samen met Niki aangeschafte hasj. De universiteit bestond al niet meer, was verdwenen als een schip in de mist. Bij Claire was ik mijn leven gaan zien als een reeks potloodschetsen van Kandinsky, elk op zich betekenisloos, maar gezamenlijk gerangschikt konden ze een fraaie compositie opleveren. Ik had er zelfs de vorm van een toekomst in menen te zien. Maar nu was ik te veel stukjes kwijtgeraakt. Ze waren weer gereduceerd tot een handvol dennennaalden op de grond van het bos, niet te ontcijferen.

Sergej kwam binnen met een tas in zijn hand, zijn wangen twee rode blosjes in zijn knappe, brede, on-Californische gezicht. Hij haalde twee flessen wodka uit de tas, legde er een in de ijskast, zette de andere op het aanrecht en pakte twee groene glazen. Hij snoof met zijn neus in de lucht. 'Mmmm, eten.'

'En wie nodigt jou uit?' vroeg Rena, die met een sprongetje op het aanrecht ging zitten en de dop van de wodkafles schroefde. Ze schonk drie vingers in elk glas.

'O, deze meisjes Sergej niet laten hongeren,' zei hij. Hij deed de oven open en tuurde naar het borrelende eten dat ik klaarmaakte voor Yvonne, een broccolischotel met kaas, om haar aan te laten sterken voor de baby. Ze had stomverbaasd toegekeken toen ik de ingrediënten bij elkaar voegde, want ze had niet beseft dat je ook kon koken zonder een doos waar aanwijzingen op stonden. Sergej koesterde zijn gezicht in de geur en de warmte van de oven.

Ik sneed een tijger in een lapje leer, en hield mezelf nogmaals voor dat Sergej net Rena was, maar dan met een betere façade. Knap als een kozak, die Slavische lichtblonde man met zijn slaperige blauwe ogen waaraan niets ontging. Dief van professie. Rena fungeerde wel eens als heler voor hem, een vrachtauto vol leren banken, rekken damesmantels, een lading speelgoedbeesten uit Singapore, gereedschap uit Israël. Hier in huis was hij constant seksueel aanwezig. Als hij zich naakt stond te scheren liet hij de badkamerdeur open, en elke ochtend drukte hij zich honderd keer op, zijn melkwitte huid blauw dooraderd. Als hij zag dat je keek, klapte hij er voor de show nog bij in zijn handen. Die brede schouders, het sierlijke middel. Als Sergej er was, wist ik me nooit raad met mijn handen, mijn mond.

Ik keek naar Yvonne, die tegenover me aan tafel over stapels zakjes en leren lapjes zat gebogen, en geduldig zat te naaien, als een Assepoester. Andere meisjes van haar leeftijd naaiden ruches op hun baljurk voor het afstudeerfeest of breiden babyslofjes. Het zat me dwars dat ik de draak met haar gestoken. 'Natuurlijk ga ik met je mee naar de zwangerschapscursus,' zei ik. 'Als je denkt dat je iets aan me hebt.'

Ze lachte tegen haar naaiwerk, hield haar hoofd omlaag. Ze liet haar rotte tanden liever niet zien. 'Er is niks aan. Ik moet het werk doen. Jij hoeft alleen de handdoek vast te houden.'

'Hijgen en puffen,' zei Niki. 'Een stelletje strandballen die aan het verkeerde eind uitblazen. Dolle pret. Wacht maar af.' Niki brak nog een stukje hasj af en prikte het op de speld. Ze stak het aan en keek toe hoe de rook het glas vulde als de geest de lamp van Aladdin. Toen ze inhaleerde, kreeg ze een nog ergere hoestbui dan ik.

Sergej wees naar het borrelglas. 'Krijg ik niks?'

'Rot op, Sergej,' zei Niki. 'Jij koopt toch ook nooit voor ons?'

Maar ze schoof hem toch een stukje toe, en ik probeerde zijn blik te negeren toen hij me recht aankeek terwijl hij zich vooroverboog om zijn lippen te zetten op de plek waar de mijne waren geweest. Maar ik voelde mijn gezicht in brand staan tot aan mijn haar.

We aten allemaal, behalve Rena, die rookte en wodka dronk. Zodra ze even weg was, boog Sergej zich voorover, met zijn brede witte handen voor zich gevouwen. 'En wanneer gaan wij naar bed, *devoesjka*?'

'Smeerlap.' Niki priemde haar vork naar hem. 'Dat moest ik eigenlijk aan Rena vertellen.'

'Astrid heeft trouwens een vriendje,' zei Yvonne. 'Een kunstschilder. Hij woont in New York.'

Ik had haar het hele verhaal over Paul Trout gedaan. Eindelijk had ik zijn brieven opgehaald bij de Yellow Brick Road in Hollywood; het was in dezelfde straat waar ik mijn mes had getrokken toen dat meisje me voor Wendy aanzag. Niki had me erheen gebracht na school, ze was op weg naar een stel jongens die een zangeres zochten. Ik schaamde me dat ik hem nog niet had geschreven, ik had er vaak over gedacht maar nooit de moed gevonden. Misschien was hij me al lang en breed vergeten. Op weg naar Hollywood keek ik zenuwachtig naar de envelop met *Bewaren voor Paul Trout*. De hóóp die eruit sprak. Ik vond het nu al een vergissing. Ik moest denken aan dat vreselijke nummer dat Rena wel eens draaide: *Love the One You're With*. Dat motto werd me door het leven constant opgedrongen, en toch zat ik daar, met hoop die in mijn hand fladderde als een vogel.

De winkel was klein en het stond er nog voller dan bij Rena. Overal stripboeken. Niki en ik bladerden de stapels door. Sommige strips waren grappig, zoals *Zippy the Pinhead* en *Mr. Natural*. Andere waren somber, expressionistisch, een soort combinatie van Sam Spade en Murnau. Er waren rekken vol in eigen beheer uitgegeven blaadjes met slechte dichters. Strips in het Japans, grotendeels porno. Ironisch bedoelde verhaaltjes over ambitieuze dames en supermodellen, getekend in de popartstijl van Lichtenstein. Een joods knaagdier gevangen in een paranoïde zwarthemdennachtmerrie. Ze verkochten er alles, van de standaardbladen tot en met de gefotokopieerde en aan elkaar geniete velletjes van tekenaars uit de buurt. Terwijl Niki een verhaal over gangstermeisjes stond te lezen, liep ik naar de toonbank en hield mezelf voor dat er toch niets voor me zou liggen.

Een magere jongen met een lang, bordeauxrood hemd met korte mouwen en witte armen vol tatoeages stond op de toonbank figuurtjes te krabbelen. Ik schraapte mijn keel tot hij opkeek. Hij had een vage, stonede blik. 'Ik ben een vriendin van Paul Trout. Heeft hij iets voor me achtergelaten?'

Hij lachte een beetje verlegen, veegde zijn neus af aan de rug van zijn hand. 'Hij zit in New York, wist je dat?' Hij rommelde onder de toonbank en haalde twee brieven voor de dag, met zulke volgetekende enveloppen dat je het adres van de Yellow Brick Road bijna niet meer zag. *Bewaren voor Astrid Magnussen*, stond erop.

'Geen adres?'

'Hij verhuist vaak. Dus dat is niet zo vreemd.'

Ik liet er een achter voor Paul, die mijn leven in Ripple Street illustreerde. Ons morgensterrenwerk, onze huiskamer. Ik wist ook niet wat ik er anders mee aan moest. Hij was weg.

Ik zat bij Niki in de hoeknis bij Rock 'n' Roll Denny op Sunset Boulevard terwijl zij onderhandelde met de jongens van de band, twee geblondeerde en een hyperactieve bruinharige – de drummer, dat zag ik zo. Ik durfde de brieven niet open te maken. In plaats daarvan schetste ik een paar van de andere klanten. Neopunkmeisjes met zwarte kousen en een zwarte rattenkop die samenzweerderig over hun pepsilights en dubbele porties uienringen zaten gebogen. Aan de andere kant twee ouwe rockers in spijkerleer die hamburgers aten; de ene zat onderwijl te bellen. Het was een soort tijdreis door de mode: hanenkammen en kippenkontjes en dreadlocks, polyester en plateauzolen.

'Ik ga geen geld betalen om met twaalf andere bands te mogen spelen. Ben je wel goed bij je hoofd?' zei Niki. 'Zij moeten jou betalen, niet andersom.' Ik schetste de blonde bassist, die schuldbewust zijn tong langs de binnenkant van zijn onderlippiercing liet glijden. De bruinharige zat spastisch met zijn mes op de waterglazen te tikken. 'Je moet spelen waar ze dokken. Waar kom jij trouwens vandaan, Fresno?'

'Maar het is wel de Roxy, weet je?' zei de lange blonde. Hij was kennelijk de woordvoerder, de welbespraakte. Leadgitaar. 'De Róxy. Dat is wel de...'

'De Roxy,' zei de andere blonde.

Eindelijk bracht ik de moed op om de eerste brief open te maken en met een mes van Denny sneed ik de prachtige envelop open. Er kwam een reeks pentekeningen uit in de onmiskenbare stripstijl van Paul in sprekend zwart-wit. Paul die eenzaam door stripstraten loopt. Paul in een nachtcafé. Hij krijgt op straat een blond meisje met kort piekhaar in het oog en loopt haar achterna, maar ze blijkt het niet te zijn. *Zou hij haar ooit terugzien?* luidde de tekst bij het laatste plaatje, waar hij zat te tekenen aan zijn bureau, de muur vol portretten van mij.

In de andere envelop zat een stripverhaal over een ontsnapping uit de gevangenis, drie jongens die zich met raketwerpers door stalen deuren een weg naar de vrijheid banen. Ze jatten een auto, op de bordjes staat *Leaving LA*. Ze razen 's nachts door de woestijn. Dan volgt een straatnaambordje in gebroken mozaïek, met 'St. Marks Place' erop. Hoekige hippies in het zwart passeren een deur: 143. Het Vrijheidsbeeld op de achtergrond heeft een zonnebril op en leest een stripboek.

Ik vouwde de tekeningen op, stopte ze weer in de envelop, die versierd was met bliksemflitsen, sterren en een meisje op een wit paard in een stripboeklucht. *Bewaren voor Astrid Magnussen*. Had ik maar geweten dat hij het echt zou doen.

En nu was het te laat. Ik keek naar Sergej aan de overkant van de tafel in de keuken bij Rena. Mijn vriendje in New York liet hem volkomen koud. Zelfs zijn vriendin in de kamer naast ons kon hem niet schelen. Hij was niet anders dan de witte katten van Rena – eten, slapen en hoereren. Sinds die nacht dat ik ze samen op de bank had aangetroffen, hield hij me altijd in de gaten met die zweem van een grijns van hem, alsof we een geheimpje deelden. 'En hoe is jouw vriendje?' wilde hij weten. 'Groot? Is hij groot?'

Niki lachte. 'Gigantisch, Sergej. Je hebt vast wel eens van hem gehoord. Moby Dick.'

Olivia had me alles over mannen als Sergej verteld. Harde mannen met blauwe aderen in hun fraaigevormde witte armen, blauwe ogen met dikke oogleden en smalle tailles. Met zo'n man kon je zaken doen. Een man die wist wat hij wilde. Ik keek strak naar mijn broccoli met kaas.

'Jij hebt genoeg van wachten,' zei hij. 'Kom naar mij.'

'En als je nou eens niks presteert?' vroeg ik om de anderen aan het lachen te maken.

'Wees alleen bang dat je verliefd wordt op Sergej,' zei hij, en zijn stem was als een hand tussen mijn benen.

MIJN NIEUWE MAATSCHAPPELIJK werker, mevrouw Luanne Davis, was een zwarte vrouw van middelbare leeftijd met een witte blouse met een strik bij haar hals en ontkroesd haar in een pagekapsel. Ik wist meteen dat zij het was toen ik na school bij McDonald's op Sunset binnenkwam. Ik bestelde patat met een hamburger en cola, en deze keer had ik eens geen last van het gegil van de kinderen in de ballenbak. De avond daarvoor was ik met Niki naar Playland geweest, waar ze had gezongen met Freeze, een van de bandjes van Werner. Ik had haar microfoonstandaard gedragen, dus was ik een roadie en hoefde ik geen identiteitsbewijs te laten zien. Niki was de enige geweest die kon zingen. Ze had een relaxed lage, ironische stem, en ze zong zoals Anne Sexton gedichten voordroeg. Maar verder krijste iedereen, en niemand kon spelen, en ik was er nog steeds half doof van.

De maatschappelijk werker schoof over de plakkerige tafel een hele stapel brieven naar me toe. Wat een potentiële schade – ik wilde ze niet eens aanraken. Ik walgde al bij de aanblik, het handschrift van mijn moeder, de volgekriebelde velletjes die door de blauwe luchtpostenveloppen schemerden. Zeven bladzijden kon ze schrijven voor die ene postzegel, en elk dun blaadje woog meer dan de nacht. Het was net een zeewierwoud, ze verspreidden een spookachtig groen licht, en je kon er voorgoed in verdwalen, verstrikt raken, verdrinken. Ik had haar sinds de dood van Claire niet meer geschreven.

Mevrouw Luanne Davis nam kleine teugjes van haar zwarte koffie met een zoetje, en praatte langzaam, overdreven articulerend vanwege mijn tijdelijke doofheid. 'Je zou haar echt moeten schrijven. Ze heeft eenzame opsluiting. Dat zal niet makkelijk zijn.'

'Het is niet mijn schuld dat ze daar zit,' zei ik terwijl ik nog steeds staarde naar die brieven, brieven als een Portugees oorlogsschip, drijvend op de argeloze zee.

Ze fronste haar wenkbrauwen. Ze had er rimpels tussen van al het fronsen naar meisjes als ik, die niet geloofden dat iemand van ze kon houden, en hun gevaarlijke ouders al helemaal niet. 'Ik kan je niet zeggen hoe weinig kinderen ik heb van wie de ouders schrijven. Die zouden het prachtig vinden.'

'Ja, ik bof maar,' zei ik, en stopte ze plichtsgetrouw in mijn rugzak.

Ik at mijn bord leeg en keek naar de kinderen die van het net boven op dat ene kleine jongetje sprongen dat in de ballenbak niet meer overeind kon komen. Ze bleven maar op hem springen, lachten wild terwijl hij gilde. Zijn tienermoeder had het te druk met haar vriendin om hem te helpen. Eindelijk schreeuwde ze de andere kinderen iets toe, maar ze stond niet op en deed verder niets om haar zoontje te beschermen. Toen ze zich weer naar haar vriendin toe draaide, ontmoette onze ogen elkaar. Het was Kiki Torrez. We lieten niet merken dat we elkaar kenden, we keken alleen iets langer dan bij een toevallige blik, en daarna praatte ze weer verder met haar vriendin. En ik dacht: dat is nu vast de blik die gevangenen met elkaar wisselen als ze elkaar buiten tegenkomen.

Toen ik thuiskwam zat Yvonne voor de televisie op de sofa met het groene gedessineerde fluweel naar een praatprogramma voor tieners te kijken. 'Dat is de moeder,' zei ze tegen me zonder haar blik van het scherm te halen. 'Op haar zestiende heeft ze haar dochter afgestaan. Ze zien elkaar nu op dit moment voor het eerst.' Er dropen grote kindertranen over haar gezicht.

Ik snapte niet hoe ze daar naar kon kijken, want het was even onecht als de reclame. Ik moest denken aan de pleegmoeder die het meisje had grootgebracht, hoe ellendig die zich moest voelen als ze zag hoe haar met zorg opgevoede dochter zich onder het applaus van het studiopubliek in de armen van een vreemde stortte. Maar ik begreep dat Yvonne zich op dit moment voorstelde hoe zijzelf over twintig jaar zou terugkeren in het leven van haar baby, slank, vol zelfvertrouwen, perfect gekapt, in een blauw mantelpak met hoge hakken – en hoe haar volwassen kind haar zou omhelzen en haar alles zou vergeven. Hoe groot was die kans?

Ik ging naast Yvonne zitten en bekeek de brieven van mijn moeder, maakte er een open.

Lieve Astrid,

Waarom schrijf je niet? Je kunt me onmogelijk de zelfmoord van Claire Richards in de schoenen schuiven. Die vrouw was voor een overdosis in de wieg gelegd. Dat heb ik meteen toen ik haar zag al gezegd. Geloof me, zo is ze beter af.

Maar ik schrijf uit de Adult Segregation, een gevangenis in de gevangenis. Dit is wat er van mijn wereld resteert, een cel van tweeënhalf bij tweeënhalf die ik deel met Lunaria Irolo, een vrouw die even gek is als haar naam.

Overdag krassen de kraaien, dissonant, verongelijkt, een volmaakte imitatie van verdoemden. Uiteraard zal niets wat zingt zich hier ooit wagen. Nee, wij worden moederziel alleen gelaten met onze onzalige kraaien en de ver dragende kreten van de meeuwen.

Het knarsen en slaan van de hekken weergalmt in deze grote holle ruimte, komt aanrollen over de betonnen vloeren naar het traliewerk waarachter wij huizen, achter de deuren met de kijkspleetjes, waar we moorden beramen, op wraak zinnen. Ik zit achter de tralies, zoals ze hier zeggen. We krijgen zelfs handboeien om als we onder de douche gaan. Gelijk hebben ze.

Dat idee beviel me wel, mijn moeder achter de tralies, met handboeien om. Zo kon ze me geen kwaad doen.

Door het spleetje in de deur zie ik het gevangenispersoneel midden op de afdeling achter hun bureau zitten. De bewakers onzer boetedoening eten donuts. Sleutels glimmen gewichtig aan hun middel. Die sleutels hou ik in de gaten. Ze hypnotiseren me, handenvol dikke sleutelbossen, ik proef het wrange ijzerlaagje, kostbaarder dan wijsheid.

Gisteren bleek brigadier Brown van mening dat mijn halfuur in de doucheruimte dient te worden afgetrokken van het uur dat ik dagelijks uit mijn cel mag. Ik weet nog dat ik hoopte dat hij redelijk zou zijn, die zwarte slanke man met zijn beschaafde manier van spreken. Maar ik had beter moeten weten. Zijn diepe stem lijkt niet uit zijn schriele gestalte voort te komen, maar is onnatuurlijk als die van een dominee, druipend van opgeblazen eigendunk, de Cerberus van ons betoninferno.

In mijn ruimbemeten vrije tijd beoefen ik astrale projectie. Terwijl de stem van Lunaria voortneuzelt stijg ik op van mijn brits en vlieg ik heen over de velden, langs de snelweg naar het westen tot ik de hoogbouw van de stad zie. Ik heb de mozaïeken van de glazen piramide van de Central Library aangeraakt. Ik heb de oeroude karpers zien glinsteren, oranje, karmijnrood, gevlekt zilver en zwart, in de koivijvers van het New Otani. Ik zweef mee met de opwaartse luchtstroom rond de elegante cilinders van het Bonaventure, waar de glazen liften tussen de verdiepingen stuiteren. Weet je nog die keer dat wij bovenin zaten, en een rondje hebben gemaakt in de draaiende bar? Jij durfde niet bij de ramen te komen en schreeuwde dat de ruimte je naar buiten zoog. We moesten naar een plekje in het midden verhuizen, weet je nog? Weet je dat hoogtevrees eigenlijk vrees is voor jezelf, je vertrouwt jezelf niet dat je niet gaat springen.

En ik zie jou, je loopt door steegjes, zit op braakliggende terreinen vol onkruid, met regen beparelde schermen van de wilde peen. Jij denkt dat je het verlies van die slappe Claire niet kan dragen. Onthoud dat er maar één deugd is, Astrid. De Romeinen hadden gelijk. Een mens kan alles verdragen. De pijn die we niet kunnen verdragen doodt ons op slag.

Moeder

Maar ik geloofde haar geen moment. Lang geleden had ze me verteld dat de vikingen de hemel zagen als een plek waar je elkaar elke dag in het gevecht aan reepjes kon hakken om dan 's nachts weer opgelapt te worden. Een eeuwigdurende slachtpartij, dat was het helemaal. Je ging nooit op slag dood. Zoiets als die adelaar die overdag aan je lever vrat, waarop die 's nachts weer aangroeide, maar dan leuker.

26

DE TREINEN AAN de overkant van de rivier reden op ijzeren wielen, wat 's nachts een rustgevend ritme gaf. Aan onze kant, bij de bakkerij, speelde een jongen elektrische gitaar. Hij kon ook niet slapen, het geluid van de treinen stimuleerde hem juist. Zijn gitaar stuwde zijn verlangen de duisternis in als een vonkenregen, het was muziek die aangrijpend was in haar objectloze begeerte, en van een schoonheid die troost of redding ontsteeg.

In het andere bed lag Yvonne te woelen. De bodem van esdoornhout kreunde onder haar gewicht als ze zich omdraaide. Ze moest nog acht weken en ik kon me niet voorstellen dat ze nog dikker zou worden. De bolling van haar buik rees uit het vlakke bed op als een gladde, vulkanische koepel, een St. Helena, Popocatépetl op het punt van uitbarsten. De tijd bewoog in de kamer, in de muziek van de treinen, palwiel voor palwiel, een trein zo eindeloos dat er drie locomotieven nodig waren om zijn lange lijf door de nacht te slepen. Waar gingen die treinen heen, moeder? Waren we er al?

Soms stelde ik me voor dat ik een vader had die 's nachts bij het spoor werkte. Een seinwachter bij de Southern Pacific Railway die dikke vuurvaste handschoenen zo groot als roeispanen droeg en met een gigantische onderarm het zweet van zijn voorhoofd wiste. En als ik een vader had die 's nachts bij het spoor werkte, had ik misschien een moeder die zat te wachten op de klik van de deur als hij thuiskwam, en dan hoorde ik haar rustige stem en hun gedempte gelach door de dunne wanden van het huis. En wat waren hun stemmen zacht en lief, als duiven die broedden onder een brug.

Als ik dichter was, zou ik dáárover schrijven. Mensen die werkten in het holst van de nacht. Mannen die treinen laadden, verpleegsters bij de eerstehulp met hun zachte handen. Nachtportiers in hotels, taxichauffeurs in de late dienst, serveersters in nachtcafetaria's. Zij kenden de wereld, snapten hoe heerlijk het was als iemand nog wist hoe je heette, kenden de troost van een retorische vraag: 'Alles goed? En met de kinderen?' Zij wisten hoe lang de nacht duurde. Zij kenden het geluid dat het leven maakte als het vertrok. Het klapperde, als een hordeur die sloeg in de wind. Nachtwerkers leefden zonder illusies, ze veegden dromen van de toog, ze laadden het vrachtgoed. Ze reden terug naar het vliegveld voor nog één laatste rit.

Onder het bed sijpelde een donkerder stroom de nacht binnen. De ongelezen brieven van mijn moeder, glibberig van leugens, dobberden en deinden als het wrakhout van een enorme schipbreuk dat nog jaren nadat het lijnschip was gezonken aan land bleef spoelen. Ik zou geen woorden meer toestaan. Van nu af aan wilde ik alleen dingen die je kon aanraken, proeven, de geur van nieuwe huizen, het gezoem van draden voor de regenbui losbarst. Een rivier die stroomt in het maanlicht, bomen die ontspruiten aan beton, repen brokaat in een rommelwinkel, rode geraniums in de vensterbank van een werkplaats. Geef mij de wijze waarop de daken van de gladgesausde appartementen hun silhouetten in de middag stapelen als late branding, zonder bejag, geen zelfportret in water en wind. Geef me de jongen die elektrische gitaar speelt, mijn pleegtehuisbed aan het eind van Ripple Street, en de vorm van Yvonne en de baby die ze verwachtte. Zij was het gebergte van Californië onder groen en mosterdgeel, taankleurig als leeuwen in de zomer.

Aan de andere kant van de kamer schreeuwde Yvonne het uit. Haar kussen viel op de vloer. Ik raapte het voor haar op. Het was klef van het zweet. Ze zweette 's nacht zo dat ik haar soms moest helpen het bed te verschonen. Ik legde het kussen achter haar donkere haar, streek de doorweekte pieken uit haar gezicht. Ze was heet als een lading dampend wasgoed. De gitaar nam een nummer onder handen dat ik maar af en toe kon herkennen als 'So You Want to Be a Rock 'n' Roll Star'.

'Astrid,' fluisterde Yvonne.

'Luister,' zei ik. 'Er speelt iemand gitaar.'

'Ik heb zo naar gedroomd,' mompelde ze. 'Ze pikten steeds mijn spullen. Ze hadden mijn paard gestolen.'

Haar paard van viltkarton, wit met versierselen van goudpapier en franje van rode zij, stond op de toilettafel, met opgeheven voorbeen, zijn hals gekromd op een wijze die de angstige boog van haar wenkbrauwen weerspiegelde.

'Hij staat er nog,' zei ik en legde mijn hand tegen haar wang. Ik wist dat die koel zou aanvoelen op haar gloeiende huid. Mijn moeder deed dat altijd als ik ziek was, schoot me plotseling te binnen, en even voelde ik duidelijk de aanraking van haar koele handen.

Yvonne tilde haar hoofd op, zag het paard nog steeds dansen in het maanlicht, en ging weer op het kussen liggen. 'Ik wou dat dit voorbij was.'

Ik wist wat Rena zou zeggen. *Hoe eerder hoe beter*. Een paar maanden geleden zou ik daar nog een schepje bovenop hebben gedaan. Ik zou gedacht hebben: wat maakt het uit? Als het kind er eenmaal was en ze had het afgestaan, zou er altijd nog wel iets te verliezen zijn: een vriendje, een thuis, een baan, ziekte, nog meer kindertjes, dagen en nachten die over elkaar heen tuimelden in een oceaan die altijd hetzelfde bleef. Waarom de rampspoed verhaasten?

Maar inmiddels had ik haar in kleermakerszit op bed tegen haar buik zien zitten fluisteren, die ze vertelde hoe mooi de wereld zou worden, dat je paarden had, en verjaardagen, witte katten en roomijs. Ook al zou Yvonne er niet zijn bij het rolschaatsen en de eerste schooldag, dat moest toch iets betekenen. Ze had het in ieder geval nu, dat fijne, die droom. 'Jaja, en als het dan zover is, vind je het natuurlijk te vroeg,' zei ik.

Yvonne legde mijn hand tegen haar gloeiende voorhoofd. 'Jij bent altijd koel. Jij zweet helemaal niet. O, de baby beweegt,' fluisterde ze. 'Wil je het voelen?'

Ze trok haar T-shirt op en ik legde mijn hand op haar blote buik, die rond en warm was als rijzend deeg, om de wonderlijke uitstulpingen van de bewegende baby tegen mijn handpalm te voelen. Haar lachje was scheef, dubbel, verrukking streed met het besef van wat komen ging.

'Volgens mij is het een meisje,' fluisterde ze. 'Het andere was ook een meisje.'

Ze praatte alleen 's avonds laat, als we alleen waren, over haar baby's. Van Rena mocht ze er niet over praten, die zei dat ze er niet eens aan moest denken. Maar Yvonne had behoefte aan praten. Ezequiel, de vader van dit kind, reed in een bestelauto. Ze hadden elkaar leren kennen in Griffith Park, en ze was verliefd geworden toen hij haar op de draaimolen had gezet.

Ik probeerde iets te verzinnen om te zeggen. 'Ze schopt goed. Misschien wordt ze balletdanseres, *ese*.'

De simpele melodielijn van de elektrische gitaar weerkaatste tegen de heuvels en kwam door de ramen naar binnen, en de bolle buik van Yvonne danste op de maat met boksende handjes en voetjes.

'Ik wil dat ze bij de padvinders gaat. Je moet bij de padvinders, *mija*,' zei ze tegen de bolling. Ze keek weer naar mij. 'Ben jij erbij geweest?'

Ik schudde van nee.

'Ik heb het altijd gewild,' zei ze, terwijl ze achtjes tekende op het klamme laken. 'Maar ik kon het niet vragen. Mijn moeder had zich rotgelachen. "Jij met je dikke reet bij de padvinders?"'

Zo bleven we lang zitten, zonder iets te zeggen. Hopend dat haar dochter alles zou krijgen wat goed was. De gitaarspeler was gekalmeerd, nu speelde hij 'Michelle'. Mijn moeder was gek op dat liedje. Ze kon het zingen in het Frans.

Yvonne dommelde in, en ik ging weer naar bed, terwijl ik dacht aan mijn moeders koele handen op mijn gezicht, dat gloeide van de koorts, en hoe ze me in lakens wikkelde die ze in ijswater met eucalyptus en kruidnagelen had gedrenkt. *Ik ben jouw thuis*, had ze een keer gezegd, en dat was nog steeds zo.

Ik kroop onder het bed en trok de zak met haar brieven te voorschijn – sommige pakjes dun als een belofte, andere dik als vette witte koikarpers. De zak was zwaar en de geur van haar viooltjes steeg eruit op. Ik stond stilletjes op om Yvonne niet wakker te maken, glipte de kamer uit en deed de deur stevig achter me dicht.

In de woonkamer, op de groene sofa, deed ik de lamp met de kralen aan, waardoor alles er uitzag als een schilderij van Toulouse-Lautrec. Ik legde handenvol brieven op de salontafel. Ik haatte mijn moeder, maar hunkerde ook naar haar. Ik wilde begrijpen hoe het mogelijk was dat zij mijn wereld met zulke schoonheid vulde en tegelijkertijd kon zeggen: die vrouw was voor een overdosis in de wieg gelegd.

De gehavende kater kwam achter de sofa langs aangestapt en klom behoedzaam bij me op schoot. Ik liet toe dat hij zich oprolde onder mijn hart, zwaar en warm en ronkend als een vrachtwagen in de eerste versnelling.

Lieve Astrid,

Het is drie uur 's nachts en we hebben net de vierde controle achter de rug. Op deze isolatieafdeling blijven de lampen de hele nacht branden, fluorescerend, schril op grauwe cementblokmuren die net breed genoeg zijn voor het bed en het toilet. Nog steeds geen brief van jou. Alleen de seksuele litanie van Sister Lunaria. Die blijft dag en nacht klinken van de onderste brits, als bij de Tibetaanse monniken die de wereld per estafette tot wording bidden. Vanavond richtte de exegese zich op het Boek van Raul, haar laatste vriendje. Hoe devoot beschrijft zij afmeting en vorm van zijn lid, alle kleurschakeringen van zijn erotische responsies.

Seks is het laatste waar ik hier aan denk. Alleen vrijheid heeft mijn interesse. Ik denk na over de constellatie van moleculen in de muren, ik mediteer over de aard van de materie, de overheersende leegte binnen de tollende rodeo van het elektron. Ik probeer tussen de kwantumbundels te vibreren, met mijn fases precies op de tegenovergelegen golflengte zodat ik uiteindelijk tussen de pulsen in zal bestaan en de materie volledig doordringbaar zal worden. Er komt een dag dat ik gewoon door de muren hier heen loop.

'In Simmons A neukt Gonzales Vicki Manolo,' aldus Lunaria.

'Hij is geschapen als een paard. Als hij zit lijkt het wel alsof hij daar een honkbalknuppel heeft.'

Gonzales is populair bij de gedetineerden. Hij neemt de moeite om te flirten, doet reukwater op, en zijn handen zijn smetteloos als witte aronskelken. Zij masturbeert bij fantasieën van enorme penissen, ze paart met paarden, met stieren, haar verbeelding neemt waarlijk mythologische dimensies aan, terwijl ik omhoog lig te staren naar de speldenprikken in de geluiddempende tegels en de nachtadem van de gevangenis beluister.

Ik hoor alles tegenwoordig. Ik hoor het tikken van de kaarten in wachttoren 1, geen poker, het klinkt als gin rummy, luister naar hun treurige bekentenissen over aambeien en echtelijke achterdocht. De oude dames op de ereafdeling, Miller, snurken met hun kunstgebit in een glas. Ik hoor de ratten in de keuken. Op de afdeling Speciale Bewaking schreeuwt een vrouw, zij hoort die ratten ook, maar snapt niet dat ze niet in haar bed zitten. Er wordt haastig een spanlaken aangelegd.

Op de slaapzalen van de Receptie hoor ik gemompelde bedreigingen terwijl ze een nieuw meisje uitkleden. Het is een softie, ze zit voor fraude met cheques, en is volkomen onvoorbereid op haar verblijf hier. Ze pakken haar alles af wat ze nog heeft. 'Poesje,' zeggen ze na afloop.

De rest van de gevangenis slaapt onrustig, wankelend onder dromen die door gevangenschap verhevigd zijn. Ik weet wat ze dromen. Ik lees ze als een boek, beter nog dan Joyce. Ze dromen van mannen die ze slaan, de rug van een hand, een lompe trap in het kruis. Mannen die hun tanden op elkaar klemmen voor ze uithalen, en sissen: 'Kijk nou waar jij me toe drijft.' De vrouwen krimpen zelfs in hun slaap nog in elkaar onder de dreigende blik van mannenogen, dooraderd als wegenkaarten, uitpuilend van woede, het wit de kleur van ranzige mayonaise. Je vraagt je af hoe ze nog kunnen zien waar ze je moeten raken. Maar de angst van een vrouw is een magneet. Ik hoop dat jij dat niet weet. Vrouwenangst lokt vuisten, mannenhanden hard als die van God.

Anderen hebben meer geluk. Zij dromen van mannen met zachte handen, welsprekend van tederheid, van vingers die over een wang streken, de omtrek van open lippen volgden in het braille van geliefden. Handen die lieflijkheid boetseerden uit nors vlees, die borsten streelden, heupen in vlam zetten, openden, kneedden. Vlees wordt brood in de warmte van die handen, rijzend en gevlochten.

Sommigen dromen van misdaad, wapens en geld. Fiolen vol dromen die verdwenen zijn als late sneeuw. Ik ben daar ook. Ik zie het gezicht van een verbaasde bewaker op het moment dat het uiteenspat tot een collage van felgekleurd bloed en bot.

Ik ga liggen in het geliefde appartement, wit tapijt, afvalmolen, vaatwasser, bewaakt parkeren. Ook ik maak het oude echtpaar slinks hun spaargeld afhandig en vier dat daarna met een fles Mumm en toast met Sevruga-kaviaar. Behoedzaam licht ik bij een huis van twee verdiepingen in Mar Vista een glazen schuifpui uit de rails. Bij Saks koop ik een bontjas met een gestolen creditcard van American Express. Het is topkwaliteit: Russisch sabelbont met de goudkleur van cognac.

Het mooist zijn de dromen van vrijheid. Autostuur zo echt in de hand, het schokje van de versnelling, benzinetanks op VOL. *Wind door open raampjes, de airco gebruiken we niet, we zuigen de levende lucht in die langskomt. We nemen de snelweg, de linkerrijstrook, kijken uit naar bordjes met San Francisco, New Orleans. We passeren vrachtauto's op de grote doorgaande routes, vrachtrijders die luid claxonneren. We drinken fris bij benzinestations, bestellen bij eethuisjes langs de weg rode biefstuk met alles erop en eraan. We luisteren naar zenders met countrymuziek, zoeken Tijuana op, Chicago, Atlanta,* GA, *en slapen in motels waar ze achter de balie niet eens opkijken, alleen het geld incasseren.*

In Barneburg B droomt mijn celgenote Lydia Guzman dat ze 's zomers over Whittier Boulevard loopt, de schonkige roes van onzuiver spul druipt als hete salsa langs haar zijden dijen in de luxe nylons. Ze verbijstert de bendeboys met haar luie lendenmalse gang en haar onmogelijk strakke rokje. Haar lach smaakt naar schroeiende zon, cactus, en het beest.

Maar bovenal dromen wij van kinderen. De greep van een klein handje, glimmende rijtjes pareltandjes. En altijd raken we onze kinderen kwijt. Op parkeerterreinen, in de winkel, in de bus. We draaien ons roepend om. Shawanda, roepen we, Luz, Astrid. Hoe hebben we jullie nu kwijt kunnen raken, we letten zo goed op. We hebben maar heel even de andere kant op gekeken. Met onze armen vol boodschappen staan we alleen op de stoep en iemand heeft onze kinderen meegenomen.

Moeder

Ze konden haar wel opsluiten, maar niet verhinderen dat de wereld zich in haar geest transformeerde. Dat had Claire totaal niet begrepen. Hoe mijn moeder de wereld haar masker oplegde. Sommige misdaden waren zo uitgekookt dat ze niet te bestrijden vielen.

Ik kwam overeind en de witte kat vloeide als melk van me af. Ik vouwde de brief op, stopte hem terug in de envelop, en gooide hem op de volle salontafel. Mij hield ze niet voor de gek. Die softie van de Receptie was ik. Zij zou me beroven van alles wat er nog bij me te halen viel. Ik liet me door de muziek van haar woorden niet bedwelmen. Ik voelde altijd het verschil tussen de rauwe waarheid en een elegante leugen.

Niemand heeft mij meegenomen, moeder. Mijn handje is nooit uit jouw greep geglipt. Zo is het niet gegaan. Ik was meer een auto die jij in dronken staat ergens geparkeerd had, en later wist je niet meer waar. Jij hebt zeventien jaar de andere kant op gekeken en toen je eindelijk naar me omkeek, was ik een vrouw die je niet meer kende. En nu zou ik dan medelijden moeten hebben met jou en met die andere vrouwen die hun kinderen zijn kwijtgeraakt bij een overval, een moord, een fiësta van hebzucht? Spaar je dichterssympathie en zoek maar een goedgeloviger mens. Alleen omdat een dichter iets had gezegd was het nog niet waar, het klonk alleen mooi. Ooit zou ik het allemaal in een gedicht voor de *New Yorker* kunnen lezen.

Jawel, ik was getatoeëerd, precies zoals ze gezegd had. Elke centimeter van mijn vel was doorboord en bezoedeld. Ik was het echte schildersverdriet, een Japans gangstermeisje, een vleesgeworden galerie. Hou me tegen het licht, lees mijn felgekleurde wonden. Als ik Barry had gewaarschuwd, had ik haar misschien kunnen tegenhouden. Maar ze had me al in haar klauwen. Ik veegde mijn tranen weg, droogde mijn handen aan de witte kat, en greep naar de volgende handvol glas om over mijn huid te krassen. De volgende brief vol opgewonden gedoe, drama en fantasie. Snel liet ik mijn ogen over het blad glijden.

Ergens op de isolatieafdeling huilt een vrouw. Ze huilt al de hele nacht. Ik heb naar haar gezocht, maar eindelijk besef ik dat ze hier niet is. Jij bent het. Stop met huilen, Astrid. Ik verbied het je. Sterk moet je zijn. Ik ben bij jou in de kamer, Astrid. Voel je me? Die deel je met een meisje, haar zie ik ook, haar sluike haar, haar dunne wenkbrauwboogjes. Zij slaapt prima, maar jij niet. Jij zit rechtop in het bed met de gele chenille sprei – god, waar heeft die nieuwe pleegmoeder van jou dat ding vandaan? Mijn moeder had er vroeger net zo een.

Ik zie jou met je armen om je blote knieën geslagen, en je voorhoofd ertegenaan gedrukt. Krekels strijken over hun poten als biljartspelers die hun stoten voorbereiden. Hou op met huilen, hoor je wat ik zeg? Wie denk je dat je bent? Wat doe ik hier anders dan jou laten zien dat een vrouw alles aankan?

Houden van is heel gevaarlijk, maar hier is het net trefbal met handgranaten. Die met levenslang zeggen dat ik jou moet vergeten, het me makkelijk moet maken. 'Je kunt hier best een leven opbouwen,' zeggen ze. 'Kies een partner, zoek nieuwe kinderen.' Soms is het zo ellendig dat ik geloof dat ze gelijk hebben. Ik kan jou inderdaad maar beter vergeten. Ik wou dat je dood was, denk ik soms, dan wist ik tenminste dat je veilig was.

Een vrouw van mijn afdeling heeft haar kinderen van jongs af aan heroïne gegeven, dan wist ze tenminste altijd waar ze waren. Ze zitten allemaal in de gevangenis, levend en wel. Dat vindt ze prettig. Als ik dacht dat ik hier altijd zou blijven, zou ik je vergeten. Dan moest ik wel. De gedachte aan jou maakt me ziek, jij, daarbuiten, wonden verzamelend terwijl ik hier in dit cellenblok om m'n as draai, machteloos als een geest in een fles. Astrid, hou verdomme op met huilen!

Ik kom hier uit, Astrid, dat beloof ik je. Ik win mijn beroepszaak, loop dwars door de muren heen, vlieg weg als een witte kraai.
Moeder

Ja, ik huilde inderdaad. Die woorden als bommen, door haar ingepakt en verzonden, troffen me weken later tot bloedens toe. Jij dacht dat je me zien kon, moeder? Alles wat jij ooit hebt kunnen zien was je eigen gezicht in een spiegel.

Je hebt altijd gezegd dat ik niets wist, maar is dat niet juist het vertrekpunt? Ik zou nooit durven beweren dat ik wist waar de vrouwen in de gevangenis van droomden, of dat ik het recht van de schoonheid kende, of begreep wat de magie van de nacht bevatte. Als ik dat ook maar één tel zou denken, zou ik nooit de kans hebben om erachter te komen, het als geheel te zien, te kijken hoe het te voorschijn kwam en zich kenbaar maakte. Ik hoef niet het stempel van mijn gezicht op iedere wolk te drukken, de hoofdrolspeelster te zijn bij alles wat er gebeurt.

Wie ben ik, moeder? Ik ben jou niet. En daarom wens jij me dood. Je kunt me niet langer vormen. Ik ben het onbeheersbare element, de daad van willekeur, ik ben de voorwaartse beweging in de tijd. Jij denkt dat je me zien kan? Vertel me dan eens wie ik ben? Dat weet je niet. In niets lijk ik op jou. Mijn neus is anders, plat bij de brug, niet scherp als een vouw in rijstpapier. Mijn ogen zijn niet dat kille staalblauw, de tint van jouw unieke combinatie van schoonheid en wreedheid. Ze zijn donker als beurse plekken op de binnenkant van een arm – ze lachen nooit. Jij verbiedt me te huilen? Er valt voor jou niets meer te verbieden. Je zei altijd dat ik geen fantasie had. Als je daarmee bedoelde dat ik schaamte en wroeging kon voelen, had je gelijk. Ik kan de wereld niet naar willekeur herscheppen. Mij lukt het niet mijn eigen leugens te geloven. Daar heb je een zeker talent voor nodig.

Ik liep de veranda op, met mijn blote voeten over de splinterende planken. De wind droeg het constante geluid van verkeer op de 5 aan, het geblaf van honden, en geweerschoten een paar straten verderop in een nacht met de rode gloed van natriumlampen – hij bloedde. *Wij zijn het volk dat Rome heeft geplunderd*, zei ze op die nacht op het dak onder de ravenoogmaan, lang geleden. *Vergeet niet wie je bent.*

Alsof ik dat ooit kón vergeten. Ik was haar onzichtbare dochter, die met krijt en pennen aan lege tafels zat terwijl zij bezig was met een gedicht, een meisje kneedbaar als klei. Iemand om te vormen, te instrueren in de kunst van het Ingrid-zijn. Ze was mij altijd aan het vormen. Ze liet me een sinaasappel zien, een bosje dennennaalden, een geslepen kwarts, en die moest ik dan aan haar beschrijven. Ik kan hoogstens vier zijn geweest. Mijn woorden, die wilde ze. 'Wat is dit?' vroeg ze dan altijd. 'Wat is dat?' Maar hoe kon ik dat tegen haar zeggen? Zij had me alle woorden afgepakt.

De geur van vanillewafels vulde de nachtlucht, en de wind tikte door de palmen als gedachten door mijn slapeloze geest. Wie ben ik? Ik ben een meisje dat jij niet kende, moeder. Het stille meisje achter in de klas, dat in schriftjes zat te tekenen. Weet je nog dat ze niet eens wisten of ik wel Engels kende toen we weer in Amerika terugkwamen? Ze testten me om te kijken of ik niet doof of achterlijk was. Maar jij vroeg je nooit af waarom. Nooit dacht jij: misschien had ik voor Astrid wat woorden moeten overlaten.

Ik dacht aan Yvonne, die in onze kamer lag te slapen met een duim in haar mond, om haar baby heen gewikkeld. 'Ik kan haar zien,' had jij gezegd. Jij zou haar nooit kunnen zien, moeder. Al stond je de hele nacht in die kamer. Het enige wat jij kon zien waren haar geëpileerde wenkbrauwen, haar rotte tanden, de boekjes die ze las, met vrouwen in katzwijm op het omslag. Nooit zou jij de vriendelijkheid kunnen zien die zij in zich had, de intensiteit van haar gemis, hoe verschrikkelijk graag ze ergens bij wilde horen, en dat ze daarom weer zwanger was. Jij zou haar kunnen veroordelen, zoals je alles als inferieur veroordeelde, maar kunnen zien zou jij haar nooit. De dingen waren voor jou niet echt. Voor jou waren ze niet meer dan het ruwe materiaal dat jij kon bewerken tot een verhaal dat je beter aanstond. Jij zou nooit gewoon kunnen luisteren naar een jongen die gitaar speelde, want je zou er meteen een gedicht van moeten maken dat over jou ging.

Ik ging weer naar binnen en spreidde al haar brieven uit op de gammele keukentafel van Rena, brieven van toen ik bij Starr woonde, bij Marvel, bij Amelia en bij Claire, en dan die meest recente, bittere afleveringen. Genoeg om me voor altijd in te verdrinken. De inkt van haar zinnen was een schimmel, een kwade bezwering op berkenbast, een giftige runenspreuk. Ik pakte de schaar en begon te knippen, de draden van haar woorden los te halen, de ketting van haar gecompliceerde gedachtegang kraal voor kraal te ontrijgen. Nu kon ze me niet meer tegenhouden. Ik weigerde nog langer te zien door haar ogen.

Zorgvuldig koos ik woorden en frasen uit de stapel, legde ze uit op het grijs-witte linoleum tafelblad en begon ze te rangschikken tot regels. De grauwe dageraad neigde naar perzikroze toen ik klaar was.

De gedachte aan jou maakt me ziek
de overheersende leegte
verdorven
onwrikbaar
verdoemden. gaven.
druipend van opgeblazen eigendunk
Ik wou dat je dood was
je vergeten.
kraai
praalziek van
zinsbedrog
zo ellendig
zo'n volmaakte imitatie

houden van is gevaarlijk
beter jou vergeten
Ingrid Magnussen

heel alleen
masturberend
rot

teleurstelling
grotesk

Jouw armen koesteren
vergif
afval
handgranaten

Eenzaamheid
verre kreten
voor altijd
nooit
antwoord.

neem alles
voel je me?
de toestand van de mens

Stop met
moorden beramen
berouw
Beoefen het

jij
verbiedt
smeekt
raast
machteloos
het is te
belangrijk dat
ik kruip

rot
op
gestoord

mens
dissonant, verongelijkt

mijn
benzinetanks op VOL

Ik plakte ze op vellen papier. Ik geef ze aan jou terug. Je eigen slaafjes. O God ja, ze komen in opstand. Het is Spartacus, Rome brandt. Plunder maar, moeder. Pak wat je kan voor alles in de as ligt.

27

DE KRISTALHELDERE DAGEN van maart, dat unieke jaargetij, kwamen als een zegening, vorstelijk en geurend naar ceder en den. Vlijmende wind spoelde alle onzuiverheid uit de lucht, zo helder dat je de bergketens zag tot aan Riverside, sprankelend en duidelijk afgebakend als zo'n schilderset met cijfertjes, met wolkenflarden die van hun bepoederde flanken pluimden als op een natuurfilm over de Mount Everest. Volgens het weerbericht lag de sneeuwlijn op dertienhonderd meter. Dit waren dagen van lazuur, afgezet met witte hermelijn, en de nachten toonden al hun tienduizenden sterren, die hoog boven ons glinsterden als een bewijs, een calculus, geweven op de schering en de inslag van bepaalde grondbeginselen.

Wat was het helder zonder mijn moeder achter mijn ogen. Ik was herboren, de helft van een Siamese tweeling die eindelijk gescheiden was van de gehate, hinderlijke wederhelft. Ik werd vroeg wakker, vol verwachting, als een kind, in een wereld die was schoongewassen van mijn moeders gifnevels, van haar troebele moerasdampen. Dit sprankelende blauw, deze maart, zou mijn metafoor zijn, mijn insigne, als het gewaad van Maria, blauw, afgezet met witte hermelijn, nachtblauw met diamanten. Wie zou ik worden nu ik mezelf eindelijk had teruggevorderd om Astrid Magnussen te zijn, eindelijk, alleen?

Lieve Astrid,

Bravo! Als poëzie laat je brief weliswaar te wensen over, maar hij geeft tenminste blijk van een vonk, van een vermogen om te vlammen dat ik bij jou nooit had vermoed. Maar je kunt toch niet werkelijk menen dat je je zo makkelijk van mij kunt lossnijden? Ik woon in jou, in je botten, tot in de kleinste windingen van je brein. Ik heb je gemaakt. Ik heb de gedachten die jij vindt gevormd, en de stemmingen die je hebt. Jouw bloed fluistert mijn naam. Zelfs in je rebellie behoor je mij toe.

Jij wilt dat ik berouw toon, je eist schaamte? Waarom zou jij mij minder wensen dan ik ben, kun je je dan makkelijker van me ontdoen? Vind me dan maar liever grotesk, praalziek van zinsbedrog.

Ik ben van de isoleerafdeling af, bedankt voor je belangstelling, hoor. Bij mijn terugkeer in Barneburg B lag tussen de andere missives een brief van Harper's *op me te wachten. Ach, die lof, een Plath achter tralies! (Al ben ik geen zelfmoordklant, geen halfgare dichteres met mijn hoofd tussen de broodjes.)*

Je moet me niet zo snel opgeven, Astrid. Er zijn mensen met belangstelling voor mijn zaak. Ik ga hier niet wegrotten als de man met het ijzeren masker. Het millennium komt eraan. Alles is mogelijk. En als ik ten onrechte in de cel moest belanden om aandacht in Harper's *te krijgen – ach, dan kun je bijna zeggen dat dat het waard is geweest.*

Vooral als je bedenkt dat ik vroeger al een goede dag had met een handgeschreven afwijzing van de Dog Breath Review.

Ze plaatsen een lang gedicht met vogelthema's – de gevangeniskraaien, de trekganzen, ik heb zelfs de duiven gebruikt, weet je nog? Die van St. Andrew's Place. Natuurlijk weet je dat nog. Je weet alles nog. Jij was bang voor de vervallen duiventil, was met geen stok de tuin in te krijgen voor ik tussen de bossen klimop had gepord om de slangen te verjagen.

Jij was altijd bang voor het verkeerde. Dat de duiven bleven terugkomen, terwijl het kippengaas onder de klimop het allang had begeven, vond ik veel verontrustender.

Dus jij wilt me afschrijven? Probeer het gerust! Alleen, als je de plank afzaagt waarop je staat, bedenk dan wel welke kant ervan zit vastgespijkerd aan het schip.

Ik overleef wel, maar jij? Ik heb volgelingen – mijn kinderen, noem ik ze. Jonge kunstenaars met piercings, vol gretige bewondering, die hier op bedevaart komen uit Fontana en Long Beach, Sonoma en San Bernardino, ze komen zelfs helemaal uit Vancouver in Canada. En als ik het zeggen mag, spreken ze me veel meer aan dan bevende actrices met tweekaraats trouwringen. Ze hebben het over een netwerk van van hun geloof gevallen feministen, lesbo's, heksen en performance kunstenaars langs de hele westkust, een soort ondergrondse godinnenbeweging. Ze zijn bereid me op allerlei manieren te steunen en willen me alles vergeven. Waarom jij dan niet?

Je liefhebbende moeder,
masturberende Rotte Kraai

PS Ik heb een verrassing voor je. Ik heb net kennisgemaakt met mijn nieuwe advocaat, Susan D. Valeris. Ken je die naam niet? Advocaat van verdoemde vrouwen? Met die zwarte krullen, en rode lippen zoals bij zo'n rebbelend opwindgebit? Ze komt mijn martelaarschap exploiteren. Dat gun ik haar best. Er is meer dan genoeg voor iedereen.

Ik stond in de deuropening en keek naar de wolken die van de bergen opstegen. Ze zouden haar nooit vrijlaten. Ze had een man vermoord, hij was nog maar tweeëndertig. Waarom zou het iets uitmaken dat ze dichteres was, een Plath achter tralies? Er was een man doodgegaan door haar schuld. Hij was niet volmaakt, hij was egoïstisch, iemand met gebreken, maar wat dan nog? Ze zou het wéér doen, en met nog minder reden. Kijk maar wat ze Claire had aangedaan. Ik kon niet geloven dat er een advocaat was die haar zou willen bijstaan.

Nee, ze verzon het natuurlijk. Probeerde me te strikken, ten val te brengen, weer in haar zak terug te proppen. Maar dat zou niet lukken, nu niet meer. Ik had mezelf bevrijd uit haar vijandige schoot, en weigerde me terug te laten lokken. Laat haar die nieuwe kinderen maar inpakken in verbeelding, met ze smoezen onder de ficusbomen op het bezoekersterrein. Ik wist precies waarvoor ik bang moest zijn. Zij hadden geen benul van de slangen in de klimop.

IN DE AMERIKAANSE geschiedenisles op de Marshall High School, het vierde lesuur, bestudeerden we de Burgeroorlog. De leerlingen zaten in het overvolle klaslokaal in de vensterbanken en op de boekenkasten achterin. De verwarming deed het niet en meneer Delgado droeg een dikke groene gebreide trui. Hij schreef met naar links hellend schrift *Gettysburg* op het bord terwijl ik op mijn gelinieerde schriftblaadje het grove breisel en zijn weinig elegante houding probeerde te treffen. Vervolgens keek ik in mijn geschiedenisboek, dat open op tafel lag, met de foto van het grote slagveld.

Thuis had ik hem door een vergrootglas bekeken. Zonder het vergrootglas zag je niet dat de lijken op de foto geen schoenen, geweren en uniformen hadden. Ze lagen met hun sokken aan in het korte gras, hun witte ogen staarden naar de bewolkte lucht en je kon niet zien in welk kamp ze thuishoorden. Het landschap eindigde achter een rij bomen in de verte, alsof het een toneel was. De oorlog was verdergetrokken, hier restten alleen de doden.

In de drie dagen durende veldslag bij Gettysburg vochten honderdvijftigduizend man. Er vielen vijftigduizend slachtoffers. Ik probeerde de gruwel daarvan te bevatten. Eén op de drie dood, gewond of vermist. Als een reusachtig gat dat in het weefsel van het bestaan was gescheurd. Claire was dood, Barry was dood, maar bij Gettysburg had je zevenduizend doden. Hoe kon God ze zien sterven zonder tranen te vergieten? Hoe kon Hij hebben toegelaten dat bij Gettysburg de zon weer opging?

Ik herinnerde me dat mijn moeder en ik op een keer een slagveld in Frankrijk hadden bezocht. We hadden de trein naar het noorden genomen, het was een lange rit. Mijn moeder was in het blauw, en er waren ook een vrouw met dik zwart haar en een man met een versleten leren jack bij. In de trein aten we ham en sinaasappels. Er zaten vlekken in de sinaasappels, ze bloedden. Op het station kochten we klaprozen, en we namen een taxi, die ons buiten de stad bracht. De auto stopte aan de rand van een enorm veld. Het was koud, het bruine gras boog in de wind. De vlakte was bezaaid met witte stenen, ik wist nog hoe leeg het was, en dat de wind dwars door mijn dunne jas blies. Waar is het, vroeg ik. *Ici*, zei de man, die zijn blonde snor streelde. Witkalk in zijn haar.

Ik keek ingespannen naar het korte golvende gras, maar kon me geen voorstelling maken van de soldaten die daar stierven, het gebulder van de kanonnen, zo stil was het er, zo verschrikkelijk leeg, en de klaproos in mijn hand klopte rood als een hart. Ze namen foto's van elkaar tegen de geelgrijze lucht. Op de terugweg kreeg ik van de vrouw een chocolaatje met goudpapier erom.

Ik kon nog steeds die chocola proeven, de klaproos voelen, rood in mijn hand. En de man. *Etienne*. In zijn atelier stroomde het licht binnen door een dakraam, glas met honingraten van kippengaas. Het was er altijd koud. De vloer was van grijs beton. Er stond een oude grijze bank met krantenkussens, en alles zat onder het witte stof van het gips waarvan hij zijn beelden maakte, gips over lappen en ijzerdraad. Ik speelde er met een houten ledenpop, liet die poseren terwijl mijn moeder poseerde.

Heel veel wit. Haar lijf, en het gips, en het stof, we zagen wit als bakkers. De oude kachel die hij bij haar kruk zette, deed niet veel meer dan ronken en de lucht van schroeiend haar verspreiden. Hij draaide Franse rock-'n'-roll. Ik kon nog steeds voelen hoe koud het er was. Aan een haak had hij een skelet hangen dat ik kon laten dansen.

Ze stuurde me naar de winkel om een fles melk. *Une bouteille de lait*, repeteerde ik onder het lopen. Ik wilde niet, maar ik moest van haar. De melk zat in een fles met een kleurig dopje van folie. Op de terugweg verdwaalde ik. Ik liep in kringetjes rond, te bang om te huilen, de melk vastgeklemd in de vallende schemering. Ten slotte was ik te moe om te lopen, en ging ik op de stoep van een flatgebouw zitten bij de rij knopjes, die zwart waren uitgeslagen, behalve waar de vingers drukten, daar waren ze licht. Een glazen deur met een gebogen kruk. De geur van Franse sigaretten en uitlaatgassen. Flanellen broekspijpen kwamen voorbij, nylons en hoge hakken, wollen jassen. Ik had honger maar durfde de fles melk niet aan te breken, bang dat ze boos zou worden.

Plotseling zag ik de blinde ramen uit mijn droom.

Où est ta maman? vroegen de nylons, vroegen de broekspijpen. *Elle revient*, zei ik, maar zonder het zelf te geloven.

Mijn moeder sprong uit een taxi in haar met krullerige wol afgezette Afghaanse jas met het borduursel. Ze schreeuwde tegen me, greep me beet. De fles gleed uit mijn handen. Hoe de melk op de stoep eruitzag. Glimmend wit, met scherpe glassplinters.

OP WEG VAN school naar huis kopieerde ik de foto van het slagveld en stuurde die aan haar met vier uitgeknipte woorden, los in een envelop:

WIE EIGENLIJK

BEN JE

NA HET ETEN ging ik op het lappenkleed in mijn kamer zitten, sneed met het X-actomesje wajangpoppen uit oude tijdschriftomslagen en naaide die op de bamboespiesjes die ik had opgespaard van Tiny Thai. Het waren mythische figuren, half mens, half dier – Koning Aap, de man met het gewei die elk jaar werd geofferd voor een vruchtbare oogst, de wijze centaur Cheiron, Isis met de koeienkop, Medusa en de Minotaurus, de Geitenbokman en de Witte Kraaienvrouw en de Vossenvrouw met haar recente plannetjes om geld te verdienen. Zelfs de treurige Daedalus en zijn bevederde zoon.

Ik naaide net de arm van de Minotaurus aan zijn lijf toen er zacht werd aangeklopt. Muskus, de geur van iets gestolens. Sergej stond tegen de deurpost geleund, zijn gespierde armen over elkaar geslagen, in een hagelwit overhemd en spijkerbroek, een gouden horloge als een scheepsklok om zijn pols. Zijn ogen schoten de kamer rond, registreerden de rommel – uitpuilende dozen met kleren, mijn tassen met volle schetsboeken en tekeningen die af waren, de tot pasteltinten verschietende bloemetjesgordijnen. Zijn blik registreerde alles, maar niet als een kunstenaar, die vorm ziet, en schaduw. Dit kijken was beroepsmatig, een woordloze schatting van het potentieel, hoe moeilijk het zijn zou om wat hij wilde hebben het raam uit te krijgen, de bestelauto in. Niets van wat hij zag was de moeite waard. Versleten tapijt, oude bedden, het kartonnen paard van Yvonne, een presse-papier met glittertjes in plaats van sneeuw, met 'Universal Studios Tour' erop. Hij schudde zijn hoofd. 'Hier kan nog geen hond wonen,' zei hij. 'Astrid. Wat ga jij doen?'

Ik bond de arm van de Minotaurus aan de spies, stak hem omhoog voor de lamp, bewoog hem op en neer en mimede zijn woorden. Ik imiteerde zijn vette accent, en zei: '*Hier kan nog geen hond wonen*. Kinderen, ja. Maar honden, nee. Geen honden.' De Minotaurus wees naar hem. 'Wat heb jij tegen honden?'

'Met poppen spelen.' Hij glimlachte. 'Soms ben jij vrouw, soms kleine meisje.'

Ik zette de Minotaurus in een blik bij de anderen, een boeket van papieren halfgoden en monsters. 'Rena is er niet. Ze is zich met Natalia aan het bezatten.'

'Wie zegt ik kom voor Rena?' Sergej maakte zich los van de deurpost en kwam naar binnen, terloops, op z'n dooie gemak, onschuldig als een winkeldief. Hij pakte dingen op, zette ze weer op precies dezelfde plaats neer, en maakte geen enkel geluid. Ik moest naar hem blijven kijken. Het was alsof een van mijn figuren, half mens, half dier, tot leven was gekomen, alsof ik hem had opgeroepen. Hoe vaak had ik niet gedacht aan precies dit moment, Sergej die langskwam, als een krolse kater op het hek in de achtertuin. Ik wasemde een civetachtig vrouwenluchtje uit, een onmiskenbaar geurtje van seksuele begeerte, dat hij had gevolgd zodat hij me hier in het donker had gevonden.

Sergej pakte de presse-papier van Yvonne op en schudde hem, keek hoe de glitter neerviel. In de woonkamer stond de tv aan, Yvonne was verdiept in een of ander trendy televisiespel over fraai gekapte snelle jonge mensen met kleren van Fred Segal en stijlvollere problemen dan de hare. Hij stopte zijn vinger in de oogschaduwdoos van Yvonne en deed een beetje op zijn oogleden. 'Mooi?' vroeg hij met een lachje, zijn hoofd schuin, terwijl hij zichzelf bekeek en met zijn hand zijn blonde haar glad naar achteren streek, ijdel als een vrouw. Hij hield me in de spiegel in de gaten.

Hij had dikke, slaperige oogleden, het zilver stond er goed op. Hij leek net een prins uit een ballet, maar zijn geur was onmiskenbaar dierlijk, hij vulde de kamer met zijn muskus. Ik had eens een T-shirt van hem gepikt, alleen om die geur. Ik vroeg me af of hij er ooit achter was gekomen.

'Astrid.' Hij ging op de rand van mijn bed liggen, en vlijde zijn stevige arm met de aderen als kabeltouwen om mijn hoofdeinde. Toen hij ging zitten, hoorde je niet eens de veren kraken. 'Waarom ga jij voor mij weg?'

Ik begon uit het omslag van een oude *Scientific American* een zeemeermin met lang art-nouveauhaar te knippen. 'Jij bent haar vriendje. Ik woon hier graag. Daarom ga ik je uit de weg.'

Die stem van een spinnende kat. 'Wie vertelt haar? Ik? Jij?' vroeg hij. 'Ik ken jou beetje, Astrid *krasavitza*. Niet zo goede meisje. Dat denken mensen, maar is niet wat ik zie.'

'Wat zie je dan?' vroeg ik. Benieuwd welke bizarre vervorming mijn beeld had ondergaan in het riool van Sergejs brein.

'Jij ziet mij, vind jij fijn. Ik voel jou kijken maar dan kijk jij weg. Misschien jij bang jij wordt als haar, *da*?' Zijn hoofd wees met een ruk naar de voorkant van het huis, Yvonne, en zijn hand gebaarde een dikke buik. 'Jij vertrouwt niet. Ik geef jou nooit baby.'

Alsof het daarom ging. Ik wás bang, maar niet daarvoor. Ik wist dat ik niet meer zou kunnen stoppen als ik me ooit door hem liet aanraken. Ik dacht weer aan de dag dat mijn moeder met haar vrienden iets ging drinken in de ronddraaiende bar boven in het Bonaventure Hotel, waar ik naar de ramen toe gezogen werd, waar de leegte me naar buiten trok. Dat voelde ik iedere keer als ik me met Sergej in hetzelfde vertrek bevond, dat afglijden naar een val.

'Misschien vind ik Rena aardig,' zei ik, terwijl ik bij wijze van schubben knipjes in de staart van de zeemeermin maakte. 'Geen vrouw vindt het leuk als je met haar vriendje naar bed gaat.'

Zijn glimlach veegde over zijn gezicht als een dweil. 'Niet bang zijn over Rena.' Hij schoot in de lach, een daverende lach die opwelde vanonder zijn mooie riem, de strakke spijkerbroek. 'Zij houdt niets lang. Zij ruilt graag handel. Vandaag Sergej, morgen iemand anders. Hallo, doei – vergeet je hoed niet. Maar voor jou, iets anders. Kijk.'

Hij haalde iets uit de zak van zijn overhemd. Het trok mijn blik als een vuurvliegje. Het was een halsketting, een diamant aan een zilverkleurige ketting. 'Heb ik op straat gevonden. Hebben?'

Probeerde hij me te kopen met een gestolen ketting? Ik moest erom lachen. Op straat gevonden. In andermans nachtkastje, zou hij bedoelen. Of om een hals, wie zou het zeggen? *Behoedzaam licht ik bij een huis van twee verdiepingen in Mar Vista een glazen schuifpui uit de rails*. Een kinderlokker die je een snoepje aanbiedt, een ritje in zijn auto. Dus zo verleidde iemand als Sergej een vrouw die hij begeerde. Terwijl zijn geur en stem, de blauwe aderkoorden in zijn armen, die slaperige blauwe ogen, die nu sprankelden onder zilveren oogleden, en dat criminele lachje van hem genoeg zouden zijn.

Hij trok een triest gezicht. 'Astrid. Mooie meisje. Dit is geschenk uit mijn hart.'

Sergejs hart. Die lege gang, die bedompte kamer. *Sentimentaliteit is het afreageren op jezelf van gevoelens die je niet echt hebt*. Als ik een meisje met fatsoen was, zou ik beledigd zijn, hem eruit gooien. Zou ik geen oog hebben voor zijn lachje, voor wat zijn strakke broek omsloot. Maar hij wist wie ik was. Rook mijn verlangen. Ik voelde hoe ik afgleed naar de ramen, werd aangezogen door die ijle lucht.

Hij maakte de ketting vast om mijn hals. Daarna pakte hij mijn hand en legde die in zijn kruis, warm, ik voelde hem hard worden onder mijn hand. Het was obsceen, en het wond me op hem daar te voelen, een man die ik begeerde als een glijdende val. Hij bukte zich en kuste me zoals ik gekust wilde worden, ruw, en met de smaak van alle drank van de avond daarvoor. Hij ritste mijn polyester blouse open, schoof hem over mijn hoofd, trok mijn rok uit en gooide die op het bed van Yvonne. Zijn handen maakten me wakker, ik had geslapen en dat wist ik niet eens, zo lang was het geleden.

Toen stopte hij, en ik deed mijn ogen open. Hij keek naar mijn littekens. Volgde met zijn vingertoppen de morsecode van hondenbeten op mijn armen en benen, daarna de littekens van de kogels, schouder, borst en heup, mat de diepte met zijn duim, schatte hun ouderdom en ernst. 'Wie heeft gedaan?'

Hoe kon ik dat hele verhaal ooit uitleggen, wie het had gedaan? Ik zou moeten beginnen met mijn geboortedag. Ik keek naar de nog openstaande deur, we konden de tv horen. 'Gaan we hier een voorstelling geven?'

Hij deed hem geruisloos dicht, deed de knoopjes van zijn overhemd open en hing het over de stoel, trok zijn broek uit. Zijn lijf was wit als melk, met blauwe aderen, angstaanjagend was het, nergens vet, compact als marmer. Het benam me de adem. Hoe kon iemand waarheid met schoonheid verwarren, dacht ik terwijl ik naar hem keek. De waarheid had diepliggende ogen, was graatmager, vol littekens, afgeleefd. De tanden van de waarheid waren rot, het haar was grijs en warrig. Schoonheid daarentegen was voos als een pompoen, ijdel als een pauw. Maar had macht. Schoonheid rook naar muskus en sinaasappel, deed je je ogen sluiten in gebed.

Hij wist hoe hij me aan moest raken, wist wat ik lekker vond. Dat verbaasde me niets. Ik was een slechte meid, gaf me weer aan de vader. Zijn mond op mijn borsten, zijn handen over mijn billen, tussen mijn benen. Er zat geen poëzie in ons geploeg op de gele chenille sprei op de vloer. Hij sjorde me in de standjes die hij fijn vond, mijn benen over zijn schouders, en bereed me als een kozak. Ging staan met zijn armen in elkaar gestrengeld om mijn gewicht te steunen terwijl hij bij me naar binnen stootte. Ik zag ons in de spiegel op de kast. Met verbazing zag ik hoe weinig ik op mezelf leek, met mijn geloken ogen, mijn sensuele lachje, noch Astrid, noch Ingrid, maar iemand die ik nooit gezien had, met mijn dikke billen en lange benen om hem heen – wat was ik lang, wat was ik wit.

Lieve Astrid,

Een meisje van Contemporary Literature *is me komen interviewen. Ze wilde alles van me weten. We hebben uren gepraat en alles wat ik haar vertelde was gelogen. Wij zijn groter dan ons levensverhaal, mijn lief. Als iemand dat zou moeten weten ben jij het wel. Want wat is welbeschouwd het levensverhaal van de geest? Jij was de dochter van een dichteres. Jij kreeg schoonheid en verrukking, kreeg genialiteit naar binnen met de paplepel, met je welterustenkus. Later kreeg je een plastic Jezus, een middelbare minnaar met zeven vingers, je werd gegijzeld in turquoise, was de verwende dochter van een schim. Nu zit je in Ripple Street, waar je me foto's van doden stuurt en slechte gedichten maakt van mijn woorden, en dan wil jij weten wie ik ben?*

Wie ben ik? Ik ben wie ik zeg dat ik ben en morgen ben ik weer heel iemand anders. Jij bent te nostalgisch, jij wilt veiligheid en troost ontlenen aan herinneringen. Het verleden is ballast. Het enige wat voor mensen telt dat zijn zijzelf en wat ze maken van wat ze geleerd hebben. Fantasie gebruikt wat nodig is en negeert de rest – terwijl jij een museum wil bouwen.

Ga het verleden niet angstvallig zitten behouden, Astrid. Koester niets. Verbrand het. De kunstenaar is de feniks die brandt teneinde te herrijzen.

Moeder

IK SORTEERDE ONZE vuile was bij de Fletcher-wasserette, bont of wit, dertig of zestig graden. Ik vond het leuk om de was te doen, uitzoeken, munten erin gooien, de kalmerende geur van wasmiddel en drogers, het gebrom van de machines, de knal van katoen en spijkergoed als de vrouwen hun kleren en schone lakens uitsloegen. De kinderen speelden met de wasmanden van hun moeders, droegen ze als kooien, voeren erin als bootjes. Ik had er ook wel in willen zitten, net doen of ik zeilde.

Mijn moeder had een hekel aan alle huishoudelijke karweitjes, vooral aan die in het openbaar. Ze wachtte altijd tot al onze kleren vuil waren, en waste soms ons ondergoed in de gootsteen, zodat we het nog een paar dagen konden rekken. Als we dan geen dag meer konden wachten, stopten we snel onze was in de machines en gingen we ervandoor, naar de film, of boeken kijken. En steevast als we terugkwamen troffen we het nat aan, was het boven op de machines gegooid of op de vouwtafels. Ik vond het vreselijk dat er vreemden aan onze spullen zaten. Alle anderen bleven toch ook op hun was passen, waarom wij dan niet? 'Omdat wij niet hetzelfde zijn als alle anderen,' zei mijn moeder dan. 'In de verste verte niet.'

Behalve dat ook zij vuile was had.

Toen de ladingen wasgoed droog waren, de lakens weer tot zuiverheid gebleekt, reed ik naar huis in Niki's pick-up, die ik bij speciale gelegenheden van haar mocht lenen, als zij te dronken was om achter het stuur te gaan zitten bijvoorbeeld, of als ik haar was deed. Ik parkeerde op de oprijlaan. Op het trapje bij Rena's voordeur zaten twee meisjes die ik nooit eerder had gezien. Blanke meisjes, frisse gezichten, geen make-up. De ene droeg een omajurk met kleine bloemetjes, haar rossige haar zat in een knot met een eetstokje erdoor. De donkere had een spijkerbroek aan met een roze katoenen coltrui erop. Zwart, schoon haar tot op haar schouders. Haar tepeltjes priemden tegen het roze katoen.

Het meisje in de omajurk stond op, knipperde in het zonlicht, haar ogen hetzelfde grijs als haar jurk, sproetjes. Ze lachte onzeker toen ik uitstapte. 'Ben jij Astrid Magnussen?' vroeg ze.

Ik trok een vuilniszak vol gevouwen kleren van de rechtervoorbank, en tilde er nog een uit de achterbak. 'En wie ben jij?'

'Ik ben Hannah,' zei ze. 'Dit is Julie.'

Het andere meisje lachte ook, maar minder breed.

Ik had ze nooit eerder gezien. Op Marshall zaten ze in ieder geval niet, en voor maatschappelijk werkers waren ze te jong. 'Ja, en?'

Hannah, met roze wangetjes van gêne, keek naar de donkerharige Julie om moed te vatten. Plotseling besefte ik hoe ze mij moesten zien. Als een keiharde stadsrat. Mijn eyeliner, mijn zwarte polyester blouse, mijn zware zwarte laarzen, mijn waterval van zilveren oorringen, van pink- tot softbalformaat. Niki en Yvonne hadden een keer toen ze zich verveelden gaatjes in mijn oren geprikt. Ik had ze laten begaan. Ze vonden het leuk om mij te vormen. En ik had geleerd: wat je ook in mijn oren hangt of me aantrekt, ik ben onoplosbaar, als zand in water. Je kon me in beroering brengen zoveel als je wou, maar uiteindelijk kwam ik weer tot rust op de bodem.

'We kwamen alleen even kennismaken, om te zien of, nou ja, of we iets konden doen,' zei Hannah.

'Wij kennen je moeder,' zei Julie. Zij had een diepere stem, rustiger. 'We gaan bij haar op bezoek in Corona.'

Haar kinderen. Haar nieuwe kinderen. Smetteloos als sneeuwklokjes. Stralend en pasgeboren. Amnesiepatiënt. Ik zat nu al bijna zes jaar in pleeggezinnen en -tehuizen, ik had hongergeleden, gehuild, gebedeld, mijn lijf was een slagveld, mijn geest gehavend en vol kraters als een belegerde stad, en nu werd ik vervangen door iets ongeschondens, iets gaafs?

'We studeren aan het Pitzer, in Pomona. We hebben haar behandeld bij vrouwenstudies. We gaan elke week bij haar op bezoek. Ze weet zoveel over van alles, ze is echt ongelooflijk. We zijn elke keer weer helemaal stuk van haar.'

Waarom stuurde mijn moeder me in godsnaam die studenten op mijn dak? Probeerde ze me tot talk te vermalen, tot meel voor bitter brood? Was dit de ultieme straf voor mijn weigering om te vergeten? 'Wat wil ze van me?'

'O, nee,' zei Hannah. 'Zij heeft ons niet gestuurd. We wilden zelf komen. Maar we hadden haar wel verteld dat we je een kopie van het interview zouden sturen, snap je?' Ze liet een tijdschrift zien dat ze opgerold in haar hand had en bloosde diep. In zekere zin benijdde ik haar om die blos. Zo kon ik niet meer blozen. Ik voelde me oud, slapgekauwd en onherkenbaar als een schoen die aan een hond is gegeven. 'En toen dachten we, nou ja, toen we eenmaal wisten waar je woonde, dat we je misschien...' Ze glimlachte hulpeloos.

'We dachten, we gaan eens kijken of we je misschien ergens mee konden helpen of zo,' zei Julie.

Ik zag dat ze me eng vonden. Ze hadden gedacht dat de dochter van mijn moeder anders zou zijn, meer op henzelf zou lijken. Iets wat zacht was, wijdopen. Wat een giller. Ze waren niet bang voor mijn moeder, maar wel voor mij.

Ik stak mijn hand uit naar het tijdschrift en vroeg: 'Is dat het?'

Hannah probeerde op haar bebloemde knie de krul uit het tijdschrift te strijken. Het gezicht van mijn moeder stond op het omslag, achter kippengaas, aan de bezoekerstelefoon in de isoleerafdeling. Ze had zeker iets gedaan, meestal was het bezoekuur bij de picknicktafels. Ze zag er prachtig uit, lachend, haar tanden nog volmaakt, de enige tot levenslang veroordeelde in Frontera met een perfect gebit, maar haar ogen stonden moe. *Contemporary Literature*.

Ik ging naast Julie op het trapje met de splinters zitten. Hannah nam de tree onder ons en haar jurk beschreef een vloeiende boog, als een danspas van Isadora Duncan. Ik sloeg het artikel op en bladerde het door. Die poses van mijn moeder, handpalm plat tegen het voorhoofd, elleboog op het randje. Hoofd tegen de ruit, blik neergeslagen. *Wij zijn groter dan ons levensverhaal*. 'Waar hebben jullie het zoal over met haar?' vroeg ik.

'Poëzie.' Hannah haalde haar schouders op. 'En wat we lezen. En muziek, van alles eigenlijk. Soms begint ze over iets wat ze op het journaal heeft gezien. Dingen waar je zelf niet bij stil zou staan, daar heeft zij dan ineens een ongelooflijk verrassende kijk op.'

De transformatie van de wereld.

'En ze praat ook over jou,' zei Julie.

Dat kwam als een verrassing. 'Wat zegt ze dan?'

'Dat jij in een... ja, tehuis zit. Ze vindt het vreselijk dat het zo is gelopen,' zei Hannah. 'Vooral voor jou.'

Ik keek naar de meisjes, studenten, met hun frisse make-uploze gezichten, bezorgd, zo goed van vertrouwen. En voelde de kloof die ons scheidde, alles wat ik niet zou worden omdat ik was wie ik was. Ik zou over twee maanden mijn einddiploma krijgen, maar naar het Pitzer ging ik niet, dat stond vast. Ik was het oude kind, het verleden dat moest worden weggebrand, opdat mijn moeder, de feniks, kon herrijzen als een gouden vogel uit de as. Ik probeerde mijn moeder te zien door hun ogen. De mooie, gevangen poëtische ziel, het lijdende genie. Lééd mijn moeder? Ik dwong mijzelf me dat voor te stellen. In ieder geval wel die dag dat Barry haar zijn huis uit schopte nadat hij met haar naar bed was geweest. Maar toen ze hem vermoordde, was dat leed op een of andere manier gewroken. Leed ze nu? Dat zou ik echt niet weten.

'Dus jullie dachten: dan gaan we naar haar toe, en dan?' vroeg ik. 'Mij adopteren?'

Ik lachte, maar zij niet. Ik was te hard geworden, misschien leek ik meer op mijn moeder dan ik dacht.

Julie zond Hannah een blik van 'zie je wel?' Ik had wel door dat het hele plan van het rossige meisje kwam. 'Ja, nou, eigenlijk wel, zoiets. Als jij dat wilt.'

Wat was hun oprechtheid onverwacht, hun medeleven misplaatst. 'Jullie geloven vast niet dat ze hem vermoord heeft, of wel?' vroeg ik.

Hannah schudde haastig van nee. 'Het is allemaal een vreselijke vergissing geweest. Een nachtmerrie. Dat vertelt ze ook in het interview.'

Daar twijfelde ik niet aan. Met publiek erbij was ze altijd al op haar best geweest. 'Zal ik jullie eens iets vertellen,' zei ik. 'Ze heeft hem wél vermoord.'

Hannah keek me met grote ogen aan. De blik van Julie vluchtte naar haar toe. Ze waren verbijsterd. Julie deed een beschermend stapje naar haar vage vriendin, en plotseling voelde ik me wreed, alsof ik tegen kleine kindertjes had gezegd dat de kerstman niet echt bestond, maar een verklede vent was. Alleen, dit waren geen kinderen meer, het waren al vrouwen en ze bewonderden iemand van wie ze totaal niets wisten. Zie dan één keer het oude wijf Waarheid onder ogen, mevrouw de student.

'Dat is niet waar,' zei Hannah. Ze schudde haar hoofd, en nog een keer, alsof ze mijn woorden eruit probeerde te schudden. 'Niet waar.' Ze wilde van me horen dat het niet waar was.

'Ik ben erbij geweest,' zei ik tegen haar. 'Ik heb gezien dat ze het gif mengde. Ze is niet wat ze lijkt.'

'Toch is ze een groot dichter,' zei Julie.

'Ja,' zei ik. 'Een moordenaar en een dichter.'

Hannah frummelde aan een knoopje op het voorpand van haar grijze jurk, en het liet los in haar hand. Ze staarde naar het knoopje op haar handpalm, haar gezicht roodgevlekt als borsjtsj. 'Ze kan het nooit zomaar hebben gedaan. Misschien werd ze door hem mishandeld.'

'Ze werd niet door hem mishandeld,' zei ik. Ik legde mijn handen op mijn knieën en duwde mezelf op tot ik stond. Plotseling voelde ik me erg moe. Misschien lag er nog stuff op de kamer van Niki.

Julie keek naar me op met ernstige, kalme bruine ogen. Ik hield haar voor verstandiger dan Hannah, iemand die zich minder gauw door mijn moeder liet inpalmen. 'Waarom heeft ze het dan gedaan?'

'Waarom vermoorden mensen iemand als die bij ze weggaat?' vroeg ik. 'Omdat ze pijn en woede voelen en daar niet tegen kunnen.'

'Dat gevoel ken ik,' zei Hannah. Het lage zonlicht scheen op de ontsnapte krullende uiteindjes van haar haren, zodat haar roodblonde hoofd een kroezende stralenkrans kreeg.

'Maar jij hebt niemand vermoord,' zei ik.

'Ik wilde het wel.'

Ik keek naar haar, hoe ze de zoom van haar omajurk met de bloemetjes zat te verfrommelen, haar rossige buik achter de kier bij het ontbrekende knoopje. 'Natuurlijk. Misschien heb je ook wel gefantaseerd over de manier waarop. Maar je hebt het niet gedaan. En dat maakt alle verschil.'

In de yucca bij de buren floot een spotlijster, een vloeiende, buitelende zang.

'Misschien is het verschil niet zo groot,' zei Julie. 'Sommige mensen zijn gewoon impulsiever dan anderen.'

Ik sloeg met het tijdschrift tegen de pijp van mijn spijkerbroek. Ze waren eropuit haar te rechtvaardigen. De Godin van de Schoonheid moest koste wat kost worden beschermd. *Ze zijn bereid me alles te vergeven*. 'Nou ja, bedankt dat jullie zijn gekomen, maar ik moet nu naar binnen.'

Hannah stond op. 'Mijn telefoonnummer staat achter op het tijdschrift. Bel maar, als je, nou ja, als je daar behoefte aan hebt.'

Haar nieuwe kinderen. Ik bleef ze op de veranda staan nakijken toen ze naar hun auto liepen. Julie zat achter het stuur. Het was een groene Oldsmobile, een stationcar, een oudje, zo groot dat hij bovenlichtjes nodig had. Hij maakte een soort galmend geluid toen ze wegreed. Ik pakte het tijdschrift en gooide het in de vuilnisbak. Anderen voor haar laten liegen, als een soort Salome op leeftijd die zich achter haar sluiers verborg. Ik had die kinderen van haar wel het een en ander over mijn moeder kunnen vertellen. Ik had ze kunnen vertellen dat ze nooit de vrouw zouden vinden in die glimmende lappen, riekend naar schimmel en viooltjes. Daaronder zaten altijd nieuwe lagen sluiers. Ze zouden ze moeten openrijten als taaie spinnenwebben, en zodra ze die hadden afgepeld zouden er nieuwe komen. En uiteindelijk zou ze hen als vliegen inspinnen in haar zijde, om hen kalmpjes te verteren en daarna haar gezicht weer te verhullen – een maan in een wolk.

28

NIKI SCHEURDE EEN vierkantje LSD af, legde dat op mijn tong, en nam er toen zelf ook een. Het zat op kleine velletjes papier dat bedrukt was met roze flamingo's op motorfietsen. We zaten op de veranda naar het wrak van de oude Riviera van de buren te kijken, dat op blokken stond. Het werd warmer weer, neveliger, lauw als badwater, klam als een natte sok. Ik voelde helemaal niets. 'Misschien moeten we er nog een nemen.' Als ik het dan toch deed, wilde ik het goed doen. Yvonne vond ons hartstikke gek dat we zo met ons hoofd wilden sollen, maar ik was er inmiddels dan ook gek genoeg voor. Susan D. Valeris had me al drie keer opgebeld. Ik kwam niet meer naar de telefoon en had tegen Rena gezegd dat ze moest ophangen als er iemand naar mij vroeg.

'Het duurt even,' zei Niki. 'Maar je merkt het wel als het zover is. Je gaat er heus niet doorheen slapen, geloof me maar.'

Bijna een uur lang gebeurde er niets, en ik was ervan overtuigd dat het nepspul was geweest, maar toen kwam het, in één keer, als een lift. Niki lachte, zwaaide met haar hand voor mijn gezicht, de vingers lieten sporen achter. 'High genoeg zo?'

Mijn vel gloeide en jeukte, alsof ik uitslag had, maar het zag er nog net zo uit als eerst. De lucht, die was plotseling veranderd. Die was leeg geworden. Leeg als grauwe staar, een enorm wit oog. Ik werd bang onder die gruwelijk lege hemel. Alsof God seniel en blind was geworden. Misschien wilde Hij niet meer zien. Dat kon ik begrijpen. Overal om ons heen was alles nog hetzelfde als anders, maar dan op een ondraaglijke manier. Ik had altijd geprobeerd te negeren hoe lelijk het hier was. Ik had altijd geprobeerd dat ene mooie erin te zoeken.

Maar nu met die LSD merkte ik dat ik mijn ogen er niet meer voor kon sluiten, niet meer kon wegkijken. Het was angstaanjagend. Ik werd overspoeld door het smerige, verwaarloosde, dat om me heen groeide als een helse tuin, de trap met het splinterende hout, de vier dode auto's op het onkruidperceel bij de buren, die in de aarde stonden weg te roesten, het ijzeren hek van de rekwisietenwinkel met het scheermesdraad erop, de glasscherven op straat. Ik bedacht dat we eigenlijk precies op de bodem van LA woonden, de plek waar ze gestolen auto's dumpten en in brand staken. De plek waar alles wat op drift was naar de bodem zonk. Ik was misselijk, mijn vel brandde. Ik had een wrange smaak in mijn mond, alsof ik op aluminiumfolie had gekauwd. Op straat zag ik een dode vogel, platgewalst te midden van zijn zachte veren.

Ik durfde Niki niet te zeggen dat ik bang was, omdat ik dacht: als ik het uitspreek, begin ik misschien te gillen. En dan hou ik nooit meer op.

De hele wereld was gereduceerd tot dit: levenloos wrakgoed. En wijzelf waren ook afval van de stad, net als die vogel, de achtergelaten boodschappenkarretjes, het wrak van de Riviera. Ik voelde het zoemen van de hoogspanningskabels, de verraderlijke straling die onze cellen muteerde. Niemand gaf iets om de mensen die hier woonden. Wij zaten aan het eindpunt van de beschaving, waar die het wegens aftakeling en uitputting had opgegeven. En wij waren daar het overblijfsel van, Niki en ik, als kakkerlakken na de ondergang van de wereld, die door de puinhopen scharrelden en vochten om de restjes van het lijk. Net mijn droom van het gesmolten gezicht van mijn moeder. Ik durfde niet te vragen of ze mijn gezicht zag smelten. Ik wilde de aandacht er niet op vestigen.

'Gaat het een beetje?' Niki had een handvol haar achter in mijn nek gepakt en trok er zachtjes aan.

Ik schudde van nee, oneindig zachtjes, wist niet eens zeker of ik het nu gedaan of alleen maar gedacht had. Meer durfde ik niet te doen.

'Geeft niks,' zei ze. 'Dit is gewoon even het begin.'

Ze veranderde in een duveltje uit een doosje, in een lappenpop. Ik moest me vastklampen aan het feit dat ik haar kende, dat dit maar een gedachtekronkel van me was. Dat is Niki, hield ik mezelf voortdurend voor. Die ken je. Niki was op haar zesde bij een Thriftydrugstore in Alhambra door haar moeder in de steek gelaten en altijd aan het tellen, kansen inschatten, percentages berekenen. Ik vond het prettig om naar haar te kijken als ze zich voorbereidde om naar haar werk te gaan, met haar gesteven Beierse serveerstersuniform aan, waarin ze net Heidi in een Warhol-film leek. Ook al herkende ik haar niet, ik kende haar. Dat moest ik zien vast te houden.

Ik begon te zweten, barsten te vertonen als het oeroude plaveisel in de besmeurde linoleumzon.

'Kunnen we hier niet weg?' fluisterde ik trillend, misselijk. 'Ik vind het hier vreselijk. Echt vreselijk.'

'Zeg maar waar je heen wilt,' zei ze. Haar ogen zagen er raar uit, als zwarte knopen, net als bij een pop.

IN DE KOELE rust van de zalen met de impressionisten in het County Art Museum werd de wereld mij teruggeschonken, met al zijn kleur en licht en vorm. Hoe had ik dat kunnen vergeten? Hier kon me niets gebeuren. Dit was de haven, de voorpost van de echte wereld, waar nog steeds kunst kon zijn, en schoonheid en herinnering. Hoe vaak had ik hier niet rondgelopen met Claire, en met mijn moeder. Niki was hier nog nooit geweest. We liepen met z'n tweeën langs dobberende visserschuitjes voor anker, lichtgevende, citroenig gouden witte luchten zwemend naar roze, op de voorgrond weerspiegelingen in een straat van water.

We hielden stil voor een schilderij waarop een vrouw een boek zat te lezen in een tuin, in de schaduw aan de rand van een park. Haar jurk van wit linnen met blauwe randen ruiste als ze de bladzijden omsloeg. Zo verrukkelijk blauwgroen, het schilderij rook naar munt, het gras was varendiep. Ik zag ons in het schilderij, Niki in waaierend wit, ikzelf in mousseline. We liepen langzaam naar de vrouw, ze stond op het punt thee voor ons in te schenken. Ik was hier in het museum, maar ik liep ook door het vochtige gras, mijn zoom groenbevlekt, een briesje door de dunne stof van mijn jurk.

De LSD kwam in golven, we stonden te deinen voor de schilderijen, zo sterk was het. Maar bang was ik niet meer. Ik wist waar ik was. Ik was met Niki in de echte wereld.

'Dit is waanzinnig te gek,' fluisterde ze met haar hand om mijn hand.

Sommige schilderijen gingen open, als ramen, of deuren, andere bleven gewoon doeken met verf. Ik zou mijn hand bij Cézanne naar binnen kunnen steken, naar zijn perziken en kersen op een weelderig wit gekreukeld tafelkleed, een perzik kunnen pakken en weer op het bord kunnen terugleggen. Ik begreep Cézanne. 'Kijk, de kersen zie je van bovenaf, maar de perziken van opzij,' zei ik.

'Het zijn net kersenbomboms,' zei Niki, die haar vingers tegen elkaar plantte en ze toen wijd uiteen liet schieten. De levendige steeltjes van de kersen schoten als vuurwerk uiteen.

'Je ogen proberen het normaal te maken, maar je krijgt het niet weg,' zei ik.

Ik stelde me voor dat ik dat schilderij maakte en zag precies in welke volgorde hij alles had gedaan.

De uilenman kwam aangeschuifeld en trok zijn schouders op. 'Niet aanraken.'

'Yoda,' zei Niki zachtjes, en we liepen naar het volgende schilderij.

Ik had het gevoel dat ik alle schilderijen zelf had kunnen maken. De LSD bleef maar komen, ik had geen idee hoe high je eigenlijk kon worden. Het was heel anders dan die Percodan, dat was suf, stompzinnig vluchten. Dit was higher dan high. Tweehonderdste verdieping, vijfhonderdste. De sterrennacht van Van Gogh.

We gingen iets drinken in de koffiebar van het museum. Ik wist precies waar ik was, in hetzelfde gebouw als het auditorium, mijn oude leslokaal lag er pal onder. Mijn eigen persoonlijke speeltuin. Ik raakte geobsedeerd door de frisdrankautomaat en begon met de verschillende softdrinkflesjes de Doornroosjeswals te spelen. 'Wat speel ik nu?' vroeg ik.

'Rustig an,' zei Niki.

Ik probeerde kalm te doen, maar het was veel te grappig. Toen het tijd was om te betalen, kon ik me niets meer herinneren over het geld, hoe dat werkte. De vrouw bij de kassa leek sprekend op een griesmeelpudding. Ze weigerde ons aan te kijken. Ze zei een paar getallen en ik haalde mijn geld te voorschijn, maar had geen idee wát ik ermee aan moest. Ik legde het op mijn open hand en liet haar er de juiste combinatie van afpakken. '*Danke, chorisho, guten Tag, arigato*,' zei ik. '*Dar es Salaam*.' In de hoop dat zij ons dan voor onschuldige buitenlanders zou houden.

'*Dar es Salaam*,' zei Niki toen we op het plaza gingen zitten.

Zo had ik eigenlijk moeten zijn als kind: vrolijk, licht als een ballon. Niki en ik zaten in de schaduw onze flesjes leeg te drinken, keken naar de voorbijgangers en zagen hoe die allemaal op een bepaald dier leken. Daar ging een gnoe, daar een leeuw en een secretarisvogel. Een tapir en een yak met krulletjes. Wanneer had ik ooit zo moeten lachen?

Toen we wat bedaarden, zei Niki dat we naar de wc moesten.

'Ik hoef niet,' zei ik.

'Dat merk je pas als het te laat is,' zei Niki. 'Kom op.'

We liepen het gebouw weer in en vonden de deuren met de belachelijke houterige poppetjes met een broek of een rok aan. Die idiote manier waarop wij *mannelijk* en *vrouwelijk* met een broek of een rok verbonden. Ineens leek het hele seksuele universum met zijn conventies krankzinnig, onnatuurlijk.

'Niet in de spiegel kijken,' zei Niki. 'Kijk maar naar je schoenen.'

Het was een donkergrijze vieze tegelvloer en het licht was er akelig. Ik voelde de angst terugkomen. Een wrange smaak in mijn mond. Een oude dame met een goudbruin broekpak, goudbruin gezicht, goudbruin haar en een gele riem kwam uit een van de hokjes en staarde ons aan. 'Ze lijkt net een kaastosti,' zei ik.

'M'n vriendin voelt zich niet lekker,' zei Niki, die uit alle macht probeerde het niet uit te schateren. Ze duwde me het rolstoeltoilet in en deed de deur op slot. Ze moest mijn broek openritsen en me op de wc zetten alsof ik twee was. Ik kon niet plassen, zo grappig was het.

'Kop dicht en piesen,' zei Niki.

Ik zwaaide met mijn benen. Ik had echt het gevoel dat ik twee was. 'Mooi plasje doen voor Annie,' zei ik. En liet het komen. Ik moest dus toch. Het geluid maakte me aan het lachen. 'Ik hou van je, Niki,' zei ik.

'En ik van jou,' zei ze.

Maar op weg naar buiten ving ik een glimp van mezelf in de spiegel op. Ik had een verschrikkelijk rooie kop, mijn ogen waren zwart als die van een ekster, mijn haar was een warboel. Dierlijk. Het joeg me angst aan. Niki werkte me haastig naar buiten.

We liepen door de afdeling met eigentijdse kunst. Daar kwam ik nooit meer. Toen ik er vroeger met mijn moeder heen ging, zette ze me bijvoorbeeld voor een Rothko, een blauw-en-rood vierkant, en ging er dan een uur lang uitleg over geven. Ik snapte er helemaal niets van. Nu stonden Niki en ik ervoor, op dezelfde plek waarop ik had gestaan als kind, en keken we naar de drie kleurvlakken die vibreerden en pulseerden, zagen andere tinten verschijnen, tomaat, granaat, purper. Het rood sprong naar voren, het blauw trok zich terug, precies zoals Kandinsky had gezegd. Het was een deur en we liepen naar binnen.

Verlies. Dat vonden we daar. Verdriet, leed, woordloos en onpeilbaar. Niet wat ik die ochtend had gevoeld, die gore paniek. Dit was gezuiverd. Niki legde haar arm om mijn middel, ik mijn arm om het hare. Zo stonden we te rouwen. Ik kon me voorstellen hoe Jezus zich voelde, zijn mededogen met het mensdom, hoe onmogelijk dat was, hoe bewonderenswaardig. Het schilderij was Casals, een requiem. Mijn moeder en ik, Niki en Yvonne, Paul en Davey en Claire, iedereen. Hoe oneindig was het vermogen van de mens om te lijden. Het enige wat je kon doen was het vol ontzag te aanschouwen. Het ging helemaal niet om overleven. Het ging om de volheid, hoeveel je kon bevatten, hoeveel aandacht je kon geven.

We liepen naar buiten, de zon in, ernstig, als mensen na een begrafenis.

Ik nam Niki mee naar de permanente tentoonstelling, ik moest nu de godinnen zien. In de India-zalen woonde de rest van het oeroude samenspel. Welgevormde figuren dansten, beminden, sliepen, zaten op lotusbloemen, handen in de karakteristieke moedra-houdingen. Sjiva danste in zijn bronzen schacht van vuur. Op de achtergrond klonken zacht Indiase raga's. We ontdekten een stenen bodhisattva met een snor en mooie juwelen. Hij was door de deur gegaan die Rothko had geschilderd, en kon zowel dat als de dans bevatten. Hij was er aan de andere kant weer uit gekomen. We gingen op de bank zitten en lieten zijn hart bij ons binnen. Er kwamen andere mensen langs, maar die bleven niet. Hun blikken kaatsten over ons heen en ze liepen door. Als vliegen bij een steen. We zagen ze niet eens.

HET DUURDE LANG voor we weer normaal waren. We gingen een tijdje bij Yvonne tv zitten kijken, maar daar snapten we niets van. De kamer wervelde van kleur en beweging, en zij zat maar naar kleine hoofdjes in een kistje te kijken. De lampen waren interessanter. Ik tekende de manier waarop de lucht gevuld raakte met volmaakte zeskantige sneeuwvlokken. Ik kon ze laten vallen en weer laten opstijgen. Sergej kwam binnen, hij leek precies op de witte kat die achter hem aan liep. Hij knoopte een praatje met ons aan, maar zijn gedachtewereld was een vissenkom. De broek en de rok.

Plotseling hield ik het niet meer uit in dat krappe, lelijke huis, met Sergej en zijn goudvis, zijn mond die dom open- en dichtging. Ik nam papier en waterverf mee naar de veranda en schilderde nat in nat, vegen die uitgroeiden tot Blake-figuren bij zonsopgang, dansers onder de zee. Niki kwam ook naar buiten, rookte wat en keek naar de cirkels om de straatlantaarns. Later kwamen Rena en Natalia hun Stoli met ons delen, maar de wodka deed ons niets. Rena was de vossenvrouw en Natalia een Arabische volbloed met een schotelkop. Ze spraken Russisch en we begrepen alles wat ze zeiden.

Rond drie uur 's nachts kreeg ik verschrikkelijk genoeg van

sneeuwvlokken en van de muren, die almaar bleven in- en uitademen. *Mooi plasje doen voor Annie*. Dat kreeg ik maar niet uit mijn hoofd. Eerst dacht ik: waarschijnlijk was het gewoon 'mooi plasje doen voor mammie', maar als ik het in mijn hoofd hoorde was het altijd weer datzelfde. Mooi plasje doen voor Annie. Wie was Annie, en waarom doe ik een mooi plasje voor haar? Ik trilde, mijn zenuwen waren kapot, Yvonne lag te slapen in haar zeeschuimbed, en de sneeuwvlokken vielen in onze kamer. Annie, wie ben jij en waar is mammie? Geel, meer kwam er niet, geel zonlicht, en een witte zwaan, een warme geur als van wasgoed.

De volgende ochtend knipte ik woorden uit de strippagina van de krant:

WIE IS ANNIE

29

ZOALS BELOOFD GING ik met Yvonne mee naar de zwangerschapscursus in het Waite Memorial Hospital. Ik hield haar tennisballen en haar handdoek voor haar vast. Op de een of andere manier kon ik het niet serieus nemen. Ik weet niet of het de nawerking van de LSD was, maar alles leek verschrikkelijk grappig. De plastic pop waar we op oefenden leek wel een buitenaards wezentje. De jonge paren leken net grote kinderen die zwangerschapje speelden. Die meiden konden toch niet echt zwanger zijn, ze hadden vast een kussen onder hun babydolljurk zitten. Ik genoot van al die babyspullen, zelfs de pop wassen en een Mickey-Mouseluier aandoen vond ik leuk.

Yvonne deed alsof ze mijn schoonzus was; haar man, mijn broer, zat zogenaamd in militaire dienst. Patrick, dat vond ze een leuke naam. Een televisieacteur. 'Ik heb een brief van Patrick gekregen, heb ik dat al verteld?' zei ze in de pauze tegen me, terwijl wij allemaal mierzoet sap zaten te drinken uit kleine kartonnen bekertjes, met gemberkoekjes erbij. 'Mijn man,' zei ze tegen het stel naast haar. 'Hij wordt namelijk uitgezonden, naar...'

'Dar es Salaam,' zei ik.

'Ik mis hem wel, en jij?'

'Valt wel mee,' zei ik. 'Hij is zoveel ouder dan ik.' Ik haalde me een grote blonde man voor de geest die van zijn reizen poppen voor me meenam. Heidi-poppen met drugs onder hun rokken verstopt.

'Hij heeft me vijfhonderd dollar voor de uitzet gestuurd,' zei ze. 'Ik heb hem moeten beloven dat ik niks tweedehands zou kopen. Hij wil alles gloednieuw. Zonde van het geld, maar als hij dat nou per se wil...'

Leuk, dit. Als klein meisje had ik nooit met andere kleine meisjes vadertje en moedertje gespeeld.

Ze lieten haar zien hoe ze met de ene hand de baby tegen haar borst moest steunen, en de borst in de andere hand moest houden. Ze zoogde het plastic kind. Ik schoot in de lach.

Yvonne knuffelde het buitenaardse wezentje, streelde het hoofdje met de put erin, en zei: 'Sstt. Mooi baby'tje ben je. Luister maar niet naar dat stoute meisje dat daar zit te lachen, *mija*. Je bent mijn baby, hoor, ja.'

Later lag Yvonne op de oranje mat te puffen en te tellen, en ik legde de tennisballen onder haar rug, verwisselde die toen voor opgerolde handdoeken. Ik hield het horloge vast en timede de weeën. Ik pufte met haar mee, en we begonnen allebei te hyperventileren. Ze was niet zenuwachtig. 'Wees maar niet bang,' zei Yvonne terwijl ze lachend naar me opkeek, haar buik als een reuze Zuidzee-eilandparel in een ring. 'Ik heb dit al eens gedaan.'

Ze gaven uitleg over de ruggenprik en de verdoving, maar niemand daar wilde die. Ze wilden het allemaal zo natuurlijk mogelijk beleven. Alles leek in plastic verpakt, onwezenlijk, net stewardessen die in een vliegtuig laten zien hoe de veiligheidsgordels werken en hoe iedereen volgens de regels ordelijk van boord moet gaan als het vliegtuig in zee stort, waarop de passagiers even een blik werpen op de kaarten in het bagagenetje aan de stoel voor ze. Goed hoor, dachten ze, da's duidelijk. Even nog een blik op de dichtstbijzijnde nooduitgang en ze waren klaar voor de boordservice, pinda's en een film.

RENA LIET ZICH in haar zwarte macramé-bikini stoven door de felle aprilzon terwijl ze een bekerglas wodka met Fresca dronk – Russische margarita, noemde ze dat. De mannen van het loodgietersbedrijf naast ons bleven rond het lage hek van harmonicagaas hangen en maakten waarderende geluiden. Ze deed alsof ze niets in de gaten had en smeerde zich traag in met Tropic Tan, over de bovenkant van haar borsten, over haar armen naar beneden, terwijl de werklui in hun kruis grepen en haar in het Spaans suggestieve opmerkingen toeriepen. Haar metalen ligstoel was half uitgeklapt en we werden sloom van het geluid van de roestige sproeier, die het gazon van stug gras en paardebloemen beregende.

'Je krijgt nog huidkanker,' zei ik.

Ze stak haar onderlip naar voren. 'Leven is kort, *kiddo*.' Ze vond het leuk om die Amerikaanse woorden te gebruiken en was zich bewust van het effect dat ze hadden uit haar mond. Ze stak haar Russische margarita omhoog en nam een slok. '*Nazdarovje*.'

'Op je gezondheid' betekende dat, maar die kon haar niet zo schelen. Ze stak een zwarte sigaret op, liet de rook opkringelen in arabesken.

Ik zat op een oude tuinstoel in de schaduw van de grote oleander en schetste Rena die de schroeiende uv-stralen opzoog. Ze besproeide zichzelf met een flesje ijswater, en de mannen die over het hek toekeken huiverden. Door de grofgeknoopte stof zag je de vorm van haar tepels. Ze lachte stilletjes.

Dat vond zij nu geweldig, zo'n stel bouwvakkers opgeilen. Een uitverkoop, een Russische margarita, een vluggertje in de badkamer met Sergej – verder in de toekomst keek Rena niet. Ik bewonderde haar zelfvertrouwen. Huidkanker, longkanker, mannen, meubels, rotzooi, altijd zou er wel weer iets langskomen. Voor mij was ze op dat moment precies wat ik nodig had. Ik kon me geen gedachten over de toekomst veroorloven.

Ik had nog maar twee maanden tot het eindexamen, en daarna een korte val van de rand van de wereld. 's Nachts droomde ik van mijn moeder, en altijd ging ze weg. Ik droomde dat ik te laat kwam voor een lift naar de kunstacademie van New York, dat ik een uitnodiging voor een feestje met Paul Trout was kwijtgeraakt. Ik bleef op om mijn stapel *Art News* van twaalf jaar oud te bekijken, die ik op vuilophaaldag had gevonden, en bekeek aandachtig de foto's van de kunstenaressen, hun warrige haren, grijs, lang en bruin, vlasblond. Amy Ayres, Sandal McInnes, Nicholette Reis. Die wilde ik zijn.

Amy, die met haar grijze krulletjes en gekreukeld T-shirt poseerde voor haar enorme abstracte werk van bolle kegels en cilinders, Amy, hoe kan ik jou worden? Ik heb je artikel gelezen, maar kan de clou niet vinden. Je burgerlijke ouders, je zieke vader. Je tekenleraar van de middelbare school, die een beurs voor je organiseerde. Op Marshall had ik niet eens tekenles.

Ik keek neer op mijn tekening van Rena, bespikkeld met water uit de sproeier. Eigenlijk hield ik helemaal niet van tekeningen. Als ik naar het museum ging, bekeek ik schilderijen, beeldhouwwerk, wat dan ook, maar geen lijnen op een vel papier. Het was alleen dat mijn hand iets te doen moest hebben, mijn oog een reden moest hebben om vorm te geven aan de ruimte tussen Rena en haar sproeier en haar wankelpotige tafel met een blad van een verroest witmetalen ruitjespatroon waarop één glas en een asbak. Wat ik mooi vond, was dat het tafelblad de zwarte ruitjes van haar bikini en het harmonicagaas herhaalde, dat de ronding van haar glas dezelfde ronding was als die van haar opgetrokken dij en van de arm van de lange man die over het hek lag, en van de bladeren aan de bananenboom bij de Casados aan de overkant.

Als ik niet tekende, wat was dan de zin van die speciale lichtval op de schulprand van dakpannen bij de Casados, van de bultige graspollen op het gazon, de fijne strengen van de groene vossenstaarten die binnenkort bruin zouden worden, en de wijze waarop de hemel als een enorme voet alles plat op de aarde leek te drukken? Ik zou zwanger moeten raken, of aan de drank, om het allemaal uit te wissen, zodat ik zelf heel groot op de voorgrond overbleef.

Gelukkig volgde ik niet de lessen waar ze het over studeren hadden. Ik volgde lessen waar ze ons vertelden over condooms en wapens op school. Claire had me voor alle onderdelen van de verzwaarde leergang ingeschreven, maar dat hield ik niet vol. Als zij nog had geleefd, had ik het misschien geprobeerd, doorgezet, een beurs aangevraagd, had ik geweten wat ik ging doen. Nu ontglipte me dat allemaal.

Maar toch ging ik nog steeds naar school, maakte ik mijn huiswerk, de repetities. Ik zou hoe dan ook een einddiploma halen, al stelde dat dan niet zoveel meer voor. Niki vond me hartstikke gek. Wie merkte het of ik ging of niet, wie kon het iets schelen? Maar ik had in ieder geval iets om handen. Ik ging verder met tekenen, de stoelpoten die er net zo uitzagen als de poten van schaatsenrijdertjes op het water. Ik kon me uren bezighouden met het overdreven weergeven van het perspectief van alle tafeltjes die naar het schoolbord toe steeds kleiner werden, achterhoofden, nekken, haar. Bij wiskunde zat Yolanda Collins voor me. Ik kon het hele lesuur naar haar achterhoofd zitten staren, naar haar vlechtjes die in laagjes zaten dooreengeweven in patronen, ingewikkeld als Perzische tapijten, soms ook nog met kralen of touwtjes erdoor.

Ik keek neer op het schetsboek in mijn handen. Ik had tenminste dit ruitjespatroon, het trapezium van het hek. Was dat niet genoeg? Moest er meer zijn?

Ik keek naar Rena, die zich dik ingesmeerd met Tropic Tan medium liet doorbakken in de schroeiende zon, vrolijk als een rond cakeje in feestpapier. 'Rena, vraag jij je nooit af waarom de mensen 's ochtends nog uit bed komen? Waarom al die moeite? Waarom niet gewoon een fles spiritus leegdrinken?'

Rena draaide haar hoofd opzij, schermde haar ogen met haar hand af tegen de zon, wierp me een blik toe en draaide weer in haar stoofhouding. 'Jij bent vast Rus. Rus vraagt altijd: wat is zin van leven.' Ze trok een lang, somber gezicht. 'Wat is zin van leven, *maja ljoebov?* Komt door onze slechte weer. Dit is Californië, lieve Astrid. Daar vraag je niet naar zin. Jammer dan van Achmatova, maar wij hebben strandvolleybal, sportauto, buikvetoperatie. *Don't worry, be happy*. Koop iets.'

Ze lachte weer bij zichzelf en lag met haar armen langs haar zij met haar ogen dicht te glimmen op haar ligstoel als spek in de pan. Er parelden waterdruppeltjes aan de haartjes van haar bovenlip, ze vormden een plasje tussen haar borsten. Misschien was ze wel een geluksvogel, dacht ik: een vrouw die zich zowel van toekomst als verleden had ontdaan. Geen dromen, geen normen, een vrouw die rookte, dronk, en met mannen als Sergej naar bed ging, mannen die geestelijk het equivalent waren van wat bij regenval uit het riool kwam bovendrijven. Van haar kon ik leren. Rena Grushenka maakte zich niet druk om haar gebit, nam geen vitamine c. Ze strooide overal bergen zout op en was om drie uur 's middags steevast dronken. Zij had er zeker geen buikpijn van dat ze niet studeerde en geen carrière maakte. Ze lag in de zon en bezorgde bouwvakkers een stijve zo lang dat nog ging.

'Jij neemt vriendje, dan alles goed,' zei ze.

Ik wilde haar niet vertellen dat ik al een vriendje had. Haar vriendje.

Ze draaide zich op haar zij, en onder luidruchtige bijval van de werklui viel haar borst met de grote tepel uit haar beha. Ze trok de beha op, wat hernieuwde opwinding teweegbracht. Ze negeerde het allemaal en liet haar hoofd in haar hand rusten. 'Ik heb bedacht. Iedereen heeft nummerbordplaat van dealer. "Van Nuys Toyota, We're Number 1". Ik heb bedacht, wij kopen nummerbordplaat, jij mooi schilderen, wij krijgen tien, misschien wel vijftien dollar. Kost ons dollar.'

'Wat schuift het voor mij?' Ik ontleende een wonderlijk soort genoegdoening aan het feit dat ik het juiste moment wist te kiezen voor die vraag. Nu was ik echt thuis in Ripple Street, het paradijs van mijn wanhoop.

DE DONKERGROENE VIERDEURS Jaguar die voor het loodgietersbedrijf geparkeerd stond had me moeten waarschuwen, maar ik kreeg het pas door toen ik haar in de woonkamer zag, met de explosie van zwarte krullen en de felrode lippenstift die ik herkende van het journaal. Ze droeg een marineblauw met wit afgezet Chanelmantelpakje dat misschien nog wel echt was ook. Ze zat op de groene sofa een cheque uit te schrijven. Rena praatte met haar, rokend, lachend, haar gouden vullingen blonken in haar mond. Ik had er wel meteen vandoor willen rennen. Enkel een morbide belangstelling weerhield me ervan. Wat kon zij me in vredesnaam te melden hebben?

'Ze vindt saladeset mooi.' Rena keek naar me. 'Zij koopt voor vriend die alles van Hawaï verzamelt.'

De vrouw gaf Rena de gele cheque en zei: 'Het is helemaal in op 't ogenblik. Hawaïaanse restaurants, mai tais, Trader Vic, noem maar op.' Haar stem was hoger dan je zou verwachten, meisjesachtig voor een advocaat.

Ze stond op en stak me haar hand toe – korte rode nagels fel tegen haar witte huid. Ze was kleiner dan ik. Ze had een lekker, fris parfum op, iets citroenigs, bijna als een aftershave. Ze droeg een gouden halsband dik als een fietsketting, met een vierkant geslepen smaragd erin. Haar tanden waren onnatuurlijk wit. 'Susan D. Valeris.'

Ik gaf haar een hand. De hare was heel klein en droog. Ze droeg een brede trouwring om haar wijsvinger, en om de pink van de andere hand had ze een gegraveerde zegelring van onyx.

'Vindt u het goed dat Astrid en ik...?' vroeg ze aan Rena, terwijl ze haar betrouwringde vingertje heen en weer liet zwiepen tussen haar en mij. Iet wiet waait weg.

'Is geen probleem,' zei Rena, die weer naar de cheque keek en hem in haar zak stopte. 'U mag blijven, kijken of u nog iets mooi vindt. Alles is te koop.'

Toen we alleen waren, gaf Susan D. met een handgebaar aan dat ik op de groene sofa moest gaan zitten. Dat vertikte ik. Het was mijn huis, ik hoefde geen bevelen op te volgen. 'Hoeveel heb je haar gegeven?'

'Dat is niet van belang,' zei de advocate toen ze weer ging zitten. 'Waar het wel om gaat is dat jij mijn telefoontjes uit de weg bent gegaan.' Tot mijn verbazing haalde ze een pakje sigaretten uit haar Hermès Kelly-tas, die ik uit mijn Olivia-tijd als onmiskenbaar echt herkende. 'Bezwaar als ik rook?'

Ik schudde van nee. Ze gebruikte een gouden aansteker. Cartier – de gouden plooien. 'Sigaret?' vroeg ze. Ik schudde van nee. Ze legde het pakje en de aansteker tussen de rommel op tafel, blies rook uit in het middaglicht. 'Ik weet eigenlijk niet waarom ik er nooit mee ben gestopt,' zei ze.

'In de gevangenis roken ze allemaal,' zei ik. 'Kun je ze er eentje aanbieden.'

Ze knikte. 'Je moeder zei al dat je slim was. Dat lijkt me nog laag ingeschat.' Ze keek rond in de propvolle woonkamer, naar de kapstok van gebogen hout en de stereo en de platen, de kralenlamp en de lamp met de franjes en de poedellamp met het melkglas, de boerin met de oranje omslagdoek, en de overige kunstvoorwerpen in de uitdragerij van Rena. Er sprong een witte kat bij haar op schoot en ze kwam haastig overeind en veegde haar blauwe mantelpakje schoon. 'Leuk hier,' zei ze toen ze weer ging zitten en rondkeek waar het harige brutaaltje was gebleven. 'Blij dat je straks je einddiploma hebt? Weet je al wat je gaat doen?'

Ik liet mijn boekentas op de morsige beklede leunstoel ploffen, zodat er een stofwolk opdwarrelde in de bedompte lucht. 'Misschien wil ik wel strafpleiter worden,' zei ik. 'Of anders hoer. Of ik ga bij de vuilophaal.'

Ze pareerde dit niet, liet zich niet van haar doel afleiden. 'Mag ik vragen waarom je me niet hebt teruggebeld?'

Ik stond tegen de muur geleund naar haar snelle, zelfbewuste bewegingen te kijken. 'Vraag maar raak,' zei ik.

Ze zette haar elegante roodlederen aktetas op haar schoot, deed hem open, en haalde er een map en een gele blocnote uit. 'Je moeder zei al dat je moeilijk kon gaan doen,' zei ze. 'Dat je haar de schuld geeft van wat er is gebeurd.' Susan blikte in mijn ogen alsof ze een punt kreeg voor iedere seconde oogcontact die ze vol kon houden. Ik zag haar als rechtenstudent al oefenen voor de spiegel.

Ik wachtte wat ze verder nog voor verhaal in elkaar gedraaid hadden.

'Ik weet dat je het verschrikkelijk moeilijk hebt gehad,' zei ze. Ze keek naar het dossier. 'Zes pleeggezinnen, MacLaren Hall. De zelfmoord van je pleegmoeder. Claire Richards heette ze toch? Je moeder zei dat je veel met haar op had. Dat moet een hele klap zijn geweest.'

Ik voelde een golf van woede in me opstijgen. De dood van Claire was van mij. Ze had het recht niet daar aan te komen, het onderwerp ter sprake te brengen in verband met mijn moeders rechtszaak. Maar misschien was ook dit een welbewuste strategie. Meteen alles op tafel gooien, zodat ik me niet stuurs zou opstellen, terughoudend in mijn gevoelens over Claire, moeilijk uit mijn tent te lokken. Een agressieve openingszet bij schaak. Ik besefte dat ze precies wist wat ze deed. Meteen de zere plek treffen. 'Heb je je cliënte gevraagd naar haar aandeel in die zaak?'

'Je geeft je moeder toch niet de schuld van de dood van een vrouw die ze maar één keer heeft ontmoet?' zei Susan alsof het absurde daarvan buiten kijf stond. 'Of kan ze soms toveren?' Ze leunde weer achterover, nam een trek van haar sigaret en hield me door de rook heen in de gaten, peilde mijn reactie.

Dit was niet leuk meer. Die twee konden het samen nog klaarspelen ook. Ik zag in dat dit boeket van oleander en nachtschade moeiteloos in elkaar kon worden gedraaid tot een zegekrans. 'Dat doe ik wel, Susan.'

'Hoezo dan?' zei ze, terwijl ze met de sigaret in haar linkerhand met de rechter iets op haar gele blocnote schreef.

'Mijn moeder heeft uit alle macht geprobeerd om Claire uit mijn leven te krijgen,' zei ik. 'Claire was kwetsbaar en mijn moeder wist precies waar ze haar moest raken.'

Susan nam een haal en kneep haar ogen tot spleetjes voor de rook. 'Maar waarom dan?'

Ik zette me af tegen de muur en liep naar de kapstok. Ik wilde niet meer naar haar kijken, of liever gezegd, wilde niet dat zij naar mij keek, me taxeerde. Ik zette een oude hoed op en sloeg haar gade in de spiegel. 'Omdat Claire van me hield.' Het was een strooien hoed met een gazen voile, die ik voor mijn ogen trok.

'Je had het gevoel dat ze jaloers was,' zei Susan moederlijk, terwijl ze als een inkt spuitende octopus rook in de lucht spuwde.

Ik trok de voile recht, zette de rand van de hoed schuin. 'Ze was gruwelijk jaloers. Claire was aardig voor me, en ik hield van haar. Dat kon ze niet hebben. Niet dat ze ooit belangstelling voor me toonde toen het nog kon, maar toen iemand anders dat wel deed, kon ze dat niet hebben.'

Susan boog zich voorover, ellebogen op haar knieën, blik omhoog naar het korrelkaasplafond, en ik kon haar hersenen horen kraken, een mechanisch geklik, wikkend en wegend wat ik haar net had verteld, op zoek naar het profijt. 'Maar welke moeder zou er niet jaloers zijn?' vroeg ze. 'Op een dochter die dol werd op een pleegmoeder. Dat moet je eerlijk gezegd toch toegeven.' Ze tikte haar as in de asbak, en vormde de askegel tot een bolletje.

Ik draaide me naar haar om en bekeek haar door de voile, blij dat ze de angst in mijn ogen niet zien kon. 'Eerlijk gezegd: ze heeft Claire vermoord. Ze heeft haar over de rand geduwd, ja? Ze kan er misschien niet voor vervolgd worden, maar probeer mij alsjeblieft niet die gereviseerde, verbeterde versie op te dringen. Ze heeft Claire vermoord en ze heeft Barry vermoord. Punt uit.'

Susan zuchtte en legde haar pen neer. Ze nam nog een trek van haar sigaret en drukte hem uit in de asbak. 'Jij bent wel een harde, hè?'

'Jij bent degene die een moordenaar op vrije voeten wil hebben,' zei ik. Ik zette de hoed af en gooide hem op de stoel, zodat de witte kat van schrik de kamer uit rende.

Susan sloeg met de rand van haar hand op haar andere handpalm. 'Ze heeft geen eerlijk proces gehad. Dat staat zwart op wit.' Ik zag haar al in de rechtszaal, waar ze met haar handen een vertaling voor gehoorgestoorden gaf. 'Die pro-deoadvocaat heeft zich niet bepaald voor haar uitgesloofd.' De beschuldigende vinger, rode punt. 'Ze zat onder de verdovende middelen, mijn god, ze kon nauwelijks uit haar woorden komen. Dat staat in het dossier, met de dosis en al. Niemand heeft iets gezegd. De aanklacht berustte uitsluitend op indirect bewijs.' Haar handen, met de binnenkanten omlaag, kruisten elkaar en vlogen met een ruk naar weerskanten opzij, in het gebaar van een honkbalscheids die 'safe' aangeeft. Dit was nog maar haar aanloop, maar ik had genoeg gehoord.

'En wat heb jij erbij te winnen?' viel ik haar in de rede, op een toon die zo droog en onverschillig was als ik kon opbrengen.

'Er is géén recht gedaan,' zei ze vastberaden. Ik zag haar al op de trappen van het gerechtsgebouw een show weggeven voor de televisiecamera's.

‘O jawel,’ zei ik. ‘Geblinddoekt, en misschien zelfs per ongeluk, maar er is recht gedaan. ’n Zeldzaamheid, dat weet ik. Een hedendaags wonder.’

Susan zakte terug tegen de leuning, alsof mijn commentaar haar heilige verontwaardiging had ondermijnd. Er reed een auto voorbij die keiharde latinomuziek uitbraakte, en Susan draaide zich bliksemsnel naar het raam om naar de donkergroene Jaguar te kijken. Toen ze zich ervan had vergewist dat hij daar nog steeds naast de stoeprand stond te glimmen, wendde ze zich weer tot mij. Traag en vermoeid. ‘Astrid, als jongeren zo cynisch doen, vrees ik het ergste voor de toekomst van dit land.’

Dat was het allergrappigste dat ik die dag gehoord had. Ik schoot in de lach. Ik vond niet veel meer grappig tegenwoordig, maar dit moest iedereen bizar in de oren klinken.

De vermoeidheid verdween als sneeuw voor de zon, net als eerder de heilige rechtszaalverontwaardiging. Nu zag ik een kille, slimme strateeg voor me, iemand die niet zoveel van Ingrid Magnussen zelf verschilde. ‘Barry Kolker kan zijn gestorven aan een hartstilstand,’ zei Susan rustig. ‘De sectie heeft geen definitief bewijs opgeleverd. Hij was te dik en aan de drugs, waar of niet?’

‘Jij zegt het.’ *De waarheid is wat ik zeg dat die is.* ‘Goed, jij wil dat ik voor haar ga liegen. Als we dat nu eens als uitgangspunt nemen en kijken of we dan nog iets te bespreken hebben.’

Susan glimlachte traag met haar roodgestifte lippen, en duwde met een hand haar zwarte krullen uit haar gezicht, haar wimpers heel zwart tegen haar witte gezicht. Alsof ze zich een beetje voor zichzelf schaamde, maar ook een tikje opgelucht was dat ze me minder hard had hoeven aanpakken dan ze gedacht had.

‘Laten we maar een eindje gaan rijden,’ zei ze.

ACHTER DE GETINTE raampjes van haar Jaguar nestelde ik me in de geur van leer en geld. Die omgaf me als bont. Ze had de jazz-zender van Long Beach op staan, het was free jazz van de Westkust, iets met een fluit en een elektrische gitaar. We doken uit Ripple Street op en reden zwijgend langs de illegale kinderopvang en de bakkerij en de trompe-l'oeil van Clearwater Street, sloegen op Fletcher Street linksaf, op de Glendale Boulevard weer links en toen de Silverlake Boulevard op, waarna we een tijdje langs het meer reden. Op het blauwgroene water dobberden meeuwen. De droogte had de enorme kraag van beton om het meer aan het licht gebracht, maar in de verzegelde wereld van de Jaguar was het twintig graden. Wat een genot om in de auto van een rijke vrouw te zitten. In die verfijnde sfeer klonk een nummer dat ik meteen herkende. 'Stolen Moments' van Oliver Nelson.

Ik sloot mijn ogen en stelde me voor dat ik bij Olivia in de auto zat in plaats van bij de advocaat van mijn moeder. Haar blote armen, haar profiel, sjaal Kelly-achtig om hoofd en hals gebonden. Dat kostbare ogenblik. Nog sterker omdat het zo onwezenlijk was, in een tel verdwenen, iets om genietend te ervaren als een parfum in de wind, een piano waar iemand 's middags op zit te spelen in een huis waar je voorbijkomt. Ik bleef het koesteren terwijl Susan parkeerde aan de andere kant van het meer, waar we het blauwgroene water konden zien, bespikkeld met wit, en de pittoreske heuvels erachter. Ze zette de muziek zachter, maar de trompet van Nelson bleef te horen.

'Ik wil dat jij je afvraagt waaraan zij schuldig is,' zei Susan, die zich achter het stuur naar me toe draaide. 'In gedachten, bedoel ik. En dan echt. Moord, of dat ze een waardeloze moeder is? Dat ze er niet voor je was toen jij haar nodig had?'

Ik keek naar die kleine vrouw, met haar zwarte krullen die misschien net een tikje te zwart waren, en ogen waarvan de mascara door de warmte een beetje doorgelopen was. Die vermoeidheid was pose, maar ook echt. Zoals bij zoveel dingen drukten de woorden het hopeloos gebrekkig uit. Had ik maar iets bij me om haar te tekenen. Ze was een karikatuur van zichzelf aan het worden. Nog niet helemaal, nu was ze nog herkenbaar. Maar over een jaar of vijf, tien, zou ze alleen uit de verte op zichzelf lijken. Van dichtbij zou ze er angstig en afgetobd uitzien. 'Wees eens eerlijk, probeer je haar eigenlijk niet te straffen voor haar beroerde ouderschap in plaats van voor die zogenaamde moord?' Ze zette met de afstandsbediening het raampje op een kier, stopte de aansteker in het contact en pakte haar sigaretten uit haar tas. 'Wat betekende die Barry Kolker trouwens helemaal voor jou, het was toch maar een vriendje van je moeder? Een van de vele. Zo dik kun je ook weer niet met hem geweest zijn.'

'Hij is dood,' zei ik. 'En jij beschuldigt mij van cynisme?'

Ze stopte een sigaret in haar mond en de aansteker klikte naar buiten. Ze stak op en vulde de auto met rook. Ze blies in de richting van de kier. 'Nee, het gaat niet om Kolker. Je bent kwaad op haar omdat ze je in de steek heeft gelaten. Uiteraard. Je hebt zes zware jaren gehad, en zoals ieder kind wijs je met het vingertje naar de almachtige moeder. Háár schuld. Het idee dat ook zij slachtoffer is komt niet eens bij je op.'

Achter het raampje, in het deel van de werkelijkheid zonder airconditioning, sukkelde een joggende vrouw met een vuurrood hoofd voorbij die een uitgeputte setter aan de lijn achter zich aan sleepte. 'En dat ga je zeggen als ik in de rechtszaal de waarheid vertel?'

We keken hoe de joggende vrouw verder ploeterde over de stoep en de hond in het voorbijgaan aan de planten probeerde te snuffelen. 'Zoiets,' zei ze, en dat was de eerste eerlijke uitspraak die ik uit haar mond hoorde sinds ik haar kleine hand had geschud. Ze zuchtte en tikte as uit het raampje. Een deel ervan waaide weer naar binnen. Ze veegde het van haar mantelpak. 'Astrid. Ze is dan misschien niet zo'n perfecte televisiemoeder geweest, geen Barbara Billingsley met parels en schort, maar ze houdt van je. Meer dan jij je kunt voorstellen. En op dit moment heeft ze er oprecht behoefte aan dat jij in haar gelooft. Je zou moeten horen hoe ze over je praat, zich zorgen over je maakt, hoe graag ze weer bij je wil zijn.'

Weer dacht ik aan mijn denkbeeldige tochtje met haar, hoe ik haar zag, de magie van haar woorden. Ik was ineens niet meer zo zeker, misschien was het toch waar. Ik wilde deze vrouw vragen wat mijn moeder dan over me gezegd had. Ik wilde haar horen vertellen wat mijn moeder van me vond, maar durfde haar die opening niet te geven. Van Bobby Fischer had ik beter geleerd. 'Ze zegt natuurlijk van alles om maar vrij te komen.'

'Ga met haar praten. Dat kan ik wel regelen. Luister naar wat ze te zeggen heeft, Astrid,' drong Susan aan. 'Zes jaar is lang. Mensen veranderen echt.'

Mijn kortstondige twijfel verdween. Ik wist precies in hoeverre Ingrid Magnussen was veranderd. Ik had immers haar brieven. Die had ik gelezen, blaadje voor blaadje, zwemmend tegen het rode tij. Ik wist alles van haar tederheid en moederlijke zorg af. En de witte kat ook. Maar nu was er iets veranderd. Namelijk dat mijn moeder voor het eerst van mijn leven iets nodig had van mij, en dat ik de macht had om het al of niet te geven, en niet andersom. Ik zette het ventilatiekanaal open en liet de airconditioning mijn gezicht strelen.

Mijn moeder had mij nodig. Het drong tot me door wat het betekende, hoe ongelooflijk het was. Als ik in het getuigenbankje zou zeggen dat ze het gedaan had, over ons tochtje naar Tijuana zou vertellen, over de kilo's oleander en nachtschade en belladonna die ze in de keuken had staan inkoken, kwam ze nooit meer vrij. Maar als ik loog, als ik zou zeggen dat Barry waanzinnig paranoïde was geweest en door haar geobsedeerd was, gek was, en dat zij zo onder de verdovende middelen had gezeten toen ik haar in de Sybil Brand had gezien dat ze me niet eens herkende, won ze vast haar beroepszaak, zou ze misschien een nieuw proces krijgen en kon ze nog voor mijn eenentwintigste op vrije voeten zijn.

De eerwaarde Thomas had het gevoel dat me nu doorstroomde vast niet goedgekeurd, zo onweerstaanbaar heerlijk was het. Ik had haar eigen mes op haar keel. Ik kon iets vragen, eisen stellen. Wat levert het *míj* op – dat had ik bikkelhard leren vragen in de tijd dat ik bij Rena woonde. Wat schuift het voor mij? Ik kon een prijskaartje aan mijn ziel hangen. Nu nog uitplussen hoe hoog ik zou inzetten.

'Goed,' zei ik. 'Regel 't maar.'

Susan nam een laatste trek van haar sigaret, gooide hem uit het raampje en deed dat weer dicht. Nu was ze puur zakelijk. 'Heb je in de tussentijd nog iets nodig, zakgeld of zo?'

Wat had ik de pest aan dat mens. Wat ik de afgelopen zes jaar had meegemaakt, betekende niets voor haar. Ik was gewoon een baksteen in het bouwwerk dat ze opzette. En ik was zojuist op de goede plek geschoven. Ze geloofde niet in mijn moeders onschuld. Zij wilde alleen die camera's op de trappen van het gerechtsgebouw. En haar naam, Susan D. Valeris, onder haar bewegende rode mond. Die publiciteit was goud waard.

'Geef maar een paar honderd,' zei ik.

IN HET LAATSTE middaglicht liep ik langs de rivier, handen in mijn zakken, 'Baldy' in het oosten helemaal roze van de weerspiegelde zonsondergang, en het geld van Susan verfrommeld in mijn dichtgeknepen hand. Ik wandelde noordwaarts, langs de loodgieter en de laadplatforms van de bakkerij en het terrein van de beeldhouwer aan het eind van Clearwater Street, de geschilderde trompe-l'oeil van een Frans dorpje. Er stormde een hond op de schutting af en de brede planken trilden toen hij er blaffend en grommend tegenaan dreunde. Boven het hek zag ik door het scheermesdraad bronzen figuren, als Sjiva in grote metalen hoepels gevat, traag draaien in de wind. Ik vond een stuk beton dat van de beschoeiing was losgeraakt en gooide het in de rivier. Het viel tussen de wilgen, en er steeg een warreling van suizende wieken op uit een schuilplaats – bruine waadvogels. Het was weer zover. Ik werd teruggezogen, haar wereld in, haar schaduw in, net op het moment dat ik me vrij begon te voelen.

Ik hoestte, de droge kriebelhoest waar ik al het hele voorjaar last van had, van het wiet roken en de eeuwige schimmel bij Rena. Ik schoot over de helling naar het water, hurkte neer en beroerde de stroming met mijn vingertoppen. Koud, echt. Water uit de bergen. Ik depte het tussen mijn ogen, op de plek van het derde oog. Help me, Rivier.

En als ze vrijkwam? Als ze naar het huis aan Ripple Street kwam, en zei: 'Daar ben ik weer. Pak je spullen, Astrid, we gaan.' Zou ik haar kunnen weerstaan? Ik stelde me haar voor in het witte hemd en de spijkerbroek die ze haar hadden laten aantrekken toen ze haar arresteerden. 'Kom, we gaan,' zei ze. Ik zag ons op de veranda bij Rena naar elkaar staan staren, maar daarna – niets.

Zat ze nog in mijn botten, in al mijn gedachten?

Ik hurkte neer bij het water dat over de schots en scheef liggende stenen stroomde, bedacht van hoever die moesten zijn gekomen voor ze tot rust kwamen in deze bedding van beton, met zijn heldere, melodieuze stroom, de geur van zoet water. Ik had geen zin meer om nog over mijn moeder te denken. Daar werd ik moe van. Ik dacht liever aan de manier waarop de wilgen en de populieren en de palmen zich een weg door het beton scheurden, en zomaar uit het spuikanaal groeiden, hoe de rivier zich uit alle macht probeerde te herstellen. Er werd wat slib aangevoerd, dat zich ophoopte. Daar viel een zaadje in en dat ontkiemde. Er schoten worteltjes omlaag. En voor je het wist had je bomen, struiken en vogels.

Mijn moeder had een keer een gedicht over rivieren geschreven. Het waren vrouwen, schreef ze. Ze begonnen als klein meisje, als beekjes versierd met veldbloemen. Dan werden het woeste stromen die zich een weg baanden door steil graniet en zich roekeloos en onweerstaanbaar van rotsen stortten. En later werden ze breed en dienstbaar, met wijde, trage rondingen die handel en afval vervoerden, maar in hun onbewuste diepten schrokten meervallen, die uitgroeiden tot bakschuitformaat, en in de honderdjaarsstormen stegen en wasten ze, vergaten ze hun gedane beloften, de huwelijkseed, en verzwolgen ze alles in de omtrek. En ten slotte verdwenen ze leeggebaard en malariaverwekkend in een waaier van lagunes en moerassen in zee.

Maar deze rivier was niet zo. Ze stroomde sereen en onopgemerkt langs schuttingen waar met verf '18th Street', 'Roscos', 'Frogtown' op gespoten was, en bleef ondanks alles in leven, hoedde de geheimenissen van het overleven. Deze rivier was een meisje zoals ik.

Op een eilandje midden in het miniatuurbos stond een geïmproviseerde tent, het blauwe plastic knalde uit het groen en grijs te voorschijn. 'De hier-en-nu-Hiltons' noemde Barry ze vroeger. Ik wist van wie deze was. Van een lange, magere Vietnamveteraan in kaki-uniform met camouflage, die ik 's ochtends vroeg wel eens had gezien als het rookspiraaltje van zijn koffieblikkacheltje opsteeg. Ook zag ik hem wel eens bij de Spaanse markt op Glendale Boulevard, de dichtgetimmerde kant, waar hij met zijn vrienden in de lange middagschaduwen poker speelde.

Er groeide wilde mosterd in de gescheurde beschoeiing, en ik plukte een bos voor Yvonne. Wat was trouwens onkruid? Een plant die niemand plantte? Een zaadje ontsnapt aan de jas van een reiziger, iets wat er niet thuishoorde? Was het iets wat beter groeide dan wat er had moeten staan? Was het niet gewoon een woord, *onkruid*, met een sliert aan vooroordelen? Onkruid, onding. Onnuttig. Ongewenst.

Ach, een groene Jaguar kopen kon iedereen, en schoonheid zien in een Japans kamerscherm van tweeduizend jaar oud was ook geen kunst. Dan was ik liever connaisseur van verwaarloosde rivieren en bloeiende wilde mosterd en de blos van iriserend roze op de antracietkleurige nek van een kruispuntduif. Ik dacht aan de veteraan die zijn eten warmde op een blikje, en de oude vrouw die haar duiven voerde op het kruispunt achter de Kentucky Fried Chicken. En dan de lieveheersbeestjesman, met het blauw van zijn ogen boven grijsdoorschoten zwart. Je had mij en Yvonne, Niki en Paul Trout, misschien zelfs Sergej of Susan D. Valeris, waarom niet? Wat was wie dan ook anders dan een handvol onkruid? Wie had het recht te zeggen wat onze waarde was? Wat was de waarde van vier Vietnamveteranen die elke middag voor de Spaanse markt aan Glendale Boulevard zaten te pokeren met een vettig spel waaraan een vrouw en een vijf ontbraken? Misschien draaide de wereld wel om hen, waren het de schikgodinnen, of de gratiën. Cézanne zou ze hebben getekend met houtskool. Van Gogh had zichzelf ertussen geschilderd.

MAAR DIE NACHT droomde ik weer de oude droom, over grauwe Parijse straten en de doolhof van steen, de blind bebaksteende ramen. Ditmaal waren er deuren van glas met gebogen art-nouveaukrukken, en allemaal zaten ze op slot. Ik wist dat ik mijn moeder moest zoeken. Het werd al donker, en in de kelderportieken scholen duistere figuren. Ik drukte op de bellen van alle appartementen. Er kwamen vrouwen opendoen die op haar leken, ze glimlachten, sommige riepen zelfs mijn naam. Maar geen van hen was haar.

Ik wist dat ze daarbinnen was. Ik bonkte op de deur, schreeuwde dat ze open moest doen. De deur zoemde om me binnen te laten, maar net toen ik hem openduwde, zag ik haar weggaan door de poort van de binnenplaats, ze stapte bij iemand in een kleine rode auto, met haar krullerige Afghaanse jas en een enorme zonnebril voor haar blinde ogen, ze leunde achterover in haar stoel en lachte. Ik rende haar achterna, huilend, smekend.

Yvonne schudde me wakker. Ze legde mijn hoofd in haar schoot, en haar lange bruine haren drapeerden zich als een doek om ons heen. Haar buik was warm en stevig als een bolster. Door de strengen van haar haar weefden zich de kleurige strengen van licht die ik nog zag, van een kinderschemerlamp, een draaimolen, die ik uit de vuilnis had gehaald. 'Wij krijgen alle boze dromen, *ese*,' zei ze, terwijl ze mijn natte wang streelde met de rug van haar hand. 'We moeten er nog een paar voor iemand anders overlaten.'

30

DE KRAAMAFDELING VAN het Waite Memorial Hospital deed me denken aan alle scholen waar ik ooit op had gezeten. Korreltjesmuren met verf in de kleur van oude tanden, kluisjes in de gang, linoleumvloeren van donker- en lichtbruin, geluiddempende tegels van vezelplaat. Alleen het geschreeuw, dat je op de gang overal vandaan hoorde komen, was anders. Het maakte me bang. Ik hoor hier niet, dacht ik terwijl ik achter Yvonne aan door de gang liep. Ik moest eigenlijk naar het derde lesuur, iets afstandelijks en rationeels leren dat veilig tussen de kaften van een boek zat gestopt. In het echte leven kon van alles gebeuren.

Ik had alle spullen meegenomen die we op de zwangerschapscursus hadden leren gebruiken: de tennisballen, de opgerolde handdoeken, het horloge, maar Yvonne wilde niet puffen en tellen of op de tennisballen liggen. Het enige wat ze wilde was op het witte badstof waslapje zuigen en verder mocht ik haar gezicht deppen met ijswater, en voor haar zingen met mijn stem, die geen wijs kon houden. Ik zong liedjes uit de musicals waar ik met Michael altijd naar keek – *Camelot*, *My Fair Lady*. 'O Shenandoah, I long to hear you,' zong ik voor haar – Claire had het gezongen aan de oever van de McKenzie. En overal om ons heen lagen achter de gordijnen vrouwen op hun smalle kraambedjes te schreeuwen, vloeken en kreunen, en in tien talen om hun moeder te roepen. Het klonk als de kerkers van de inquisitie.

Rena bleef niet lang. Ze reed ons erheen, zette ons af, tekende de papieren. Telkens als ik haar aardig begon te vinden, gebeurde er weer zoiets.

'Mamma,' jammerde Yvonne terwijl de tranen haar over de wangen liepen. Ze kneep in mijn arm toen er weer een wee kwam. We waren hier al negen uur en hadden al twee verpleegsterswachten versleten. Mijn arm was beurs van hand tot schouder. 'Niet weggaan,' zei ze.

'Nee, ik blijf.' Ik voerde haar een paar van de ijsschilfers die ze mocht hebben. Ze wilden niet dat ze iets dronk, voor het geval ze verdoofd moest worden. Ze wilden geen gespuug in het kapje. Maar spugen deed ze toch. Ik hield het kleine niervormige plastic bakje onder haar kin. Het tl-licht scheen beschuldigend.

De verpleegster keek op de monitor en stak haar vingers bij Yvonne naar binnen om de ontsluiting te meten. Nog steeds acht centimeter. Tien betekende volledige ontsluiting, en ze bleven ons maar voorhouden dat ze tot dan toe niets konden doen. Dit was wat zij de tussenfase noemden, het akeligste gedeelte. Yvonne had een wit T-shirt en groene kousen aan, haar gezicht zag geel en glad van het zweet, haar haren waren vies en klitterig. Ik veegde het draderige braaksel van haar mond.

'Zing nog eens iets,' vroeg Yvonne met haar gebarsten lippen.

'If ever I should leave you,' zong ik in haar spiralende oor, dat van boven tot onder volzat met piercings. 'It wouldn't be in summer...'

Yvonne leek een reuzin in het kleine bedje. De baarmoedermonitor zat om haar buik gegespt, maar ik weigerde naar het scherm te kijken. Ik keek naar haar gezicht. Ze deed me aan werk van Francis Bacon denken, zoals ze telkens de grens van gelijkenis met elke menselijkheid overschreed en weer terugkwam, in haar worsteling om niet ten onder te gaan in een diffuse wereld van pijn. Ik veegde de pieken uit haar gezicht, maakte nieuwe vlechten.

Wat zijn vrouwen toch dapper, dacht ik terwijl ik haar haar van beneden naar boven onder handen nam en de zwarte bossen uit de war haalde. Ik zou dit nooit vol kunnen houden. De pijn kwam in golven, in plakken, hij begon in haar buik en straalde dan naar alle kanten uit als een bloem van pijn die door haar lijf uitwaaierde, een lotusbloesem van gekarteld staal.

Ik moest maar aan dat lichaam van haar blijven denken, wat een keihard gegeven dat was. De filosoof die gezegd had dat we zijn omdat we denken, zou eens een uurtje op de kraamafdeling van het Waite Memorial Hospital hebben moeten doorbrengen. Dan had hij zijn hele leer moeten herzien.

Wat was de geest ijl, nauwelijks een spinnenweb, met al zijn fraaie gedachten, aspiraties, en overtuiging van eigen belangrijkheid. Zie hoe makkelijk alles verrafelt, in rook opgaat bij de eerste vlaag van pijn. De kermende Yvonne op het bed grensde aan het onherkenbare, desintegreerde tot een stinkende verzameling zenuwen, weefsel, holtes en vocht en de oeroude klok in het bloed. Bij dit eeuwige lichaam vergeleken was het individu niet meer dan een rookvlaag, een wolk. Het lichaam was de enige realiteit. Ik heb pijn dus ik ben.

De verpleegster kwam binnen, keek op de monitor, en controleerde met beheerste, gezag uitstralende bewegingen Yvonnes weeën en bloeddruk. De verpleegster die zij had afgelost was Connie Hwang, en die hadden we vertrouwd – ze had geglimlacht en haar mollige vingers gingen zacht met Yvonne om. Maar deze, Melinda Meek, snauwde tegen Yvonne omdat ze lag te jammeren. 'Je redt het wel,' zei ze. 'Je hebt dit al eerder gedaan.' Ze joeg me angst aan met haar efficiëntie en haar knokige vingers. Ik merkte aan haar dat ze wist dat wij pleegkinderen waren en dat Yvonne de baby niet zou houden. Ze was al tot de conclusie gekomen dat wij geen verantwoordelijkheidsgevoel hadden en daarom al deze ellende verdienden. Ik kon me haar heel goed voorstellen als cipier. Was mijn moeder nu maar hier. Die had wel raad geweten met Melinda Meek. Zelfs in deze tussenfase zou ze Melinda in haar zuinige gezicht spugen, haar dreigen te wurgen met het snoer van de baarmoedermonitor.

'Het doet pijn,' zei Yvonne.

'Niemand heeft gezegd dat het een lolletje was,' zei Melinda. 'Je moet goed ademhalen.'

Yvonne deed haar best, ze hijgde en blies, wilde dat iedereen haar aardig vond, zelfs deze zuurpruim van een verpleegster.

'Kunt u haar niet iets geven?' vroeg ik.

'Het gaat uitstekend zo,' zei Melinda droog, haar driehoekige ogen een verhulde bedreiging.

'Gierige klootzakken,' zei de vrouw aan de andere kant van het witte douchegordijn. 'Arme mensen krijgen geen pijnstillers.'

Yvonne greep Melinda bij haar witte jasje. 'Toe, alstublieft. Geeft u mij iets.'

De verpleegster maakte koeltjes de hand van Yvonne los en legde hem resoluut op haar buik. 'Je hebt al acht centimeter. Het is zo voorbij.'

Yvonne begon zachtjes te snikken, ritmisch, wanhopig, te moe om te huilen. Ik wreef over haar buik.

Niemand vertelde je ooit wat een beproeving dit was. Ik begreep nu waarom vrouwen vroeger in het kraambed stierven. Het was geen besmetting met de een of andere bacterie, en ze bloedden ook niet dood. Nee, ze gaven het gewoon op. Het kon hun niet meer schelen of de baby kwam. Ze wisten dat ze dit het jaar daarop weer moesten doorstaan als ze in leven bleven, en het jaar daarop weer. Ik snapte dat een vrouw haar pogingen op kon geven, als een uitgeputte zwemmer, je hoofd laten zinken, het water je longen laten binnenstromen. Langzaam masseerde ik Yvonnes nek, haar schouders, ik wilde haar niet kopje-onder laten gaan. Ze zoog ijs door kale witte badstof. Als mijn moeder hier was, zou ze wel zorgen dat Melinda met die pijnstillers over de brug kwam, reken maar.

'*Mamacita, ay,*' jammerde Yvonne.

Ik begreep niet waarom ze om haar moeder riep. Ze haatte haar moeder. Ze had haar al zes jaar niet gezien, niet meer sinds die dag dat ze Yvonne met haar broertjes en zusjes in hun appartement in Burbank had opgesloten om zelf uit te gaan en nooit meer terug te komen. Yvonne zei dat haar moeder haar door haar vriendjes had laten 'treinen' toen ze elf was. Ik begreep niet eens wat ze bedoelde. Eén voor één erop, allemaal, zei ze. En toch riep ze nog *Mama*.

En niet alleen Yvonne. Overal op de afdeling riepen ze om hun moeder. *Mommy, ma, mom, mama*. Ook al was hun man erbij, toch riepen ze nog om mamma. Negen uur geleden, toen we hier aankwamen, had een vrouw met een stem als een loogbad beurtelings tegen haar man en om haar moeder geschreeuwd. Een volwassen vrouw die snikte als een kind. *Mammie*... Ik had gêne gevoeld. Inmiddels wist ik wel beter.

Ik hield Yvonnes handen stevig vast, en stelde me voor hoe mijn moeder mij zeventien jaar geleden had gebaard. Had zij ook om haar moeder geroepen? Ik stelde me voor hoe ze schreeuwde tegen mijn vader, hem uitschold voor waardeloze zak, leugenaar, wat heb ik aan jou, tot hij een biertje ging pakken en haar op die koude novemberochtend alleen liet bij de hospita. Ze was thuis bevallen, ze had nooit veel met dokters op gehad. Ik kon me voorstellen hoe haar getier en gevloek de rust van de promenade in Venice Beach verstoord moest hebben, een jongen had doen schrikken die langskwam op zijn skateboard, terwijl de hospita een jointje rookte en haar portemonnee leegroofde. Maar had zij 'Mammie, help me' geroepen?

Ik dacht aan háár moeder, aan die ene foto die ik had, het weinige wat ik wist. Karin Thorvald, die al dan niet een verre verwante van koning Olaf van Noorwegen was geweest, klassiek actrice en aan de drank, die Shakespeare uit haar hoofd kon voordragen terwijl ze de kippen voerde en die verdronk in de koeienput toen mijn moeder dertien was. Ik kon me niet voorstellen dat zij om iemand riep.

Maar toen besefte ik dat ze niet hun eigen moeder bedoelden. Niet die zwakke vrouwen, die slachtoffers. Niet die junkies, die koopverslaafden, die huissloofjes. Ze bedoelden niet die vrouw die hen in de steek had gelaten, die hen niet had bijgestaan in hun groeiproces tot vrouw, niet die vrouw die hen door hun vriendjes had laten treinen. Niet de zuipschuiten en blauweknopers, vrouwen die flirtten met hun spiegelbeeld, vrouwen met jarretelles, vrouwen op barkrukken. Niet die vrouwen met hun vrouwenblaadjes en hun klachten, heerszuchtige vrouwen, vrouwen die vroegen: wat schuift het? Niet de vrouwen die tv keken onder het koken, vrouwen die achter dichte deuren hun haar blondeerden om drieëntwintig te lijken. Ze bedoelden niet de moeders aan de afwas die verzuchtten:

was ik maar niet getrouwd, die bij de eerstehulp zeiden dat ze van de trap waren gevallen, niet die moeders achter tralies die zeiden dat eenzaamheid de normale toestand van de mens was, daar moet je maar aan wennen.

Ze wilden de echte moeder, de wijde schoot van de oermoeder, de moeder met de felle compassie, een vrouw die groot genoeg was om alle pijn te omvatten en weg te nemen. Wat wij nodig hadden was iemand die bloedde, iemand die diep en rijk was als een graanakker, een moeder met brede heupen, ontzagwekkend, immens, vrouwen als enorme zachte zitbanken, moeders die vloeiden van bloed, moeders groot genoeg en breed genoeg om bij te schuilen, in naar de bodem te zakken, moeders die voor ons zouden ademhalen als wij dat niet meer konden, die voor ons zouden vechten, voor ons zouden moorden, en voor ons sterven.

Yvonne zat rechtop haar adem in te houden, haar ogen puilden uit. Dat was nu net wat ze niet moest doen.

'Puffen,' zei ik in haar oor. 'Toe, Yvonne, probeer het maar.'

Ze probeerde adem te halen, een paar oppervlakkige teugjes, maar het deed te veel pijn. Ze liet zich achterover ploffen op het smalle bed, te moe om door te gaan. Ze kon alleen nog maar mijn hand grijpen en huilen. En ik dacht aan de manier waarop de baby met haar was verbonden, zoals zij was verbonden met haar moeder, en háár moeder, helemaal terug, naar het diepste binnenste, in een keten van rampen geweven die haar op deze dag in dit bed hadden gebracht. En niet alleen haar. Ik vroeg me af wat mijn eigen erfenis zou zijn.

'Ik wil dood,' zei Yvonne in het bloemetjessloop dat ik van huis had meegebracht.

VIER UUR LATER kwam de baby. Een meisje, geboren om twee over half zes 's avonds. Tweelingen. De dag daarop gingen we naar huis. Rena kwam ons ophalen bij de oprijlaan voor het ziekenhuis. Ze wilde niet binnenkomen. We stopten bij het kijkraam van de zuigelingenafdeling, maar de baby was al weg. Rena had zelfs niet gewild dat Yvonne de baby voor een paar weken mee naar huis nam.

'Beter gewoon weglopen,' had Rena gezegd. 'Jij raakt gehech, verloren zaak.'

Daar had ze gelijk in, dacht ik toen ik de rolstoel van Yvonne naar de uitgang duwde, al werd haar dat niet ingegeven uit medeleven met Yvonne; ze wilde gewoon geen pleegoma worden. Zelf had ze nooit kinderen gehad of gewild. *Wat heb ik eraan?* 'Baby's maken me misselijk,' zei ze altijd tegen Yvonne. 'Eten, poepen, huilen. Jij wil houden? Mooi niet!'

Op de oprijlaan stapte Niki uit het busje, gaf Yvonne een tros ballonnen en omhelsde haar. We hielpen haar achterin instappen. Ze was nog moe en kon nauwelijks lopen. Er had een zenuw beklemd gezeten in haar linkerbeen, en ze had hechtingen van het inknippen. Ze rook zurig, naar oud bloed. Ze zag eruit alsof ze was aangereden door een auto. Rena keek niet eens naar haar.

Ik ging naast haar zitten op de losse autobank achterin. Yvonne vlijde zich tegen me aan met haar hoofd op mijn schouder. 'Wil je "Michelle" voor me zingen?' fluisterde ze.

Ik pakte haar hand, duwde mijn andere hand tegen haar voorhoofd zoals ze dat graag had, en begon zachtjes te zingen terwijl we rammelend en hobbelend naar huis reden. '*Michelle, ma belle.*' Het liedje leek haar te sussen. Ze liet haar hoofd tegen mijn schouder liggen en zoog stilletjes op haar duim.

ER GINGEN WEKEN voorbij zonder dat Susan belde om me te laten weten wanneer de afspraak met mijn moeder was. Nu ze me zover had dat ik meewerkte, hoorde ik niets meer. Niet in mei, niet in juni. Ik ging bij de rivier zitten kijken naar de zilverreigers en de bruine waadvogels die visten in de stroom. Het was de dag van de diploma-uitreiking op de Marshall High School, maar ik zag geen reden om erheen te gaan. Al was mijn moeder vrij geweest, dan was ze toch niet gegaan. Festiviteiten die ze niet zelf had bedacht, interesseerden haar niet. Ik wilde de dag liever stilletjes laten voorbijgaan, als de verjaardag van een oudere vrouw.

In werkelijkheid was ik bang, zo bang dat ik het niet eens durfde te zeggen, net als op die ochtend van de LSD-trip. Het was een angst die zijn muil kon opensperren om me met huid en haar te verzwelgen, als een hamerhaai in ondiep water. Ik wist niet wat er ging gebeuren. Ik ging niet naar Yale of naar de kunstacademie, ik ging nergens heen. Ik schilderde nummerborden, ik sliep met een dief die zei dat ik altijd bij hem kon intrekken. Misschien zou hij me leren inbreken, vrachtauto's stelen. Waarom zou mijn moeder het monopolie op de misdaad moeten hebben?

Ik zat te kijken hoe het water voorbijstroomde, hoe de reigers met hun kraalogen hun verenpak fatsoeneerden, en overdacht wat meneer Delgado in onze laatste les had gezegd. Hij zei dat we de geschiedenis bestudeerden om erachter te komen hoe de dingen zo gekomen waren, waarom we zo waren. En dat je mensen die hun eigen geschiedenis niet kenden, van alles kon aandoen. Zo werkte een totalitair systeem.

Wie was ik eigenlijk? De enige inwoner van mijn moeders totalitaire staat – mijn eigen persoonlijke geschiedenis werd herschreven zodat die paste in haar verhaal van dat moment. Wat ontbraken er veel stukjes. Een paar ervan begon ik tijdens mijn moeizame tocht stroomopwaarts te ontdekken; in een geheime bergplaats verzamelde ik flarden herinnering in een schoenendoos. Er zat al een zwaan in, een witte houten zwaan met lange zwarte neusgaten, net als de zwaan op de matglazen douchedeuren van Claire. Ik ging op die zwaan zitten en deed een mooi plasje voor Annie. Er lagen witte tegels op de vloer, waar ik in mijn spel vormen in zag als ik daar zat, bloemen en huizen. Het waren volmaakte zeshoeken en ze pasten allemaal in elkaar. Ook een geel keukenzeil met een rood-en-zwart spikkeltjespatroon, en wasmanden. Dat wasgoedgevoel, de lucht van de droger. Geel zonlicht door de luxaflex. Mijn vinger door het ronde trekhaakje.

Maar wie was Annie? Vriendin? Oppas? En waarom had zij me zindelijk gemaakt in plaats van mijn moeder? Ik wilde weten wat er achter die zwaan en dat gele keukenzeil zat. Er waren ook nog andere kinderen, want ik herinnerde me dat ik ze nakeek als ze naar school gingen. En een doos vol kleurpotloden. Woonden we bij haar, of had mijn moeder me er achtergelaten?

En Klaus, de schim die mijn vader was. *Wij zijn groter dan ons levensverhaal.* Wat kon ik dan nog beginnen? Ik wilde weten hoe ze elkaar hadden leren kennen, verliefd waren geworden, waarom ze uit elkaar waren gegaan. De tijd van hun samenzijn was een slagveld vol witte stenen, de loopgraven waren overwoekerd met gras, het was een oorlog die mij alles had ontnomen en waarover ik niets kon ontdekken. Ik wilde de waarheid weten over die jaren dat we rondreisden, waarom we nooit naar huis konden.

Ik ging op de hellende oever liggen en keek omhoog. Dit was de beste plek om naar de lucht te kijken. De betonnen beschoeiing onttrok de onscherpe lelijke randen, met de smog en de nevel, aan het gezicht, zodat je alleen het mooie stuk zag, het midden, een volmaakte kom van oneindig blauw. Ik liet mezelf in dat lazuurblauw omhoogvallen. Dit was geen bleke poolochtend als de ogen van mijn moeder, dit blauw was teder, warm, barmhartig, zonder wit, pure chroma, een Rafaël-lucht. Als je de horizon niet zag, kon je bijna geloven dat het echt een kom was. Het ronde ervan hypnotiseerde me.

Ik hoorde voetstappen op me af komen. Het was Yvonne. Haar zware tred, haar lange haar als vallend water. Ik ging weer liggen. Ze kwam naast me zitten.

'Kom liggen, kijk naar die prachtige lucht.'

Ze kwam naast me liggen, met haar handen over haar buik gevouwen zoals ze ook deed toen ze zwanger was, al was de baby nu weg. Ze was stil, kleiner dan anders, als een verdorrend blad. Een vlucht duiven snelde langs het rijke, gewelfde hemelvlak, hun wieken sloegen gelijktijdig, wit en grijs, als een vlaggensein. Ik vroeg me af of ze wisten waar ze heen gingen als ze zo vlogen.

Ik gaf een kneepje in haar hand. Het was of ik mijn eigen hand vasthad. Haar lippen waren gebarsten en licht gezwollen. Het leek alsof we hier door de lucht zweefden, afgesneden van verleden en toekomst. Waarom kon dat niet genoeg zijn. Een vlucht duiven zou genoeg moeten zijn. Iets zonder verhaal. Misschien zou ik mijn gebroken kralenketting, mijn schoenendozen met herinneringen moeten afdanken. Want hoe ik ook groef, het bleef maar een verhaal, en het was nooit genoeg. Waarom zou het niet gewoon een reiger kunnen zijn. Geen verhaal, alleen een vogel met lange dunne poten.

Kon ik de tijd maar stilzetten. De rivier en de lucht.

'Denk jij wel eens over zelfmoord?' vroeg Yvonne.

'Er zijn mensen die zeggen dat je gewoon weer verder moet waar je bent opgehouden als je terugkomt.' Ik stak mijn hand door de arm van Yvonne. Wat was haar huid zacht. Haar T-shirt rook naar wanhoop, naar regen en metaal.

'Ik dacht dat je vandaag je einddiploma kreeg, *ese*,' zei ze.

'Wat heb je aan zo'n uitreiking,' zei ik. 'Over het podium paraderen als eenden op de schietbaan.'

Yvonne zuchtte. 'Ik zou trots zijn als ik jou was.'

Ik glimlachte. 'Als jij mij was, was je mij. Wie dat dan in godsnaam ook zijn mag.'

Mevrouw Davis had gezegd dat ik me moest laten inschrijven bij het City College, overstappen was altijd mogelijk, maar ik was m'n vertrouwen al kwijt. Ik kon niet zomaar een toekomst smeden uit al die losse brokstukken die ik had, zoals het zwaard van Siegfried in het oude verhaal. De toekomst was een witte nevel waar ik in zou verdwijnen, zonder het ruisen van blauw-met-gouden feestjurkzijde. Geen moeder om me voor te gaan.

Ik dacht aan de leugens die de leerling tijdens de afscheidsrede nu ongetwijfeld zou vertellen. Over de *fantastische toekomst die voor ons ligt*. Van mij mocht ze de waarheid vertellen: *De helft van jullie heeft het hoogtepunt in zijn leven hiermee wel bereikt. Kijk maar om je heen. Het gaat nu alleen nog maar bergafwaarts. De rest van ons klimt nog een pietsie hoger: vast werk, een reis naar Hawaï, of verhuizen naar Phoenix in Arizona, maar hoeveel van de vijftienhonderd zullen er iets gaan doen wat echt de moeite waard is: een toneelstuk schrijven, een schilderij maken dat in een galerie terechtkomt, een geneesmiddel voor herpes ontwikkelen? Twee van ons, drie misschien? En hoeveel zullen de ware liefde vinden? Ook zoiets. En wijsheid? Eentje misschien. De rest van ons zal schipperen, smoezen bedenken, iemand of iets om de schuld aan te geven, en daar ons hart mee afdekken, als met een hanger aan een ketting.*

Ik huilde. Ik wist dat ik meer had kunnen bereiken, iets had kunnen regelen. Ik had begeleiding kunnen zoeken, iemand die me verder kon helpen. Op dit moment werden aan mijn klasgenoten prijzen uitgereikt, de National Merit, de Junior State. Hoe was ik het spoor zo bijster geraakt? Moeder, waarom heb jij mijn handje uit die van jou laten glijden in de bus, toen je je armen zo vol boodschappen had? Ik had het gevoel dat de tijd een grote zee was, dat ik op de rug van een schildpad dreef, en dat geen zeil de horizon brak.

'Weet je wat gek is?' zei Yvonne. 'Ik wist zeker dat ik jou niet zou mogen. Toen je kwam dacht ik: wat moeten we met die witte trut, moet je haar horen, ze denkt zeker dat ze prinses Diana is. Dat zei ik ook tegen Niki: die hebben we nou nog net nodig! Maar dat was wel zo, weet je. We hadden je echt nodig.'

Ik gaf haar een kneepje. Ik had Yvonne, ik had Niki. Ik had deze Rafaël-lucht. Ik had vijfhonderd dollar en een aquamarijn van een dode vrouw en een toekomst als morgenster. Wat wilde je als meisje nog meer.

DIE ZOMER LEURDEN we op rommelmarkten van Ontario tot Santa Fe Springs met onze spullen. Rena kon goedkoop aan een partij plakplastic met zebrastrepen komen, dus beplakte ik barkrukken, personenweegschalen en 'opbergunits' van schoenendozen met zebrastrepen. Ook de ondersteek en het looprek werden bestreept, ten behoeve van de blitse bejaarde. De katten vluchtten.

'*Display*,' was Rena's nieuwste lijfspreuk. 'We moeten alles etaleren.'

Onze eetkamerset, bestreept en belakt, was al verkocht. Ze kreeg er vierhonderd dollar voor en gaf daar honderd van aan mij. Ze zei dat ik mocht blijven zo lang als ik wou, als ik kost en inwoning betaalde, net als Niki. Ze bedoelde het als compliment, maar mij joeg het de stuipen op het lijf.

Op de rommelmarkt van de Fairfax High hadden we blauw plastic over ons stalletje gespannen, zodat de dames naar onze kleren konden komen kijken zonder een zonnesteek op te lopen. Het waren net visjes die knabbelend het rif langsgingen, en wij waren de murenen die geduldig wachtten tot ze dichterbij kwamen.

'Benito wil dat ik bij hem intrek,' zei Yvonne toen Rena bezig was met een klant, de hoed iets anders op het hoofd van de vrouw zette en tegen haar zei dat hij fantastisch stond.

'Dat dóe je toch niet,' zei Niki.

Yvonne glimlachte dromerig.

Ze was weer verliefd. Ik zag niet in waarom ik haar zou tegenhouden. Ik had mijn pogingen te begrijpen wat goed en fout was, wat van belang was en wat niet, inmiddels opgegeven. 'Het lijkt me best een aardige vent,' zei ik.

'Hoeveel mensen vragen je hun leven te komen delen?' vroeg Yvonne.

'Mensen die een vast neukmaatje willen,' zei Niki. 'En voor de was en de afwas.'

Ik dronk samen met Yvonne een beker Russian Sports Mix: de Gatorade met wodka die Rena de hele dag door dronk.

Rena kwam met een zongebruinde vrouw naar me toe en hees de bestreepte harde koffer van het merk American Tourister op de klaptafel.

Rena stak een van haar zwarte Sobranies op en zei: 'Dit is onze kunstenaar. Astrid Magnussen. Onthoud naam. Straks is die koffer miljoen waard.'

De vrouw gaf me lachend een hand. Ik probeerde geen Sports Mix in haar gezicht te blazen. Rena overhandigde me met een zwierig gebaar een stift, en ik signeerde de koffer op de onderkant. Soms was samenzijn met Rena net een trip. De kunstenaar. Volgens het boeddhistische boek dat ik bij de vuilnis had gevonden was het een verdienste als je je taak zo goed mogelijk volbracht – het gaf niet wat het was, het ging om je inzet, je moest je bij alles wat je ondernam volledig geven. Ik keek naar de zebrabar en de barkrukken, de koffer die met de gebruinde vrouw verdween. Ze zagen er goed uit. Ik vond het fijn ze te maken. En als dat nu alles was wat ik mijn hele leven zou doen, was dat dan niet goed genoeg? Volgens de boeddhisten maakte het niet uit of het plakplastic of zen-kalligrafie was, hersenchirurgie of literatuur. In de tao waren ze van gelijke waarde, als het maar gedaan werd in dezelfde geest.

'Luie meiden,' zei Rena. 'Jullie moeten praten met klanten. Goed voor verkoop.'

Ze zag een jongeman in korte broek en Top-Siders naar de barkrukken kijken, zette haar glimlach aan en liep op hem af om hem te paaien. Die Top-Siders zag ze op een kilometer afstand.

Niki dronk haar beker Gatorade-cocktail leeg, trok een vies gezicht en schonk nog eens in terwijl Rena druk bezig was. 'Wat we niet allemaal moeten doen om ons lekker te voelen.'

'Wanneer ga je?' vroeg ik aan Yvonne.

'Morgen,' fluisterde ze, terwijl ze zich half verschool achter haar gordijn van glad haar.

Ik veegde het weg met mijn hand, stopte het achter haar kleine oor vol piercings. Ze keek naar me op, glimlachte, en ik omhelsde haar. Ze barstte in tranen uit. 'Ik weet het niet, Astrid, vind je dat ik het wel moet doen? Jij weet altijd wat het beste is.'

Ik lachte, in verlegenheid gebracht door haar vraag. Ik hurkte neer naast de gammele regisseursstoel waar ze op zat. 'Ik? Ik weet helemaal niks.'

'Ik dacht dat jij nooit loog,' zei ze lachend, met haar hand voor haar mond, een gewoonte om haar rotte tanden te verbergen. Misschien trouwde Benito wel met haar. Misschien nam hij haar mee naar de tandarts. Misschien zou hij haar 's nachts vasthouden, van haar houden. Dat kon toch?

'Ik zal je missen,' zei ik.

Ze knikte, kon niets zeggen, huilde en lachte tegelijk. 'God, ik zal er wel verschrikkelijk uitzien.' Ze veegde over de mascara die over haar wangen liep.

Ik omhelsde haar en zei: 'Je bent net Miss America.' Dat soort dingen zeiden vrouwen. 'Je weet wel, als ze die kroon krijgt opgezet. Dan huilt en lacht ze tegelijk als ze haar ererondje doet.'

Ze schoot in de lach. De Miss America-verkiezing vond ze prachtig. We hadden ernaar gekeken met een jointje erbij, ze had een paar stoffige zijdebloemen gepakt die Rena ergens had liggen en was ermee de huiskamer door geparadeerd terwijl ze de mechanisch wuivende schoonheidskoningin imiteerde.

'Als ik trouw mag jij mijn eerste bruidsmeisje zijn,' zei ze.

Ik zag de taart in haar ogen, met het bruidspaartje bovenop, en het glazuur, net kant, laag na laag, en een jurk net als die taart, en een bruidsauto met witte bloemen erop geplakt en toen het paar wegreed toeterden ze allemaal.

'Ik kom zeker,' zei ik. Stelde me de bruiloft voor, niemand ouder dan achttien, en allemaal zagen ze een leven voor zich als de tekst van een liefdesliedje. Het stemde me treurig.

'Het komt wel weer goed met jouw vriendje,' zei ze, als een soort pleister op de wonde. 'Echt. Hij blijft op je wachten.'

'Ja,' zei ik. Maar ik wist dat er nooit iemand op een ander wachtte.

DE AVOND DAAROP pakte Yvonne een paar kleren, haar paard en haar radiootje, maar het fotolijstje met de tv-ster liet ze op de toilettafel staan. Rena gaf haar een rolletje bankbiljetten met een elastiekje erom. We bleven allemaal op de veranda staan wachten tot Benito kwam in zijn grondverfgrijze Cutlass. Toen was ze weg.

31

DE STAD LAG VERLAMD en versuft van de hitte op het aambeeld van augustus. De stoepen verschrompelden in de zon. Het was een landschap van totale overgave. De lucht was gechloreerd, dik, vijandig, als de atmosfeer van een dode planeet. Maar in de voortuin bloeide de grote oleander als een bruidsboeket, een hemel vol stervormige speelgoedmolentjes. Hij deed me aan mijn moeder denken.

Susan had nog steeds niets laten horen. Vaak had ik haar willen bellen, op een afspraak willen aandringen. Maar ik wist wel beter. Dit was een spelletje schaak. Eerst was alles dringend en dan laten ze je wachten. Ik ging niet als een hondje achter haar aan lopen. Ik zou mijn tactiek uitbouwen, mijn verdediging versterken.

Ik stond in die tijd heel vroeg op, om nog wat koele lucht in te ademen voordat de hitte toesloeg. Ik ging op de veranda naar de reuzenoleander staan kijken. Hij was oud, met een stam als een boom. Je hoefde maar op één twijgje een marshmallow te roosteren en je was er geweest. Zij had kilo's gebruikt om het dodelijke brouwsel voor Barry te bereiden. Ik vroeg me af waar oleanders dat gif voor nodig hadden. Ze doorstonden alles, ze konden tegen hitte, droogte, verwaarlozing, ze bleven gewoon duizenden wasachtige bloesems produceren. Waar was dat gif dan voor? Bitter smaken was toch genoeg? Het was niet als bij een ratelslang, wat een oleander doodde was niet eens prooi. Zoals ze alles had ingekookt, gedistilleerd, net als haar haat. Misschien kwam het gif uit de bodem, hoorde het bij Los Angeles, was het haat, hardheid, iets waar we liever niet bij stilstonden, dat die plant in zijn vezels concentreerde. Misschien was hij niet de bron, maar het zoveelste slachtoffer van het gif.

Rond achten was het al te warm om buiten te blijven. Ik ging naar binnen om de lunch van Tasha klaar te maken. Tasha was het nieuwe meisje in het bed van Yvonne, dertien was ze, ze ging naar de King Junior High, eerste schooldag na de vakantie. Ze was ernstig en zwijgzaam en had een verticaal litteken op haar bovenlip, dat net aan het genezen was. Ze kromp ineen als er iemand onverwachts bij haar in de buurt kwam.

'Je zal zien dat het goed gaat,' zei ik, terwijl ik met pindakaas gevulde bleekselderij klaarmaakte met een Granny Smith erbij. 'Ik blijf kijken.'

Ik bracht haar in de pick-up van Niki naar school, zette haar af voor de Thomas Starr King Junior High, en keek hoe ze bang en klein naar binnen ging, met alle sleutelhangers aan haar rugzak. Ik voelde me machteloos, niet in staat te voorkomen dat haar leven de verwachte loop zou nemen. Kon je iemand anders redden? Ze draaide zich om en zwaaide. Ik zwaaide terug. Ik reed pas weg toen ze binnen was.

Lieve Astrid,

Vandaag is het zes jaar geleden. Zes jaar geleden dat ik door de poort van dit wel heel speciale meisjesinternaat naar binnen ging. Als Dante: Nel mezzo del cammin di nostra vita / Mi rittovai per una selva oscura/ Che la diritta via era smarrita. *De derde dag boven de veertig graden. Gisteren heeft een gedetineerde met een platgeslagen blikje een andere vrouw de keel doorgesneden. Lydia heeft een gedicht verscheurd dat ik had geschreven over een man die ik een keer gezien had, met een tatoeage van een slang die in zijn spijkerbroek verdween. Ik heb het haar aan elkaar laten plakken, maar je hebt geen idee hoeveel energie dat gekost heeft. Met uitzondering van jou is dit de langste relatie die ik ooit met iemand gehad heb. Ze is ervan overtuigd dat ik van haar hou, maar daar is geen sprake van. Ze is stuk van mijn* gedichten waar zij in voorkomt, denkt dat het een publieke verklaring is.

Liefde. Dat woord wil ik wel uit het woordenboek schrappen. Zo onnauwkeurig. Liefde, welke liefde? Sentiment, fantasie, hunkering, begeerte? Obsessie, verterend verlangen? Misschien is de enige liefde die geen nadere definitie nodig heeft de liefde van een heel jong kind. Maar zij wordt later ook een persoonlijkheid, en dus gecompromitteerd. 'Hou je van me?' vroeg je in het donker van je smalle bedje. 'Hou je van me, mamma?'

'Natuurlijk,' zei ik tegen je. 'En nu lekker slapen.'

Liefde is een verhaaltje voor het slapengaan, een knuffelbeer, vertrouwd, met maar één oog.

'Hou je van me, carita?' vraagt Lydia, terwijl ze mijn arm half uit de kom draait, mijn gezicht in de ruige paardenharen deken drukt, in mijn nek bijt. 'Zeg het dan, teef.'

Liefde is een speeltje, een signaal, een geparfumeerde zakdoek.

'Zeg dat je van me houdt,' zei Barry.

'Ik hou van je,' zei ik. 'Ik hou van je, ik hou van je.'

Liefde is een cheque, die vervalst kan zijn, geïnd kan worden. Liefde is een betalingstermijn die vervalt.

Lydia ligt op haar zij op mijn brits, de ronding van haar heup de top van een golf in ondiep water, zeegroen, Playa del Carmen, Martinique. Ze bladert een nieuwe Celebridades door. Ik heb een abonnement voor haar genomen. Ze zegt dat het haar het gevoel geeft dat ze deel uitmaakt van de wereld. Ik kan niet enthousiast raken over films die ik niet zien kan, hedendaagse politieke kwesties laten me koud, ze hebben niets te maken met de diepe gevangenisstilte.

De tijd heeft een totaal andere inhoud voor me gekregen. Wat maakt het uit, een jaar? Paradoxaal genoeg beklaag ik de vrouwen die nog steeds deel uitmaken van de tijd, erin gevangenzitten, zoveel maanden, zoveel dagen. Ik ben losgesneden, vrij, beweeg me door de eeuwen heen. Schrijvers sturen me boeken – Joseph Brodsky, Marianne Moore, Pound. Misschien ga ik wel Chinees leren.

'Ben je wel eens in Guanajuato geweest?' wil Lydia weten. 'Alle grote sterren gaan daar nu heen.'

Guanajuato, Astrid. Weet je nog? Ja, dat weet je nog. We zijn erheen gegaan met Alejandro de schilder, niet te verwarren met Alejandro de dichter. Vanuit San Miguel. Mijn Spaans was niet goed genoeg om de kwaliteit van het oeuvre van de dichter te beoordelen, maar Alejandro de schilder was uitermate beroerd. Die had eigenlijk helemaal niets moeten maken. Die had gewoon op een kruk moeten gaan zitten om zich voor geld te laten bekijken. En zo verlegen dat hij me niet aan kon kijken als hij nog aan het praten was. Dus sprak hij maar tegen mijn hand, de wreef van mijn voet, de ronding van mijn kuit. Pas als hij was uitgesproken kon hij me aankijken. Hij beefde als we vrijden, de zwakke geur van geraniums.

Maar bij jou was hij nooit verlegen, hè? Jullie voerden eindeloze gesprekken – samenzweerderig, koppen bij elkaar. Ik voelde me buitengesloten. Hij heeft jou leren tekenen. Hij tekende iets voor jou, en dat tekende jij dan na. La mesa, la botilla, las mujeres. Ik probeerde je poëzie te leren, maar je was altijd zo koppig. Waarom heb je van mij nooit iets willen aannemen?

Waren we maar nooit uit Guanajuato weggegaan.

Moeder

Alejandro de schilder. Kijken hoe de lijn uit zijn vingers vloeide, de bewegingen van zijn arm. Was hij een slechte schilder? Dat is nooit bij me opgekomen, net zomin als het ooit bij me is opgekomen dat ze zich buitengesloten kon hebben gevoeld. Wat was ze toen mooi, ze droeg een witte jurk, de gebouwen waren oker en geel, en haar sandalen zaten kruiselings om haar been gesnoerd als die van een Romein. Ik volgde met mijn vinger de witte x'en als ze ze afdeed. Het hotel met roosters en krullen om de deur, en kamers die uitkwamen op de betegelde veranda. Je kon horen wat iedereen zei. Als ze een joint rookte moest ze de rook door de balkondeuren naar buiten blazen. Het was een vreemde kamer, oker, hoger dan breed. Ze vond het er fijn, zei dat er ruimte was om te denken. En de mariachi's die elkaar beconcurreerden beneden op straat; elke avond op bed onder de muskietennetten het geluid van concerten.

'En?' vroeg Rena. 'Komt ze vrij?'

'Nee,' zei ik.

Hij kwam uit San Miguel de Allende in zijn speelgoedformaat Citroën, zijn overhemd intens wit op zijn koperkleurige huid. Gaf ze toe dat ze fout had gehandeld? Kon ze dat maar eens toegeven. *Bekennen*. Dan zou ik misschien voor haar liegen, met haar advocaat praten, in het getuigenbankje gaan staan zweren dat ze absoluut zeker nooit en te nimmer... Misschien was dit voor haar de dichtste benadering van schuld bekennen.

Ook ik wou dat we in Guanajuato waren gebleven.

TOEN VERTROK NIKI. Ze ging bij een band uit Toronto, het was er een van Werner. 'Ga met me mee,' zei ze toen ze haar pick-up volstouwde. Ik gaf haar een koffer – met zebrastrepen. We glimlachten allebei en zochten bij elkaar naar tranen. Ze liet een paar adressen en telefoonnummers bij me achter, maar ik wist dat ik daar nooit iets mee zou doen. Ik moest dit maar aanvaarden, dat mensen vertrokken en dat je ze nooit meer terugzag.

Binnen een week zette Rena twee nieuwe meisjes op de kamer van Niki: Shana en Raquel, twaalf en veertien. Shana had epilepsie en Raquel kon niet lezen, was blijven zitten in de laatste klas van de lagere school. Nog meer geschonden kinderen voor de tweedehands nering van Rena Grushenka.

SEPTEMBER KWAM MET zijn rokken van vuur. Brand op de Angeles Crest. Brand in Malibu, Altadena. Brand overal in de San Gabriel, in de woestenij van San Gorgonio, het vuur was een brandende hoepel waar de stad doorheen moest springen om het blauw van oktober te bereiken. In Frogtown hadden we drie schietpartijen in één week – een overval op het ARCO-station, een verdwaalde automobilist die in een Van Gogh-nacht gepakt werd in een doodlopende straat, een vrouw die bij een echtelijke ruzie was neergeschoten door haar man, een werkloze elektricien.

In de vuurhaard van de oleandertijd belde Susan eindelijk. 'Ik zat met een rechtszaak,' legde ze uit. 'Maar we zijn er weer. Ik heb een bezoek voor je geregeld, overmorgen.'

Ik kwam in de verleiding om te weigeren, te zeggen dat ik niet kon, moeilijk te doen, maar uiteindelijk stemde ik toe. Ik zou er toch nooit klaar voor zijn.

En zo, op een ochtend die zich al had overgeleverd aan de schroeiende wind en de genadeloze hitte, kwam Camille Barron, de secretaresse van Susan, me halen voor de lange rit naar Corona. We zaten op het bezoekersterrein aan een oranje picknicktafel onder de pergola koude blikjes fris uit de automaat te drinken en we veegden ze langs ons voorhoofd, drukten ze tegen onze wangen. Wachten op mijn moeder. Er druppelde zweet tussen mijn borsten, langs mijn rug. Camille zag er verlept maar stoïcijns uit in haar beige kokerjurkje, en haar modieuze korte kapsel was slap en zweterig aan de randjes. Ze nam niet de moeite iets tegen me te zeggen, ze was maar het boodschappenmeisje. 'Daar heb je d'r,' zei Camille.

Mijn moeder stond te wachten tot de bewaker het hek van het slot deed. Ze zag er nog steeds prachtig uit, slank en soepel, haar lichte haar achter in een wrong gedraaid met een potlood erdoorheen gestoken. Anderhalf jaar. Ik stond op. Ze liep naar ons toe, behoedzaam, ogen tot spleetjes geknepen tegen de zon, haarsliertjes waaiend in de wind als rook. Haar gebruinde huid was gerimpelder dan de laatste keer dat ik haar zag. Ze kreeg het gelooide uiterlijk van een blanke kolonist in Kenia. Maar ze was minder veranderd dan ik.

Ze bleef staan toen ze onder het afdak kwam, en ik verroerde me niet, wilde dat zij zag wie ik nu was. Mijn gifgroene blouse met de grove rits, mijn ogen zwaar omrand met zwarte oogschaduw en eyeliner, mijn oren met hun octaaf aan ringen. In de rok van de rommelmarkt mijn vrouwenbenen, die Sergej zo graag over zijn schouders legde, mijn heupen, mijn volle borsten. Schoenen met hoge sleehakken, die ik voor deze gelegenheid van Rena had geleend. Niet het roze meisje met de schoolfeestschoenen, niet het rijke weesmeisje. Nu was ik Rena's kindje. Ik kon doorgaan voor een willekeurige meid op weg naar het oord waar mijn moeder nu was. Maar niet de softie, de chequevervalser. Van mij kon ze niets afpakken. Niet meer.

Het was het eerste bezoek waarbij ze niet naar me lachte. Ik zag dat ze geschokt was, en daar was ik blij om. De secretaresse van haar advocaat keek onverschillig tussen ons in, stond op, ging het koelere beton van de bezoekersruimte binnen en liet ons alleen.

Mijn moeder pakte mijn hand. Ik liet haar begaan. 'Als ik vrijkom, zal ik het goedmaken,' zei ze. 'Over een jaar of drie heb je toch nog steeds wel een moeder nodig?'

Ze bleef mijn hand vasthouden en stond vlak bij me. Ik keek haar met grote ogen aan. Het leek wel of er een vreemde door haar mond sprak. Wat was dit nu weer voor tactiek?

'Wie zegt dat je vrijkomt?' vroeg ik.

Mijn moeder liet mijn hand vallen en deed een pas achteruit. De blik in haar ogen verflauwde van aquamarijn tot roodborstjesei.

'Ik heb alleen maar gezegd dat ik met je zou praten. Niet dat ik het zou doen. Ik wil een deal met je maken,' zei ik.

Roodborstjesei werd as.

'Wat voor deal?' vroeg ze. Ze stond tegen een paal geleund, haar armen over de voorkant van haar spijkerjurk gevouwen, dezelfde blauwe jurk die ze aanhad toen ik haar voor het laatst zag, alleen twee tinten lichter.

'Een ruil,' zei ik. 'Wil je hier gaan zitten of onder de bomen?'

Ze draaide zich om en ging me voor naar haar favoriete plekje op het bezoekersterrein, onder de ficusbomen met de witte stammen, met uitzicht op de weg en haar rug naar de Receptie, het verst van de eerste wachttoren verwijderd. We gingen op het droge, door de zomer geteisterde gras zitten, dat mijn blote benen schramde.

Ze zat elegant, met haar benen naar één kant, als een meisje in een bloemenwei. Ik was nu groter dan zij, maar minder elegant, niet mooi maar wel aanwezig, solide als een blok marmer voor het wordt gehouwen. Ik keerde mijn profiel naar haar toe. Ik kon haar niet aankijken terwijl ik tegen haar praatte. Ik was niet hard genoeg, ik wist dat ik aangeslagen zou zijn door haar bittere verbazing.

'Dit is de deal,' zei ik. 'Ik wil een aantal dingen weten. Als jij me die vertelt, doe ik wat jij van mij wilt.'

Mijn moeder plukte een paardebloem uit het gras, blies de pluisjes eraf. 'En anders?'

'Anders vertel ik de waarheid en dan kun jij hier tot je dood blijven wegrotten.'

Ik hoorde het gras ritselen toen ze ging verzitten. Toen ik keek, lag ze op haar rug het steeltje te bekijken waar de pluimpjes van af waren geblazen. 'Susan kan jouw verklaring op talloze manieren ondermijnen.'

'Je hebt mij nodig,' zei ik. 'En dat weet je. Wat ze ook zegt.'

'Ik vind die stijl van jou trouwens vreselijk,' zei ze. 'Sunset Boulevard-motel, pijpen voor vijftien dollar op het parkeerterrein.'

'Ik kan elke stijl aan die je maar wenst,' zei ik. 'Ik draag in de rechtszaal wel kniekousjes als je dat wilt.' Ze draaide de paardebloem tussen haar handpalmen. 'Ik ben degene die ze kan vertellen dat het een paranoïde obsessie van Barry was. Dat hij je niet met rust liet. Ik kan zeggen dat hij met zelfmoord gedreigd had, en dat hij dan net zou doen alsof jij het had gedaan, als straf omdat je hem in de steek had gelaten.' Haar uitgewiste trekken achter het draadglas. 'Ik ben degene die weet hoe jij er toen in Sybil Brand aan toe was. Toen ik je die dag kwam opzoeken herkende je me niet eens.' Ik werd nog steeds beroerd als ik eraan dacht.

'Als ik me aan deze ondervraging onderwerp.' Ze gooide de paardebloemstengel weg.

'Ja.'

Ze schopte haar tennisschoenen met de twee vetergaten uit en liet haar voeten door het gras glijden. Ze strekte haar benen voor zich en leunde achterover op haar ellebogen, alsof ze op het strand lag. Ze staarde naar haar voeten, tikte ze met de bal tegen elkaar. 'Vroeger had jij iets verfijnds. Iets transparants. Je bent log geworden, ondoorzichtig.'

'Wie was mijn vader?' vroeg ik.

'Een man.' Blik op haar blote tenen, tegen elkaar tikkend.

'Klaus Anders, geen tweede voornaam,' zei ik, terwijl ik aan een roofje tussen mijn vingers peuterde. 'Beroep: kunstschilder. Leeftijd: veertig. Geboren: Kopenhagen, Denemarken. Hoe hebben jullie elkaar leren kennen?'

‘In Venice Beach.’ Ze keek nog steeds naar haar voeten. ‘Op zo’n feestje dat de hele zomer duurt. Hij had wiet.’

‘Jullie leken net broer en zus,’ zei ik.

‘Hij was veel ouder dan ik,’ zei ze. Ze rolde op haar buik. ‘Hij was veertig en schilderde biomorf abstract. Dat was in die tijd al passé.’ Ze trok scheidingen in het gras als in kort haar. ‘Hij was altijd al passé. Zijn denkbeelden, zijn belangstelling. Oninteressant. Ik weet niet wat ik in hem zag.’

‘Dat is onzin, dat je dat niet weet,’ zei ik.

Ze zuchtte. Ze werd moe van me. En wat dan nog. ‘Het is lang geleden, Astrid. Minstens een paar levens. Ik ben niet meer dezelfde.’

‘Leugenaar,’ zei ik. ‘Je bent nog precies hetzelfde.’

Ze zei niets. Ik had haar nog nooit voor iets uitgescholden.

‘Wat ben je toch nog een kind,’ zei ze. Ik merkte dat ze haar uiterste best deed om haar zelfbeheersing niet te verliezen. Iemand anders zou het niet gezien hebben, maar ik merkte het aan de huid om haar ogen, die dunner leek te worden, en haar neus die een millimeter spitser werd. ‘Je hebt mijn propaganda voor de waarheid aangezien.’

‘Vertel dan maar hoe het echt zat,’ zei ik. ‘Wat zag je dan in hem?’

‘Gemak, denk ik. Hij was prettig in de omgang. Heel lichamelijk. Maakte makkelijk vrienden. Noemde iedereen “vriend”.’ Ze glimlachte een beetje, en keek nog steeds omlaag naar het gras waar ze doorheen harkte alsof ze een archief doorzocht. ‘Groot en relaxed. Stelde nooit eisen.’

Ja, dat geloofde ik. Iemand die iets van haar wilde zou ze nooit aantrekkelijk hebben gevonden. Het moest háár begeerte zijn, háár vuur. ‘En toen?’

Ze plukte een handvol gras, gooide het weg. ‘Moet dit echt? Het is zo’n oud journaal.’

‘Toch wil ik het zien,’ zei ik.

‘Hij schilderde, maar dronk en blowde meer dan hij schilderde. Hij ging naar het strand. Hij was niet interessant. Er valt gewoon niet veel over hem te vertellen. Het was niet dat hij er nooit zou komen, maar meer dat hij er eigenlijk al was.'

'En toen raakte jij zwanger.'

Ze zond me een dodelijke blik. 'Ik "raakte niet zwanger". Dat mag je voor je ongeletterde vriendinnen bewaren. Ik besloot jou te nemen. Let wel, beslóót.' Ze haalde haar haar los, schudde het gras eruit. Het was ruwe zijde in het gefilterde licht. 'Welke verhaaltje jij hier ook over hebt verzonnen, jij was géén ongelukje. Een fout misschien, maar geen ongelukje.'

De fouten van een vrouw... 'Waarom hij? Waarom toen?'

'Ik had er toch íemand voor nodig? Hij was knap, sympathiek. Niet afkerig van het idee. Voilà.'

'Hield je van hem?'

'Over liefde wil ik niet praten, die semantische slangenkuil.' Ze haalde haar lange slanke benen uit de knoop en ging staan, veegde haar jurk schoon. Ze leunde tegen de boomstam, een voet tegen de witte bast, en sloeg haar armen over elkaar om in evenwicht te blijven. 'We hadden een nogal heftige seksuele relatie. Je ziet zoveel dingen over het hoofd.' Boven haar had een vrouw 'Mona '76' in het witte hout gekrast.

Ik keek op naar haar, naar mijn moeder, die vrouw die ik gekend en nooit écht gekend had, die vrouw die altijd op het punt stond te verdwijnen. Nu zou ik haar niet meer laten ontsnappen. 'Je aanbad hem. Dat heb ik in je dagboek gelezen.'

Ze keek naar de weg en zei: 'Aanbidding is niet bepaald het woord dat we hier zoeken. Dat impliceert een spirituele dimensie. Ik zou een term met een aardsere connotatie willen gebruiken.'

'En toen werd ik geboren.'

'Toen werd jij geboren.'

Ik stelde me hen samen voor, dat blonde koppel, hij met die brede, lachende mond, waarschijnlijk zo stoned als een aap, en zij behaaglijk in de ronding van zijn stevige arm. 'Hield hij van me?'

Ze lachte, de ironische kommaatjes omlijstten haar mond. 'Hij was zelf eigenlijk nogal een kind, helaas. Hij hield van jou zoals een jongetje van zijn schildpad houdt, of van zijn racebaantje. Soms nam hij je mee naar het strand en dan kon hij uren met je spelen, tilde hij je eindeloos over de golven in de branding. Of hij zette je in de box en ging met zijn vrienden drinken, terwijl hij eigenlijk moest oppassen. Toen ik op een dag thuiskwam was er brand geweest. Zijn met terpentijn doordrenkte lappen en kwasten hadden vlam gevat en het huis stond in vijf minuten in lichterlaaie. Hij was in geen velden of wegen te bekennen. Het lakentje van je ledikantje was al geschroeid. Het is een wonder dat je niet levend bent verbrand. Een buurvrouw hoorde je gillen.'

Ik probeerde het me te herinneren, de box, de brand. Ik herinnerde me duidelijk de lucht van terpentijn, daar was ik altijd gek op geweest. Maar de brandlucht, die doordringende geur van gevaar, die had ik altijd met mijn moeder geassocieerd.

'Dat was het eind van onze idylle in Venice Beach. Ik was zijn middelmatigheid en smoesjes beu. Het weinige geld dat we hadden verdiende ik, hij teerde op mijn zak, en we hadden geen huis meer. Ik liet hem weten dat het voorbij was. Hij was er klaar voor, geloof me maar, en heeft er geen traan om gelaten. En zo eindigt het sprookje van Ingrid en Klaus.'

Maar ik kon alleen maar denken aan die grote man die me over de golven tilde. Ik kon het me bijna herinneren. Het gevoel van de golven op mijn voeten, borrelend als een lach. De geur van de zee, de brullende branding. 'Heeft hij me nooit willen zien toen ik ouder was?'

'Wat moet je toch met al die onnodige ballast van het verleden?' snauwde ze, terwijl ze zich van de boom wegduwde. Ze ging op haar hurken zitten zodat ze me recht in de ogen kon kijken. Er parelde zweet op haar voorhoofd. 'Het zal je alleen maar pijn doen, Astrid. Ik heb je tegen al die dingen willen beschermen. Twaalf jaar lang heb ik tussen jou en die zinloze artefacten van andermans verleden gestaan.'

'Míjn verleden,' zei ik.

'Mijn god, je was nog maar zo klein,' zei ze en ze stond weer op, streek de spijkerjurk glad over haar heupen. 'Ga nu niet projecteren.'

'Heeft hij contact gezocht of niet?'

'Nee. Maakt dat het er beter op voor jou?' Ze liep naar het hek om naar de weg te kijken, het zwerfvuil dat rondjoeg in de wind, afval dat in het onkruid aan de overkant was gewaaid. 'Hij is nog een paar keer langs geweest om te kijken of alles goed met je was. Maar ik heb hem onomwonden laten weten dat zijn aanwezigheid niet langer op prijs werd gesteld. En dat was het.'

Ik dacht aan hem, zijn schaapachtige gezicht, het lange, blonde haar. Hij had me geen kwaad willen doen. Ze had hem nog een kans kunnen geven. 'Je hebt er nooit bij stilgestaan dat ik misschien een vader wilde.'

'Vroeger waren er ook geen vaders. De vrouwen copuleerden met de mannen in het veld, en negen maanden later kregen ze hun kind. Vaderschap is een sentimentele mythe, zoiets als Valentijnsdag.' Ze wendde zich weer naar me toe, haar ogen van aquamarijn bleek achter haar gebruinde gezicht, als een misdaad achter de vitrages in een verlichte kamer. 'Heb ik nu genoeg antwoorden gegeven, of komt er nog meer?'

'Is hij nooit meer terug geweest?' vroeg ik zacht, biddend dat het niet waar was, dat er méér was, nog één kruimeltje, toe. 'Later nooit meer gebeld dat hij me wilde zien?'

Ze ging weer op haar hurken zitten, sloeg haar arm om me heen, haar hoofd tegen het mijne. Zo bleven we een tijdje zitten.

'Hij heeft nog een keer gebeld toen jij, ja, hoe oud, een jaar of acht was.' Ze haalde haar vingers door mijn haar. 'Hij was uit Denemarken over met zijn vrouw en zijn twee kleine kinderen. Hij wilde ons ontmoeten in een park, wilde dat ik op een bankje met jou ging zitten spelen, zodat hij je kon zien.'

'En zijn we gegaan?' Ik wilde alleen maar dat ze me vasthield.

'Ik vond het net de plot van een slechte film,' zei ze. 'Ik heb gezegd dat hij op kon rotten.'

Hij had gebeld, had me willen zien, en zij had geweigerd. Zonder het aan mij te vragen, zonder iets te zeggen. Het trof me op mijn keel als een klap met een pijp.

Ik stond op en leunde tegen de boomstam, aan de andere kant.

Daar kon ze me bijna niet zien. Maar ik hoorde haar nog. 'Je wilde het zelf weten. Je moet geen stenen omdraaien als je de bleke beestjes niet wil zien die eronder huizen.'

'Weet je waar hij nu woont?'

'Het laatste wat ik heb gehoord is dat hij op een van de Deense eilanden een boerderij heeft gekocht. Op Aero, dacht ik.' Toen ik om de stam heen keek, was ze met haar schoenen aan het spelen, liet ze haar handen erin lopen. 'Heel pittoresk, maar tenzij zijn vrouw iets van het boerenbedrijf weet, zijn ze die boerderij nu vast en zeker alweer kwijt.' Ze keek net op tijd op om mij te zien kijken, en lachte dat wijze halve lachje van haar, niet die brede open lach van mijn vader, maar het lachje dat zei dat ze je gedachten had gelezen. 'Hoezo, was je van plan je lang verloren gewaande vader en zijn gezin op hun dak te vallen? Verwacht niet dat ze het gemeste kalf gaan slachten.'

'Beter dan jij met je nieuwe kinderen,' zei ik. De hitte golfde van het wegdek, ik rook gesmolten asfalt.

'Aha,' zei ze terwijl ze achterover op het gras ging liggen met haar armen onder haar hoofd gevouwen, en haar benen bij haar enkels gekruist. 'Ik had ze al gezegd dat jij ze waarschijnlijk niet met open armen zou ontvangen. Maar het is een gevoelig stelletje. Idealistisch. Ze wilden het proberen. Ze waren zo trots op dat artikel. Vond je dat trouwens wat?'

'Ik heb het weggegooid.'

'Jammer.'

De kraaien vlogen plotseling met een reeks van knallen uit de boom, we luisterden naar het dopplereffect van hun wegstervende rauwe kreten. Op de parallelweg reed een bestelbus langs, een luxemodel met dubbele achterwielen, waar latinomuziek uit klonk, absurd vrolijk. Net Guanajuato, dacht ik, en ik wist dat mijn moeder hetzelfde dacht.

Mijn blouse nam geen vocht op, het zweet vormde plasjes die in mijn rokband trokken. Ik voelde me alsof ik door water had gewaad. 'En nu vertellen over Annie.'

'Waarom moet je je toch zo aan het verleden vastklampen?' Ze kwam overeind, draaide haar haar weer in de wrong en stak er het potlood doorheen. Haar stem was scherp en geërgerd. 'Wat is het verleden anders dan een stapel schimmelende kranten in de garage van een oude vent.'

'Het verleden werkt nog steeds door. Het is nooit afgesloten. Wie was Annie?'

De wind bewoog het dichte glanzende gebladerte van de ficusboom, verder klonk er geen geluid. Ze haalde haar vingers door haar haar en trok stevig, alsof ze uit een zwembad kwam. 'Dat was een buurvrouw. Ze werkte als oppas, deed de was voor anderen.'

De geur van wasgoed. De wasmand, in de wasmand zitten met andere kinderen, bootje spelen. De vierkantjes. Hij was geel. We schoven hem over de keukenvloer. 'Hoe zag ze eruit?'

'Klein. Spraakzaam.' Ze schermde haar ogen met een hand af tegen de zon. 'Ze droeg van die gezondheidssandalen.'

Hout dat over het linoleum klepperde. Geel linoleum met veelkleurige spatjes. De vloer was koel als je je wang erop legde. En haar benen. Bruin. Blote benen in een afgeknipte spijkerbroek. Maar haar gezicht zag ik niet. 'Donker of licht?

'Donker. Steil haar met een pony.'

Dat haar zag ik niet. Alleen die benen. En ze zong de hele dag met de radio mee.

'En waar was jij dan?'

Mijn moeder zweeg. Ze drukte haar hand tegen haar ogen. 'Hoe kun je je dit in godsnaam herinneren.'

Alles wat ze over me wist, alles waar ze mee rondliep in die dunne schedel als een gewelf. Ik wilde haar opentikken, haar hersens eruit lepelen als een zachtgekookt ei.

'Denk je even in hoe mijn leven eruitzag,' zei ze zachtjes, terwijl ze haar lange vingers tot een kom vormde, als een boot, alsof ze haar leven vasthield in een schil. 'Denk je eens in hoe weinig ik was voorbereid op het leven als moeder van een klein kind. Die druk om de archetypische rol te moeten spelen. Het eeuwig onbaatzuchtig vrouwelijke. Niets had me wezensvreemder kunnen zijn. Ik was een vrouw die eraan gewend was mijn weetgierigheid of een bepaalde neiging te kunnen volgen tot aan de logische conclusie. Ik was eraan gewend tijd te hebben om te denken, was vrijheid gewend. Ik voelde me net een gegijzelde. Begrijp je hoe wanhopig ik was?'

Ik wilde het niet begrijpen, maar dacht terug aan Caitlin, die aan me trok, altijd aan me trok. *Assi, dinke! Dinke!* Dat gedram. Aan de andere kant van het hek, achter het hoofd van mijn moeder, keken de jonge vrouwen uit de Receptie naar een lotgenote die de betonnen binnenplaats aan het vegen was alsof ze boete deed. 'Zo zijn kleine kinderen nu eenmaal. Wat had je dan gedacht, dat ik je zou vermaken? Dat we over Joseph Brodsky konden discussiëren?'

Ze ging rechtop zitten, sloeg haar benen over elkaar en legde haar handen op haar knieën. 'Ik dacht dat Klaus en ik nog lang en gelukkig zouden leven. Adam en Eva in een wingerdhut. Ik speelde de archetypische rollen. Ik was volledig gestoord.'

'Je was verliefd op hem.'

'Goed, ik wás verliefd op hem!' schreeuwde ze tegen me. 'Ik was verliefd op hem en een baby zou het volmaakt maken en nog meer van die idioterie en toen kregen we jou en op een ochtend werd ik wakker en bleek ik getrouwd met een slappe egoïst die ik niet uit kon staan. En jij, jij vroeg en vroeg en vroeg maar. Mamma mamma mamma tot ik je wel tegen de muur kon smijten.'

Ik werd misselijk. Dit geloofde ik moeiteloos, ik zag het meteen. Ik zag het maar al te duidelijk. En snapte waarom ze me er nooit iets over verteld had, daar simpelweg en fatsoenshalve van had afgezien.

'Dus toen heb je me daar gedumpt.'

'Het was geen vooropgezet plan. Ik had je daar voor een middagje afgeleverd, om met een stel vrienden naar het strand te gaan, en van het een kwam het ander, zij hadden weer vrienden in Ensenada, en ik ging met ze mee, en dat was heerlijk, Astrid. Vrijheid! Je hebt geen idee. Helemaal alleen naar de wc kunnen. 's Middags even kunnen slapen. De hele dag vrijen als ik dat wou, en over het strand wandelen, en niet hoeven denken: waar is Astrid? Wat voert Astrid uit? Wat gaat ze nu weer uitspoken? En dat jij je niet de hele tijd met je mamma mamma mamma aan me vastklampte, als een spin...'

Ze huiverde. Ze herinnerde zich mijn aanraking nog met walging. Ik werd duizelig van haat. Dit was mijn moeder. De vrouw die me had grootgebracht. Wat had ik ooit voor kans gehad.

'Hoe lang ben je weggebleven?' Mijn stem klonk me vlak en dood in de oren.

'Een jaar,' zei ze zachtjes. 'Misschien een maandje meer of minder.'

En ik geloofde het. Alles in mijn lichaam zei me dat het klopte. Al die nachten dat ik wachtte tot ze thuiskwam, wachtte tot ik haar sleutel in het slot hoorde. Geen wonder. Geen wonder dat ze me op de eerste schooldag van haar hadden moeten losrukken. Geen wonder dat ik altijd bang was dat ze me op een nacht in de steek zou laten. Dat hád ze al eens gedaan.

'Maar je stelt de verkeerde vraag,' zei ze. 'Je moet niet vragen waarom ik ben weggegaan. Vraag waarom ik ben teruggekomen.'

Er ratelde een trailer met een paardenbox voor vier paarden langs naar de snelweg. We konden de paarden ruiken, hun gladde billen boven de achterkant zien uitsteken, en ik dacht terug aan die dag op de renbaan, Medea's Trots.

'Je had je moeten laten steriliseren.'

Plotseling schoot ze overeind, en duwde me met mijn schouders tegen de boom. Haar ogen waren een zee in de mist. 'Ik had je daar kunnen laten, maar dat heb ik niet gedaan. Begrijp je? Eindelijk deed ik eens wat ik moest doen. Voor jou.'

Nu zou ik haar dan zeker moeten vergeven. Maar het was te laat. Ik weigerde mijn tekst te zeggen. 'Grote meid, hoor,' antwoordde ik sarcastisch.

Ze wilde me slaan, maar dat ging niet. Dan zouden ze het bezoek meteen afkappen. Ik hief mijn hoofd, wist dat de witte littekens blonken.

Ze liet de greep op mijn armen verslappen. 'Zo was je vroeger nooit,' zei ze. 'Wat ben je hard. Dat zei Susan al, maar ik dacht dat het een pose was. Je bent jezelf kwijtgeraakt, die dromerigheid van je, dat lieve.'

Ik bleef haar aankijken, liet haar blik niet gaan. We waren even lang, oog in oog, maar ik had grovere botten en in een eerlijk gevecht had ik haar waarschijnlijk aangekund. 'Laat ik nou denken dat je dat juist zou toejuichen. Dat vond je toch zo vreselijk aan Claire? Dat ze zo lief was? Wees sterk, zei je. Ik haat zwakheid.'

'Ik wilde je sterk, maar ook intact,' zei ze. 'Niet deze ravage. Alsof je bent gebombardeerd. Je maakt me bang.'

Ik glimlachte. Dat ik haar bang maakte stond me wel aan. De rollen waren nu echt omgedraaid. 'Jij bang, de grote Ingrid Magnussen, godin van de septemberbranden, de heilige Santa Ana, heerseres over leven en dood?'

Ze stak haar hand uit, alsof ze mijn gezicht wilde aanraken, als een blinde vrouw, maar ze kon me niet bereiken. Als ze me aanraakte zou ik haar verzengen. De hand bleef voor mijn gezicht in de lucht hangen. Ik zag haar angst. 'Jij was het enige in mijn leven dat helemaal goed was, Astrid. Nadat ik je weer was komen halen, zijn we nooit meer gescheiden geweest, niet zoals nu.'

'Tot de moord, bedoel je.'

'Nee, tot nu. Zoals jij nu bent.' Het gebaar, de poging me te bereiken, verflauwde als de ondergaande zon. 'Toen ik terugkwam kende je me nog, weet je dat? Je zat bij de deur toen ik binnenkwam. Je keek op, je lachte, en je stak je armpjes naar me uit zodat ik je kon optillen. Alsof je op me zat te wachten.'

Ik wilde dit ogenblik wegsnijden met de blauwe vlam van een gasbrander. Ik wilde het tot as blakeren en laten verwaaien, zodat de stukjes nooit meer een geheel konden vormen. 'Ik zat altijd op je wachten, moeder. Dat is de constante van mijn leven. Wachten op jou. Kom je terug, of ben je vergeten dat je me voor de winkel hebt vastgebonden, me in de bus hebt laten zitten?'

Daar kwam die hand weer. Aarzelend, maar ditmaal raakte ze zachtjes mijn haar aan. 'En wacht je nog steeds?'

'Nee,' zei ik, terwijl ik haar hand wegduwde. 'Daar ben ik mee opgehouden toen Claire me liet zien hoe het voelde als er iemand van je hield.'

Ze zag er ineens moe uit, geen dag jonger dan haar negenenveertig jaar. Ze pakte haar schoenen. 'Wil je nog iets? Ben ik nu mijn deel van de overeenkomst nagekomen?'

'Heb je nooit spijt van wat je hebt gedaan?'

De uitdrukking in haar ogen was bitter als nachtschade. 'Jij vraagt me naar spijt? Dan zal ik je het een en ander over spijt vertellen, lieve kind. Het houdt nooit op. Je kan nooit het begin vinden van de keten die ons van daar naar hier heeft gebracht. Moet je spijt hebben van die hele keten, en de lucht ertussenin, of van elke schakel afzonderlijk, alsof je die ooit los zou kunnen zien? Heb je spijt van het begin, dat zo slecht is afgelopen, of alleen van de afloop zelf? Ik heb hier meer over nagedacht dan jij je ooit zult kunnen voorstellen.'

Ik had nooit kunnen denken dat ik mijn moeder Ingrid Magnussen nog eens zou horen toegeven dat ze spijt had. En nu ze voor me stond, en ervan beefde, wist ik niets te zeggen. Het was alsof ik een rivier de verkeerde kant op zag stromen.

Daar stonden we dan naar de lege weg te staren.

'Wat ga je doen als je vrijkomt?' vroeg ik aan haar. 'Waar ga je naar toe?'

Met de kraag van haar jurk veegde ze het zweet van haar gezicht. Uit het bakstenen administratiegebouw kwamen secretaresses, kantoormensen en gevangenispersoneel. Ze bogen zich tegen de hete wind, hielden hun rok omlaag en gingen op weg naar hun lunch, ergens in een fijne Coco's of Denny's met airconditioning. Toen ze mij en mijn moeder zagen, gingen ze al pratend dichter bij elkaar lopen. Ze was nu al beroemd, dat zag ik wel. We keken hoe ze in hun auto's stapten. Ik wist dat ze zichzelf al zag met die sleutels in haar hand, starten maar en de benzinetank op VOL.

Ze zuchtte. 'Als Susan haar werk heeft gedaan, ben ik een begrip geworden, net als Aunt Jemima of de Pillsbury Doughboy. Dan kan ik lesgeven waar ik maar wil. Waar zou jij naar toe willen, Astrid?' Ze wierp me een blik toe, glimlachte, mijn lokaas. Om me eraan te herinneren welke kant van de plank enzovoorts.

'Dat duurt nog jaren,' zei ik.

'Je redt het niet op eigen houtje,' zei ze. 'Je hebt een omgeving nodig, een context. Mensen die belang hebben bij jouw succes. God, kijk maar naar mij. Pas toen ik achter de tralies zat kregen ze belangstelling.'

De auto's werden gestart en knersten over het grind. Camille kwam uit de bezoekersruimte naar buiten en wees op haar horloge. Het was voorbij. Ik voelde me leeg en gebruikt. Wat ik ook voor mezelf verwacht had als ik de waarheid wist, het was niet gebeurd. Het was mijn laatste hoop geweest. Ik wilde dat zij net zo leed als ik. Dat wilde ik heel erg graag.

'En hoe voelt het nu, dat je weet dat het me geen reet meer kan schelen?' vroeg ik. 'Dat ik tot alles bereid ben om te krijgen wat ik wil? Zelfs voor jou liegen, ik zal het doen met een stalen gezicht. Ben ik nu niet net als jij? Ik kijk naar de wereld en vraag: wat kan íkeruit halen?'

Ze schudde haar hoofd, keek neer op haar blote gebruinde voeten. 'Als ik het allemaal terug kon draaien, zou ik het doen, Astrid.' Ze sloeg haar ogen naar me op. 'Dat moet je van me aannemen.' Haar ogen glommen in de zon en hadden precies dezelfde kleur als het zwembad waar we samen in hadden gezwommen in de zomer van haar arrestatie. Ik wilde daar weer zwemmen, in die ogen onderduiken.

'Zeg dan dat ik niet hoef te getuigen,' zei ik. 'Zeg dat je me niet zó wilt zien. Zeg dat je de rest van je leven zou opofferen om me weer te hebben zoals ik vroeger was.'

Ze wendde haar blauwe blik naar de weg, die weg, de mooie weg waar de vrouwen in de gevangenis van droomden. De weg die ze al een keer voor mij had verlaten. Haar haren als rook in de wind. Boven ons hoofd waaide het gebladerte heen en weer als een boksbal waar tegenaan gemept werd, in de lucht die naar bosbrand en melkkoeien rook. Ze duwde haar handen tegen haar ogen, liet ze toen langs haar gezicht naar haar mond zakken. Ik keek hoe ze naar de weg staarde. Ze leek er verdwaald, opgesloten in haar verlangen, zoekend naar een uitgang, een geheime deur.

En ineens raakte ik in paniek. Ik had me vergist, net als wanneer ik schaakte met Ray en een tel te laat besefte dat ik een verkeerde zet had gedaan. Ik had een vraag gesteld, maar ik kon me niet kon veroorloven het antwoord te weten te komen. Want dat was het enige wat ik niet weten wilde. De steen die nooit mocht worden omgedraaid. Ik wíst wat eronder zat. Ik hoefde het niet te zien, dat gruwelijke oogloze albinobeest dat daar huisde. 'Hoor 's, vergeet dat maar. Afspraak is afspraak. Laten we het daar maar op houden.'

De wind liet zijn vervaarlijke zweep door de lucht zwiepen, ik verbeeldde me dat ik de vonkenregen kon zien, de as kon ruiken. Ik was bang dat ze me niet had verstaan. Ze stond roerloos als een daguerreotypie, armen over haar spijkerjurk geslagen. 'Ik zal tegen Susan zeggen,' zei ze zachtjes, 'dat ze je met rust moet laten.'

Ik wist dat ik haar goed had verstaan, maar geloven deed ik haar niet. Ik wachtte op iets waardoor ik kon geloven dat het waar was.

Toen kwam mijn moeder naar me terug, sloeg haar armen om me heen, en vlijde haar wang tegen mijn haar. Ik wist dat het niet kon maar ik rook haar viooltjes. 'Als je weer zou kunnen worden zoals vroeger, al is het maar een beetje, heb ik daar alles voor over,' zei ze in mijn oor.

Haar grote handen streelden zacht mijn haar. Meer dan deze openbaring had ik nooit gewild. Dat er vaste sterren konden zijn.

32

IN HET JAAR dat mijn moeder opnieuw voor de rechter kwam, was de maand februari bitter koud. Ik woonde met Paul Trout in Berlijn, vierhoog in een flatgebouw in de voormalige oostsector van de stad, als onderhuurders van onderhuurders, via vrienden van ons. Het was een bouwval en we stookten er op kolen, maar het grootste deel van de tijd konden we het betalen. Sinds de stripromans van Paul onder Europese kunststudenten waren uitgegroeid tot het codeboek van een nieuw geheim genootschap, hadden we in elke stad vrienden zitten. Ze gaven ons door als toortsen in een estafette, van kraakpand naar huurflat naar logeerbank.

Ik hield van Berlijn. Ik begreep die stad en de stad begreep mij. Wat ik goed vond was dat ze het leeggebombardeerde omhulsel van de Kaiser Wilhelmkerk hadden laten staan, als een monument voor het verlies. Niemand was hier iets vergeten. In Berlijn moest je worstelen met het verleden, moest je bouwen op de puinhopen, in de puinhopen. Heel anders dan Amerika, waar we de aarde schoonschraapten en dachten dat we telkens opnieuw konden beginnen. Wij hadden nog niet door dat zoiets als een leeg doek niet bestond.

Ik was me met sculptuur gaan bezighouden, een uitvloeisel uit de tijd bij Rena Grushenka. Ik was bezeten geraakt van afgedankte spullen, van vlooienmarkten, schatten van de stoeprand en pingelen in zes verschillende talen. Geleidelijk aan vond dit wrakgoed zijn weg in mijn kunst, samen met flarden Duits, eerbied voor de Werkelijkheid en vierentwintig soorten dierlijke uitwerpselen. Op de Hochschule der Künste hadden onze bevriende kunststudenten een docent, Oskar Schein, die mijn werk wel kon waarderen. Hij smokkelde me als een soort spookstudent de lessen binnen en probeerde mij geaccepteerd te krijgen als legale student zodat ik ook kon afstuderen, maar wonderlijk genoeg beviel mijn schimmige status me wel. Ik was nog steeds een pleegkind. De Hochschule der Künste was de Duitse tegenhanger van Cal Arts, de kunstacademie van Los Angeles: studenten met raar haar die lelijk werk afleverden, maar ik werkte tenminste aan een context, zoals mijn moeder het genoemd zou hebben. Mijn klasgenoten wisten hoe het zat met Paul en mij, wij waren die geniale wilde types, we leefden van mijn fooien als serveerster en de straatverkoop van onze handgemaakte versieringen voor achteruitkijkspiegels. Ze benijdden ons. *Wij zijn de vrije vogels*, hoorde ik Rena nog zeggen.

Dat jaar was ik wild van koffers. Ik stroopte sjacherend en ruilend de vlooienmarkt bij de Tiergarten af op zoek naar ouderwetse exemplaren – sinds de eenwording waren er duizenden te koop. Leer met gele handvatten van celluloid. Handkoffertjes, hoedendozen. In de voormalige oostsector had niemand ze ooit weggegooid, want ze hadden niets anders. Nu lagen ze voor een prikje op de markt, want de Ossies kochten de modernste diplomatenkoffers en de rechtopstaande op wieltjes. Bij alle stalletjes langs de Strasse des 17. Juni kenden ze me. *Handkofferfräulein*, noemde ze me. Het koffermeisje.

Ik maakte er altaartjes in. Geheime, draagbare musea. Ontheemding was immers het kenmerk van de moderne tijd, zoals Oskar Schein graag zei. Hij wilde er dolgraag een van me kopen, maar ik kon er geen afstand van doen, al zaten Paul en ik overduidelijk aan de grond. Ik had die koffers nodig. In plaats daarvan maakte ik er voor Oskar een voor zijn verjaardag, met Louise Brooks als Lulu, en marken uit de inflatietijd in coupures van honderdduizend, speelgoedspoorlijntjes als aderen, en op de bodem een moeras van zwart plastic met een reusachtige laarsafdruk erin, die ik had opgevuld met doorzichtige, groengetinte gel. Door dat Lucite-spul heen zag je de verzonken beeltenissen van Goethe, Schiller en Rilke.

De hele winter zat ik in het appartement in een hoekje op de vloer met mijn lijm en mijn klei, mijn kunsthars en oplosmiddelen en verf en garen en tassen vol met afgedankte spullen, mijn jas en mijn vingerloze handschoenen nog aan. Ik kon nooit besluiten of ik nu wilde werken met de ramen open, ter ventilatie vanwege de dampen, of dicht om warm te blijven. Het hing ervan af. Soms had mijn toekomstgevoel de overhand, en soms het gevoel dat alleen het verleden bestond.

Ik schiep mijn persoonlijke museum. Ze waren er allemaal: Claire en Olivia, mijn moeder en Starr, Yvonne en Niki en Rena, Amelia Ramos, Marvel. Het Musée de Astrid Magnussen. Ik had alles bij Rena moeten achterlaten toen ik naar New York ging om Paul te zoeken, al mijn dozen en souvenirs, alles behalve de vier boeken van mijn moeder en de sieraden die ik had verzameld, de ring met de aquamarijn, de amethist, de gestolen halsketting plus achthonderd dollar aan contanten. Voor mijn vertrek had Sergej me de naam toegespeeld van een Russische heler in Brighton Beach, Ivan Ivanov, die me zou helpen mijn schatten te gelde te maken. 'Spreekt niet goeie Engels, maar geeft jou goeie prijs.' *De feniks moet branden teneinde te herrijzen*, bleef ik maar denken toen ik in de bus naar de andere kant van het land zat met alleen het adres van een stripwinkel op St. Marks Place als kompas.

Maar nu had ik mijn museum weer in elkaar gezet. Daar, tegen de muur, in deze koude noordelijke stad, had ik mijn leven herschapen.

Daar had je Rena, een bruinleren koffer, bekleed met groengedessineerd fluweel met een wassen naakt erin, armen en benen wijd, en het hoofd was een van wit konijnenbont gemaakte kattenkop. Het deksel was bekleed met poppenmeubels en versierd met waaiers van valse dollarbiljetten. Niki was een American Tourister gelakt met magenta glansvernis, met schilfermetaal, als een drumstel. Binnenin had je knakworsten, gemaakt van met schuimrubber gevulde condooms. Voor Yvonne had ik een kinderkoffertje gevonden dat ik had overtrokken met wollig dekenpluis in pasteltinten. Vanbinnen had ik gitaarsnaren gespannen waarin babypopjes verstrikt zaten. Ik was nog op zoek naar een muziekdoosje dat 'Michelle' zou spelen als je het deksel opendeed.

Die van Marvel was blauwgroen; als je hem opendeed werd op de bodem wit grind zichtbaar, en een zaklamp op batterijen die in morse SOS uitzond. Een van onze kunststudentvrienden had me met de bedrading geholpen. Tussen de maanstenen kropen vrouwelijke speelgoedsoldaatjes – gratis gekregen bij een Amerikaanse film – met AK47's. Ik had piepkleine hakenkruisjes op hun arm geschilderd. In het deksel zat een tv-schermpje waarop een met papierknipsels versierde Miss America straalde, haar gezicht bevlekt met tranen van transparante nagellak.

Starr en Ray hadden samen een koffer van geplastificeerde stof met versterkte hoeken van gebarsten leer, lichtbruin met een verschoten ruit. Als je het opendeed steeg er een bedwelmende geur van vers hout en Obsession uit op. Tegen felgekleurd op-art-tricot had ik kruiselings stroken van geruite Pendleton-stof bevestigd. Binnen in het deksel ontvouwde zich onder een lichtgevende Jezus in suggestieve vrouwelijkheid een felroze satijnen roos. De randen hadden een krullerig poedelvachtje van zaagsel, afkomstig van een plaatselijke meubelmaker. Onderin zat een piepklein reliekkistje met stukjes lood. In Europa waren geen kogels te krijgen, dus ik had moeten improviseren. Op de bodem stond een glazen terrarium waarin een slang kroop over geel zand, glasscherven en een half begraven bril met draadmontuur.

Net als Berlijn was ik beladen met zowel schuld als verwoesting. Ik had pijn berokkend én geleden. Nooit kon ik naar eer en geweten met een beschuldigende vinger wijzen zonder dat die zich op mij zou kunnen richten.

Olivia Johnstone was een met groen krokodillenplastic overtrokken hoedendoos die naar Ma Griffe rook als je hem opendeed. Van Dagmar, die bij warenhuis Wertheim op de parfumerieafdeling stond, mocht ik met de testers watjes doordrenken, die ik in filmkokertjes in mijn zakken stopte. Binnenin had ik een nest geweven van taupekleurige en zwarte nylons om een carnavalsmasker van zwarte veren heen, en een drinkbeker die de witte zee bevatte. Op de waterspiegel dreef een ring uit de kauwgomballenautomaat, ook wit.

Ze waren er allemaal. Een broodtrommeltje versierd met ansichtkaarten van aristocratische fin-de-sièclefiguren, gevonden op de vlooienmarkt, was de Amelia Ramos. Binnen staken antieke vorken uit een voering van zwart pruikenhaar met witte strepen. De vorken leken net bedelend uitgestoken handen.

En dan Claire. Haar gedenkteken maakte ik van een handkoffertje uit de jaren dertig, wit leer met rood lakleer afgezet. Het had me vijftig mark gekost, maar het was vanbinnen bekleed met zachtpaarse gevlamde zijde, als nerven in hout, als een begrafenis in een kist. In het deksel had ik stukjes witgeschilderd elpeevinyl geplakt in de vorm van vlindervleugels. Elk piepklein laatje bevatte een geheim. Een miniatuurvis in een netje. Een laatje vol pillen. Een parelsnoer. Een varenblad als een vioolkrul. Een takje rozemarijn. Een foto van Audrey Hepburn in *Two for the Road*. En in één laatje, zevenentwintig namen voor tranen. *Hartendauw. Smartenhoning. Treurwater. Die Tränen. Eau de douleur. Los rios del corazón*. Dit was de koffer die Oskar Schein steeds zo graag wilde kopen.

Al mijn moeders. Als gasten bij de doop uit een sprookje hadden ze me hun gaven geschonken. Die waren nu van mij. De gulheid van Olivia, haar kennis van mannen. Claires tederheid en vertrouwen. En hoe had ik zonder Marvel de geheimen van het Amerikaanse gezin kunnen doorgronden? Wanneer had ik ooit leren lachen als Niki er niet was geweest? En Yvonne, *mi hermosa*, jij gaf me de echte moeder, de bloedmoeder, die niet achter tralies, maar ergens binnenin zat. Rena stal mijn trots maar gaf me er iets groters voor terug, leerde me het afval te doorzoeken op wat er nog gerepareerd en doorverkocht kan worden, uit de puinhopen te redden wat er nog te redden valt.

Ik droeg ze allemaal mee, was gekneed door elke hand die mij ooit een tijdlang had vastgehouden, onverschillig of liefhebbend, dat maakte niet uit. Amelia Ramos, dat kreng met de stinkdierstrepen, had me geleerd om voor mezelf op te komen, op de tralies te trommelen tot ik kreeg wat ik wou. Starr had geprobeerd me te vermoorden, maar had ook mijn eerste hoge hakken voor me gekocht, en me op het spoor gebracht van een mogelijke God. Wie zou ik nu nog opgeven?

En in een blauwe koffer met een wit handvat, de eerste en laatste zaal van de Astridkunsthalle. Bekleed met ruwe witte zijde, randen roodgevlekt, geurend naar viooltjes.

Ik zat in het invallende duister van een grauwe middag op de vloer, op het versleten tapijt vol verfvlekken van generaties kunststudenten. Dit was de tijd van mijn moeder, de schemering, al was het in de Berlijnse winter om vier uur al donker, geen tijdloze westelijke schemering, branding op geel zand. Ik tilde het deksel op.

De geur van haar viooltjes stemde me altijd treurig. Het flesje met gekleurd water had exact dezelfde tint als het zwembad aan Hollywood Boulevard. Ik ging voor mijn moeders altaar zitten en maakte een serie afzonderlijke tekeningen op doorzichtig plastic, en keek hoe de losse lijnen samenkwamen tot ze het beeld van haar vormden, en profil. Op de bodem van de koffer lagen met prikkeldraad omwonden brieven, samen met een reeks tarotkaarten, waarbij de stavenkoningin een prominente plaats innam. Aan het deksel hingen stukjes glas in een rij; ik haalde mijn vingers erlangs zodat ze tinkelden en dacht aan de wind in de eucalyptusboom op een warme zomeravond.

We schreven elkaar een paar keer in de maand, waarbij we de stripwinkel bij de universiteit als adres gebruikten. Soms liet ze haar advocaat via Hana Grün in Keulen wat geld sturen, afkomstig van haar gedichten, maar waarschijnlijk afgetroggeld van een fan. Ik liet haar weten niets te willen horen over haar voorbereidingen op de rechtszaak, maar haar brieven pochten op een regen van aanbiedingen: Amherst, Stanford, Smith. Het lokaas van groene campussen. Ik zag mezelf al als de dochter van een universiteitsdocent naar college fietsen. Dan zou ik eindelijk een cameljas en een kamergenoot hebben en volleyballen op de universiteit – alles vooruitbetaald. Wat zou dat veilig zijn, overzichtelijk, alles voor me uitgestippeld. Dan kon ik weer kind zijn, opnieuw beginnen. Wist ik wel zeker dat ik niet naar huis wilde?

Ik raakte een haakje van het prikkeldraad aan, liet de glasklokjes tinkelen. Waren het niet de schoonheid en de waazin? Die werden gewogen op de weegschaal van de nacht.

LATER LAG IK met al mijn kleren aan onder het donzen dekbed, niet om te gaan slapen maar gewoon om warm te blijven. Het kacheltje snorde, verspreidde de vertrouwde geur van verschroeid haar. De bloemen stonden op de ruiten, en ik kon mijn adem in de kamer zien. Ik luisterde naar een bandje van een groep die Magenta heette; onze vrienden vonden het te gek dat wij de zangeres kenden, Niki Colette. De komende maand zouden ze in Frankfort spelen en we hadden al kaartjes en een slaapplaats. Met Kerstmis kreeg ik nog steeds een berichtje van Yvonne, ze woonde met een ex-marinier die Herbert heette in Huntington Beach, en ze had een Herbert junior.

Ik wachtte op Paul en ik had honger. Hij zou eten meebrengen als hij terugkwam van de drukker die misschien zijn nieuwe stripboek ging doen. Hij probeerde iemand te vinden die goedkoop wilde drukken tegen een aandeel in de opbrengst van de verkoop. Zijn laatste Duitse drukker was het afgelopen najaar overleden aan een overdosis, zodat wij weer moesten beginnen bij af. Maar in de voorverkoop had hij al tweehonderd exemplaren gescoord en dat was lang niet slecht.

Rond negen uur kwam hij thuis, trok zijn laarzen uit en kroop onder het dekbed. Hij had een vettige papieren zak met shoarma van de plaatselijke snack-Turk bij zich. Mijn maag knorde. Paul gooide me een krant toe. 'Drie keer raden,' zei hij.

Het was de *International Herald Tribune* van de volgende dag, die nog naar natte inkt rook. Ik bekeek de voorpagina. Kroatië, OPEC, bommelding in La Scala. Ik sloeg hem open en daar had je haar op pagina drie: *Gevangen dichteres na negen jaar onschuldig verklaard*. Dat halve lachje van haar, wuivend als een koningin die uit ballingschap terugkeert, blij, maar nog steeds wantrouwend jegens het volk. Ze had het zonder mij gered voor de rechtbank. Ze was vrij.

Paul at zijn broodje shoarma en gooide stukjes sla terug in de zak terwijl ik haastig het artikel las, geschokter dan ik van mezelf verwacht had. Ze hadden voor het verhaal gekozen dat Barry als moord verpakte zelfmoord had gepleegd. Het verbijsterde me dat dat had gewerkt. De krant citeerde mijn moeders uitspraak dat ze dankbaar was dat het recht had gezegevierd, dat ze zich op een bad verheugde en de juryleden wilde bedanken uit het diepst van haar hart. Ze zei dat ze aanbiedingen had gekregen om les te geven, haar autobiografie te publiceren, met een steenrijke roomijsfabrikant te trouwen en voor *Playboy* te poseren, en dat ze nergens nee op ging zeggen.

Paul bood me falafel aan en ik schudde mijn hoofd. Ik had ineens geen honger meer. 'Bewaar maar voor straks,' zei hij, en liet de zak naast het bed vallen. Zijn expressieve bruine ogen vroegen alles. Hij hoefde niets te zeggen.

Ik vlijde mijn hoofd in de kom van zijn schouder en staarde naar de vierkantjes blauw tv-licht die uit de ramen aan de overkant door de ijsbloemen op ons raam schenen. Ik probeerde me voor te stellen wat ze op dit ogenblik voelde. In Los Angeles was het twaalf uur 's middags. Een heldere, zonnige februarimaand, aan de foto te zien. Ik stelde me haar voor op een hotelkamer, ter beschikking gesteld door Susan D. Valeris, een luxesuite vol bloemen van sympathisanten, ontwaken tussen schone lakens. Ze zou dat bad nemen in een kingsize kuip en een gedicht schrijven met uitzicht op de winterse rozen.

Daarna gaf ze misschien een paar interviews, of huurde ze een witte cabriolet voor een ritje naar het strand, waar ze een jongeman zou oppikken met heldere ogen en zand in zijn haar, en ze zou met hem vrijen tot hij weende om de schoonheid ervan. Wat zou je anders doen als je van moord werd vrijgesproken?

Het ging te ver om me te verbeelden dat ze haar blijdschap zou temperen met een ogenblik van verdriet, dat ze een ogenblik zou wijden aan het besef van wat haar zege gekost had. Dat kon ik niet van haar verwachten. Maar ik had haar berouw gezien, en dat had niets te maken met Barry of wie dan ook, het was iets wat ze had aangeboden ondanks de prijs, die ze toen niet had kunnen inschatten, hij had zwaar als rouw kunnen zijn, definitief als een grafsteen. Hoe ze mij ook beschadigd had, hoezeer ze ook niet deugde en op het verkeerde spoor zat, mijn moeder hield van me, dat leed geen twijfel.

Ik stelde me voor hoe ze zonder de pionnenformatie van mijn leugens tegenover de rechtbank had gestaan. Koningin zonder hofhouding – ze had het eindspel helemaal alleen gewonnen.

Paul rolde een shagje, de vezels leken net haar toen hij ze uit het pakje tilde; hij plukte de rafeltjes van de uiteinden en stak het aan met een lucifer die hij aanstreek onder het kistje dat als bijzettafeltje dienstdeed. 'Wil je haar gaan opbellen?' We konden geen telefoon betalen. We mochten die van Oskar Schein gebruiken.

'Te koud.'

Hij rookte, de asbak stond op zijn borst. Ik pakte het shagje, nam een trek en gaf het weer terug. We hadden samen heel wat meegemaakt, Paul en ik. Van het appartement in St. Marks naar het kraakpand in het zuiden van Londen, een niet-geïsoleerde woonboot in Amsterdam en nu de Senefelderstrasse. Kenden we maar mensen in Italië, of Griekenland. Sinds mijn vertrek uit LA had ik alleen maar kou geleden.

'Wil jij wel eens naar huis?' vroeg ik aan Paul.

Hij veegde as van mijn gezicht. 'Dit is de eeuw van de ontheemden,' zei hij. 'Naar huis gaan kun je nooit.'

Hij hoefde me niet te vertellen dat hij bang was dat ik terug zou gaan. Ik als Amerikaanse studente, drie mensamaaltijden per dag, hockey en literatuurwetenschap, terwijl hij mocht blijven sappelen in zijn pleegkindstatus. Ja, zo lag het. Enerzijds Frau Acker en de huur, mijn hoest, Pauls drukproblemen. Anderzijds een kamer met verwarming, een academische graad, fatsoenlijk eten en iemand die voor me zorgde.

Ik had hem nooit verteld dat ik me soms oud voelde. Dat onze manier van leven deprimerend was. Vroeger kon ik het me niet veroorloven daarover na te denken, maar nu ze op vrije voeten was, viel het niet te vermijden. En nu had Oskar Schein ook nog gevraagd of hij me alleen kon spreken, me mee uit mocht nemen, hij wilde met me praten over een tentoonstelling in een galerie. Ik had hem aan het lijntje gehouden, maar wist niet hoe lang dat nog kon duren. Ik vond hem aantrekkelijk, een beer van een vent met een kort zilveren baardje. Ik wilde me weer aan de vader geven. Als Paul er niet was geweest, had ik dat al maanden eerder gedaan. Maar Paul was meer dan een vriendje. Hij was mij.

En nu riep mijn moeder me, daarvoor hoefde ik niet op te bellen. Ik hoorde haar zo wel. Mijn bloed fluisterde haar naam.

Ik staarde naar de foto waarop ze wuifde in de Californische zon. Nu, op dit moment, was ze op vrije voeten. Toerde ze rond, klaar voor een nieuw begin – Amerikaanser kon het uiteindelijk niet. Ik dacht aan mijn leven dat gebundeld in koffers tegen de muur stond, de vormen die ik had aangenomen, de ikken die ik geweest was. En nu kreeg ik dan de kans om de dochter van Ingrid Magnussen te zijn, op Stanford of op Smith, waar ik de eerbiedige, timide vragen van haar nieuwe kinderen zou beantwoorden. Is dat je moeder? Hoe is ze eigenlijk? Ik zou het aankunnen. Ik wist precies hoe ik munt moest slaan uit mijn tragische verleden, handig mijn littekens en mijn pleegkindjeslot moest onthullen, want dat kunstje had ik bij Joan Peeler al vervolmaakt. Ze wierpen zich als mijn voorvechters op, en ik liet ze begaan. Ik had niet al die moeite gedaan om vervolgens op de rivierbodem tussen de autowrakken te belanden.

Weer de dochter van mijn moeder zijn. Ik speelde met dat denkbeeld zoals een kind met een dekentje speelt, het tussen zijn vingers door laat glijden. Me weer verliezen in het tij van haar muziek. Het idee was verleidelijker dan welke man dan ook. Was het echt te laat om kind te zijn, om terug te kruipen in de smeltkroes, op te gaan in het vuur, om zonder herinnering te herrijzen? *De feniks moet branden...* Hoe zou ik durven? Het had me zoveel tijd gekost om me van haar schaduw te bevrijden, zelfstandig adem te halen, al was het dan maar in dit Europa van naar verschroeid haar riekende kacheltjes.

In Pauls armen lag ik te denken over de zomer daarvoor, toen we naar Denemarken waren gegaan om Klaus Anders te zoeken. We hadden hem gelokaliseerd in Kopenhagen. Hij woonde met zijn kinderen op een sjofele etage waar het naar terpentijn en zure melk rook.

Zijn vrouw was naar haar werk. Het was drie uur 's middags toen we aanbelden, en hij droeg een blauwe badjas van wafelstof die onder de verf zat. Op de bank zaten twee kinderen van onder de vijf televisie te kijken, mijn halfzusje en halfbroertje uit zijn derde of vierde huwelijk. Het meisje had aardbeienjam in haar haar, haar broertje moest nodig een schone luier, en ik besefte dat de keten van rampzaligheden zich ook zijwaarts uit kon breiden.

Hij had staan schilderen, een biomorf abstract dat net een oude schoen met haar leek. Hij bood ons een Carlsberg aan en vroeg naar mijn moeder. Ik dronk mijn bier en liet Paul voornamelijk het woord doen. Mijn vader. Zijn fraaie voorhoofd, zijn Deense neus, net als de mijne. Zijn stem met het zangerige accent, die nog humoristisch bleef toen hij zijn spijt uitsprak. Een man die nooit iets serieus nam, laat staan zichzelf. Hij was blij dat ik kunstenares was, niet verbaasd dat mijn moeder in de gevangenis zat, berouwvol dat we elkaar nooit hadden ontmoet. Hij wilde die verloren tijd goedmaken, bood ons onderdak aan, we konden op de bank slapen, ik kon met de kleintjes helpen. Hij was eenenzestig en verschrikkelijk alledaags.

Ik had me net mijn moeder gevoeld toen ik hem en zijn kleverig kroost en de tv die maar aan bleef staan zat te veroordelen, daar in zijn woonkamer. De oude futonbank, de geschonden teakhouten salontafel met de vochtkringen. Doeken aan de muur, korstig als hersenkoraal en darmkanker. We aten brood met kaas en aardbeienjam uit de grote pot. Ik gaf hem het adres van de stripwinkel en zei dat ik zou schrijven. Het was de eerste keer dat ik echt weg wilde, als eerste de kamer uit wilde.

Later zijn we naar een studentencafé in de buurt van de universiteit gegaan, waar ik me vreselijk bezat heb en buiten in het steegje heb staan overgeven. Paul wist me mee te krijgen in de laatste trein terug naar Berlijn.

Hier in bed pakte ik Pauls hand, zijn rechter in mijn linker. Ik strengelde mijn vingers door de zijne, mijn handen groot en bleek als winter, mijn identiteit die in de kronkels van de vingertopjes zat gestikt, de handen van Paul zwart van het grafiet, geurend naar shag en shoarma. Onze handpalmen waren even groot, maar zijn vingers waren centimeters langer. Die mooie handen van hem. Ik dacht altijd: als we ooit kinderen krijgen, hoop ik dat ze zijn handen hebben.

'Hoe is het bij de drukker afgelopen?' vroeg ik.

'Die wilde contanten,' zei Paul. 'Stel je voor.'

Ik draaide onze handen zodat we ze van alle kanten konden bekijken. Zijn vingers kwamen bijna tot aan mijn pols. Met mijn vinger volgde ik zijn pezen, en ik bedacht dat ik binnen vierentwintig uur terug in Amerika kon zijn. Ik zou als mijn moeder kunnen worden, als Klaus. Dat was toch mijn erfenis, levens afstropen als een slangenhuid, een nieuwe waarheid voor elke nieuwe bladzijde – morele amnesie?

Maar wat een schande. Ik hongerde nog liever dood. Dat kon ik best, zo moeilijk was het niet.

Ik keek onze woning rond, de doorgelekte muren, het armzalig meubilair, de gehavende kast van hardboard die we in een steegje hadden gevonden, het stoffige velours gordijn dat ons keukentje afschermde. Pauls tekentafel, zijn pennen en papieren. En de koffers, tegen de muur geschikt, namen de rest van het vloeroppervlak in beslag. Ons leven. *De feniks moest branden*, had mijn moeder gezegd. Ik probeerde me de vlammen voor te stellen, maar het was te koud.

'Misschien verkoop ik het museum wel,' zei ik.

Paul liet zijn vinger over de littekens van de hondenbeten op mijn hand gaan. 'Je hebt toch tegen Oskar gezegd dat je dat niet wilde?'

Ik haalde mijn schouders op. Nooit zou ik het eind bereiken van wat er in die koffers zat, die vrouwen, die mannen, wat ze voor me betekenden. Deze ruimtes waren nog maar het begin. Er zaten koffers in koffers die ik nog nooit had uitgepakt. *Jij wil herinneren? Herinner dan.*

Ik liet mijn handen onder het wollen hemd glijden dat ik op de vlooienmarkt voor hem gekocht had. Eerst huiverde hij van de kou, toen liet hij ze me warmen tegen zijn magere ribben. Toen we dichter tegen elkaar aankropen en zachte woordjes prevelden in elkaars hals, gleed de *Herald Tribune* van het donzen dekbed en viel in een zachte waterval op de vloer, zodat mijn moeder begraven raakte tussen koppen en nieuws over andere crises en andere mensen. We trokken onze jasjes en broeken uit om te vrijen, maar hielden onze hemden en sokken aan. Ik besefte dat ik een keus maakte. Dit, nu, koffers, Paul. Het was mijn leven, een eigenschap en geen vergissing, met vuur in steen gegrift.

LATER LAG IK naar de patronen op de muur met de plekken te staren, het effect van het licht van de straat dat bij ons naar binnen scheen, de geëtste lijnen net vogelpootjes. Naast me sliep Paul met een kussen strak over zijn hoofd getrokken, een overblijfsel van zijn jaren als pleegkind – nooit méér horen dan nodig was. Ik gleed onder het dekbed vandaan, trok mijn ijzig stijve spijkerbroek en een trui aan, en stak het gas onder de ketel aan voor een kop oploskoffie. Wat zou ik niet geven voor een kop van Olivia's sterke zwarte koffie, zo donker dat hij niet eens verbleekte als je er room bij deed. Ik rolde een shagje uit het pakje van Paul, en wachtte tot het water kookte.

In Californië was het drie uur. Ik zou Paul nooit vertellen hoe graag ik daar zou willen zijn, hoe graag ik met mijn moeder in een open Mustang langs de kust zou willen rijden door de zonverwarmde, naar salie geurende februari, om dan een zeezilte onbekende met een schelpenketting om zijn mooie nek op te pikken. Als ik Paul liet weten hoe ik LA miste, zou hij me voor gek verklaren. Maar ik miste het, dat vergiftigde oord, goelag van in de steek gelaten kinderen, archipel van spijt. Ik verlangde er vurig naar, zelfs nu, nu de hete wind naar creosoot en fluweelboom rook, de eucalyptus ruiste, en de sterrenbeelden niet meer klopten. Ik dacht aan de wrakkige duiventil op St. Andrew's Place, waar mijn moeder ooit een gedicht over had geschreven. Hoe ze erover tobde dat de duiven niet vertrokken, ook al had het kippengaas het allang begeven en waren de planken ingestort. Maar ik begreep dat. Ze hoorden er thuis, schaduw in de zomer, hun droeve roep als van een houten fluit. Waar ze ook waren, ze zouden proberen terug te keren, het was net het laatste puzzelstukje dat kwijt was.

De ketel floot en ik maakte mijn oploskoffie, roerde er een beetje koffiemelk uit een blikje door en staarde naar de flat aan de overkant van de binnenplaats – de oude man die tv zat te kijken en pepermuntschnaps dronk, een man aan de afwas, een vrouw achter een schildersezel – terwijl aan de andere kant van de globe Californië glinsterde en de rafelrand van de eeuw koesterde in een zonnige middag die geurde naar liefde en moord. Beneden huilde de pasgeboren baby van onze onderburen, ritmisch, met hoge, ijle kreetjes.

Ik drukte mijn hand tegen de bevroren ruit, liet het ijs smelten met mijn lichaamswarmte, zodat er tegen het duister een volmaakt silhouet achterbleef. Maar ik dacht aan licht dat naar binnen scheen door witte vitrages, de geur van de zee en salie en fris wasgoed. In de klankkast van de binnenplaats klonken stemmen en muziek, een krakende opname van Marlene Dietrich met 'Ich bin von Kopf bis Fuss', maar in mijn hoofd hoorde ik de steeds herhaalde kreten van een roodschouderbuizerd, het zachte geritsel van hagedissen in een droge rivierbedding, het tikkende geluid van de palmen en de bijna onhoorbare zucht van vallende rozenblaadjes. In de donkere handafdruk zag ik vaag mijn trekken, maar ook het gezicht van mijn moeder, glanzend op een dak boven een onkenbare stad, pratend tegen de driekwart maan. Ik wilde horen wat ze zei. Ik wilde die verschroeide nacht weer ruiken, die wind weer voelen. Het was een heimelijk verlangen, als een liedje dat ik maar moest blijven neuriën, als de liefde voor iemand die nooit de mijne kon zijn. Waar ik ook heen zou gaan, mijn kompas wees naar het westen. Ik zou altijd blijven weten hoe laat het was in Californië.

Dankbetuiging

Ik bedank van harte de volgende mensen die dit boek mogelijk hebben gemaakt:

Mijn gulle vriend en collega Jeffrey Merrick, die het enorme ontwerp van *Witte oleander* heeft gelezen en me door de doolhof heeft geloodst. Mijn mentrix, Kate Braverman, die me de romankunst heeft bijgebracht, en mijn literaire familie, in het bijzonder Les Plesko, het schrijverscollectief 'Hard Words' en Donald Rawley, een kameraad die ik vreselijk mis. Mijn literair agent, Bill Reiss, die al die lange jaren in me is blijven geloven. Mijn vriend Warwick Downing, reddingsboei voor schrijvers. Mijn scherpzinnige redacteur Michael Pietsch, en alle anderen bij Little, Brown. Voor hulp bij de research: Ruby Owens, M.S.W., Department of Children and Family Service, MacLaren Children's Center; dr. John Berecochea, hoofd onderzoek van de State of California Department of Corrections; de California Institution for Women in Corona-Frontera; dr. Elizabeth Leonard; dr. Denise Johnston, directeur van het Center for Children of Incarcerated Parents; en in het bijzonder de velen die in het kader van het Foster Daughters Project hun uiteenlopende ervaringen met mij hebben willen delen. Mijn fantastische, hulpvaardige vrienden en familieleden; mijn vader en moeder, Vernon en Alma Fitch; en vooral mijn man en mijn dochter, Steve en Allison Strauss, die van me houden, of het hoofdstuk nu geslaagd is of niet.